——《合肥通史》编纂委员会——

主　　任：凌　云
副 主 任：韩　冰　钟俊杰　林存安　吴春梅
委　　员（以姓氏笔画为序）：
　　　　　王家贵　王道才　吴利林　汪秀坤　李尚才
　　　　　罗　平　查　凯　洪家友　夏毓平　黄群英
　　　　　谢　军

——《合肥通史》编纂委员会办公室——

主　　任：夏毓平
副 主 任：夏元荣　许昭堂
成　　员：王东征　贾　猛　李平原

《合肥通史》学术指导委员会

顾　　问：卜宪群　黄传新　朱士群

主　　任：陆勤毅

委　　员（以姓氏笔画为序）：

　　　　王道才　宁业高　朱万曙　朱玉龙　汤奇学

　　　　张　生　苏士珩　沈世培　施立业　翁　飞

　　　　戴　健

隋唐五代宋元卷

张金铣 ◎ 主编

合肥通史

《合肥通史》编纂委员会 编

全国百佳图书出版单位
时代出版传媒股份有限公司
安徽人民出版社

图书在版编目(CIP)数据

合肥通史　隋唐五代宋元卷/张金铣主编.—合肥:安徽人民出版社,2016.8
ISBN 978-7-212-09192-7

Ⅰ.①合… Ⅱ.①张… Ⅲ.①合肥市—地方史—隋唐时代②合肥市—地方史—五代十国时期③合肥市—地方史—宋元时期　Ⅳ.①K295.41

中国版本图书馆 CIP 数据核字(2016)第 167469 号

合肥通史　隋唐五代宋元卷
HEFEI TONGSHI　SUITANGWUDAISONGYUANJUAN

《合肥通史》编纂委员会　编

张金铣　主编

出 版 人:徐　敏	
选题策划:刘　哲　丁怀挺	责任印制:董　亮
责任编辑:任　济	装帧设计:程　慧

出版发行:时代出版传媒股份有限公司 http://www.press-mart.com
　　　　　安徽人民出版社 http://www.ahpeople.com
地　　址:合肥市政务文化新区翡翠路 1118 号出版传媒广场八楼　邮编:230071
电　　话:0551-63533258　0551-63533292(传真)
制　　版:合肥市中旭制版有限责任公司
印　　刷:安徽新华印刷股份有限公司

开本:710mm×1010mm　1/16　　印张:29　　字数:403 千
版次:2017 年 5 月第 1 版　　2017 年 5 月第 1 次印刷

ISBN 978-7-212-09192-7　　　定价:150.00 元

版权所有,侵权必究
发现印装质量问题 请联系:(0551)63533291

绪　论

"昔年吴魏交兵地，今日承平会府开。沃野欲包淮甸尽，坚城犹抱蜀山回。柳塘春水藏舟浦，兰若秋风教弩台。"这是北宋朱服《过庐州》诗中描述的庐州升平气象。从隋唐到宋元将近八百年间，合肥地区获得较快的发展。隋开皇三年（583年）建置庐州（庐江郡），标志合肥作为独立政区形成，合肥地区历史翻开新的篇章。历经唐五代宋初的发展，庐州逐渐取代寿州（寿春郡）成为淮西地区行政中心；随着江淮地区经济不断发展，合肥作为区域中心城市地位日渐显著。便利的交通和优越的地理环境，推进合肥地区文化的发展，唐宋时期合肥地区涌现出一批杰出人物，并在文治武功方面取得辉煌成就。

一、政区建置与区位优势的提升

合肥地处江淮之间，湖山环汇，两汉因其"受南北潮"而成为一方都会。三国时代，合肥为魏吴争夺之地；南北朝对峙时期，"合肥常为重镇，淮西有事必争合肥"[①]。长期纷争与对峙，造成政区混乱，"或地无百里，数县并置；或户不满千，二郡分领"。开皇三年（583年），隋文帝省并州县，改合州为庐州，撤销境内诸郡，由庐州直接领县，至此合肥作为独立政区趋于稳定。"历唐宋至今，虽地有广狭与夫官名之异，而其治不易也。"[②]尽管此后庐州区域有所变迁，基本区域相对未

---

① 顾祖禹：《读史方舆纪要》卷26《南直八·庐州府》，中华书局2005年版。
② 杨循吉：《庐阳客记·牧守题名》，四库全书存目丛书。

变。政区稳定为地方经济发展和建设提供有利条件。

　　隋朝建立和统一,开辟合肥发展的新时代。政区调整提高行政效率,也推动区域经济的发展。从隋朝开始,有关合肥地区的记载增多,一批批合肥地区人物活跃在历史舞台上。隋朝统治后期,徭役繁重,隋炀帝暴政激化社会矛盾,在各地反隋斗争风起云涌情况下,庐州境内也兴起反抗暴政的起义。大业十三年(617年)三月,庐江郡人张子路起兵反抗,遭到隋将陈棱的镇压。随后又有北方反隋武装李通德侵入合肥,很快为隋左屯卫将军张镇州所击破,最后杜伏威起义军控制江淮地区。唐武德二年(619年)十一月,杜伏威归附唐朝,受封淮南安抚大使、和州总管。次年唐朝改庐江郡为庐州,调整庐州政区,庐州统领合肥、慎、庐江、巢等四县,到开元二十三年(735年)分庐江、巢县之地,建置舒城县,至此庐州辖境稳定下来。唐朝在庐州选用廉吏,发展生产,推动地区经济发展。特别是贞元年间(785—804),刺史罗珦整饬吏治,"政教简易",发展生产,均平赋税,鼓励兴学,推动了地方经济快速发展。任职七年离任,庐州百姓为其树立"德政碑"。

　　唐末黄巢起义爆发,统治秩序被打乱,江淮地区风起云涌。合淝人杨行密起兵[1],占据庐州,中和三年(883年)被任命为庐州刺史。杨行密与其所谓"三十六英雄"纵横江淮,平定秦彦、毕师铎、孙儒之乱,景福元年(892年)担任淮南节度使,后受封吴王,控制淮南、宣歙、江东之地,与北方藩镇隔淮对峙。庐州是杨行密崛起之地,"遂为重镇"[2],天复三年(903年),杨行密"置德胜军于庐州"[3],统领庐州、滁州等地,以庐州团练使刘威为节度使。南唐代吴,因之不改。后周显德三年(956年),周世宗征淮南,庐州屯兵最多,"及南唐丧师淮南,惟庐州最后下"。显德五年(958年)三月,周世宗"改庐州军额为保信

---

[1] 合淝,最早出现于《史记》,北宋以后,始称"合淝"为"合肥"。
[2] 司马光:《资治通鉴》卷294 显德五年胡三省注,中华书局1956年版。
[3] 吴任臣:《十国春秋》卷1《吴世家》,中华书局1983年版。

军"①,以右龙武统军赵赞为庐州节度使。

北宋建国之初,合肥政区相沿未改。至太平兴国三年(978年),江淮两浙发运使杨允恭以物资转运不便,奏请升巢县无为镇为无为军,以巢、庐江二县隶之。熙宁三年(1070年),北宋又析庐江、巢县之地置无为县,至此无为军领无为、巢、庐江三县。尽管庐州辖境收缩,但在两淮地位处在不断上升之中。宋代地方政区为路、府州、县三级,庐州先隶属淮南路,熙宁以后淮南分为东西两路,庐州隶属淮南西路。各路设有转运司、提刑按察司、安抚经略司,分别主管财赋、刑狱和军事,并负有督察府州之责,通称"监司"。大体而言,北宋以转运司为各路主司,南宋则以安抚司为主司,负责一路主要事务。"淮南转运使旧有二员,皆在楚州,明道元年(1032年)七月甲戌,诏徙一员于庐州。"②淮南分为东西两路,庐州遂成为淮南西路转运使驻地。"宋南渡以后,庐州尤为要地,往往拒守于此,为淮西根本。"③建炎二年(1128年),南宋开始以庐州知州兼淮南西路安抚使,绍兴初年安抚司寄治巢县,乾道五年(1169年)以后,淮西安抚使迁回庐州。其后庐州或为安抚司之所,或为淮西制置司驻地,始终处在淮西地区行政、军事中心位置。宋金在庐州多次交战,绍兴十一年(1141年)柘皋之战南宋大败金军,迫使金军主帅完颜宗弼改变策略,与宋恢复和谈。绍兴末年,金完颜亮南侵,也在庐州与宋军艰苦作战。后来开禧年间,韩侂胄北伐,庐州仍然是对金作战前沿阵地。

端平元年(1234年)正月,蒙古与南宋联合灭金。当年六月,南宋以赵范为两淮制置大使,赵葵为淮东制置使负责收复河南地区。淮西制置副使全子才率军万余人从庐州北上,赵葵率五万人随后赶到,很快收复归德、开封、洛阳三京。由于准备仓促,物资极度匮乏,当年年底宋军即大败而归。次年蒙古以南宋背盟为由大举南下,进攻淮

---

① 薛居正:《旧五代史》卷118《周世宗纪五》,中华书局1976年版。
② 王栐:《燕翼诒谋录》卷4 中华书局1981年版。
③ 顾祖禹:《读史方舆纪要》卷26《南直八·庐州府》,中华书局2005年版。

南、荆襄地区，庐州多次遭到进攻，但均为南宋守军击退。直到忽必烈即位之前，蒙古南进并未有所突破。元至元九年（1272年），蒙古军经过六年苦战，夺取南宋军事重镇襄阳，形势急剧变化。至元十一年九月，元军主力在右丞相伯颜率领下，从襄阳南进。至元十三年正月，元军攻占南宋都城临安，南宋恭帝投降。二月，淮西制置使夏贵困守庐州，以救援无望而出降。元朝"得府二、州六、军四、县三十四，户五十一万三千八百二十七，口一百二万一千三百四十九"①。随后元军消灭镇巢、舒州境内抗元武装，完全控制淮西地区。

在政区建置上，元军占领庐州后，即在合肥设置总管万户府，以信阳万户、河西人昂吉儿镇守淮西。次年，升庐州为路，建置淮西路宣慰司于庐州，以昂吉儿为宣慰使，控制淮西各府州。不仅如此，元代扩大庐州路管辖范围，至元二十八年将和州路、无为路、六安路降为州，改由庐州路管辖。大德三年（1299年），撤销淮西宣慰司，以庐州路直隶河南江北行省。但元末红巾起义爆发后，至正十二年（1352年），元朝设淮南行省于扬州，复设淮西宣慰司于庐州。在监察方面，至元十四年，元朝在庐州设置淮西江北道提刑按察司，监察淮西及江北各州，隶属江南行御史台。至元二十八年（1291年），改为淮西江北道肃政廉访司，由御史台直接管辖。在军事方面，为了控扼江淮地区，元灭宋后派遣昂吉儿的唐兀军、阿塔赤的阿速军，以及部分蒙古军、汉军、新附军镇守庐州，划归镇守扬州的忽必烈第九子镇南王脱欢指挥，又在庐州分拨牧马草地，供蒙古、色目军队屯驻之用。脱欢死后，其子老章、脱不花、帖木儿不花相继镇守江淮，驻扎扬州。天历二年（1329年），元文宗以脱不花之子孛罗不花袭封镇南王，帖木儿不花改封宣让王，镇守庐州，加强对淮西地区的控制。

元朝前期和中期，江淮地区相对稳定。但元朝民族歧视政策造成百姓的普遍不满，当元后期社会矛盾激化时，江淮地区成为白莲教盛行地区。南方白莲教首领彭莹玉（彭祖）在袁州（今江西宜春）起义

---

① 宋濂：《元史》卷9《世祖纪六》，中华书局1976年版。

失败后,转到江淮地区继续宣传白莲教,"淮民闻其风,以故争庇之,虽有司严捕,卒不能获"①。彭莹玉在江淮地区活动十余年,白莲教影响更为扩大,其门徒多数以"普"字命名,如邹普胜、李普胜、项普略、赵普胜等。刘福通颖州起义之后,赵普胜、左君弼、李普胜等起兵响应,形成庐州左君弼武装和赵普胜、俞通海巢湖水师,特别是巢湖水师在朱元璋攻取江南、击败陈友谅以及明朝建立过程中发挥了重要作用。

二、曲折发展中的区域经济

长期纷争与战乱,制约了庐州经济发展,隋朝统一为区域经济发展带来了转机。隋开皇年间推行均田制,鼓励垦荒,多次减免赋役,这些都推动区域经济的发展。大业五年(609年),庐州人口达到四万一千六百三十二户。唐朝是中国封建社会盛世,政治稳定,"州县殷富"②,户口增长较快。庐州西部霍山、开化、浠水已经分出,庐州仅领有五县,其范围小于隋朝,然开元二十八年(740年),"户四万三千三百二十三,口二十万五千三百九十六"③,已超出隋朝户口最高数字。安史之乱破坏了黄河流域经济,由于张巡、许远坚守睢阳,叛军南下受阻,江淮没有受到战争直接影响,后来虽然有刘展之乱、庞勋起义,但其时间较短。唐朝后期,江淮地区是朝廷财赋重要来源地,"天下以江淮为国命"④,而"庐江五城,环地千里,口众赋重"⑤,每年输往扬州米谷就有数万石。饮茶之风在江淮地区盛行,庐州上等茶作为贡品,每年上贡到长安。水陆交通也比较发达,"开元中,江淮人走崤函,合肥、寿春为中路",这条道路是"二京路"的一段,大历年间(766

---

① 权衡:《庚申外史》卷上,中州古籍出版社1991年版。
② 《资治通鉴》卷216天宝八年。
③ 欧阳修:《新唐书》卷41《地理志五》,中华书局1975年版。
④ 李昉:《文苑英华》卷660杜牧《上宰相求杭州启》,中华书局1990年版。
⑤ 杜牧著,何锡光校注:《樊川文集校注》卷18,《卢搏除庐州刺史制》,巴蜀书社2007年版。

—779年)由于淮西叛乱而一度受阻,元和以后又得以通行,"衣冠商旅,率皆直蔡会洛",转趋庐州"郡道"北上。①

唐代庐州物产丰富,除稻米、麻、茶叶外,其他农副产品和工艺品种类繁多。仅贡品就有丝布、绸缎、绢、花纱、麻、茶、蜡、酥、鹿脯、生石斛等多种。在庐州贡物中,丝织品比较突出,《新唐书·地理志》云:"庐州土贡有花纱、交梭丝布等。"据《唐六典》记载,当时庐州所产麻布、火麻质量上乘,并且"庐州贡熟丝布"②。唐朝为酬谢回鹘平定安史之功,双方进行绢马贸易,每年朝廷向江淮地区征集缣帛,换取回鹘战马。五十匹缣帛才换取战马一匹,而换来的战马多羸弱不堪使用,造成纷争。白居易《阴山道》愤慨地写道:"元和二年下新敕,内出金帛酬马值。仍诏江淮马价缣,从此不令疏短织。合罗将军呼万岁,捧授金银与缣彩,谁知黠虏启贪心,明年马来多一倍,缣渐好,马渐多,阴山虏,奈尔何?"合肥商业贸易在隋唐时期亦有所发展,唐贞元年间(785—805年),罗珦治理庐州,号称"隘关溢廛,万商俱来"③。寿州所产名窑瓷器大量销往庐州。在合肥唐代墓葬出土的瓷器中,寿州窑瓷器颇多,且不少器物造型相当精巧。

庐州城市在唐代也获得发展。据嘉庆《合肥县志》,汉代合肥县城在"今县(城)北",即今合肥老城区南淝河北岸。东汉末年持续战乱,合肥旧城变为废墟。建安五年(200年),扬州刺史刘馥单骑赴任,重建合肥城。曹魏青龙元年(233年),魏将满宠在旧城西鸡鸣山麓另筑"合肥新城",以与旧城相犄角。④ 西晋统一后,废三国时所筑新城,迁回汉代旧址。但合肥旧城地势低洼,经常发生水患。唐贞观年间(627—649年),右武侯大将军尉迟敬德筑"金斗城",城址在"故城东南六里,肥河南岸岗阜高地"。金斗城地处淝水南岸,水路交通便利。

---

① 董诰:《全唐文》卷612,陈鸿《庐州同食馆记》,中华书局1983年版。
② 李林甫:《唐六典》卷3《尚书户部》,中华书局1992年版。
③ 《全唐文》卷478,杨凭《唐庐州刺史本州团练使罗珦德政碑》。
④ 左辅:嘉庆《合肥县志》卷14《古迹志》"合肥新城"条:"《寰宇记》:三国魏扬州都督满宠,于城西三十里依山筑城,谓之新城。按:今鸡鸣山北有故址,围三里,共十八墩,在城西北,事见《满宠传》。"黄山书社2006年版。

德宗贞元年间,"刺史路应求以古城皆土筑,特加甃焉",合肥城开始有砖砌城垣。后来五代庐州刺史张崇在此基础上拓展外城,城头建置防御设施。

唐末五代时期,各地藩镇互相兼并,庐州也处在混乱之中,"盗贼蜂起",最后合肥人杨行密崛起于庐州,建立杨吴政权。杨行密本人出身贫寒,自称"吾兴细微,不敢忘本"①,执政期间注意息兵安民,减轻赋税,发展经济。其后继者徐温、徐知诰(李昪)继承其政策。史称"江、淮间旷土尽辟,桑柘满野,国以富强"②。李昪建立南唐后,"志在守吴旧地",不对外用兵,"江淮比年丰稔,兵食有余"③。尽管处于五代分裂乱世,庐州经济还是得到一定程度的发展。

北宋结束了唐末以来分裂割据局面,合肥经济发展进入新阶段。宋代统治者注意发展农业,鼓励垦荒,推广农业技术,经济发展迅速。特别是人口的增长,超过了任何一个时期。北宋初年,庐州领有合肥、慎县、舒城、庐江、巢县,有45228户,其中建隆二年(961年)庐江县,"户一万三千八百四十七,税钱九万八千七十五"④。后来从庐州割出巢、庐江两县,辖区缩小,但元丰(1078—1085年)初年庐州户口仍增长到90488户。北宋为防止自然灾害,在淮南推广种植小麦,并将耐旱、"不择地而生"的占城稻移到江淮地区。淮南地区还兴建许多圩田,其中合肥、庐江、巢县圩田数量最多,合肥县号称"三十六圩","皆濒江临湖,号称沃壤"⑤。庐江县杨柳圩周环五十里,圩内建筑屋舍,规模浩大。⑥ 进入南宋,庐州成为边防重镇和宋金争战之地,"守臣多以武人为之,九十余年间,未尝一岁无兵革"⑦。昔日安宁已不复存在,战争造成人口流亡,盗匪横行,大片土地荒芜。当南北局

---

① 《资治通鉴》卷260乾宁二年。
② 《资治通鉴》卷270贞明四年。
③ 《资治通鉴》卷282天福六年。
④ 吴宾彦修,王方歧纂:康熙《庐江县志》卷15《重建县治记》,黄山书社2008年版。
⑤ 徐松:《宋会要辑稿》食货6,中华书局1997年版。
⑥ 《宋会要辑稿》食货7。
⑦ 余阙:《青阳集》卷5《送归彦温河西廉使序》,四库全书本。

势稳定以后,南宋又在淮南地区开展屯垦活动,组织军屯,募民开荒,经济逐步得到恢复。在城市建设方面,乾道五年(1169年),淮西安抚使郭振为阻止金军南进,实施"截金斗城之半","跨金斗河,拓其北"的建城计划,将金斗河等水围入城内,并与南淝河河道并网连通,便利城内城外物资的流通运输,使水运物资可直达城内,"百货骈集,千楹鳞次,两岸悉列货肆,商贾喧阗"①,带动城内商业的繁荣。

元朝是蒙古族建立的统一王朝。中统元年(1260年)元世祖即位以后,推行"汉法","首诏天下,国以民为本,民以衣食为本,衣食以农桑为本"②。中央设立司农司和劝农司,颁布《农桑辑要》以推广农业技术,发展农业生产。至元十四年(1277年),淮西宣慰使昂吉儿奏请淮西庐州等地荒地极多,建议募民屯垦,得到忽必烈允准,随后开展大规模屯田。二十三年(1286年)九月,"听民自实两淮荒地,免税三年"。到大德初年,人口增多,炊烟相望,经济得到了恢复和发展,号称"桑麻之效遍天下"③。圩田面积也在不断扩大。元末余阙记载,"庐大郡,其南沮泽之地大而有名者三十六,俗名之曰围地广而足耕"④。康熙《庐江县志》记载县内"圩九十二",均在元代形成。明代庐江仅新增新丰圩、新兴圩,"系巢湖水滩"⑤。康熙《巢县志》记载巢县有圩田九十五处。棉花在庐州地区也得到广泛种植。元代中期诗人马祖常《淮南渔歌》诗句:"江东木棉树,移向淮南去,秋生紫萼花,结绵暖如絮。"元人杨翮《佩玉斋类稿》称:"长淮以南,在宋季屏蔽江左,为疆场争拒之壤。比岁防秋清野,吏民弗遑宁处,繇是井邑骚然,因仍简陋,无富庶完美之观。今内附天朝七十载,承平日久,生聚之繁,田畴之辟,商旅之奔凑,穰穰乎视昔远矣。"⑥

---

① 张祥云:嘉庆《庐州府志》卷16《学校志上》,中国地方志集成本,江苏古籍出版社1998年版。
② 《元史》卷93《食货志一》。
③ 虞集:《道园学古录》卷30《题楼攻媿织图》,四库全书本。
④ 《青阳集》卷2《宋李宗泰序》。
⑤ 康熙《庐江县志》卷5《水利》。
⑥ 杨翮:《佩玉斋类稿》卷2《含山县题名记》,四库全书珍本初集。

三、日趋繁荣的区域文化

经济的发展推动了文化事业的兴盛。合肥自隋唐以来，随着交通发达和经济不断增长，涌现出许多杰出政治人物和文化精英，同时也吸引四方名人雅士来到合肥，从而推动文化的发展和进步。隋代合肥人樊子盖担任州郡牧守三十余年，所至皆有治绩，时人比作汉代"循吏"龚遂、汲黯；① 襄安（今安徽巢湖）人陈稜隋大业六年（610年）奉使前往流求（今台湾岛），加强与流求之间的往来。唐代社会稳定，文化繁荣，庐州官员多有所作为，如朱敬则之清廉，罗珦之善政，李翱之均税，郑絮之清贫，都在合肥受到称颂。诗人李白、罗隐、杜荀鹤都留下了有关合肥的不朽名篇。唐代推行科举，重视教育，目前可考的庐州进士就有李群、何士幹、沈佳期等人，诸科有郭弘霸、周利贞等人。唐末五代，藩镇割据混战，合肥人杨行密与其"三十六英雄"崛起庐州，稳定江淮局势，并在清口之战中大败宣武节度使朱温，阻止北方藩镇南下，奠定五代时期政治格局。代替杨吴的南唐政权，重视教育，恢复科举，文化发展很快。元代陆友仁《砚北杂志》称，"五代僭伪诸国，独江南（南唐）文物为盛"。庐江人伍乔考中南唐保大十三年（周显德二年，955年）进士第一，成为安徽第一位状元，《全唐诗》卷744收录其诗21首，另有两句残诗。

两宋经济文化发达，也是合肥名人辈出的时代。嘉庆《庐州府志·选举表》云："庐州在三国六朝为兵争之地，士以选举进者盖希。隋唐设进士科，庐州必有文艺登者，惜乎旧志不能详也。自宋以来，乃彬彬矣。"两宋时代，一大批合肥文士通过科举走上政治舞台，并在文化上有所成就。目前可考的合肥进士有三十多人，其中有以政事著称的马亮、马仲甫父子，以清廉著称的政治家包拯，还有以文学著称的姚铉、杨察、杨寘、胥致尧等人，姚铉著有《唐文粹》，以收录唐代

---

① 魏征：《隋书》卷63《樊子盖传》，中华书局1973年版。

古体诗文为主，共收作品 1980 篇，分为十六类。其他如钟离瑾、王绾、柳瑊、王蔺等都在政治上发挥其作用。西昆体诗人刘筠三次出任庐州知州，平生酷爱庐州，死后葬在合肥水西门外。南宋词坛名家姜夔曾寓居合肥城南赤阑桥，与合肥琵琶女结下一段情缘，在其流传的《白石词》的八十余首词作中，涉及琵琶女的就有二十余首。在史志方面，合肥人李台卿，曾任麻城（今属湖北）主簿，和苏轼有交往，著有《史学考正同异》，"多所发明"。① 李台卿英年早逝，苏轼作诗凭吊。南宋合肥太学生丁特起反对宋高宗对金妥协，撰《孤臣泣血录》（亦称《靖康纪闻》）三卷，记载汴京失守、二帝播迁之事，其内容多为《建炎以来系年要录》《三朝北盟会编》引用。地方志有郑兴裔《合肥志》4 卷、练文《庐州志》10 卷、刘浩然《合肥志》10 卷、王知新《合肥志》10 卷。这些均能反映合肥宋代文化方面的成就。

元代合肥最著名人物是党项人余阙。余阙早年读书于巢湖之滨青阳山（今肥东县长临河镇），课授生徒以奉养母亲。元统元年（1333 年）以右榜进士第二名登第，授同知泗州事。入朝任翰林应奉，转任刑部主事，参与编纂宋、辽、金三史。至正十二年（1352 年），任淮西宣慰副使、佥都元帅府事，分兵驻守安庆。升都元帅，再拜淮南行省左丞，仍守安庆。至正十八年（1358 年）正月安庆城破，自刎而死。其妻耶卜氏及子德生、女福童皆赴井死。《元史》称，"自兵兴以来，死节之臣阙与褚不华为第一"②。著作有《青阳山房集》和《五经传注》，其他如葛闻孙《环山房集》、王翰《友石山人遗稿》，都较有影响。另外，唐代以后合肥地区佛教和道教也得到发展，并且深入社会生活各个层面。

---

① 嘉庆《合肥县志》卷 22《人物传二》。
② 《元史》卷 143《余阙传》。

目　录

绪　论 / 001

第一章　隋代合肥地区的发展与变迁 / 001

第一节　政区建置与政局变迁　/ 003
　一、庐州建置及其政区　/ 003
　二、韩擒虎主政庐州　/ 006
　三、庐州名臣与政治　/ 008
　四、隋末庐州的动荡　/ 012

第二节　经济发展与社会风俗　/ 014
　一、乡里组织与户口统计　/ 014
　二、仓储建置　/ 016
　三、考古发现的庐州瓷器　/ 017
　四、考古所见的社会风俗　/ 021

第二章　唐代合肥地区政治与社会 / 025

第一节　唐朝统一与政区调整　/ 027
　一、统一江淮地区　/ 027
　二、地方行政建置　/ 029
　三、政区设置及其隶属　/ 030

第二节　政治发展与吏治　/ 033
　一、任瑰立功河南　/ 034

二、罗珦与庐州吏治　/ 035
　　三、庐州历任牧守　/ 038
　　四、庐州牧守业绩　/ 043

第三节　社会矛盾发展　/ 047
　　一、政治动荡中的庐州　/ 047
　　二、赋役负担与社会矛盾　/ 051

第三章　唐代合肥地区经济发展　/ 055

第一节　人口与农业　/ 057
　　一、人口的增长　/ 057
　　二、农业的发展　/ 060

第二节　馆驿与交通　/ 064
　　一、庐州馆驿　/ 064
　　二、经过合肥的二京路　/ 067
　　三、水路交通　/ 068

第三节　手工业和商业　/ 069
　　一、矿产的开采　/ 069
　　二、纺织业的发展　/ 070
　　三、商业的发展　/ 070

第四章　唐代合肥文化教育和社会风俗　/ 075

第一节　文化与教育　/ 077
　　一、学校教育与科举　/ 077
　　二、文化名人与庐州　/ 081

第二节　宗教信仰与寺观建筑　/ 087
　　一、佛教的发展　/ 087
　　二、道教的发展　/ 095

第三节　社会风俗与神祠崇拜　/ 096
　一、社会风俗　/ 096
　二、巢湖太姥神信仰　/ 097
　三、大蜀山龙王神祠　/ 099

第五章　唐末五代合肥地区的政治变迁　/ 101

第一节　政局动荡与杨吴崛起　/ 103
　一、唐末庐州的动荡　/ 104
　二、杨行密崛起庐州　/ 105
　三、庐州集团的形成　/ 109
　四、杨吴政权的建立　/ 114

第二节　政区建置与地方治理　/ 117
　一、政区建置　/ 117
　二、政治变迁　/ 121

第三节　南北对峙与战争　/ 127
　一、后梁对庐州的争夺　/ 127
　二、后唐以后庐州军事形势　/ 130
　三、后周世宗征淮南　/ 132

第六章　五代时期合肥经济与文化　/ 137

第一节　政策调整与经济措施　/ 139
　一、"息兵睦邻"国策　/ 139
　二、发展经济措施　/ 141

第二节　经济发展及其程度　/ 144
　一、农业恢复和发展　/ 144
　二、工商业的发展　/ 146
　三、庐州城的重修及其规模　/ 149
　四、经济发展程度　/ 150

第三节　宗教与文化　/ 151

一、巢湖太姥庙的重建　/ 151

二、伏虎禅师创建寺院　/ 153

三、学校和文化　/ 156

第七章　宋代合肥地区政治与社会　/ 159

第一节　政区建制与结构　/ 161

一、政区建制沿革　/ 162

二、地区管理机构　/ 165

第二节　政治发展　/ 176

一、官清吏廉，治效显著　/ 176

二、赈灾救济，发展生产　/ 178

三、修城筑垒，巩固边防　/ 179

四、治理匪患，维持治安　/ 181

第三节　社会变迁　/ 182

一、官僚群体形成　/ 182

二、军功集团兴起　/ 189

三、词讼与治安问题　/ 192

第八章　南宋合肥军事形势与军事斗争　/ 199

第一节　军事形势与防御体制　/ 201

一、地理环境与军事地位　/ 202

二、军事防御体制　/ 203

第二节　金军南侵与庐州抗金　/ 208

一、建炎年间抗金活动　/ 208

二、绍兴前期抗金斗争　/ 210

三、淮西兵变及其影响　/ 211

四、柘皋之战与宋金和议　/ 213

　　五、绍兴和议后的抗金斗争　/ 216

　第三节　蒙古军南下与庐州抗蒙斗争　/ 219

　　一、端平入洛与蒙古军南侵　/ 219

　　二、元军攻取庐州　/ 221

第九章　两宋合肥地区经济发展　/ 225

　第一节　农业经济　/ 227

　　一、农业政策与措施　/ 227

　　二、大规模土地屯垦　/ 231

　　三、户口的增加　/ 234

　　四、农田水利建设　/ 237

　　五、粮食与经济作物　/ 240

　第二节　手工业成就　/ 244

　　一、采矿和冶铸业　/ 244

　　二、造纸与制砚业　/ 246

　　三、纺织、印染、酿造和陶瓷业　/ 247

　第三节　商业与城镇　/ 249

　　一、商品种类的扩大　/ 249

　　二、货币流通与大商人　/ 252

　　三、城镇的发展与变迁　/ 256

第十章　宋代合肥地区文化与社会　/ 265

　第一节　教育与科举　/ 267

　　一、学校和书院　/ 267

　　二、科举与进士　/ 272

　第二节　宗教传播与民间信仰　/ 275

　　一、佛教和道教的传播　/ 275

　　二、民间信仰与宗教　/ 280

第三节　文化成就　/ 283

　　一、文学成就　/ 284

　　二、诗词名家与合肥　/ 287

　　三、史志发展　/ 292

　　四、科技贡献　/ 296

第十一章　元代合肥地区政治与军事　/ 299

第一节　政区建置与军事部署　/ 301

　　一、政区建置和机构　/ 302

　　二、军事部署　/ 313

第二节　治理与吏治　/ 316

　　一、昂吉儿与淮西宣慰司　/ 317

　　二、淮西廉访司与庐州吏治　/ 319

　　三、陈思谦与元末庐州　/ 321

第三节　农民战争与巢湖水师　/ 322

　　一、彭莹玉传教于江淮　/ 322

　　二、左君弼与庐州红巾　/ 324

　　三、巢湖水师的兴衰　/ 325

　　四、朱元璋夺取庐州　/ 326

第十二章　元代合肥地区经济与社会　/ 329

第一节　基层组织与赋役制度　/ 331

　　一、基层组织　/ 331

　　二、村社组织　/ 333

　　三、赋役制度　/ 334

第二节　自然灾害及赈灾措施　/ 337

　　一、灾害种类及其分布　/ 337

　　二、赈济措施　/ 340

三、赈灾效果 / 343

第三节 经济恢复与发展 / 344
一、土地开发与利用 / 345
二、农作物种类与农业发展 / 349
三、手工业与商业 / 352
四、元末庐州等城的重修 / 356

第四节 居民与人口 / 358
一、人口统计与庐州人口 / 358
二、境内蒙古、色目人口 / 360
三、民族交往和社会习俗 / 363

第十三章 元代合肥地区文化与民俗 / 367

第一节 教育与文化发展 / 369
一、官办学校和教育 / 369
二、书院及其发展 / 372
三、科举与进士 / 374
四、文化与文化名人 / 376

第二节 宗教和民俗 / 379
一、宗教传播和发展 / 380
二、乡风民俗 / 385

大事记 / 387

参考文献 / 423

后记 / 442

第一章

隋代合肥地区的发展与变迁

隋朝(581—618年)是继北周而起的王朝。开皇元年(581年)二月,杨坚废除北周静帝宇文阐,建立隋朝,改年号为开皇,仍以长安为都城,杨坚即隋文帝。开皇三年(583年),省并州县,并迁都于大兴城(即新长安城,今陕西西安)。与此同时,隋文帝便积极准备统一工作,分遣庐州总管韩擒虎、楚州总管贺若弼练兵备战。开皇八年(588年)十月,隋军大举伐陈,次年正月韩擒虎率大军五万攻入建康(今江苏南京),俘获陈后主叔宝,陈朝灭亡,全国复归统一。隋朝前期,庐州政治稳定,人口发展较快,社会经济有相当大的发展。隋炀帝统治后期,全国反隋斗争风起云涌,庐州处在动荡之中,经济发展受到破坏。

第一节 政区建置与政局变迁

隋朝结束自西晋灭亡以来二百七十多年的分裂割据,开创全国再统一的新局面。隋文帝励精图治,调整统治政策,建立较为完备的管理制度和设施,巩固了统一局面。隋炀帝时期,开凿大运河,三征高丽,大规模征发徭役兵役,加重百姓赋税负担,激化社会矛盾,导致全国性农民战争,庐州地区也出现动荡纷争的局面。

一、庐州建置及其政区

隋开皇初年,地方政区沿袭周齐旧制,实行州郡县三级制。然政区极为混乱,"或地无百里,数县并置;或户不满千,二郡分领"。开皇三年(583年),根据兵部尚书杨尚希建议"存要去闲,并小为大"[1],隋文帝下诏省并州县,并"罢天下诸郡"[2],地方实行州县两级制。平陈

---

[1] 《隋书》卷46《杨尚希传》。
[2] 《隋书》卷1《高祖纪一》。

以后,又将州县两级管理体制推行到江南地区。

　　开皇初年,今合肥地区政区混乱。梁武帝太清元年(547年)曾于合肥置合州,寻遭侯景之乱,淮南之地进入东魏,北齐因之。据《魏书·地形志》,合州领汝阴、南顿、南梁、北梁、南谯、庐江、西汝南、北陈等八郡共十七县。开皇三年(583年),隋文帝调整政区,改合州为庐州,尽废所属诸郡,此即庐州建置之始,其境内各县亦多省并改易。大业三年(607年),隋炀帝改州为郡,再次调整各级政区,实行郡县两级管理体制,庐州改为庐江郡,"统县七,户四万一千六百三十二"[①]。所领七县为合淝、庐江、襄安、慎、霍山、渒水、开化。其中合淝、庐江、襄安、慎县等四县在今合肥市辖区之内。

　　合淝县,倚郭县。始置于西汉,因位于施水(今南淝河)、淝水(今东淝河)会合之处而得名。南朝梁时改为汝阴县,兼置汝阴郡。北齐分置北陈郡,隋开皇初年二郡皆废,复改汝阴县为合淝县,为庐州治所。

　　庐江县,在今合肥南一百八十里处。本汉庐江郡龙舒县之地,南齐重置庐江郡,治舒县,"梁天监末始置庐江县,兼置湘州治焉"[②]。北齐时废湘州。隋开皇三年(583年),罢庐江郡,保存庐江县,又将龙舒、潜县并入庐江县。[③]《隋书·地理志》云,境内"有冶甫山、上薄山、三公山、圣山、蓝家山"。其辖境大于宋元以后的庐江县。清光绪《庐江县志》载:"致今日之庐江,自东至西,自南至北,境界仅存百余里,大非昔日舒县之境地宽广矣。"

　　慎县,在今合肥东北七十里处。"本汉浚遒县地,属九江郡。晋改置慎县,因县西北古慎城为名。"[④]东魏、北齐并有淮南,于此置平梁郡,陈朝改为梁郡。开皇初郡废县存,隶属庐州。

　　襄安县,《读史方舆纪要》卷二十六《无为州》云,"州南四十里。

---

① 《隋书》卷31《地理志下》。
② 《读史方舆纪要》卷26《淮南道四·庐州府》,中华书局2005年版。
③ 康熙《庐江县志》卷2《建置沿革》。
④ 乐史:《太平寰宇记》卷26《淮南道四·庐州》,中华书局2007年版。

汉置襄安县治此,属庐江郡。晋因之,寻废。梁改置蕲县","隋之襄安县,即今之巢县也"①。开皇初复改蕲县为襄安县,旧有居巢、临湖、橐皋诸县,皆省入襄安县,境内"有龟山、紫微山、亚父山、半阳山、白石山、四鼎山"②。

霍山县,在六安西南九十里处。"汉潜县地,属庐江郡,晋因之。"③南朝梁时置霍州及岳安郡、岳安县,北齐占有淮南,废霍州,"开皇初郡废,县改名焉"④。开皇三年(583年),改岳安县为霍山县,属庐州。

渒水县,在六安市霍山县东。"梁置北沛郡,治新蔡县,东魏因之",北周亦称北沛郡。"隋开皇初郡废,改置渒水县,以新蔡县并入"⑤,迁县治于儒林岗(今六安市区西)。唐初,废渒水县。

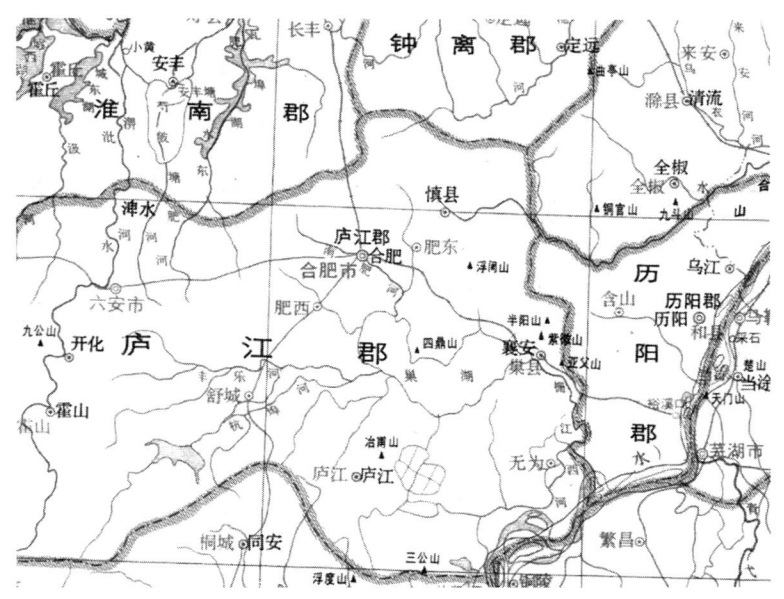

谭其骧《中国历史地图集·淮南江北诸郡北部》(大业八年)

---

① 《读史方舆纪要》卷26《淮南道四·六安州》。
② 《隋书》卷31《地理志下》。
③ 《读史方舆纪要》卷26《淮南道四·六安州》。
④ 《隋书》卷31《地理志下》。
⑤ 《读史方舆纪要》卷26《淮南道四·六安州》。

开化县,在六安西四十里处。南朝宋元嘉七年(430年),新置开化县(治今六安青山镇),属弋阳郡;二十五年(448年),改属边城郡;大明八年(464年),复改属弋阳郡;泰始二年(466年),改属西豫州边城左郡。"开化废县,州西四十里。梁置。隋因之,属庐州"①。唐贞观初,废开化县。②

隋州郡	所辖各县	位置	备注
庐州 (庐江郡)	合肥	《读史方舆纪要·庐州府》:附郭。	
	庐江	《读史方舆纪要·庐州府》:府南百八十里。	
	慎县	《太平寰宇记·庐州·梁县城》:东北七十里。	
	襄安	《读史方舆纪要·无为州》:州南四十里。	"隋之襄安县,即今之巢县也"。
	霍山	《读史方舆纪要·庐州府·六安州》:府西百八十里。	唐开元二十七年改霍山县为盛唐县,移治于驺虞城(今六安市),宋开宝四年改为六安县,属寿州。元改为六安州。
	㵲水	《读史方舆纪要·庐州府·六安州·霍山县》:在(霍山)县东。	唐天宝元年,复置霍山县于故埠镇,在驺虞城西南九十里。宋废霍山县,明弘治七年复置。
	开化	《读史方舆纪要·庐州府·六安州》:州西四十里。	

二、韩擒虎主政庐州

隋朝初年并有淮南州县,南方陈朝仅有江南之地,淮南地区成为

---

① 《读史方舆纪要》卷26《淮南道四·六安州》。
② 《太平寰宇记》卷129《淮南道七·寿州》云,开化县,隋大业十三年废。

隋朝对陈作战前沿阵地。隋文帝有"吞并江南之志",即位后选派重臣前往淮南,以韩擒虎"有文武才用,夙著声名",担任庐州总管,"委以平陈之任"①。左仆射高颎奏以"朝臣之内,文武才干,无若贺若弼者",文帝任命贺若弼为吴州总管,"委以平陈之事"②。开皇五年(585年),隋朝在合肥"故新城(三国新城)立镇置仓,谋伐陈"③,进行灭陈准备。

韩擒虎(538—592年),字子通,河南东垣(今河南新安境)人,后徙新安,出身武将世家,其父韩雄以勇武知名,战功卓著,官拜大将军,兼领洛、虞等八州刺史。韩擒虎自幼习武,然亦通文墨,"经史百家皆略知大旨"。西魏大丞相宇文泰欣赏其才能,令其诸子与之交游。北周时以军功拜都督、新安太守、永州刺史、利州刺史,袭爵新义郡公。隋开皇初年担任庐州总管后,训练军队,加紧灭陈准备。

开皇八年(588年)十月,隋文帝置淮南行台尚书省于寿春(今安徽寿县),以晋王杨广为尚书令,分兵九路大举伐陈,"晋王广出六合,秦王俊出襄阳,清河公杨素出信州,荆州刺史刘仁恩出江陵,宜阳公王世积出蕲春,新义公韩擒虎出庐江,襄邑公贺若弼出吴州,落丛公燕荣出东海,合总管九十,兵五十一万八千,皆受晋王节度"④。其中韩擒虎、贺若弼两路隋军距离陈朝都城建康(今江苏南京)最近。次年正月,贺若弼从广陵(今江苏扬州)渡江,攻占镇江,于蒋山歼灭陈军主力;韩擒虎自横江(今安徽和县境)夜渡长江,夺取重镇采石(今安徽当涂县北),攻下姑孰城(今安徽当涂县),进据新林(今江苏南京西南)。陈朝将领樊巡、鲁世真、田瑞等相继投降。韩擒虎至建康城下,陈军骁将任忠(任蛮奴)投降,并引导隋军入城,俘获陈后主叔宝,陈朝灭亡。清顾祖禹评论:"隋欲图陈,先以韩擒虎为庐州总管,其后

---

① 《隋书》卷52《韩擒虎传》,中华书局1977年版。
② 《隋书》卷52《贺若弼传》。
③ 顾祖禹:《读史方舆纪要》卷26《直隶八》。
④ 《隋书》卷2《高祖纪下》。

出横江,渡采石,金陵(建康)在掌中矣!"①

隋文帝对韩擒虎、贺若弼平陈之功给予充分肯定,赐书给晋王杨广称:"此二公者,深谋大略,东南遘寇,朕本委之,静地恤民,悉如朕意。九州不一,已数百年,以名臣之功,成太平之业,天下盛事,何用过此!闻以欣然,实深庆快。平定江表,二人之力也。"随后下诏褒奖韩擒虎、贺若弼,进韩擒虎为上柱国,赏赐绢物八千段。

三、庐州名臣与政治

隋朝尽管历年不长,但国势雄盛,"统一寰宇,甲兵强锐,三十余年,风行万里,威动殊俗"②。隋文帝整顿吏治,发展经济,社会发展较快。其继位者隋炀帝利用强盛国力,营建东都,开凿大运河,加强和边疆地区联系,发展对外交往,人才辈出,合肥也出现一批杰出人物。其中最突出的是樊子盖和陈稜父子。

(一)樊子盖精于吏治

樊子盖(545—616年),字华宗,庐州合淝人。其祖父樊道则,南朝梁时担任越州(今浙江绍兴)刺史;父亲樊儒,梁侯景之乱时逃奔北方,北齐时官至仁州刺史。樊子盖初任北齐武兴王行参军,调为慎县(今安徽肥东县东)县令,擢为东汝、北陈(今安徽合肥北)二郡太守,封富阳县侯。周武帝平北齐,授仪同三司,治郢州刺史。隋开皇初年,樊子盖以仪同领乡兵,授枞阳太守。平陈之役,与行军总管杜彦渡江至南陵,大破陈军营寨,"获船六百余艘"③,"以功加上开府,改封上蔡县伯,食邑七百户,赐物三千段,粟九千斛,拜辰州刺史",迁嵩州刺史、齐州刺史,"转循州总管,许以便宜从事。十八年,入朝,奏岭南

---

① 《读史方舆纪要》卷26《直隶八》。
② 《贞观政要》卷1《君道第一》。
③ 《隋书》卷55《杜彦传》。

地图,赐以良马杂物,加统四州,令还任所。"①

炀帝即位,樊子盖征还京师,改为凉州刺史。樊子盖上言:"臣一居岭表,十载于兹,犬马之情,不胜恋恋。愿趋走阙庭,万死无恨。"奏请改任内职,炀帝赐物三百段,慰谕遣之。炀帝改州为郡,樊子盖仍留凉州,担任武威太守。樊子盖所到郡县,皆有治绩。大业三年(607年),入朝京师,炀帝下诏褒奖,视为汉代循吏龚遂、汲黯、张敞、杜诗。大业五年(609年),炀帝西巡河西,称其为政清廉。樊子盖答称:"臣安敢言清,止是小心不敢纳贿耳。"炀帝再次下诏褒奖,赐缣千匹,粟麦两千斛。樊子盖再次奏请内迁,炀帝令其守边:"公侍朕则一人而已,委以西方则万人之敌,宜识此心。"②大业六年(610年),樊子盖前往江都朝见。炀帝以为"富贵不还故乡,真衣绣夜行耳",令樊子盖回庐州宴请故旧,扫墓祭祖,"敕庐江郡设三千人会,赐米麦六千石",以示荣耀。回朝后,改任度支部尚书。

大业八年(612年),隋炀帝第一次出兵辽东,征樊子盖摄左武卫将军,出兵长岑道。后以宿卫随炀帝留在涿郡(今北京),仍为度支部尚书。炀帝还东都,以樊子盖为涿郡留守。次年,炀帝第二次征辽东,以樊子盖为东都留守。七月,礼部尚书杨玄感起兵黎阳(今河南浚县),全力围攻东都。樊子盖斩杀败将裴弘策,坚守待援。隋将来护儿等从辽东返回,杨玄感败死,东都之围始解。炀帝车驾从前线返回高阳,樊子盖迎接,炀帝赞叹:"昔高祖留萧何于关西,光武委寇恂以河内,公其人也。"进位光禄大夫,封建安侯,尚书如故。赐缣三千匹,女乐五十人。子盖固让,优诏不许。大业十年(614年)冬,炀帝返回东都,进樊子盖爵为济公,"言其功济天下,特为立名,无此郡国也",赐缣三千匹,奴婢二十口。大业十一年(615年),从驾汾阳宫,至于雁门,突厥始毕可汗围攻雁门。城内守兵寡弱,炀帝欲率精兵突

---

① 《隋书》卷63《樊子盖传》。
② 《隋书》卷63《樊子盖传》。

围,樊子盖劝导坚守城池,征兵救援,并奏请"暂停辽东之役,以慰众望"①。炀帝回到东都后,樊子盖奉命前往绛郡镇压敬盘陀、柴保昌起义,"子盖善恶无所分别,汾水之北,村坞尽焚之"。然终以平乱不力,征还东都。

大业十二年(616年),樊子盖去世,终年七十二岁,万余人为他送葬,武威民吏痛悼,立碑颂德。《隋书》评论:"子盖雅有干局,质性严敏,见义而勇,临机能断,保全都邑,勤亦懋哉!"然樊子盖"严酷少恩,果于杀戮",也为史家所讥贬。东都之围,"子盖凡所诛杀者数万人",后来镇压各地反隋武装时,滥杀无辜,"百姓大骇,相率为盗。其有归首者,无少长悉坑之"。

(二)陈稜忠于职守

襄安即今巢湖之地。开皇三年,隋朝省并州县,居巢、橐皋等县入襄安,又迁襄安县治于居巢(今安徽巢湖),隶属庐州。襄安陈稜父子在隋朝统一和稳定过程作出贡献。

陈稜,字长威,其先世寒微,祖父陈硕"以渔钓自给",父亲陈岘为人骁勇,曾在陈朝丰州(今福建福州)刺史章大宝属下任职。陈后主至德三年(隋开皇五年,585年),章大宝因贪暴民怨遭到朝廷解职,遂起兵叛乱。陈岘闻讯奏报,朝廷授其谯州刺史,陈亡后隐居不仕。

开皇十年(590年),江南大族起兵反隋。当年十一月,婺州(今浙江金华)人汪文进、会稽(今浙江绍兴)人高智慧、苏州(今属江苏)人沈玄恢先后起兵,"自称天子,署置百官"②,战火迅速蔓延开来,"陈之故境,大抵皆反"③。"庐江豪杰亦举兵相应,以(陈)岘旧将,共推为主"。陈岘安居乡里,不愿起兵,穷于应付。其子陈稜建议:"众乱既作,拒之祸且及己。不如伪从,别为后计。"④当时隋柱国李彻驻军当

---

① 《隋书》卷63《樊子盖传》。
② 《隋书》卷2《高祖纪下》。
③ 《资治通鉴》卷177,开皇十年。
④ 《隋书》卷64《陈稜传》。

涂（今属安徽），陈岘接受陈稜建议，并派遣陈稜面见李彻，表明反对叛军之心，且"请为内应"。李彻上奏朝廷，文帝乃授陈岘上大将军、宣州刺史，封谯国公，封邑一千户，并令李彻接应。但陈岘密谋泄露，很快为叛军所杀，陈稜侥幸逃脱。李彻迅速赶到庐州，平定叛乱。文帝以陈岘死于国难，授陈稜开府，"寻领乡兵"①。

炀帝即位，授陈稜骠骑将军。大业三年（607年）改虎贲郎将。大业六年（610年），奉命与朝请大夫张镇周（一作张镇州）发东阳（今浙江金华）兵万余人，自义安（今广东潮安县东北）泛海，击流求，月余而至。流求即今台湾岛，三国时称夷洲，孙权曾派遣卫温、诸葛直前往，此后台湾与内地往来不绝。"流求人初见船舰，以为商旅，往往诣军中贸易"②，陈稜、张镇周抵达后，击败当地酋豪欢斯渴剌兜，俘获数千人而归，以功进右光禄大夫。陈稜进军流求，对密切海峡两岸关系及台湾地区开发，有着重要意义。

大业八年（612年），陈稜以虎贲郎将随从炀帝出征辽东，迁升左光禄大夫。次年，陈稜改任东莱（今山东掖县）留守，率兵夺取黎阳（今河南浚县），斩杀杨玄感所署刺史元务本。此后"奉诏于江南营战舰"，途中击破反隋武装孟让，"以功进位光禄大夫，赐爵信安侯"③。大业十二年（616年），隋炀帝进驻江都，时"李子通据海陵，左才相掠淮北，杜伏威屯六合，众各数万"，陈稜率宿卫八千迎战，"往往克捷"④，进拜右御卫将军，奉命渡江镇压宣城反隋暴动。大业十四年（618年）三月，禁军将领宇文化及杀死隋炀帝，率军北上，召陈稜为江都太守，"综领留事"⑤。陈稜改葬隋炀帝于江都宫吴公台（今江苏扬州市西北）下，死难诸臣皆列瘗于帝茔之侧。唐武德二年（619年）四月，陈稜以江都之地降唐，唐高祖李渊"以稜为扬州总管"。次年，海陵（今江苏泰州）李子通

---

① 《隋书》卷64《陈稜传》。
② 《隋书》卷64《陈稜传》。
③ 《隋书》卷64《陈稜传》。
④ 《资治通鉴》卷183，大业十二年。
⑤ 《资治通鉴》卷185，武德元年三月。

围攻江都,陈稜败没杜伏威军,后为杜伏威所杀。

四、隋末庐州的动荡

(一)繁重的赋役负担

　　隋炀帝内兴功利,外事征伐,加重百姓徭役、兵役负担。其间三次出兵辽东,为扩大兵源,隋朝在山东地区"增置军府,扫地为兵"①,又派遣元弘嗣在东莱(今山东掖县)海口督造战船,"诸州役丁苦其捶楚,官人督役,昼夜立于水中,略不敢息,自腰以下,无不生蛆,死者十三四"②。进攻前,征集全国各地的水陆兵,不论远近,会集涿郡(今北京)。又征发"江淮以南水手一万人,弩手三万人,岭南排镩手三万人",全部奔赴涿郡。大业七年(611年)五月,炀帝令"河南、淮南、江南造戎车五万乘送高阳(今河南祁县西),供载衣甲幔幕,命兵士自挽之,发河南、北民夫供应军需"。秋七月,征发"江、淮以南民夫及船,运黎阳及洛口诸仓米至涿郡",船队前后长达千余里,役使民夫经常有数十万人,日夜不绝,全国骚动,③甚至"丁男不充,以妇人兼"④。隋炀帝远征高丽,大肆强征力役,转运物资。河南、江淮包括庐州地区,是隋朝征调重点区域。《隋书·杨玄感传》记载,杨玄感在给隋东都留守樊子盖书信中指出,隋炀帝横征暴敛,"加以转输不息,徭役无期,士族填沟壑,骸骨蔽原野。黄河之北,则千里无烟,江淮之间,则鞠为茂草"。在隋炀帝残暴统治下,"天下死于役而家伤于财"⑤,社会经济受到严重摧残,终于爆发全国性农民战争。大业十四年(618年)三月,隋朝在农民战争中灭亡。

---

① 《隋书》卷24《食货志》。
② 《隋书》卷74《酷吏传》。
③ 《资治通鉴》卷181,大业七年。
④ 杜佑:《通典》卷7《食货七·历代盛衰户口》。
⑤ 《隋书》卷24《食货志》。

(二)境内反隋武装

隋炀帝残暴统治,导致了全国性农民战争,各地反隋武装有一百多支,人数达到数百万。其首领既有地方豪强、府兵将领和郡县长官,更多的则为反抗暴政的普通百姓。庐州地区反隋活动主要有张子路举兵起事,又有宣城李通德、兖州张善安进击庐江,最后杜伏威控制江淮地区。这些反抗隋朝暴政的农民起义,局部调整封建生产关系,具有历史推动作用。

大业十三年(617年)三月,庐江人张子路举兵起事。庐江郡紧邻江都,隋炀帝闻奏后,"遣右御卫将军陈稜讨平之"①。右御卫,大业三年(607年),中央十二卫"加置左右御",其所领军士名曰"射声"②。其时陈稜统领江都宿卫禁旅,所属以江淮间善射之弓弩手为主。③ 与此同时,"贼帅李通德众十万寇庐江,左屯卫将军张镇州击破之"④。《册府元龟》卷六百二十七《环卫部》载:"唐张镇州,仕隋为屯卫将军,从炀帝江都于上江督运,贼董道冲为阻,进击破。"时张镇周随炀帝于江都上江督运,李通德进攻庐江,张镇周领兵击破之。

同时兖州(今属山东)人张善安,十七岁时亡命为盗,"转掠淮南,有众百余人"⑤。孟让反隋失败后,其散卒多来投奔,有兵八百人。大业十三年(617年)十二月,"贼帅张善安陷庐江郡"⑥。随后张善安渡江依附豫章(今江西南昌)林士弘,不久又与林士弘相攻,夺取南康(今属江西)、豫章等郡。唐武德三年(620年)归附唐朝,授洪州总管,后以参与辅公祏起兵被诛。

---

① 《隋书》卷4《炀帝纪下》。
② 《隋书》卷28《百官志下》。
③ 《安徽通史·隋唐五代十国卷》,安徽人民出版社2011年版,第47页。
④ 《隋书》卷4《炀帝纪下》。
⑤ 刘昫:《旧唐书》卷56《张善安传》,中华书局1975年版。
⑥ 《隋书》卷5《恭帝纪》。

第二节 经济发展与社会风俗

自隋文帝开皇元年（581年）初至隋炀帝大业五年（609年），前后将近三十年，政治稳定，南北交流频繁。庐州地处江淮之间，交通便利，农业、手工业和商业都有较快的发展。隋朝末年，战乱使庐州经济受到严重摧残。

一、乡里组织与户口统计

隋朝建立后，其均田制和租调力役制度，"皆遵后齐之制"①。县以下基层建立保闾组织，"制人五家为保，保有长。保五为闾，闾四为族，皆有正。畿外置里正，比闾正，党长比族正，以相检察焉"。在京畿地区，五家为保，设立保长；五保为闾，设置闾正；四闾为族，设立族正，一族共一百户。畿外地区则有保、里、党等，一党为一百户。这些基层管理人员，一般称作"乡官"，主要职责是检查户口，劝课农桑，催征赋役，维持治安。为了控制更多劳动人手，隋朝利用基层组织来"大索貌阅"和执行"输籍定样"。

"大索貌阅"，即按照户籍上年龄和本人体貌进行核对，查验是否存在谎报年龄，"诈老诈小"以逃避课役的情况。《隋书·食货志》记载，"是时，山东尚承齐俗，机巧奸伪，避役惰游者十六七。四方疲人，或诈老诈小，规免租赋。高祖令州县大索貌阅。户口不实者，正长远配，而又开相纠之科"。隋朝规定，一经查出隐瞒户口和虚报年龄，乡官就要流徙远方，并鼓励民户互相检举。隋朝曾两次进行大规模检查户口工作，一次在开皇初年，检出四十四万三千丁，新附一百六十

---

① 《隋书》卷24《食货志》。

四万一千五百口；一次在大业五年（609年），检出二十四万三千丁，六十四万一千二百口，将这些隐漏户口重新编入国家户籍。

开皇五年（585年），根据宰相高颎建议，实行"输籍之法""输籍定样"。由朝廷制定划分户等的标准，作为定样（固定的样式）颁发到州县，每年正月由地方官主持，在乡里挨户依样划分户等，载入簿籍，以此作为征收户税和地税的依据。"每年正月五日，县令巡人，各随便近，五党三党，共为一团，依样定户上下。"① 清查户口以后，百姓固然不能逃避赋役，地方官也难以徇私舞弊。

隋朝前期社会稳定，加以清查户口，国家掌握的户口数量逐年上升。《通典·食货典·历代盛衰户口》称，北周大象（579—580年）中，"有户三百五十九万，口九百万九千六百四"。《资治通鉴》谓，隋文帝"受禅之初，民户不满四百万"②。开皇年间，全国统一，人口也大幅度增加。《隋书·食货志》称，"时百姓承平日久，虽数遭水旱，而户口岁增"③。至文帝末年已达八百七十万户。④ 大业五年（609年）为隋朝极盛时期，"大凡郡一百九十，县一千二百五十五，户八百九十万七千五百四十六，口四千六百一万九千九百五十六"⑤。

梁方仲《中国历代户口、田地、田赋统计》甲表二十二曾据《隋书·地理志》上、中、下所载各州郡户口分计数，参照杨守敬《隋书·地理志考证附补遗》，制有"隋各州郡户数及每县平均户数"统计表，其中统计庐江郡"统七县，户四万一千六百三十二"。

由于资料的限制，以上所举各组有些数字是很不准确的，但这些不尽准确的数字至少可以表明隋代人口发展的基本情状，即自隋初

---

① 《隋书》卷24《食货志》。
② 《资治通鉴》卷180，仁寿四年。
③ 《隋书》卷24《食货志》。
④ 《旧唐书》卷4《高宗纪上》永徽三年（652年）秋七月，"丁丑，上问户部尚书高履行：去年进户多少？履行奏称：进户部总一十五万。又问曰：隋日有几户？现有几户？履行奏：隋开皇中有户八百七十万，即今见有户三百八十万"。
⑤ 《隋书》卷29《地理志上》。又《资治通鉴》卷181隋炀帝大业五年条："是时天下凡有郡一百九十，县一千二百五十五，户八百九十万有奇……隋氏之盛，极于此矣。"

至大业五年（609年）前后，著籍户口是持续增长的。隋代庐州的人口发展情况亦当如此。

二、仓储建置

隋代推行均田制，重视农业发展和仓储建设。为了转运和储藏大量粟帛以及储粮备灾，增设许多官仓和义仓。义仓，设于当地的社，又称社仓，开皇三年（583年）根据度支尚书长孙平建议而设，旨在劝募民间，积谷备荒，"奏令民间，每秋家出粟麦一石以下，贫富差等，储之间巷，以备凶年，名曰义仓"①。开皇十六年（596年）二月，"又诏社仓，准上中下三等税，上户不过一石，中户不过七斗，下户不过四斗"。于是劝课当社而民出粟及麦以共立义仓以储粮地方，储粮地方"即委社司，执账检校，勿使损败。若时或不熟，当社有饥馑者，即以此谷赈给"②。隋朝经济发展发展较快，仓储充足，号称"财力充裕，资储遍天下"。马端临《文献通考·国用考》称，"古今称国计之富者莫如隋"，到隋文帝末年，"计天下储积，得供五六十年"③。《通典》卷七《食货典》亦称，"隋氏西京太仓，东京含嘉仓、洛口仓，华州永丰仓，陕州太原仓，储米粟多者千万石，少者不减数百万石。天下义仓又皆充满"。

庐州也置有规模较大的官仓（正仓）以及为数较多的义仓。唐李泰《括地志》载："合肥新城，距今城二十里，或目为界楼城，以在庐、寿二州间也。隋尝立镇置仓于此。"宋乐史《太平寰宇记》卷一百二十六《淮南道四·庐州》亦载："界楼故城，一名金牛城，在（合肥）县西北五十里，隋开皇五年立镇置仓，在庐、寿二州界。"

义仓以备灾荒，一般富裕之家也都置仓贮藏粮食，并造磨盘、石碓加工粮食。20世纪70年代中期，合肥郊区杏花村隋墓中，曾出土陶仓1座，大檐尖顶，顶面平直，模印草纹。仓身圆形，壁有收分，上

---

① 《隋书》卷46《长孙平传》。
② 《隋书》卷24《食货志》。
③ 吴兢：《贞观政要》卷8《辨兴亡第三十四》，中华书局2003年版。

壁有方形小门。基座较矮,亦有收分。基径 13 厘米、顶径 17 厘米、通高 21 厘米。出土磨 1 件,磨盘残缺。磨身为上下两合,磨顶凸起,中间雕凿圆形凹槽,有一隔梁,平分为二。里面满盛颗粒饱满的粮食。径 10 厘米、高 10 厘米。出土碓 1 件,脚踏板和碓头已残缺,仅存长方形碓盘,中间立两个尖状的轴架,一端设圆形的碓窝,另一端筑脚踏板的凹槽。长 32.2 厘米、宽 13 厘米、高 14 厘米。① 隋开皇三年(583 年)合肥张静墓亦出土众多陶制品,其中有仓 1 件,只残存顶部,为圆形攒尖顶,直径 12.2 厘米。碓 1 件,已残,椭圆形底座,一端有一圆形碓窝,两侧各有一小凸起,另一端已残,残长 14 厘米、宽 9.5 厘米、高 11 厘米。② 墓葬出土的陶仓、磨盘、石碓反映了隋代合肥地区一个富有农家生活的缩影,其家庭粮食充足,生活较为富裕。

三、考古发现的庐州瓷器

隋唐是我国瓷器发展的重要时期,瓷器不仅在技术方面走向成熟,而且成为不可缺少的生活用具,各地区瓷器有着自己的造型和特色。隋代合肥地区流行的主要是寿州窑。唐人陆羽在其《茶经》中,将寿州窑列在当时名窑的第五位,居江西洪州窑之前,并称作"寿州瓷黄"。寿州窑是目前安徽发现的较早时期古代瓷窑遗址,位于淮南市田家庵区的上窑镇,是我国唐代著名瓷窑之一。寿州窑在造型上与北方窑有些相同,而装饰风格又具有南方瓷窑风格。这是淮南一带当时作为南北交通枢纽之地,南北方经济文化在此相互交融所致。合肥与淮南相邻,商业往来兴盛,寿州窑烧制的多种瓷器多流传到这里。在合肥隋代墓葬中,出土有盘口壶、四系罐、碗、盏等青瓷,无论从它们的造型、胎质、釉色以及花纹装饰看,均与淮南窑址出土文物相同,可以证明是淮南窑的产品无疑。《合肥出土的寿州窑瓷器雅

---

① 安徽省展览、博物馆:《合肥西郊隋墓》,《考古》1976 年 2 期。
② 安徽省博物馆:《合肥隋开皇三年张静墓》,《文物》1988 年 1 期。

析》对几件从合肥出土的有特色的寿州窑产品进行分析。①

(一)隋寿州窑青釉盘口四系印花壶

盘口,长颈,溜肩,肩部竖置对称双股泥条制成的竖系。腹外鼓,腹以下渐敛,近底处外侈,平底。青灰胎,胎质较细,胎骨厚重。施釉至腹部,釉色青中泛绿,近底处局部黏釉,釉面有开片纹,施化妆土。从头至腹,用当时流行的模印印花工艺饰五层纹样,颈、肩部为朵花与草叶纹相间排列组成的两层带状纹,线条较宽;腹部为两层变体覆莲瓣纹夹一层忍冬纹,每层纹饰均以弦纹相隔,线条纤细柔美。1982年出土于合肥市北门白水坝菜场。现藏于安徽省考古研究所。

(二)隋寿州窑青瓷盘口六系莲瓣纹壶

盘口,长颈,溜肩,圆弧腹,平底内凹。肩置六个条形系,腹部弦纹上下刻画对称仰覆莲纹。青绿釉微带黄色,釉层较薄,晶莹透亮,有细小开片,釉施至腹下部,有垂釉现象。1981年出土于合肥市隋开皇三年(583年)张静墓。现藏于安徽省博物院。

---

① 夏腾:《合肥出土的寿州窑瓷器雅析》,《文物鉴定与鉴赏》2011年10期。

（三）隋寿州窑青釉剔花莲纹豆

敞口，弧腹，内收，高足外撇，盘内刻画莲瓣纹、莲子纹、弦纹，盘内外施青釉近足底，无釉处露灰白胎，质较粗，胎较厚。盘内及高足上有刻铭，暂未释出。现藏长丰县文物管理所。

（四）隋酱釉团花四系罐

小盘口，短颈，圆鼓腹，平足。肩部横置对称条状四系。腹部有弦纹一道将器身分为两部分，上腹模印三组朵花纹与草叶纹，并有规则地并列组成纹饰。上半部施酱釉，下半部和底无釉，灰白胎，胎体厚重。2003年4月11日，合肥市瑶海区大兴镇宋伏龙窑厂出土。现藏合肥市文物管理处。

（五）隋寿州窑青釉四系盘口壶

盘口，长颈，鼓腹，平底。肩部竖置对称条状四系，颈部饰凸弦纹三道。全身施青绿色釉不及底，灰白胎，胎质较细。2003年4月11日，合肥市瑶海区大兴镇宋伏龙窑厂出土。现藏合肥市文物管理处。

（六）隋青釉覆莲纹四系罐

　　直口，圆鼓腹，平底。肩部横置对称条状四系，一系残。腹部有旋纹，将器身一分为二，上腹刻画一周覆莲纹。周身大部分施黄绿色釉，胎呈灰白色，胎体厚重。2003年4月11日，合肥市瑶海区大兴镇宋伏龙窑厂出土。现藏合肥市文物管理处。

（七）隋寿州窑青釉瓷碗

　　敞口，腹内收，饼形足，施半釉，近底及底无釉，器内有三个支钉痕，灰白胎。1976年7月由蜀山公社永青大队村民上交。现藏于合肥市文物管理处。

（八）隋寿州窑青瓷杯

口微敛，斜腹，小饼形足，边缘斜修一刀，施大半青釉，近底及底无釉，有细小开片，器身有旋削痕，灰白胎。1988年初安徽省武警总队工地出土。现藏于合肥市文物管理处。

四、考古所见的社会风俗

合肥地处江淮中部，为南北交通要地。汉代以后社会发展加快，西晋以后由于长时期南北对垒，直接影响到经济发展和民风民俗。《隋书·地理志下》记江淮之间州郡风俗曰："江南之俗，火耕水耨，食鱼与稻，以渔猎为业，虽无蓄积之资，然而亦无饥馁。其俗信鬼神，好淫祀，父子或异居，此大抵然也。江都、弋阳、淮南、钟离、蕲春、同安、庐江、历阳，人性并躁劲，风气果决，包藏祸害，视死如归，战而贵诈，此则其旧风也。自平陈之后，其俗颇变，尚淳质，好俭约，丧纪婚姻，率渐于礼。其俗之敝者，稍愈于古焉。"① 隋朝全国统一以后，庐州地区安定，经济文化也有巨大改变。

隋朝合肥地区社会风俗变化，在丧葬礼仪方面便表现最为明显。隋代合肥西郊杏花村隋墓和开皇三年（583年）张静墓出土文物，提供了民间礼俗方面的直接资料。

1973年发掘的合肥西郊的隋开皇六年（586年）墓，墓志记载死

---

① 《隋书》卷31《地理志下》。

者为"伏波将军",出土陶瓷器和人物陶俑44件。1982年,合肥市西门干休所工地又发现隋代砖墓一座,出土隋代寿州窑早期青瓷瓶、碗、盏、罐4件,丰富了研究寿州窑的资料。[①]

(一)重礼仪和厚葬

隋唐时期,厚葬之风盛行,许多墓葬尤喜陶俑陪葬。在合肥出土的几座有纪年的墓葬中,都发掘出大量的陶俑。如合肥隋开皇三年(583年)张静墓,有武士俑一件,其头戴盔,身穿铠甲,披战袍,右手按盾,左手置于腰侧。女侍俑两件,均上着高领窄袖衫、圆领内衣,下着曳地长裙。一件枕双髻,头微垂,表情恭顺。另一件,高发髻,头微垂,表情肃穆,右手置于胸前,左手托于右手之下,作持物状。男坐俑,一件,头顶梳一发髻,身着高领窄袖长衫,腰束带,盘腿而坐,头低垂,体前倾,表情悲痛,双臂伸于脚前,两掌心相对似捧一物。侍从俑,数件,皆残缺不全,其中一件,头戴小冠,身着圆领衫,双手置于胸前作持物状。女俑一件,头部残缺,立姿,上着宽袖衫,下着长裙,形体较大。跪拜俑一件,残缺不全,右腿弓,左腿跪地,身体前倾,双手按在右膝上。[②]

又合肥郊区杏花村隋墓中,出土守门按盾武士俑二件,头戴胄,肩披掩膊,当胸着胸铠,左右佩椭圆形护,下系腿裙。腰束宽带,胸铠下襟有两枚小铃。内穿窄袖衫,外披风衣。穿长袴,束中腿,圆头靴。一件为笑容,张口鼓目,右手按长形盾牌,左手握拳,拳心有小孔,原来执有兵器,已毁坏脱落。另一件为怒容,竖眉鼓目,左手按盾牌,右手握拳。护卫武士俑六件,按戎衣和武器的不同,分二类。Ⅰ类三件,立姿,竖眉大眼,圆脸,头戴胄,缘下有护围护颈。两肩披掩膊,当胸着胸铠,前胸和后背各佩两面椭圆形的护。腰束宽带,铠下襟系两枚小铃。内衬窄袖衫,下着腿裙,穿长袴,束中腿,圆头靴。左手执长

---

① 《五十年来的安徽省文物考古工作》,载《新中国考古五十年》,文物出版社1999年版。
② 安徽省博物馆:《合肥隋开皇三年张静墓》,《文物》1988年1期。

盾牌,右手握拳,拳心有孔,原执兵器已残毁。Ⅱ类三件,立姿,竖眉大眼,圆胖脸,头戴盔,盔顶凸起,中心有圆孔,为插盔缨迹,所披甲同Ⅰ类俑,双手握拳置于胸前,拳心有圆孔,所握兵器已毁坏脱落。此外,还有文吏俑两件,跪拜俑一件,蹲俑一件,女俑一件,女侍俑一件,残俑头一件。另出土有许多陶制动物模型,如马、牛、羊、鸡、狗、猪等,造型生动有趣。①

中国古代先民还有在墓室前放怪兽佣的习惯。怪兽俑造型怪异,也被叫作厌胜俑、神煞俑等,有人面兽、双头蛇身兽、人面鱼、人面鸟身兽等,一般放在墓室前部。在长江中游和黄河以北、河套以东及辽宁朝阳地区最流行,应是一种地方性葬俗,一直流行到五代、宋。徐苹芳依据《大汉原陵秘葬经》考证其中几种分别称为墓龙、仪鱼、观风鸟等。② 其中"观风鸟"在合肥就有发现,如合肥杏花村五里岗隋开皇六年墓出土人面鸟身俑,其形象与南朝画像砖中的"千秋万岁"相似,是最有代表性、最为完整的。它出土在墓门两侧镇墓兽的后边,一为男相,另一为女相,皆为立姿,上身作人形,下身为鸟形,昂首挺胸,着开领宽袖上衣,两手藏于袖内,拱于胸前。翅膀合于脊背,尾高翘,双足并立于方形板上。女相鸟梳高髻,男相鸟头戴小圆帽。③

(二)有着浓郁生活气息

合肥隋代墓葬中有数量客观动物陶俑,陶器皆为模型,泥质红陶胎,火候低,质较软,表面施白色陶衣,再加绘彩饰。所造动物形象生动,种类众多,反映了墓葬主人家庭生活的富足,家中奴婢成群,家禽家畜满圈。

陶制马俑和牛俑栩栩如生。在合肥郊区杏花村隋墓中,出土的陶制动物模型,有"马1件,有鞍荐,颈部饰璎珞9个,后背佩对称式

---

① 安徽省展览、博物馆:《合肥西郊隋墓》,《考古》1976年2期。
② 徐苹芳:《唐宋墓葬中的"明器神煞"与"墓仪"制度——读〈大汉原陵秘葬经〉札记》,《考古》1963年2期。
③ 安徽省展览馆、博物馆:《合肥西郊隋墓》,《考古》1976年2期。

的梅花饰8朵,通长40.9厘米、通高43厘米"。由此亦可透视隋代合肥地区养马业的发展情况和马备受人们的重视。合肥西郊杏花村隋墓出土牛二件,为母牛和牛犊。牛车一件,车箱和篷架已残缺,无法复原,仅有两车轮尚能修补成器。车轮外箍宽边,牙较窄,十八辐,双层七瓣莲花毂,瓶式轴头。轮径19.3厘米、轴头长7.2厘米。说明当时牛不仅用于农耕,还用于拉车。

  羊、鸡、犬、豕等动物模型在墓葬中也有很多出土。合肥西郊杏花村隋墓出土狗一件,为一母狗哺乳6只小狗,高4厘米。猪2件,一为公猪,体甚肥,卧在椭圆形的盘座上,长21厘米、高8.5厘米;一为母猪,甚瘦,露肋骨,躺卧在圆盘座上哺乳9只仔猪,长17厘米、高4.5厘米。双羊一件,为公羊和母羊并卧,体均肥,全身卷毛,示为绵羊种。公羊昂头前视,双角卷曲前伸,母羊无角,回头望着羊羔,长17厘米,高14厘米。雌鹿一件,躺卧在方形盘座上,回头望着腹边伏卧的小鹿,长15厘米,高9.5厘米。双凫一件,雄凫昂头作欲鸣状,雌凫俯视腹下四只小凫,长17.5厘米、高12.5厘米。双鸡一件,雌雄各一,均昂头翘尾,雌鸡腹下有8只鸡雏,长14厘米、高7.5厘米。[①]另外,合肥隋开皇三年(583年)张静墓出土的陶动物有马、牛、猪、狗、凫、鸡等。如有狗一件。为一母狗,侧卧,6只小狗围成半圈正在吃奶。有猪一件,造型、大小与狗类似,为一母猪,侧卧哺乳一群小猪。有双凫一件,为一对凫并排而卧。有公鸡一件,母鸡一件。[②]

  在合肥郊区所发现的两座墓葬,结构完整,出土器物种类多样,是一座典型的隋代纪年墓,反映了隋代文化对北朝文化的继承和融汇,为研究隋代合肥地区丧葬习俗、研究合肥文化的发展提供了丰富的实物资料。

---

 ① 安徽省展览馆、博物馆:《合肥西郊隋墓》,《考古》1976年2期。
 ② 安徽省博物馆:《合肥隋开皇三年张静墓》,《文物》1988年1期。

第二章
唐代合肥地区政治与社会

隋朝灭亡后，江淮大地反隋武装仍然活跃。唐王朝面临残破的政局，需要迅速安定社会以稳固自己的统治。唐初统治者推行比较开明的政策，招抚杜伏威、陈棱等地方武装，庐州全境入唐。全国统一前后，唐朝调整行政区划，重建州县之制。任职庐州的地方官吏，多能恪尽职守，为庐州政治稳定、经济和文化发展作出贡献。安史之乱爆发后，由于张巡、许远坚守睢阳（今河南商丘），叛军南下受阻，庐州没有经受战争的直接冲击。但唐中后期刘展江淮之乱、庞勋起兵和黄巢起义仍对庐州社会经济造成较大的破坏。

第一节　唐朝统一与政区调整

唐朝是关陇军事集团成员李渊建立的统一王朝。隋大业十三年（617年）五月，太原留守李渊看到隋朝统治岌岌可危，遂在太原起兵，随后乘虚进军关中。当年十一月，攻占长安，立隋炀帝之孙、代王杨侑为皇帝，改大业十三年为义宁元年，遥尊隋炀帝为太上皇。次年三月，隋炀帝在江都（今江苏扬州）被杀。五月，李渊废杨侑称帝，改元武德，建立唐王朝，仍以长安为都城。唐朝建立后，唐高祖李渊开始进行统一战争，到武德七年（624年）平定江淮辅公祏之乱，全国基本完成统一，各项制度也逐步建立起来。

一、统一江淮地区

隋朝灭亡后，全国形势发生变化，轰轰烈烈的农民战争逐渐向封建统一战争转化。当时江淮地区势力最强的是杜伏威起义军。杜伏威击败隋军陈棱进攻之后，乘胜占领历阳（今安徽和县），"进用士人，缮利的封建兵械,薄赋敛,除殉葬法"①,势力发展迅速。但这支起义军有着浓厚正统思想,隋炀帝被杀后,杜伏威向驻守洛阳的隋越王杨侗称臣,受封为东道大总管、楚王。唐武德二年(619年)九月,杜伏威面对唐军进攻,不敢抵抗,派人向唐高祖李渊表示归降。李渊遂以杜伏威为淮南安抚大使、和州总管。武德三年(320年)六月,唐高祖以杜伏威为使持节、总管江淮以南诸军事、扬州刺史、东南道行台尚书令,晋封吴王;以其大将辅公祏为行台左仆射,封舒国公。

当年十二月,杜伏威、辅公祏率军渡江,大破浙东李子通,李子通被迫退保京口(今江苏镇江),"江西之地尽入于伏威"②,杜伏威徙居丹阳(今安徽宣城)。武德四年(621年)十一月,杜伏威部将王雄诞于独松岭(今浙江安吉县东南)击溃李子通;李子通退保杭州,复败而请降,杜伏威将其执送长安。接着,王雄诞又乘胜相继兼并占据歙州(今安徽歙县)和昆山(今属江苏)的反隋武装汪华及闻人遂安等军。至此,杜伏威"尽有淮南、江东之地,南至岭,东距海"③。

武德五年(622年)七月,秦王李世民率唐军击破兖州徐圆朗,连下十余城,唐军"声震淮、泗,杜伏威惧"④,遂自请入朝长安,唐高祖加封杜伏威太子太保兼行台尚书令。武德六年(623年)八月,辅公祏举兵反唐,并在丹阳称帝,建国号宋,署置百官。李渊令襄州道行台仆射李孝恭、岭南道大使李靖、怀州总管黄君汉、齐州总管李世勣,由南、北、东三面进攻辅公祏。杜伏威受到猜忌,暴死于长安。

武德七年(624年)三月,唐军攻破丹阳,辅公祏战败被俘。至此,继武德元年河南瓦岗军、武德四年(621年)河北窦建德军瓦解之后,江淮再起之农民战争亦归于失败。唐朝统一战争基本结束,庐州地区完全被唐朝所控制。

---

① 欧阳修:《新唐书》卷92《杜伏威传》,中华书局1975年版。
② 《资治通鉴》卷188,武德三年十二月。
③ 《资治通鉴》卷189,武德四年十一月。
④ 《资治通鉴》卷190,武德五年七月。

二、地方行政建置

唐代地方行政区划前后期变化较大。《新唐书·地理志》称："唐兴，高祖改郡为州，太守为刺史，又置都督府以治之。然天下初定，权置州郡颇多。太宗元年，始命并省。"唐高祖武德元年（618年），改郡为州，仿照隋开皇之制，实行州、县两级管理，州设刺史，县设县令。太宗贞观元年（627年），并省州县。贞观十三年（639年），"凡州府三百五十八，县一千五百五十一"①。玄宗天宝元载（742年），又改州为郡。肃宗至德二载（757年），再改郡为州，故《新唐书·地理志》《元和郡县图志》等书均州郡并列。诸州分为八等，京畿周围分为府、辅、雄、望、紧五等，京畿之外则依照户口多寡分为上、中、下三等，共有八个等级。诸县分为十等，京畿地区分为赤、次赤、畿、次畿，"其余以户口多少、资地美恶为差"，分为望、紧、上、中、中下、下，共六个等级。

唐太宗即位之初，加强地方监察，"因山川形便，分天下为十道：一曰关内，二曰河南，三曰河东，四曰河北，五曰山南，六曰陇右，七曰淮南，八曰江南，九曰剑南，十曰岭南"②。朝廷定期派遣黜陟使或按察使、巡察使到各道巡视，职同汉代刺史。开元二十一年（733年），唐玄宗分江南道为江南东道、江南西道、黔中道，山南道分为山南东、西两道，在长安周围设京畿道，洛阳周围设都畿道，全国共分为十五道，固定各道治所，设采访处置使，道成为地方监察机构。乾元元年（758年），唐肃宗改采访处置使为观察处置使，"掌察所部善恶，举大纲"③，并统领州县，从此地方政区演变为道、州、县三级。

此外唐初于缘边重要地区设总管府，"凡边要之州，皆置总管府，以统数州之兵"④。武德七年（624年），改总管府为都督府。总管府

---

① 《新唐书》卷37《地理志一》。
② 《新唐书》卷37《地理志一》。
③ 《新唐书》卷49下《百官志四下》。
④ 《资治通鉴》卷185，武德元年。

总管和都督府长史例兼所治州刺史,并掌督所控诸州兵马、甲械、城隍、镇戍、粮廪等事,其中辖十州者称大都督府,十州以下者为中都督府、都督府。贞观十三年(639年),全国设有四十一个都督府。"自高宗永徽以后,都督带使持节者,始谓之节度使,然犹未以名官"[1]。至睿宗景云二年(711年),减为二十四个。景云元年,睿宗任命薛讷为幽州镇守、经略、节度大使;次年又以贺拔延嗣为凉州都督、河西节度使。节度使领兵及其驻防区(道)称作方镇、藩镇、节镇。到天宝初年,边疆十道设置安西、北庭、河西、朔方、河东、范阳、平卢、陇右、剑南九节度使和岭南五府经略使,合称十镇。

安史之乱爆发后,朝廷开始在内地设置节度使、防御使、都团练使等职以掌兵。为加强节度使作战应变能力,节度使兼任采访处置使,乾元元年(758年)兼观察处置使。随后授予各道节度使便宜任命镇戍区内州县官吏,以便筹集粮饷,节度使逐渐兼有军民之权。安史之乱平定后,由于中央权力削弱,战时授予节度使的权力再也无法收回了,节度使镇戍区(藩镇)逐渐取代原先的十五道,"方镇相望于内地,大者连州十余,小者犹兼三四"[2]。唐朝后期全国藩镇有四五十[3],地方政区演变为道(节镇)、州、县三级。节度使兼任驻地州刺史,其巡属诸州称"支郡""支州",不受藩镇节度的称"直属州""直隶州",即直接属朝廷管辖的州。

三、政区设置及其隶属

在唐代,今合肥地区除长丰县北部乡镇分属寿州、濠州外,大部

---

[1] 《新唐书》卷50《兵志》。
[2] 《新唐书》卷50《兵志》。
[3] 《新唐书·方镇表》列举四十二方镇,《旧唐书·地理志》记载,唐肃宗至德、乾元时期,凡三十二节度、七观察、二经略、三防御,共计四十四镇。唐德宗贞元十四年(798年)贾耽所上《十道录》,"凡三十一节度、十一观察,益以防御、经略,以守臣称使者共五十"。元和二年,李吉甫上《元和国计簿》,"总计天下方镇四十八,州府二百九十五,县千四百五十三"。元和八年,李吉甫《元和郡县图志》称"凡天下四十七镇"。

分在庐州境内。唐朝前期,实行州县两级制,庐州直隶朝廷,但其所属军队隶属寿州或扬州都督府(总管府)。唐初以总管府掌数州之兵。武德三年(620年),庐州隶属寿州总管府。武德六年(623年),改隶舒州总管府。武德七年(624年),改总管府曰都督府。太宗贞观元年(627年),废舒州都督府,庐州改隶扬州都督府。又"因山川形便,分天下十道",监察州县吏治,庐州属淮南道监察区域。

安史之乱后,藩镇势力兴起。庐州隶属淮南节度使,为淮南节度使"支郡"。至德元载(756年),"置淮南节度使,领扬、楚、滁、和、寿、庐、舒、光、蕲、安、黄、申、沔十三州,治扬州"①。上元二年(761年),改隶舒庐寿都团练使。是年,又复还淮南节度使。德宗兴元元年(784年),"淮南节度罢领濠、寿、庐三州。升寿州团练使为都团练观察使,领寿、濠、庐三州,治寿州"。贞元四年(788年),"淮南节度复领庐、寿二州,以泗州隶徐泗节度,废寿州都团练观察使为团练使"。贞元十六年(800年),"置舒、庐、滁、和四州都团练使,隶淮南节度"。②舒庐滁和都团练使,治合肥,由庐州刺史兼使职。宪宗元和二年(807年),罢都团练使,庐州还隶淮南节度使。自此至唐末,庐州一直在淮南巡属之内。

庐州,隋炀帝时改称庐江郡,领有合肥、慎、襄安、庐江、霍山、开化、沇水七县。隋朝末年,杜伏威农民军控制庐州及江淮地区。武德二年(619年)九月,杜伏威以江淮之地归唐。武德三年(620年),唐改庐江郡为庐州,省沇水,析襄安置巢州,霍山置霍州,庐州仅领合肥、慎、庐江、开化等四县。武德七年(624年),"废巢州为巢县来属"③。贞观年间,废开化县;开元二十三年(735年),析庐江、巢县之地置舒城县,领五县。天宝元年(742年),改州为郡,庐州复改为庐江郡。乾元元年(758年),复改为庐州。据《旧唐书》卷四十《地理志三》,庐州"旧领县四,户五千三百五十八,口二万七千五百一十三。

---

① 《新唐书》卷68《方镇表五》。
② 《新唐书》卷68《方镇表五》。
③ 《旧唐书》卷40《地理志三》。

天宝领县五，户四万三千三百二十三，口二十万五千三百九十六。在京师东南二千三百八十七里，至东都一千五百六十九里"。乾元以后，庐州升为上州。

据《新唐书》卷四十九下《百官志四下》，其官员设置如下：

"上州刺史一人，从三品，职同牧尹；别驾一人，从四品下。长史一人，从五品上；司马一人，从五品下；录事参军事一人，从七品上；录事二人，从九品下；司功参军事一人、司仓参军事一人、司户参军事二人、司田参军事一人，司兵参军事一人，司法参军事二人，司士参军事一人，皆从七品下；参军事四人，从八品下；市令一人，从九品上，丞一人从九品下；文学一人，从八品下；医学博士一人，从九品下。"

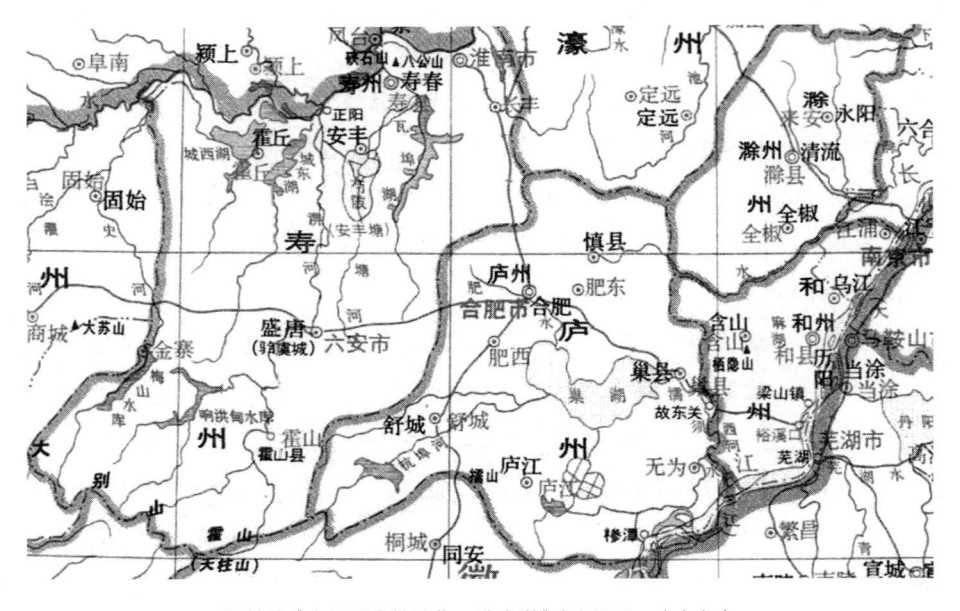

谭其骧《中国历史地图集·淮南道》（唐开元二十九年）

自唐玄宗开元年间至唐末，庐州政区较为稳定，统领合肥、慎、巢、庐江、舒城等五县。

合肥县,倚郭县,紧县,为庐州及庐江郡治所。

慎县,紧县,在庐州东北七十里处。清顾祖禹《读史方舆纪要》云,慎县,"宋绍兴三十二年避讳,改曰梁县,从旧郡名也。元仍旧。明初省入合肥县,今为梁县乡"①。故址今肥东县梁园镇。

巢县,上县,本隋庐州(庐江郡)襄安县。武德三年(620年),从庐州析出,置巢州,"析(襄安县)置开成、扶阳二县"②。武德七年(624年),废巢州及开成、扶阳二县,改襄安为巢县,隶属庐州。

庐江县,紧县。《太平寰宇记》卷一百二十六《淮南道四·庐州庐江县》载:"故城在今县西一百二十里。梁武帝置庐江县。隋义宁元年(617年)移于石梁东南,唐景龙二年(708年)移于今所。"唐代城址在今庐江县庐城镇。

舒城县,上县。"开元二十三年(735年),分合肥、庐江二县置,取古龙舒县为名。"③

诸县设官,见于《旧唐书·职官志》和《新唐书·百官志》。《旧唐书·职官志》记载:"诸州上县:令一人,从六品上。丞一人,从八品下。主簿一人,正九品下。尉二人,从九品上。录事二人,史三人。司户、佐四人,史七人,帐史一人。司法,佐四人,史八人。仓督二人,典狱十人,问事四人,白直十人,市令一人。佐史各一人,帅一人。博士一人,助教一人,学生四十人。"紧县设官同于上县。

第二节 政治发展与吏治

唐朝社会相对稳定,经济发展较快,庐州涌现一批杰出人物,并

---

① 《读史方舆纪要》卷26《南直隶八·庐州府》。
② 《新唐书》卷41《地理志五》。《唐会要》卷71《州县改置下》云:"襄安县,武德二年改为巢县。"
③ 《旧唐书》卷40《地理志三》。

在政治上发挥影响。"庐江剧部,号为难理"①,朝廷重视选派清慎廉吏治理庐州,庐州政治影响逐渐扩大。

一、任瑰立功河南

隋末唐初,庐州人任瑰辅助李渊太原起兵,率军平叛,稳定关东形势。

任瑰,庐州合淝人,父七宝曾任陈朝定远太守,其伯父则为陈镇东大将军任忠(任蛮奴)。任瑰早年丧父,伯父任忠视其为己子,常称赞说:"吾子侄虽多,并佣保耳,门户所寄,惟在于瑰。"②任瑰十九岁担任灵溪令,旋升迁为衡州司马,都督王勇倚为亲信,"委以州府之务"。王勇降隋后,任瑰弃官返回合淝。隋文帝仁寿年间,任瑰担任韩城县尉,寻罢归乡里。大业十三年(617年),李渊起兵太原,任瑰为李渊分析天下大势:"后主(隋炀帝)残酷无道,征役不息,天下恟恟,思闻拯乱。公天纵神武,亲举义师,所下城邑,秋毫无犯,军令严明,将士用命。关中所在蜂起,惟待义兵,仗大顺,从众欲,何忧不济。"李渊任命任瑰为招慰大使,说服韩城迎降,又与陈演寿、史大奈等击破隋军于饮马泉,以功拜左光禄大夫,留守永丰仓。

高祖即位后,授任瑰为谷州刺史。王世充占据洛阳,派军进攻新安(今属河南),"瑰拒战破之,以功累封管国公"。秦王李世民征讨王世充,任瑰负责唐军后勤供给。洛阳平定后,任瑰出任河南道安抚大使。王世充之弟王世辩驻徐州,率军投降任瑰,适逢叛军徐圆朗占据兖州,曹、濮等州响应。副使柳浚劝任瑰退保汴州,任瑰笑曰:"柳公何怯也!老将居边甚久,自当有计,非公所知。"任瑰任用王世充旧将崔枢和张公谨,击退叛军。唐高祖委任任瑰为徐州总管,仍兼安抚大使。武德七年(624年),辅公祏之乱平定,任瑰改任

---

① 《全唐文》卷506,权德舆《罗珦墓志铭》。
② 《旧唐书》卷59《任瑰传》。

邢州都督。然任瑰喜用亲旧,其妻柳氏"妬悍无礼,为世所讥"①。卒于贞观三年(629年)。

二、罗珦与庐州吏治

唐代中期,对庐州地区有重大影响的人物,当属罗珦。有关罗珦的文献资料,主要是新旧《唐书》,另有杨凭《唐庐州刺史本州团练使罗公德政碑》(简称《罗珦德政碑》)和权德舆《唐故太中大夫、守太子宾客、上柱国襄阳县开国男、赐紫金鱼袋罗公墓志铭》(简称《罗珦墓志铭》),分别载于《全唐文》卷四百七十八、卷五百○六。

关于罗珦籍贯,有越州会稽(今浙江绍兴)和庐州两种说法。

《新唐书·罗珦传》称:"罗珦,越州会稽人。"权德舆《罗珦墓志铭》则云:"公讳珦,其先会稽人。蜀广汉太守蒙,晋西鄂县侯宪;给事中袭,皆以茂绩焯于前载。曾祖彦荣,皇同州长史。祖思崇,韶、睦、常三州刺史;父怀操,桂州兴安县令,赠华州刺史。实有清行藏于家牒。"

然五代何光远《鉴戒录》、王象之《舆地纪胜》、李贤《大明一统志》及《全唐诗·作者小传》均称罗珦为庐州人。罗珦早年贫苦,曾寄食于庐州浮槎山福泉寺,代宗宝应(762—763)初上书言事,授太常寺太祝,历长水、河南县尉,万年主簿,授大理司直。嗣曹王皋以宗室出镇江西、荆襄,罗珦进入幕府,累迁为节度副使。嗣曹王皋去世,军士趁乱劫府库,罗珦捕杀首恶十余人。入朝担任监察御史、殿中侍御史、祠部员外郎,调为奉天令,宦官、权贵屏息,不敢为非。贞元十二年(796年)以功擢为庐州刺史。

---

① 《旧唐书》卷59《任瑰传》。张鷟《朝野佥载》(中华书局,1979年)卷3记载,"兵部尚书任瑰敕赐宫女二人,皆国色。妻妒,烂二女头发秃尽。太宗闻之,令上宫赍金壶瓶酒赐之,云:'饮之立死。瑰三品,合置姬媵。尔后不妒,不须饮;若妒,即饮之。'柳氏拜敕讫,曰:'妾与瑰结发夫妻,俱出微贱,更相辅翼,遂致荣官。瑰今多内嬖,诚不如死。'饮尽而卧,然实非酖也,至夜半睡醒。帝谓瑰曰:'其性如此,朕亦当畏之。'因诏二女令别宅安置。"

五代何光远《鉴戒录》卷八《衣锦归》云："罗使君,本庐州人,不事巨产而慕大名,以至困穷,竟无退倦。常投福泉寺僧房寄足,每旦随僧一食,学业而已。历二十年间,持节归郡,泪入境,专游福泉寺,驻旌戟信宿,书其壁曰:'二十年前此布衣,鹿鸣西上虎符归。行时宾从过前事,到处杉松长旧围。野老共遮官路拜,沙鸥遥避隼旗飞。春风一宿琉璃殿,唯有泉声惬素机。'"罗使君,即贞元年间庐州刺史罗珦。

南宋王象之《舆地纪胜》卷四十五《淮南西路·庐州》亦云:"珦,庐州人,以穷困尝投福泉寺,随僧饭。后持节归乡,至僧房书壁,题写《行县至浮查山》。"

《大明一统志》卷十四《庐州府·人物》亦云:"罗珦,庐州人,仕为本州刺史,捐己俸给药济贫,禁淫祀,修学劝士,务崇其本,三年政化大洽,有芝草、白雀之瑞。"①

《全唐诗》卷三百十三存罗珦诗一首,其诗人小传云:"罗珦,会稽人,家于庐州。贞元中,刺本郡(指庐州),以治行闻,再迁京兆尹。诗一首。"其诗即《行县至浮查山寺》,叙述自己衣锦还乡情景,今肥东县王铁乡有浮槎山,即"浮查山"。

唐朝庐州陋俗颇多,"不好学而酷信淫祀,豪家广占田而不耕,人稀而病于吏众,艺桑鲜而布帛疏滥,有札瘥夭伤,则损败生业,舍药物而乞灵于鬼神",②罗珦大刀阔斧根除弊端,号称"政洽化淳","政事居最,惠养赡助,一邦阜安"③。

其一,开垦旷地,发展生产。庐州土地空旷贫瘠,农作物产量不高,赋役繁重,豪富之家广占田而不耕种。罗珦鼓励农民开垦土地,"有能兴耒耜者听耕之",所垦之田即为垦殖者所有,结果"垦田滋多,岁以大穰"。同时在庐州劝民植桑养蚕,根据蚕桑多少予以奖惩,"数年之后,环庐映陌,如云翳日",随后发展丝织业,改进织机,推广纺织

---

① 李贤:《大明一统志》卷14《庐州府》,三秦出版社1990年版。
② 董诰:《全唐文》卷478,杨凭《罗珦德政碑》,中华书局1983年版。
③ 《全唐文》卷478,杨凭《罗珦德政碑》。

技术,"易其机杼,教令缜密,精粗中数,广狭中量,鬻之阛阓而得善价,人以不困"。

其二,减轻百姓赋役。庐州"人产寒薄,井赋尤重",罗珦担任后,招集农户评议,根据土地资产确定征收数额,里胥登记在簿,"无得措一辞",是以赋均而无铢两之差"①。自军兴以来,钱重货轻,朝廷命两税以钱帛折价,罗珦"命一郡所出之货,人皆得而输之",既方便赋税征收,又避免折算中盘剥百姓,结果"人人自便,吏无侵害"。合肥四面环水,州城常遭水浸崩坏,"命州兵食公之糇粮者,度其力役多少,加给僦功缗钱,寻尺摧阙,随补隙坏",尽量减轻百姓力役负担。

其三,整饬吏治,"政教简易"②。庐州属县每年四季汇报,刺史根据治状考绩,县官因此奔走不暇,又有猾吏乘机从中渔利。罗珦令县官平时不得离开县境,年终才到州汇报考课,"人乐易简之理"。以前"冗吏猥多",乡里胥吏人多扰民,罗珦到任后,"每里置里胥一人而止,余悉罢之"③。权豪占田而多漏税,贫民困苦投诉无门,罗珦一一整治。

其四,发展教育,开化风俗。罗珦重视学校教育,修复"废落"的乡校,聘请有才学者为塾师,以《易》《礼》《书》《春秋》教授学生。又仿照汉文翁在蜀兴学的做法,"圆冠方屦者不补吏",以激励士子向学。罗珦"修学官"的努力取得很好的成绩,不到几年,"俊造之秀"进入长安国子监学校就有四十人。庐州之俗,"不好学而酷信淫祀",百姓生病,"舍药物而乞灵于鬼神",罗珦则"禁其听神,颁以良药,为求十全之术以救活之",设法为老百姓求医问药拯救其生命,令百姓"春无疟寒,夏无痟首之疾"④。

罗珦治理庐州七年,"垦彼荆榛,化为莓苔。隘关溢廛,万商俱

---

① 《全唐文》卷506,权德舆《罗珦墓志铭》。
② 《新唐书》卷97《罗珦传》。
③ 《全唐文》卷478,杨凭《罗珦德政碑》。
④ 《全唐文》卷478,杨凭《罗珦德政碑》。

来。罢吏息人，老安少怀。提封之内，邑无旷土"，考绩为天下第一。①淮南节度使杜佑上奏其政绩，"诏赐紫金命服"②。贞元十八年（802年），改寿州刺史兼本州团练使，加御史中丞。庐州父老感年其恩惠，赴长安奏请为其树立德政碑。元和初，入朝为司农卿、京兆尹。移疾乞告，改太子宾客，"凡莅十六官，考绩四十四年"。元和四年（809年）十一月，兵卒于长安宣平里。

罗珦之子罗让，《旧唐书》有传。罗让，"少以文学知名，举进士，应诏对策高等，为咸阳尉。丁父忧，服阙除，尚衣麻茹菜，不从四方之辟者十余年。李郾为淮南节度使，就其所居，请为从事"。除监察御史，转殿中侍御史，历尚书郎、给事中，累迁至福建观察使、兼御史中丞，"甚著仁惠"。同僚赠以婢女，罗让询问其来历，婢女回答："本某等家人。兄姊九人，皆为官所卖，其留者唯老母耳。"罗让为之伤感，遂焚其卖身文契，将婢女归还其母亲。③ 后入朝担任散骑常侍，未几，除授江西都团练观察使、兼御史大夫。卒年七十一岁，朝廷追赠为礼部尚书。

三、庐州历任牧守

庐州最初为中州，乾元元年（758年）升为上州。嘉庆、光绪《庐州府志》列举唐朝刺史、太守，所缺甚多。今人郁贤皓查考文献，作《唐刺史考全编》，④其中卷一百二十八考订淮南道庐州（庐江郡）刺史名单。

---

① 《全唐文》卷478，杨凭《唐庐州刺史本州团练使罗珦德政碑》。
② 《全唐文》卷506，权德舆《罗珦墓志铭》。
③ 《旧唐书》卷188《罗让传》。
④ 郁贤皓：《唐刺史考全编》，黄山书社2000年版。

（一）嘉庆《庐州府志》卷九《职官表一》所见庐州牧守

时期	刺史/太守	刺史/太守
高祖	毕憬，东平人，武德中刺庐州	
太宗	薛缙，汾阴人，贞观中刺庐州	高峰，范阳人，刺庐州
高宗	窦彧，扶风人	
武后	朱敬则，永城人，有传	韦岳子，万年人，有传
	武重规	
中宗	李迥秀，武阳人	
睿宗	敬湘，河东人	
玄宗	薛昇，汾阴人	
肃宗	李萼，清河人，有传	张谓①，闻喜人
	贾深，长乐人，见崔公碑，有传	
德宗	罗珦，会稽人，有传	王仲舒，太原人，贞元中刺庐州
	罗立言，宣州人，贞元末刺庐州	
宪宗	李翱，和州人，有传	
敬宗	温章，祁人	刘佑，有传
文宗	路应求，阳平人，刺庐州，有传	殷佑，刺庐州，有传
	张屺，刺庐州，有传	
宣宗	卢潘，大中间刺庐州，有传	
懿宗	董璟，刺庐州	
僖宗	张博，刺庐州	郑綮，河南人，有传
	郎幼复，刺庐州	杨行密，见监镇
	裴靖，刺庐州	李丹，刺庐州

---

① 张谓，光绪《续修庐州府志》卷23《职官表一》作"裴谓"。

(二)《唐刺史考全编》卷一百二十八《庐州》

牧守	任职时间及事迹	资料来源
方亮	武德间,使持节庐、申二州诸军事本州刺史	《全唐文》卷2高祖《赐方亮诏》
段高	武德、贞观间刺庐州	《姓纂》卷9《辽西段氏》
杜氏	贞观十年,刺史杜公作斗门,与肥水相接	《太平寰宇记》卷126《庐州》
卢宝胤	麟德元年,改任庐州刺史	《全唐文》卷229张说《常州刺史平君神道碑》
毕憬	武后时,司卫少卿,庐、许等州刺史	《韩昌黎集》卷25《唐故河南府王屋县尉毕君墓志铭》、《旧唐书·毕构传》
李千里	天授后,历唐、庐、许、卫、蒲五州刺史	《旧唐书·太宗诸子传》
韦岳子	武后时,历庐、海等州刺史	《新唐书·韦弘机传》
沈成福	武后时,简、台、庐等州刺史	《姓纂》卷7吴兴武康县沈氏
李迥秀	长安四年二月,贬李迥秀为庐州刺史	《新唐书·则天皇后纪》
朱敬则	神龙二年,贬授庐州刺史	《旧唐书·朱敬则传》
高峤	中宗、睿宗年间,庐州刺史	《新唐书·宰相世袭表》
王济	开元前期,庐州刺史	《唐代墓志汇编》
樊季节	开元年间,庐江太守	《全唐文》卷343,颜真卿《徐府君神道碑铭》
薛缙	开元年间,庐、和二州刺史	《新唐书·宰相世袭表》
王师乾	开元间,官谏议大夫,庐、循、道三州刺史	《宝刻丛编》卷15引《集古录目》
源光乘	开元中,转淄、庐二州刺史	《唐代墓志汇编》卷105《源光乘墓志铭并序》
索敬节	开元年间,终庐州刺史	《唐代墓志汇编续集》贞元080《索玄爱公墓纪铭》
竹承构	开元二十三年,刺史竹承构奏于故城置舒城县	《太平寰宇记》卷126庐州

(续表)

牧守	任职时间及事迹	资料来源
敬诚	开元二十七年,移庐州刺史	《嘉泰会稽志》
李祗	吴王李祗,"英明庐江守,声誉广平籍"	《李太白全集》卷11《寄上吴王三首》
李昊	约天宝十三、十四载,拜庐江郡长史知郡事	《芒洛冢墓遗文》卷中《李昊墓志铭并序》
元瑾	至德、乾元间,庐州刺史	《千唐志·元濆长墓志铭并序》
赵良弼	上元元年十月,以庐州刺史授越州刺史	《旧唐书·肃宗纪》
徐浩	上元二年正月,东诸侯之师有事于淮西……庐州刺史、前尚书右丞徐公浩至自合淝	《全唐文》卷389独孤及《豫章冠盖盛集记》
张万福	代宗初,累摄舒、庐、寿三州刺史,舒庐寿三州都团练使	《旧唐书·张万福传》
贾深	大历三年十月二十五日,自庐州刺史拜	《严州图经》卷1《题名》
裴谞	大历中,历饶、庐、亳三州刺史	《旧唐书·裴谞传》
孙会	大历中,官郴、温、庐、宣、常五州刺史	《千唐志·孙公义墓志铭》
李蓘	贞元中,历庐州刺史	《新唐书·元德秀传附李蓘》
杜收	贞元中,户部郎中、庐州刺史	《元和姓纂》卷6《濮阳杜氏》
窦彧	贞元中,"父彧,庐州刺史"	《旧唐书·窦易直传》
罗珦	约贞元十二年,擢庐州刺史,在职七年	《新唐书·罗珦传》
路应	约贞元十八年,改判庐州	《韩昌黎集》卷26《路应神道碑》
裴靖	约贞元十九年,得庐州刺史裴靖状称	《全唐文》卷688,符载《庐州进嘉禾状》
韦罩	贞元中,庐、楚等州刺史	《唐代墓志汇编》卷161《韦夫人墓志铭并序》
王仲舒	元和中,出为峡州刺史,迁庐州,未之任	《韩昌黎集》卷33《王仲舒墓志铭》

(续表)

牧守	任职时间及事迹	资料来源
薛丹	元和中,庐州刺史	《新唐书·宰相世系表》
殷祐	元和末,自庐州刺史迁郑州	《白居易集》卷49《前庐州刺史殷祐可郑州刺史制》
张岯	长庆初,授庐州刺史	《白氏长庆集》卷51《张岯授庐州刺史兼御史中丞制》
李翱	宝历元年,以前礼部郎中李翱为庐州刺史	《旧唐书·敬宗纪》
路某	太和初年,庐州刺史	《全唐文》卷612,陈鸿《庐州同食馆记》
罗立言	太和九年,以前庐州刺史罗立言为司农卿	《资治通鉴·太和九年》
孙公义	会昌三年,迁合淝郡(守)	《唐代墓志汇编》卷54《孙公义墓志铭》
卢搏	大中年间,庐州刺史	《樊川文集》卷18《卢搏除庐州刺史制》
温璋	约大中九年,徙庐州刺史	《新唐书·温璋传》
卢潘	大中十三年,庐州刺史	《全唐文》卷892卢潘《庐江四辨》《万敬儒孝行碑》
敬湘	咸通三年,庐州刺史	《新唐书·宰相世系表》
卢钲	咸通十年,卢谏议出牧此州(庐州)	《全唐文》卷868,殷文圭《张崇修庐州外罗城记》
张搏	乾符二年,湖州刺史张搏为庐州刺史	《旧唐书·僖宗纪》
薛沆	约乾符间,庐州刺史	《全唐诗》卷795薛沆诗句注
郑綮	乾符末,出为庐州刺史	《旧唐书·郑綮传》
许勍	中和初,庐州刺史	《唐文拾遗》卷40崔致远(代高骈)《(行墨敕)许勍授庐州刺史》
郎幼复	中和二年,庐州将杨行密逐其刺史郎幼复	《新唐书·僖宗纪》

(续表)

牧守	任职时间及事迹	资料来源
杨行密	中和三年,以淮南押牙合肥杨行密为庐州刺史	《资治通鉴·中和三年》
蔡俦	文德元年,杨行密使蔡俦守庐州	《资治通鉴·文德元年》
刘威	乾宁初,表授庐州刺史	《九国志·刘威传》
康儒	天复三年,杨行密擢康儒为庐州刺史,未到任	《资治通鉴·天复三年》
张崇	天祐三年,张崇授庐州刺史兼本州团练使,四年八月到任	《全唐文》卷868,殷文圭《张崇修庐州外罗城记》

嘉庆《庐州府志》列举自唐高祖至唐僖宗时刺史、太守三十人,不包括唐末昭宗以后所授之刺史。《唐刺史考全编》考订任职庐州牧守者达五十八人,其中宪宗时王仲舒、昭宗时康儒并未到任,中和初年许勍是否担任庐州刺史,该书也存疑:"中和二年后庐州刺史为杨行密控制,许勍不容插入。"①又据《新唐书·杨行密传》及《资治通鉴》,滁州刺史许勍多次争夺庐州,均未成功。另外,《唐刺史考全编》根据《太平寰宇记》所列"唐贞观十年,刺史杜公作斗门,与肥水相接",得出"贞观年间杜某为庐州刺史"。然查考《舆地纪胜》《元和姓纂》《新唐书》等典籍,"贞观"实为"贞元"之误,时任庐州刺史实为杜收,故所考实际任职庐州牧守者仅有五十四人。

四、庐州牧守业绩

唐代长期稳定,社会秩序良好。《新唐书》称太宗贞观年间,"天下刑几措,是时州县有良吏,无酷吏"②。唐代近二百九十年间,任职地方者多廉明精干官员,治绩可称者颇多。

---

① 郁贤皓:《唐刺史考全编》卷125《淮南道·滁州》。
② 《新唐书》卷209《酷吏传》。

亳州人朱敬则在朝为相,直言进谏,敢于任事,中宗神龙二年(706年)贬为庐州刺史,为官清廉,"经数月,泊代到,还乡里,无淮南一物,唯有所乘马一匹,诸子徒步从而归"①。韦岳子,"历庐、海等州刺史,皆著风迹,恩严两施"②,"所至之邦,有威有怀"③。竹承构,采访使举为"良刺史"④,事迹闻于朝廷。天宝年间,吴王李祇为政清廉,"去时无一物,东壁挂胡床"⑤。肃宗时贾深"有文有武,忠于王室,推心驭下,嘉绩升闻",一州老幼咸曰:"我州我邑,敷王德泽。"⑥窦彧"保身以正,为政以仁","治而有礼,俾人知方,予忝廉问,实知循良。将以上闻,冀殊宠章"⑦。庐州城墙皆用土筑,路应任刺史时改用砖砌。⑧另外,殷祐担任刺史,为政宽信廉明,"岁会课第,甲于他州"⑨。其突出者有罗珦、李翱、阳平路某及郑絜等人。

(一)李翱均税措施

李翱(772—841年),字习之,陇西成纪(今甘肃秦安)人,唐代著名文学家、思想家、诗人。李翱自幼"勤于儒学,博雅好古",后来"从昌黎韩愈为文章"⑩。德宗贞元十四年(798年),登进士第,初任授书郎,三迁至京兆府司录参军。宪宗元和初年,转国子博士、史馆修撰。元和十五年(820年),任考功员外郎,并兼史馆之职。

李翱性格耿直,议论无所避忌。权贵虽"重其学",而"恶其激

---

① 《旧唐书》卷90《朱敬则传》。
② 《新唐书》卷100《韦弘机附岳子传》。
③ 《全唐文》卷497,权德舆《韦公先庙碑铭并序》。
④ 王钦若:《册府元龟》卷128《帝王部·明赏第二》,中华书局1966年版。
⑤ 李白:《李太白全集》卷11《寄上吴王三首》,中华书局1977年版。
⑥ 《全唐文》卷318,李华《淮南节度使尚书左仆射崔公颂德碑铭》。
⑦ 《全唐文》卷522,梁肃《为杜东都祭窦庐州文》。
⑧ 《韩昌黎集》卷26《唐故银青光禄大夫守左散骑常侍致仕上柱国襄阳郡王平阳路公(应)神道碑铭》。
⑨ 白居易:《白氏长庆集》卷49《前庐州刺史殷祐可郑州刺史制》。
⑩ 《新唐书》卷177《李翱传》。

许"①,因而长期不得升迁。谏议大夫李景俭一度"表翱自代",不久因李景俭贬黜,李翱降为朗州刺史。直到李景俭复职,才回朝担任礼部郎中。面对朝纲不振,李翱愤闷不已,便去拜见宰相李逢吉,"面斥其过失"②,并打算告病还乡。李逢吉并未计较李翱言行,表奏李翱担任庐州刺史。

李翱赴任庐州时,适逢地方发生旱灾,且又疾疫流行,县吏加紧催征赋税,以致逃亡户口四万之多。豪门势家乘机以低价购买破产农民的田地和房屋,从中牟取暴利。李翱为解决这个问题,下令"以田占租"③,按照田地多寡承担赋税,田多者多交,少者少交,无田户免交,并申明不得隐漏田税。这样无田或少田农户的赋税负担有所减轻,逃税的豪室比原先增交税钱一万二千余缗,"贫弱以安",维持了社会稳定。

(二)阳平路氏政绩

路氏,姓名、籍贯不详,系出阳平(今河北大名)。陈鸿《庐州同食馆记》记载其担任庐州刺史时重修同食馆及整顿漕路之事。郁贤皓《唐刺史考全编》怀疑其人即宰相路岩之父路群,然又不敢断定:"按《旧书·路岩传》称:阳平冠氏人。其父群,入朝为监察御史,累加兵部郎中,与《记》合。唯据《传》,路群大和二年迁谏议大夫,以本官充侍讲学士,四年罢侍讲为翰林学士,与《记》所叙大和三年在庐州任又不合。故未敢定为路群。"

文宗大和二年(828年),路氏担任庐州刺史。城南门东侧有同食馆,为官府接待往来官员及商贾会客之驿馆,然迭经战乱和风雨侵蚀,"梁柱朽蠹,轩户欹倾,断枅委阶,椽落栋折,风雨雪霜,宾不可宿"④。路氏到任的第二年十月,便利用农闲季节,对其进行大规模的

---

① 《旧唐书》卷160《李翱传》。
② 《新唐书》卷117《李翱传》。
③ 《新唐书》卷177《李翱传》。
④ 《全唐文》卷612,陈鸿《庐州同食馆记》。

翻新和扩建。新建成的同食馆,"阶间容揖让,楹间容宾盘,柱间容乐工,屏间容将吏。左右为寝食更衣之所","又西开下阁作饔舍"。"厩屋宏大,中敞作南门,容旌旗驷马。北上作丁字亭,亭北列朱槛,面城墉。其下淤沟,开导通水,因古岸植竹树,为风月晏游地"。同时又修缮所辖慎县、庐江、巢县、舒城四县馆舍,便利各地交往。

庐州为淮南节度使巡属,其两税每年需上交朝廷和节度使府。唐代元稹称:"自国家置两税以来,天下之财限为三品,一曰上供,二曰留使,三曰留州,皆量出以为入,定额以给资。"①庐州两税一部分上供朝廷,一部分留州供官府支度,一部分需要"留使",转运到扬州。庐州每年要输扬州淮南节度米数万石,"轴轳相继,出巢湖,入大江,岁为风波沈溺者半"。路氏在巢湖东北岸囊皋里(今安徽巢湖柘皋镇)建造仓廪三十九间,用来储藏庐州东面巢县、慎县交纳的税粮,然后"由申港出新妇江至白沙",到达扬州。新妇江即今新裕河,"自安徽巢县流经含山县南,又东流至和县界,入于江。濡须水(今裕溪河)之分流也。亦名新妇港"②。白沙在今江苏南京市六合区的长江北岸,有漕渠自长江通邗沟。这样既减少了巢湖水运上的税米损失,又可减轻力役之苦,"人不劳,水无害"③。

(三)郑綮清廉自持

郑綮,字蕴武,进士出身,能诗,儒雅清慎,"历监察、殿中、仓、户二员外,金、刑、右司三郎中"④。因家境清贫,奏请出外任职,遂迁为庐州刺史。黄巢军渡江北上,郑綮写信给黄巢,"请无犯州境,巢笑为敛兵,州独完"⑤。庐州因此避免兵燹之灾,唐僖宗为此嘉奖郑綮,赐绯鱼袋。乾宁元年(894年)二月,担任礼部侍郎、同平章事,未几,以

---

① 《全唐文》卷651,元稹《钱货议状》。
② 臧励龢:《中国古今地名大辞典》,商务印书馆1931年版。
③ 《全唐文》卷612,陈鸿《庐州同食馆记》。
④ 《旧唐书》卷179《郑綮传》。
⑤ 《新唐书》卷183《郑綮传》。

太子少保致仕。

郑綮为官廉洁,关注民生疾苦。杨行密早年为盗被抓,郑綮奇其状貌,对他说:"尔且富贵,何为作贼?"①对其告诫以后,就把杨行密释放了。任满还朝,郑綮作诗与人:"唯有两行公廨泪,一时洒向渡头风。"他将结余的千余贯公廨经费悉数存入公家库房,分文不取,人称此钱为"公使钱"②。

第三节　社会矛盾发展

安史之乱是唐朝由盛到衰的转折点。安史叛军虽然最终平定,唐朝统治力量大大削弱,朝内宦官干政,党争愈演愈烈,随着边防力量削弱,西北、西南地区边患日益严重,而地方藩镇势力骄横,形成藩镇割据之势。淮南地区并未出现割据,但作为朝廷财赋来源之地,百姓负担加重,同时骄兵悍将以及周边藩镇叛乱直接影响境内,社会矛盾激化,多次爆发小股农民起义。

一、政治动荡中的庐州

唐天宝十四年(755年)爆发的安史之乱,造成黄河流域生灵涂炭,田园荒废。安史叛军窥伺江汉,侵夺淮南,企图切断唐朝经济命脉,掠夺其财富以备持久作战。然而山南节度使鲁炅扼守襄阳,真源令张巡、南阳太守许远等坚守睢阳(今河南商丘),叛军受阻而不能南下,江淮地区得到保障,庐州也免遭安史叛军洗劫。

---

① 《新唐书》卷188《杨行密传》。
② 《旧唐书》卷179《郑綮传》。

（一）扬州刘展之乱

唐朝在平叛过程中，地方藩镇势力得到滋长。平叛将领广自封殖，争当雄长，日寻干戈，对江淮地区影响最大的是刘展之乱。

上元元年（760年）十一月，宋州刺史刘展居功自傲，淮西节度使王仲昇奏称刘展有不臣之心。朝廷正忙于平叛战争，担忧江淮再乱，一面委任刘展为淮南节度使以安抚，一面令持节都统江淮节度宣慰观察使李峘，与淮南东道节度使邓景山共同对付刘展。刘展得到消息，率精兵两万渡过淮河，击败李峘、邓景山，李峘兵溃逃亡江西。刘展遂引兵进入扬州，派遣别将屈突孝标攻陷濠州、楚州，又遣将王晅攻陷舒州、和州、滁州、庐州等地，"所向无不摧靡，聚兵万人，骑三千，横行江淮间"，庐州及其周围地区始罹战争荼毒。后来寿州刺史崔昭发兵拒敌，叛军势力受挫，"晅不得西，止屯庐州"[①]。上元二年（761年）春正月，邓景山求援于平卢兵马副使田神功，"神功兵至扬州，大掠居人，发冢墓，大食、波斯贾胡死者数千人"[②]，刘展兵败，渡江向东南地区逃亡，途中被杀。随后田神功派遣杨惠元等率一千五百人西击王晅等军，王晅亦引兵东走，渡江至常熟（今属江苏），兵败投降。[③] 刘展势力占领庐州不过月余而已。史称"安史之乱，乱兵不及江淮，至是，其民始罹荼毒矣"[④]。

（二）庞勋起义

唐宣宗大中（847—859年）以后，唐在西川、黔中、邕管一线与南诏战争不断发生。朝廷调遣山东、河南、山南和江南部分军士戍守岭南，约定三年为期，期满调还原籍。咸通三年（862年），徐州调发士卒戍守岭南，至咸通九年（868年）徐州士卒已戍守六年，多次请求代换。

---

① 《资治通鉴》卷221，肃宗上元元年十二月。
② 《新唐书》卷141《田神功传》。
③ 《资治通鉴》卷222，肃宗上元二年正月。
④ 《资治通鉴》卷222，肃宗上元二年二月。

但徐州观察使崔彦曾以库藏空虚、派兵更戍所费颇多，要求桂林戍兵依旧留戍一年。当年七月，徐州戍卒闻知消息，怒不可遏，杀死都将王仲甫，推粮料判官庞勋为首，自戍地桂州（今广西桂林）北上，"不待朝廷命，卷旗而归"①。

唐朝闻讯后，虽下诏赦免戍卒杀将擅还之罪，暗中却调兵镇压。戍卒为避免"支分灭族"，开展武装斗争，从而演变成戍兵起义。各地藩镇节度使互相观望，戍卒顺利地渡过长江、淮河，很快攻到徐州城下，观察使崔彦曾拦击败归，起义队伍南下夺取宿州，淮北农民纷纷加入起义队伍，庞勋自称"兵马留后"。当时"淮北大水，征赋不能办，人人思乱。及庞勋反，附者六七万"②。

随后起义军乘势北攻徐州，杀徐州观察使崔彦曾，势力发展到二十万人。唐廷为扭转局势，派遣金吾大将军康承训为义成节度使、徐州行营都招讨使，全面负责讨伐庞勋事；以神武大将军王晏权为徐州北面行营招讨使，羽林将军戴可师为徐州南面行营招讨使，发诸道军队二十万，分三路进攻。康承训率军进驻新兴（今安徽涡阳北），庞勋则以将领姚周驻于柳子镇（今安徽濉溪县柳孜镇）与之相抗。当时诸道兵未集，康承训只有万余人，不敢进兵，遂退驻宋州（今河南商丘）。庞勋以为官军不足畏，乘机进攻沂州、海州，夺取濠州及沭阳等地，又分遣部将丁从实等各率数千人南侵舒州、庐州，夺取滁州、和州及乌江、巢县等地。

南路唐军三万人在戴可师率领下，渡过淮水，围攻庞勋据点都梁城（今江苏盱眙北），城中守军乘官军立足未稳，突然反攻，斩杀戴可师及监军，获得器械、资粮、车马无数，官军脱逃者仅数百人。江淮大震，淮南节度使令狐绹担心庞勋继续南下，答应为庞勋奏请节钺，庞勋还军淮北，不再进攻淮南。咸通十年（869年）九月，庞勋在蕲县（今安徽宿州南）战死，起义失败，余部一直坚持到乾符年间。起义沉重

---

① 《全唐文》卷802，郑就《宋州重修五驿记》。
② 《新唐书》卷52《食货志二》。

打击唐朝统治,《新唐书》评论"唐亡于黄巢,而祸基于桂林"①。

(三)黄巢起义

乾符元年(874年)底,濮州(今河南范县)人王仙芝率领农民在长垣起义,随后冤句(今山东菏泽)人也聚众响应,全国性农民起义爆发了。起义军势力发展很快,"横行山东,民之困于重敛者,争归之,数月之间,众至数万"②。

乾符三年(876年)十二月,王仙芝率领起义军转战江淮,"南至寿、庐,北经曹、宋"③,派骑兵围舒州,攻打庐、寿等州,"啖寿春,陷颍上,刷亳社,掠合肥,经营于梁宋"④,河南、淮南、山东等地成为农民起义军的活动地区。乾符五年(878年)二月,王仙芝战死于黄梅(今属湖北),黄巢成为起义领袖,自称"冲天大将军",有兵力十万人"欲窥东都"⑤,唐朝加强东都防御力量。黄巢遂南下江淮,进攻和州,为官军所败,渡江转向浙西、福建。

乾符六年(879年)初,起义军进入岭南,九月攻占广州,分兵攻取桂州(今广西桂林)。时值岭南疾疫,黄巢率部沿湘江北上,攻克潭州(今湖南长沙)、江陵(今属湖北),但在荆门遭唐将刘巨容伏击,损失惨重。广明元年(880年)初,黄巢离鄂州东下,"转掠江西,再入饶、信、杭州,众至二十万"⑥。六月,攻克宣州。七月,自采石(今安徽马鞍山境内)横渡长江,围攻天长、六合,兵势甚盛,夺取滁、和两州,淮南节度使高骈不敢出战,唐四易统帅,率皆败北。黄巢攻淮南时,庐州刺史郑綮移书黄巢,"请无犯州境,巢笑为敛兵,州独完"⑦。九月,黄巢义军悉众渡淮,转战西行,锋指长安。十二月,黄巢义军攻占长

---

① 《新唐书》卷222中《南蛮传中》。
② 《资治通鉴》卷252,僖宗乾符二年六月。
③ 《旧唐书》卷19下《僖宗纪》。
④ 《全唐文》卷894,罗隐《上招讨宋将军书》。
⑤ 《新唐书》卷225下《黄巢传》。
⑥ 《新唐书》卷225下《黄巢传》。
⑦ 《新唐书》卷183《郑綮传》。

安,唐僖宗君臣逃往成都,起义进入高潮。

刘展叛乱、庞勋起义,偏师侵扰江淮,时间较短,庐州所受破坏不大。王仙芝、黄巢起义多次进攻江淮,庐州受战争影响较为显著,境内随后也发生多起小规模的农民起义。

二、赋役负担与社会矛盾

(一)赋税负担

连绵不断的藩镇战争,黄河流域经济遭到严重打击。河朔藩镇"户版不籍于朝廷",而边防和中原腹地屯驻大军,需要朝廷财力支持。朝廷庞大的行政和军事开支,逐渐改以包括淮南在内的东南八道来支撑。① 正赋之外,巧立名目,不断增加附加税种。肃宗即位之初,即命江淮租庸使于常赋外,另增新税。御史康云间到江淮,"豪商富户,皆籍其家资,所有财货畜产,或五分纳一,谓之'率贷',所收巨万计"②。乾元二年(759年),元载为江淮五道租庸使,"按籍举八年租调之违负及逋逃者,计其大数而征之;择豪吏为县令而督之,不问负之有无,赀之高下,察民有粟帛者发徒围之,籍其所有而中分之,甚者什取八九,谓之白著"③。建中元年(780年)两税法推行以后,百姓负担有所减轻,但很快便出现税外加税。建中三年(782年)五月,"淮南节度使陈少游请于本道两税钱每千增二百,因诏他州悉如之"④。肃宗年间,第五琦担任诸州榷盐铁使,"尽榷天下盐,斗加时价百钱而出之,为钱一百一十"。到德宗贞元四年(788年),陈少游"奏加民赋,自此江淮盐每斗亦增二百,为钱三百一十。其后复增六十,河中两池

---

① 王溥:《唐会要》(上海古籍出版社,2006年)卷84《户口数杂录》云:"每岁县赋入倚办,止于浙西、浙东、宣歙、淮南、江西、鄂岳、福建、湖南等道,合四十州,一百四十四万户。比量天宝供税之户,四分有一。"
② 杜佑:《通典》卷11《食货十一·杂税》,中华书局1992年版。
③ 《资治通鉴》卷222,宝应元年。
④ 《旧唐书》卷48《食货志上》。

盐每斗为钱三百七十。江淮豪贾射利,或时倍之,官收不能过半,民始怨矣。"①不过二三十年间,盐税增加几十倍。元初史家胡三省不禁感慨:"盐每斗价几何,而顿增百钱,人谁堪之。"②

庐州赋税没有确切数字材料,但"井赋尤重""岁会课第,甲于他州"屡见于记载,甚至有"每岁引刍粟之车九千辆""郡米数万石输扬州"③。唐代后期两税收入实行三分制,即"一曰上供,二曰送使,三曰留州,皆量出以为入,定额以给资"④,庐州输扬州的数万石米,应为送使之数。9000车刍粟,应是上贡朝廷之数。当时每车载重几何,今已不可得知,按照每车500斤粮食,则9000车约载450万斤。一石为120斤,450万斤约3.75万石。上贡、送使、留州累计约11.25万石,约1350万斤。此外,州郡每年需向朝廷交纳土贡。据《新唐书·地理志》记载,庐州土贡有花纱、交梭丝布、茶、蜡、酥、鹿脯、生石斛。⑤

(二)兵役和徭役

唐代前期推行府兵制,而军府主要分布在北方,江淮地区素无征防。安史之乱后,藩镇拥兵割据,而边疆地区危机不断。从代宗起,开始岁征淮南四千人,宣、歙丁壮三千人前往西北防秋,征江淮弩手戍边。⑥为维护地方治安,不设节度、防御使的州郡兴办团练,即征集农民,经过短期军事训练,负责维护地方治安,而各州刺史兼任本州团练使。防秋和戍边,成为百姓沉重负担。杜甫《兵车行》曾描述此艰辛:"或从十五北防河,便至四十西营田。去时里正与裹头,归来头白还戍边。"庞勋起义即系徐州戍兵久不代归而引发的。唐末杨行密为庐州兵,"戍朔方,迁队长。岁满戍还,而军吏恶之,复使出戍"⑦,最

---

① 《新唐书》卷54《食货志四》。
② 《资治通鉴》卷227,德宗建中三年五月注。
③ 《全唐文》卷612,陈鸿《庐州同食馆记》。
④ 《全唐文》卷451,元稹《钱货议状》。
⑤ 《新唐书》卷41《地理五》。
⑥ 《旧唐书》卷11《代宗本纪》。
⑦ 《新五代史》卷61《吴世家》。

终不堪屡次戍边而斩杀军吏、起兵庐州。

两税法规定,"其租庸杂徭悉省"①,但实际上徭役并没有废除,修治道路、运送军粮、修筑城池等仍然由百姓来承担。为了防御农民起义和土匪强盗的侵扰,庐州先后几次大规模兴修或加固城池。贞元年间,路应担任庐州刺史,在旧城的基础上改用砖砌城垣。咸通十年(869年),卢谏议出任庐州刺史,"值彭门用军,邻封多警,累拜奏章之请,遂兴版筑之功"②。其他如漕运、馈饷之类例由男劳动力担当,唐后期丁壮都去防秋、戍边或者捕盗,不得不改征妇女充当。河南、淮南地区"耕夫困于军旅,蚕妇病于馈饷","致令户口减耗,十无一二,而河南、淮南,又甚诸道"③。

(三)治安问题渐重

战争加剧了百姓的租税和徭役负担。失去生产生活资料的农民,无以为生,或转死沟壑,或流于盗贼,称作"乡盗"。庞勋起义后,许多没有战死的起义成员担忧官府治罪,也不敢回归故里;黄巢大军渡淮北上,没有走掉的一些游兵散勇,流窜江淮地区。他们失去纪律的约束和正常的供给,转以劫掠为资。再者社会上的一些不逞之徒,也趁火打劫。"唐乾符中,江淮群盗起"④,其中势力较大的有:吴迥、李本活动于滁、和、舒等沿江州县;⑤濠州有夏韶,众至数千人,转掠沿淮诸郡邑。⑥ 庐州有秦定、过修己等乡盗为患。⑦ 直到杨行密控制江淮以后,社会治安才得以好转。

---

① 《旧唐书》卷118《杨炎传》。
② 《全唐文》卷868,殷文圭《后唐张崇修庐州外罗城记》。
③ 《全唐文》卷414,常衮《刘晏宣慰河南淮南制》。
④ 《新五代史》卷61《吴世家》,中华书局1974年版。
⑤ 《资治通鉴》卷255年,中和四年。
⑥ 常衮:《江南野史》卷1,四库全书本。
⑦ 路振:《九国志》卷1《吴·陶雅》,丛书集成初编本。

第三章

唐代合肥地区经济发展

唐代国家统一,社会稳定,经济发展较快。唐郑綮《开元传信记》记载,开元年间,"河清海晏,物殷裕阜,财物山积,四方丰稔,百姓殷富","人情欣欣然"。中产之家粮储,"皆及数月",国家粮仓积满,甚至"陈腐不可校量"①。江淮地区经济亦出现前所未有的繁荣景象,人口稳定增长,农业、手工业和商业贸易都有显著的进步,合肥作为庐州治所,水陆交通便利。安史之乱,使黄河流域遭到巨大破坏,由于张巡、许远死守睢阳,阻止叛军南下,江淮地区未受大创,"室家相保,耕绩未罢"②。

第一节 人口与农业

唐初,全国从隋末分裂割据的战争状态逐步归于统一,社会环境渐趋安定,人口稳定增长,社会经济逐渐发展。

一、人口的增长

隋大业年间(605—617年),全国著籍户数8907546,人口46019956。③ 若按《隋书·地理志》各州郡分计数合计,则高达907万户。唐初承大乱之后,著籍户数大为减损。《通典》卷七《食货七》"历代盛衰户口"条所载,武德年间天下户数仅200余万,贞观中有户300万。即使据《旧唐书·地理志》所举贞观十三年(639年)全国十道户口数总计,也只有3041871户,12351681口,与隋大业户口相比大为下降。

唐初户口下降地区,以黄河中下游地区和江淮地区最为严重。

---

① 元结:《次山文集》卷7《问进士篇》,四部丛刊本。
② 《全唐文》卷386,贾至《送蒋十九丈奏事毕拜殿中归淮南幕府序》。
③ 《隋书》卷29《地理志上》。

《隋书》卷七十《杨玄感传》记载，杨玄感与樊子盖书信提到，"黄河之北，则千里无烟，江淮之间，则鞠为茂草"。《隋书·食货志》亦载："自燕、赵跨于齐、韩，江淮入于襄邓，东周洛邑之地，西秦陇山之右，僭伪交侵，盗贼充斥。宫观鞠为茂草，乡亭绝其烟火，人相唊食，十而四五。"经过隋末战乱，江淮地区所遭受的破坏十分严重，人口同样大幅度减损。隋大业年间淮南诸郡有四十五万余户，①唐贞观年间淮南十四州人口即相当隋淮南诸郡境人口，共有九万一千余户，不及隋大业年间户数的五分之一。庐州户数下降幅度也颇为惊人，大业五年（609年）庐州户数为41632，贞观年间户数下降到5358，仅为隋户数七分之一。隋庐江郡辖七县，每县户数约5947.4，唐初庐州仅辖四县，每县户数约1339.5，唐庐州每县户数约为隋每县户数的四分之一。

到开元、天宝时期，唐代人口有了迅速增长，特别是天宝中后期已赶上隋大业户口数。天宝十三年（754年）户口数，有两种记载。《唐会要》卷八十四《户口数》载，全国共有9069154户（缺载口数）。《旧唐书》卷九《玄宗纪下》载，全国共有9619254户，52880488人口。按《旧唐书·玄宗纪》本条在户口数下分计课户不课户、课口不课口，分计数与总计数不合，显然有误。若按本条课户不课户、课口不课口总数相加，则有9187548户，52881280人口，此户数与《唐会要》所载之9069154相差不远，恐较可信。与隋大业907万户相比较，显然较隋代为多，因此天宝十三载及其前后时段可以说是唐代户口增长的极盛期。同样，淮南道诸州人口也大为增长。据统计，天宝年间，淮南道诸州户数总计为418699户，远超贞观户数91091户，其中庐州户数为43323户，是贞观户数的八倍多，而且户口数仅次于扬州，远超出淮南道其他诸州人口数。这是唐代合肥地区人户的极盛期。

安史之乱使唐代人口持续上升的势头由此中断。全国著籍户数

---

① 据《隋书·地理志》统计所得，参冻国栋《中国人口史》第二卷《隋唐五代时期》，复旦大学出版社2002年版，第250页。

由天宝十四载(755年)的8914790户骤减至代宗广德二年(764年)的290万户,至大历中,复降至130万户。当然,大历年间的130万户只是户部计账所录的数字,当时很多州县不向户部申报户口,其实际人数肯定超过于户部籍账登录的数字。淮南诸州户口亦有所减耗,但下降恐不太多。贾至《送蒋十九丈奏事毕正拜殿中归淮南幕府序》称淮南之地"人尚完聚","室家相保,耕绩未罢"①,户口流亡较少。加之当时"中原鼎沸,衣冠南走"②,大量北人南迁,避乱于江淮间,则淮南道诸州户口不会下降太多。大中年间,唐宣宗《卢博除庐州刺史制》曾称:"庐江五城,环地千里,口众赋重,岂可轻授。"③

由上所述,唐代庐州的户口虽在唐初贞观年间大幅度下降,但不久便迅速得到恢复和发展,玄宗开元、天宝年间达到极盛。安史之乱后,淮南道诸州户口下降不多,而庐州仍是人口众多,赋役繁重。

附表一:唐淮南道诸州各阶段户数

州郡	贞观十三年户	开元二十年户	天宝十三载户	元和户
扬州	23199	(61417)	77105	
楚州	3357	(14748)	26062	
滁州	4689	(20100)	26486	
舒州	9361	(25600)	35353	
和州	5730	(21000)	24794	
寿州	2996	(20776)	35581	
庐州	5358	(22900)	43323	
安州	6338	22222	22221	9819
黄州	4896	13073	15512	5054
蕲州	10612	26809	26809	16462

---

① 《全唐文》卷368,贾至《送蒋十九丈奏事毕正拜殿中归淮南幕府序》。
② 《太平广记》卷404"肃宗朝八宝"条引《杜阳杂编》,中华书局2006年版。
③ 杜牧:《樊川文集》卷18《卢博除庐州刺史制》,上海古籍出版社2007年版。

(续表)

州郡	贞观十三年户	开元二十年户	天宝十三载户	元和户
申州	4729	21020	25864	614
光州	5649	29695	31473	1990
濠州	2660	20552	21864	20702
沔州	1517	5286	(6252)	2262
合计	91091	325198	418699	(56903)

(资料来源:《旧唐书·地理志》《元和郡县图志》；扬、楚、滁、舒、和、寿、庐等州开元户户数原缺，据《太平寰宇记》补入；沔州天宝户，据《通典》补入)

附表二：庐州隋唐时期各阶段户数

	庐州户	淮南道户	全国户、口
隋大业五年	41632	450000	户907万，口46000000
贞观十三年	5358	91091	户3041871，口12351681
开元二十年	22900	325198	户7861236，口45431265
天宝十三载	43323	418699	户9187548，口52881280
元和年间		56903	

(资料来源:《旧唐书·地理志》，开元户据《太平寰宇记》补入)

二、农业的发展

隋朝及唐前期,沿袭北魏以来的均田制,计口授田。唐中期以后,均田制废弛,大土地所有制得到无限制地发展。德宗建中元年(780年),推行"两税法",以土地和资产为主征收赋税,相对减轻了附籍农民负担,提高了农民的生产积极性,农业生产有了一定的发展。

(一)均田制与两税法的实施

武德七年(624年),唐政府颁布均田令,"凡给田之制有差:丁男、中男以一顷;老男、笃疾、废疾以四十亩;寡妻妾以三十亩,若为户者则减丁之半。凡田分为二等一曰永业,一曰口分。丁之田二为永业,八为口分。凡道士给田三十亩,女冠二十亩;僧、尼亦如之。凡官户受田减百姓口分之半"①。贵族、官僚根据等级授予数量不等永业田。与前代相比,唐代授田对象有所扩大,同时取消了奴婢、妇人及耕牛受田,也放宽了对土地买卖的限制。经过隋末战乱,江淮地区出现大片无主荒地,这些土地都被收归国有,纳入均田的范围,因而唐初授田颇有成效。均田制明确附籍农民的土地占有权和使用权,减少了田产纠纷,农民获得土地,辛勤生产,使庐州的经济得以逐渐复苏。

与均田制相适应的赋税制度是租庸调制,二者实不可分。均田制是租庸调制的基础,租庸调制是均田制下名税丁而实税田的完善税制。② 它相对减轻了附籍农民的负担,附籍农民摆脱了原来豪强地主的控制,转变为国家编户齐民,剥削量减轻,提高了生产积极性,有利于农业生产的发展。

然而,均田制下的农民以及分散的个体经济,非常脆弱。战争和自然灾害,常常导致大批农民破产流亡,甚至被迫出卖土地。高宗、武则天以后,土地兼并不断加剧,自耕农所占比例逐步下降,"开元之际,天宝以来,法令弛坏,兼并之弊,有逾汉成、哀之间"③,以致国家无田可授,均田制无法推行下去,建立在均田制基础之上的租庸调制走向瓦解。

唐初在推行租庸调制的同时,又征收地税和户税作为补充税收。户税是按照户等高下所征收的财产税。武德初年,按民户财产多少,把居民分为三等。不久改为九等,按户等交税。所以户税又被称作资课(以钱计算)。地税是按照隋代义仓的办法,按照田亩数量来征收,每亩征收粟二升,由地方州县保管、贮存。户税、地税,不论是王公大臣,还是普通百姓都要交纳。安史之乱以后,租庸调制已经名存实亡,唐朝不得不加重对户税和地税的征收。到德宗建中元年(780

---

① 李林甫:《唐六典》卷3《户部尚书》,中华书局1991年版。
② 李锦绣:《唐代财政史稿》,北京大学出版社1990年版,第61、463、450页。
③ 杜佑:《通典》卷2《食货典二》。

年),宰相杨炎在户税和地税基础上,改革赋税制度,"约百姓丁产,定等级,改作两税法"①,税收分夏、秋两次征收,以土地和资产为征收对象,"其租庸杂徭悉省"②。

唐代前期实行租庸调制,由户部负责统一分配赋税,分为纳京师、留州、外配三部分,地方没有分配租庸调之权。安史叛乱之时,出于平乱战争需要,朝廷开始给予藩镇节帅截留赋税之权。两税法确立以后,在赋税分配上正式形成"两税三分"的局面。元稹《钱货议状》称:"自国家置两税以来,天下之财限为三品,一曰上供,二曰留使,三曰留州,皆量出以为入,定额以给资。"③

关于两税三分的实际操作,最为直观的记载即为《罗珦德政碑》。碑文记载:"军兴以来,赋役差重,钱贵货贱,罢甿不堪,悉输缯帛,黔首重困。公命一郡所出之货,人皆得而输之,其上者贡于王府,其中者入于方帅,其下者以充郡守,群吏之稍食焉。人人自便,吏无侵害。"④

贞元十二年至十八年(796—802年)罗珦担任庐州刺史,与建中元年制定两税法相去不远。庐州隶属淮南节度使管辖,刺史每年将财税一分为三,"贡于王府(指朝廷)""入于方帅(指淮南节度使)""充郡守"。按照制度规定,"定税之数,皆计缗钱;纳税之时,多配以绫绢"⑤。两税税额以缗钱计算,实际交纳时钱、物均可。罗珦在征税时,按照货物差等来折算,避免货贱钱贵而侵害百姓。此为德宗朝两税三分制度执行的一般实态。

(二)农业生产水平提高

唐前期庐州经济并不发达。"淮海之郡,庐为大,封略阔而土田

---

① 《资治通鉴》卷226,德宗建中元年。
② 《旧唐书》卷118《杨炎传》。
③ 《全唐文》卷651,元稹《钱货议状》。
④ 《全唐文》卷478,杨凭《唐庐州刺史本州团练使罗珦德政碑》。
⑤ 黄淮、杨士奇:《历代名臣奏议》卷254《赋役》,上海古籍出版社2012年版。

瘠,人产寒薄,井赋尤重"。到唐朝中期,"豪家广占田而不耕"①,甚至富豪强占土地,贫寒之家投诉无门。罗珦担任庐州刺史,整饬吏治,鼓励垦荒,"有能兴耒耜者听耕之",所耕之田,即为开垦者所有,这样"垦田滋多,岁以大穰"②。

粮食生产量亦得到提高。《册府元龟·邦计部》记载:"旧例每岁运江淮米五十万石(斛)抵河阴。"其中相当部分出自淮南。唐初,淮南所产粮食仅能自给,到唐朝中期以后,有大量粮食外运。安史之乱后,为解决财政困难,加紧对江淮地区搜刮,"天下以江淮为国命"③。德宗兴元元年(784年),淮南节度使陈少游因镇海军节度使韩滉贡米,也向朝廷贡米二十万斛。④ 江淮租庸使第五琦曾称,"赋之所出,江淮居多"⑤。淮南是唐后期支撑财源的八道之一。⑥ 贞元年间符载《庐州进嘉禾表》言,曾有庐州"于粟田之中,辄产嘉禾,一本六穗,一本五穗"⑦。陈鸿《庐州同食馆记》记载,元和年间,"郡米数万石输扬州,轴轳相继"⑧。

茶树,在唐代得到大量的种植,茶叶产量激增。陆羽所著《茶经》中就有"庐江好茗,饮之宜人"之说。饮茶之风在江淮地区盛行,上等茶作为贡品,每年上贡到长安。唐代庐州就以茶叶为土贡⑨,"江淮人什二三以茶叶为业"⑩。《太平寰宇记》卷一百二十六《淮南道·庐州》记载其土产为"开火新茶"。后来北宋还在庐州设置王同场,每年买

---

① 《全唐文》卷478,杨凭《唐庐州刺史本州团练使罗珦德政碑》。
② 《全唐文》卷506,权德舆《罗珦墓志铭》。
③ 李昉:《文苑英华》卷660,杜牧《上宰相求杭州启》,中华书局1996年版。
④ 《资治通鉴》卷231,兴元元年。
⑤ 《旧唐书》卷123《第五琦传》。
⑥ 《唐会要》卷84《户口数杂录》云:"每岁县赋入倚办,止于浙西、浙东、宣歙、淮南、江西、鄂岳、福建、湖南等道,合四十州,一百四十四万户。比量天宝供税之户,四分有一。"
⑦ 《全唐文》卷688,符载《庐州进嘉禾表》。
⑧ 《全唐文》卷612,陈鸿《庐州同食馆记》。
⑨ 《新唐书》卷41《地理志五》。
⑩ 王钦若:《册府元龟》卷493《邦计部·山泽一》,中华书局1966年版。

茶额为 297328 斤。①

唐朝前期茶叶产量较大，但并不征税。建中四年（783年），"度支侍郎赵赞议常平事，竹、木、茶、漆尽税之。茶之有税，肇于此"②。兴元年间（784年）曾一度停征，贞元九年（793年），张滂奏立税茶法，"请于出茶州县，及茶山外商人要路，委所由定三等时估，每十税一，充所放两税"。自此，"每岁得钱四十万贯"③。此后唐朝开始加大茶税征收。穆宗长庆初年，税收"率百钱增五十"。武宗即位，盐铁转运使崔珙又"增江淮茶税"。文宗时一度实行榷茶，但行之未久。宣宗大中六年（852年），盐铁使裴休改革茶税，出茶山口及庐、寿、淮南界内置吏征收通过税，对于"庐、寿、淮南皆加半税"④。茶叶生产受到重视，而茶税也成为朝廷重要的财赋来源。

第二节　馆驿与交通

唐代合肥农业发展、手工业的进步，为商业的发展创造了条件。在交通运输方面，合肥水陆交通发达，不仅与周边州县联系密切，而且还曾有一条经过合肥的"二京路"，到达洛阳和长安。在水路方面，向南则可通过巢湖水运沟通长江，向北则有东淝河等河流进入淮河。

一、庐州馆驿

庐州地处江淮之间，交通方便，与周边水陆道路众多。《通典》卷一百八十一《州郡典十一·古扬州上》记载合肥到相邻州县及东、西

---

① 沈括：《梦溪笔谈》卷12《官政二》，中华书局2009年版。
② 《旧唐书》卷49《食货志下》。
③ 《唐会要》卷84《杂税》。
④ 《新唐书》卷54《食货四》。

二京的驿传路线和交通里程："庐江郡东至历阳郡二百九十五里,南至同安郡四百里,西至寿春郡界二百一十五里,北至钟离郡三百三十里,东南到栅口三百八十四里,西南到同安郡四百七十六里,西北到寿春郡三百里,东北到永阳郡全椒县一百四十五里,去西京(长安)二千三百八十七里,去东京(洛阳)千五百六十九里。"[1]历阳郡即和州(今安徽和县),同安郡即舒州(今安徽安庆),寿春郡即寿州(今安徽寿县),钟离郡即濠州(今安徽凤阳),永阳郡即滁州(今属安徽)。

唐朝重视水陆交通,在水陆交通要道设置驿站,规定"三十里置一驿"[2],即每隔三十里左右设置驿站。盛唐时期,全国建置驿站一千六百三十九个,其中水驿二百六十个,水陆相兼八十六个。水陆驿站都是官办的交通机构,每站设有主管一人,称为驿将或称驿长,属于乡官之列,唐前期以州里富强之家充任,其身份是民;肃宗至德宗以后改变为"以官掌司驿"或"吏主驿事",主持者的身份是官吏了。[3] 这个变化是唐后期社会一系列变化的结果。

官方驿站配备有交通工具。陆路驿站备有驿马,其中州县一等驿置马60匹,以下二至六等驿分别置马45、30、18、12、8匹。每三匹马配给驿丁一人,此外一匹马还配给驿田四十或二十亩。水路驿站则配备舟船,"事繁者每驿四只,闲者三只,更闲者二只",每只船配备船工三人。[4]

交通要道还设有馆,作为招待宾客之所。馆作为交通机构的名称始见于唐代,[5]与驿站功能有相同之处,所以唐代常以馆驿连称。馆驿待客亦有上下等级之别,如作为馆驿住所的厅,有着上厅、别厅之分。根据《唐会要》卷六十一"馆驿使"中的记载,当职别相当的官

---

[1] 《通典》卷181《州郡十一·古扬州上》。
[2] 《通典》卷33《职官典十五·州郡下》。
[3] 鲁才全:《唐代的驿家和馆家试释》,《魏晋南北朝隋唐史资料》第六辑,武汉大学出版社,1984年。
[4] 李林甫:《唐六典》卷5"驾部郎中员外郎条",中华书局1991年版。
[5] 孙晓林:《关于唐前期西州设"馆"的考察》,《魏晋南北朝隋唐史资料》第十一辑,武汉大学出版社1991年版。

员在同一驿馆里相遇时,驿馆是这样安排的:"御史到馆驿,已于上厅下了,有中使后到,即就别厅;如有中使先到上厅,御史亦就别厅。"

庐州交通便利,往来官员较多,驿站规模较大,功能较为齐全。如厅堂作为办公之所与宾客下榻之处,颇为讲究。庐州馆驿较多,其中规模较大的,当属合肥城南同食馆。"同食馆"之名似俗实雅,出自《左传》"自庐以往,振廪同食"之句。西晋杜预注云:"同食,上下无异馔也。"其文既巧借庐州地名,又寓以深意。该馆经历中唐社会动荡,房舍年久失修,廊柱朽坏。太和二年(828年),庐州刺史路公翻建一新,"大宾小宾,皆有次舍"①。陈鸿《庐州同食馆记》中记道:"丰宾堂,乃峨前轩。怒桷蚪蚪,层栌牙牙。中回洞深,高檐腾掀。阶间容揖让,槛间容宾盘,柱间容乐工,屏间容将吏,左右为寝食更衣之所。"庐州同食馆的厅堂有弩张挺拔的飞檐,有重叠交错的斗拱,有宽敞的室内空间,规格极高。

馆驿建有楼台亭阁,或因山就水,或凿池植树,营建有四时景观。庐州同食馆因有"江淮牧守、三台郎吏"往来,"东西厢复廊直澍。又西开下合,作瓮舍。厩屋宏大中敞,作南门,容旌旗驷马。北上作丁字亭,亭北列朱槛,面城墉。其下淤沟,开导通水。因古岸植竹树,为风月宴游地"②,配套设施俱全。

肃宗以后,藩镇势力骄横,驿站有所减少,但合肥地处交通要冲,与周边联系仍很密切,馆驿自始至终发挥作用。大中年间,江淮地区"以水旱,加之以疾疠,流亡转徙,十室九空",宣宗派遣使臣"乘驿"安抚吏民,组织救济工作,免除扬、润、庐、寿、滁、和等州积年所欠两税。③ 大中十三年(859年),卢潘担任庐州刺史,作《庐江四辨》,又更同食馆为"建德馆"。直到唐僖宗乾符年间,杨行密为庐州步奏官,"因有遗阙而笞责之"④,说明庐州馆驿仍在正常运转。

---

① 《全唐文》卷612,陈鸿《庐州同食馆记》。
② 《全唐文》卷612,陈鸿《庐州同食馆记》。
③ 《全唐文》卷81,唐宣宗《赈恤江淮百姓德音》。
④ 孙光宪:《北梦琐言》卷7,中华书局2002年版。

二、经过合肥的二京路

唐朝西京长安、东都洛阳,并称"二京"。全国各州都有通往二京的道路,《元和郡县图志》记载诸州到长安和洛阳路线及距离。庐州也是全国交通网络上的重要一环。陈鸿《庐州同食馆记》记载:"合肥郡城南门东上曰同食馆……东南自会稽、朱方、宣城、扬州,西达蔡、汝,陆行抵京师。江淮牧守,三台郎吏,出入多游郡道。是馆成,大宾小宾,皆有次舍。开元中,江淮人走崤函,合肥寿春为中路。大历末,蔡人为贼,中道中废。元和中,蔡州平,二京路复出于庐。西江自白沙瓜步,至于大梁,斗门堰埭,盐铁税缙,诸侯权利,骈指于河。故衣冠商旅,率皆直蔡会洛,道路不菲。"

《庐州同食官记》叙述自江南、江淮经过合肥前往洛阳、长安的交通路线。"开元中,江淮间人走崤、函,合肥、寿春为中道。"会稽即越州(今浙江绍兴),宣城即宣州(今安徽宣城),皆玄宗天宝年间所改称郡名。朱方为春秋时地名,其故地即唐润州(今江苏镇江)治所,而扬州治所则为今江苏扬州市。这四州位于长江下游地区,而越州更在浙东地区。唐代长安和洛阳与东南各州交通,主要依靠隋代所开凿的通济渠、江南河以及疏浚的邗沟(山阳渎),但"西江自白沙、瓜步,至于大梁,斗门堰埭,盐铁税缙,诸侯权利,骈指于河"。白沙、瓜步,唐代两镇名,皆位于南京六合区境内的长江北岸,有漕渠自长江通邗沟。大梁,即汴州(今河南开封)。运河沿岸"诸侯"(藩镇、刺史)利用"斗门堰埭"擅自征税,重重设卡,造成交通障碍,人们多避开运河水道,"衣冠商旅,率皆直蔡会洛",转趋庐州"郡道"北上。

这条通道经过庐州、寿州,达于蔡州(今河南汝南)、汝州(今河南临汝),两州皆濒汝水,有水道可以利用。由汝州再走陆路北行洛阳。洛阳以西,经过崤、函山地,前去长安的道路。开元年间,这条经过合肥的二京路畅通无阻,但"大历末,蔡人为贼,中道中废"。德宗、宪宗时期,淮西节度使李希烈与吴少诚、吴少阳和吴元济父子割据蔡州,道路受阻近三十年,直到元和十二年(817年)平定淮西吴元济,这条路才畅通,"二京路复出于庐西"。

三、水路交通

江淮地区,水道纵横密布,水上交通极为便利。庐州"南临江湖","腹巢湖,控涡、颖"①。据《元和郡县图志》记载,沿江有多条支流与庐州各地连接,内河航运便利。其一为濡须水(今裕溪河),分布在庐州、和州境内,北通巢湖,南通长江,是连接长江和巢湖的重要水道,②"濡须、巢湖之水,上接店步(今安徽肥东县店埠),下抵江口,可通漕运"③。唐朝前期,庐州"米数万石输扬州,轴轳相继,出巢湖,入大江,岁为风波沉溺者半"④。其二为滁水,流经庐州、滁州、和州,东向注入长江,⑤河流沿线港埠不断增生。其三,南北两条淝水。唐庐江太守卢潘《庐江四辩》云:"肥水出鸡鸣山,北流二十里许,分而为二:其一东南流,经合肥县南,又东南入巢湖;其一西北流,二百里出寿春,西投于淮。二水皆曰肥。"⑥其东南流之肥水,亦称施水,即今之南淝河,东南注入巢湖;其西北流之肥水,即今东淝河,在寿县注入淮河。

唐德宗时期,宰相杜佑曾提出构建江淮水运河道的规划。这条线路,从寿州的古肥水(东淝河)南下,越鸡鸣冈(鸡鸣山),经肥水(今南淝河)入巢湖,再由濡须水通向长江。这是一条水陆相兼的交通路线,中间有陆路四十里,位于鸡鸣冈。杜佑论证:"疏鸡鸣冈首尾,可以通舟,陆行才四十里,则江、湖、黔中、岭南、蜀、汉之粟可方舟而下,由白沙趣东关,历颍、蔡,涉汴抵东都(洛阳),无浊河溯淮之阻,减故

---

① 祝穆:《方舆胜览》卷48《淮西路》,中华书局2003年版。
② 李吉甫:《元和郡县图志阙卷逸文》卷2《淮南道·和州》,中华书局2008年版。
③ 李心传:《建炎以来系年要录》卷197,绍兴三十二年二月庚子,中华书局1988年版。
④ 《全唐文》卷612,陈鸿《庐州同食馆记》。
⑤ 《元和郡县图志阙卷·逸文》卷2《淮南道·滁州》。
⑥ 《全唐文》卷792,卢潘《庐江四辩》。

道二千余里。"①

鸡鸣冈,位于合肥西北,地势相对较高,为江淮分水岭,属于江淮丘陵的一部分。这里自古有两条天然河流,即肥水与施水。肥水(今东淝河)北流至寿州入淮河。施水(今南淝河),向南流入肥东县注入巢湖。今巢湖南淝河入口处,仍存"施口村"这一地名。《尔雅》释"肥水"之义,曰:"归异出同流,肥。"②意思是二水同出一源,而流向各异,谓之肥水。唐代,这二水之间有鸡鸣冈阻隔陆路40里,接通两水之间的航运,北通淮河,南通巢湖、长江,即沟通江淮水运,全程位于寿州、庐州境内。杜佑的主张曾引起朝廷重视,德宗有"改道之议"。后由于战乱甫平,朝廷财力匮乏而束之高阁。一千余年后,新中国提出引江济淮和"新江淮运河"的江淮通航的方案,内有"小江淮运河方案",就是重建这条历史上早已出现的交通路线。③

第三节 手工业和商业

手工业生产在古代经济生活中的地位仅次于农业,唐代合肥手工业的生产主要表现在矿业的开采与纺织业的发展方面。

一、矿产的开采

唐代允许私人采矿,官收百分之二十矿税。《新唐书·食货志》概举坑冶数:"凡银铜铁锡之冶一百六十八。宣、润、饶、衢、信五州,银冶五十八,铜冶九十六,铁山五,锡山二,铅山四。汾州矾山七。"此

---

① 《新唐书》卷53《食货三》。
② 《尔雅·释水·肥水》。
③ 马茂棠:《安徽航运史》,安徽人民出版社1991年版,第57页、第66页。

后矿数常有增减,大抵以收税与否为准。《新唐书·地理志》记载铜、铁产地甚详,庐州庐江及其周围地区均有铜矿开采。淮南地区冶炼技术相对发达。安史之乱后,刘晏把江西、岭南等地上贡,"积之江淮,易铜铅薪炭,广铸钱,岁得十余万缗,输京师及荆、扬二州,自是钱日增矣"[1]。武宗"会昌灭佛",地方州县置钱坊,淮南节度使李绅遂在境内广铸新钱。淮南能在短期内大量铸造新钱,说明该地区存在许多掌握铸钱技术的人员,有着手工业发展的潜力。

二、纺织业的发展

唐代,合肥私营手工业有显著发展,纺织业技术进步。在庐州贡物中,丝织品较为突出,《新唐书·地理志》记载,"庐州土贡有花纱、交梭丝布等"。《册府元龟》载,贞观十二年(638年)六月,"庐州献野茧"。野蚕被利用,又是织纴业的一个进步。[2]《唐六典》记载,在当时各道贡品中,庐州交梭、熟丝布列为第二等;火麻列为第三等;纻麻(苎麻)列为第四等。罗珦任庐州刺史时,劝导庐州之民植桑养蚕,并根据种植好坏进行赏罚,数年之后,"环庐映陌,如云翳日"。庐州纺织技术亦有提高,所织之布"精粗中数,广狭中量",拿到市场上"得善价,人以不困"[3]。

三、商业的发展

合肥商业贸易在隋唐时期亦有发展。当时周围各县的漕粮大多通过合肥水路运抵京师。合肥所产稻米也大批量输往扬州。史载,贞元年间(785—804年),淮南节度使陈少游一次贡米二十万斛。元

---

[1] 《新唐书》卷54《食货志四》。
[2] 《册府元龟》卷二《帝王部·符瑞第三》。
[3] 《全唐文》卷478,杨凭《唐庐州刺史本州团练使罗珦德政碑》。

和年间（806—820年），庐州"郡米数万石输扬州，舳舻相继"①，取道巢湖入大江。

合肥出产的花纱、交梭丝布被列为上交朝廷的"土贡"，其余如茶叶、蜡、酥、鹿脯、生石斛等，也都作为地方上的名特产。境内庐江县的㟂山、白茅山，出产铜矿，②可以开采冶铸外运。庐州"隘关溢廛，万商俱来"③。罗珦担任庐州刺史期间，劝庐州之民植桑养蚕，庐州百姓纺织技术亦提高，所织之布"精粗中数，广狭中量"，百姓生活因此得以改善。④ 亦有富裕之家从事当地物产的买卖，如元和年间庐州巢县人秦万，"家富，开米面、采、帛之肆"⑤。

合肥与周边州县贸易往来频繁，寿州的产品也常销售合肥。在合肥唐代墓葬出土的瓷器中，寿州窑瓷器颇多，且不少器物造型相当精巧。装饰方面，题材更加多样，图案更加丰富。如唐寿州窑黄釉褐彩四系罐、黄釉瓷枕、黑釉贴花瓷枕、黄绿釉瓷枕、黑釉瓷枕等。⑥ 在合肥唐代墓葬中，还出土了邢窑、宣州窑和其他窑的产品。

寿州窑黄釉褐彩四系罐，现藏于合肥市文物管理处。

① 《全唐文》卷612，陈鸿《庐州同食馆记》。
② 《新唐书》卷41《地理五》。
③ 《全唐文》卷478，杨凭《唐庐州刺史本州团练使罗珦德政碑》。
④ 《全唐文》卷478，杨凭《唐庐州刺史本州团练使罗珦德政碑》。
⑤ 张君房：《云笈七签》卷121《道教灵验记》，齐鲁书社1988年版。
⑥ 夏腾：《合肥出土的寿州窑瓷器雅析》，《文物鉴定与鉴赏》2011年第10期。

寿州窑黄釉瓷枕，1985年出土于合肥市司法局建筑工地，现藏于合肥市文物管理处。

寿州窑黑釉贴花瓷枕，出土于长丰县水湖乡李集，现藏于长丰县文物管理所。

寿州窑黄绿釉瓷枕，现藏于长丰县文物管理所。

寿州窑黑釉瓷枕，出土于合肥市四湾市外贸局建筑工地，现藏于合肥市文物管理处。

工商业发展也促进城市建设和改造。汉代合肥县城在"今在今县（城）北"①。东汉末年战乱不休，合肥成为废墟。东汉建安五年（200年），扬州刺史刘馥单骑赴任，重建合肥城。魏青龙元年（233年），魏将满宠在旧城西鸡鸣山麓另筑"合肥新城"②，以与旧城相犄角。到西晋统一后，废三国时所筑新城，迁回汉代旧址。但合肥旧城，地势低洼，南北朝时期，梁将韦睿因此堰水攻破合肥。清嘉庆《庐州府志》载：唐贞观年间，右武侯大将军尉迟敬德筑"金斗城"，城址在"故城东南六里，肥河南岸岗阜高地"，称作金斗城。③ 金斗城为庐州新城，地处肥水南岸，水路交通便捷。德宗贞元年间（785—804年），"刺史路应求以古城皆土筑，特加甓焉"④，由此合肥城开始有砖砌城垣。

---

① 乐史：《太平寰宇记》卷126《淮南道四·庐州》，中华书局2003年版。
② 嘉庆《合肥县志》卷14《古迹志》："合肥新城"条："《寰宇记》：三国魏扬州都督满宠，于城西三十里依山筑城，谓之新城。按：今鸡鸣山北有故址，围三里，共十八墩，在城西北，事见《满宠传》。"
③ 嘉庆《合肥县志》卷36《志余》："弘治七年（1494年）郡守宋公鉴令人平金斗冈作街市以居贫民，当冈峡处有古沟，高三尺，阔二尺五寸，砖甓甚固，沟口有石一方，刻云尉迟敬德监造。"查尉迟敬德，系唐太宗李世民所任命的右武侯大将军，因此可以确定，金斗城当建成于唐贞观年间。
④ 顾祖禹：《读史方舆纪要》卷26《城邑考》。

第四章

唐代合肥文化教育和
社会风俗

唐代是我国封建社会的上升时期，政治、经济、文化获得高度发展，教育、文学、宗教也呈现出空前繁荣。州县兴学促进了当地文教事业的发展，庐州士子进入国子学，参加科举考试日渐增多，佛教、道教势力不断扩展，巢湖太姥神信仰亦独具特色。

第一节　文化与教育

一、学校教育与科举

（一）学校教育

唐高祖武德初年，下诏恢复州县学校。规定："上郡学置生六十员，中郡五十员，下郡四十员。上县学并四十员，中县三十员，下县二十员。"①武德七年（624年）全国统一后，高祖又诏"州县及乡皆置学"②。太宗贞观年间（627—649年），社会发展较快，地方官吏重视兴学；高宗时期，学校教育继续发展并有所创新。武则天时期学校建设有所停滞。唐中宗复位后，恢复唐初学校制度，修葺学堂，广招学生，学校教育又开始复兴。唐玄宗整顿政治，经济文化空前繁荣，不仅发展中央官学，而且鼓励兴办州县学校和乡里办学。玄宗开元二十一年（733年）五月敕："许百姓任立私学，欲其寄州县学授业者，亦听。"③开元二十六年（738年）正月十九日敕："其天下州县，每乡之内，各里置一学，仍择师资，令其教授。"④又"令天下家藏《孝经》一本，

---

① 《旧唐书》卷189上《儒学传》。
② 《资治通鉴》卷190，唐高祖武德七年。
③ 《唐会要》卷35《学校》。
④ 《唐会要》卷35《学校》。

精勤诵习。乡学之中,倍增教授,郡县官长,明申劝课"①。当时文化发展达到新的高度。史称,"开元以后,四海晏清,士无贤不肖,耻不以文章达",至于兄弟相教,父子相传,虽"五尺童子,耻不言文墨焉"②。安史之乱以后,唐朝国势趋向衰弱,虽然科举考试依旧繁盛,州县学校则受到不同程度影响。

庐州学校建设较早,州县官员多以兴学为己任。唐德宗贞元年间(785—804年),罗珦担任刺史,"民间病者,舍医药,祷淫祀,珦下令止之。修学官,政教简易"③。在任七年,大力兴学,"命乡塾党庠,葺其墙室,乡先生总童冠子弟,以淹中之《礼》,田何之《易》,上代帝王遗书,与鲁《春秋》及百王之言以教之,圆冠方履者不补吏"④,不到数年,庐州士子前往长安国学升造的,就有四十多人。武宗会昌年间(841—845年),庐州州学府舍扩建,学校规模较大。⑤

除官办学校之外,庐州私学也有发展。这些私学包括私人讲学、私塾、隐居游学等,罗珦对私学发展和移风易俗起到较大作用。同时庐州处于交通要道,文人学者来往很多,如李白、杜荀鹤、罗隐等,都曾到庐州游历隐居,留下不朽诗篇。担任刺史者如李翱、罗珦、罗立言、郑絮等皆饱学之士,对庐州文化发展作出贡献。

(二)科举与进士

唐朝在隋朝基础上,大力发展科举制度。《新唐书·选举志》称,"唐制,取士之科,多因隋旧,然其大要有三。由学馆者曰生徒,由州县者曰乡贡,皆升于有司而进退之。其科之目,有秀才,有明经,有俊士,有进士,有明法,有明字,有明算,有一史,有三史,有开元礼,有道举,有童子。而明经之别,有五经,有三经,有二经,有学究一经,有三

---

① 《全唐文》卷310,孙逖《天宝三载亲祭九宫坛大赦天下制》。
② 《通典》卷15《选举典·历代制下》。
③ 《新唐书》卷197《罗珦传》。
④ 《全唐文》卷506,权德舆《罗珦墓志铭》。
⑤ 嘉庆《庐州府志》卷16《学校志上》。

礼,有三传,有史科。此岁举之常选也。其天子自诏者曰制举,所以待非常之才焉"。科举分制举和常举两类,制举由皇帝临时举行,名目繁多,以待"非常之才"。常举科目较为固定,主要有明经、进士等科,其中进士科最受推崇,每年录取不过十余人,"其应诏而举者,多则二千人,少犹不减千人"①。进士录取虽难,中选后升迁很快,"其推重谓之'白衣公卿',又曰'一品白衫'。其艰难谓之'三十老明经,五十少进士'",唐后期宰相多出身进士。五代时期王定保记载:"进士科始于隋大业中,盛于贞观、永徽之际,缙绅虽位及人臣,不由进士者,终为不美。"②

唐代开科考试前,行卷之风盛行。应试举子往往将其诗文加以编辑,制成卷轴,称作"行卷",送呈文学大家和社会名流、达官贵人,借以延誉或向考官推荐,增加入选机会。敬宗宝历年间(825—826),李翱担任庐州刺史,范阳举子卢储前来投卷,成就一段佳话。李翱阅读卢储诗文后,有事外出,将诗文搁于书案上。李翱长女刚刚十五岁,偶阅卢储行卷,爱不释手,对侍女说:"此人必为状头。"李翱闻言颇感诧异,稍后派属吏前往馆驿表明招婿之意。卢储先是婉言谢绝,数月后又应允婚事。第二年,卢储果然考中状头(即状元),遂即完婚。洞房之夜,卢储作《催妆诗》以抒情:"昔年将去玉京游,第一仙人许状头。今日幸为秦晋会,早教鸾凤下妆楼。"卢储做官后,派人迎请李翱之女前往任所,时园中有鲜花开放,即兴题诗一首说:"芍药斩新栽,当庭数朵开。东风与拘束,留待细君来。"③

庐州进士资料比较缺乏,可断定唐代庐州考中的进士只有三人。

一为李群。《唐摭言》记载,"合肥李郎中群,始与杨衡、符载等,同隐庐山,号山中四友"。穆宗长庆年间(821—824),李群"束书就贡",进京赶考。其间,李群径往贡院拜谒主司,受到主司大人重视,

---

① 《通典》卷15《选举典·历代制下》。
② 王定保:《唐摭言》卷1《散序进士》,中华书局1959年版。
③ 计有功:《唐诗纪事》卷52《卢储》,上海古籍出版社1987年版。

经礼部考试,成为长庆四年(824年)状元,①担任奉先县丞,大和五年(831年)任拾遗,②后为户部员外郎。余事不详。

二为何士幹,庐州庐江人,"永泰二年(766年)及进士第,累为藩镇"③。官至谏议大夫,出为鄂州刺史、鄂岳观察使兼御使大夫。在镇十五年,有善政,享大名于时。④

三为沈佳期。据《江南通志》卷一百一十九《选举志·进士》记载,沈佳期为唐进士,庐州人,其及第年代及生平均不可考。

又有储嗣宗,大中十三年(859年)孔纬榜及第。"与顾非熊先生相结好,大得诗名。苦思梦索,所谓逐句留心,每字著意,悠然皆尘外之想。"⑤但储嗣宗爵里不明。光绪《庐州府志》卷三十、光绪《庐江县志》卷七、光绪《重修安徽通志》卷一百五十四,均说明储嗣宗是庐江县人,不知所据,现罗列以存疑。⑥

此外,五代何光远《鉴戒录》卷八《衣锦归》云:"罗使君,本庐州人,不事巨产而慕大名,以至困穷,竟无退倦。常投福泉寺僧房寄足,每旦随僧一食,学业而已。历二十年间,持节归郡,洎入境,专游福泉寺,驻旌戟信宿,书其壁曰:'二十年前此布衣,鹿鸣西上虎符归。行时宾从过前事,到处杉松长旧围。野老共遮官路拜,沙鸥遥避隼旗飞。春风一宿琉璃殿,唯有泉声愜素机。'"罗使君,即贞元年间庐州刺史罗珦。王象之《舆地纪胜》卷四十五《淮南西路·庐州》亦载:"珦,庐州人,以穷困尝投福泉寺,随僧饭。后持节归乡,至僧房书壁曰。"《全唐诗》卷三百十三存罗珦诗一首,其诗人小传云:"罗珦,会稽人,家于庐州。贞元中,刺本郡(指庐州),以治行闻,再迁京兆尹。诗

---

① 《唐摭言》卷2《争解元》,李群,《唐才子传》作崔群。事略见孟二冬《登科记考补证》。
② 《旧唐书》卷167《宋申锡传》。
③ 柳宗元:《柳宗元集》卷10《志·故岭南盐铁院李侍御墓志》,中华书局1979年版。
④ 张㧑之、沈起炜、刘德重:《中国历代人名大辞典》引《唐郎官石柱题名考》卷10,上海古籍出版社1999年版。
⑤ 《唐才子传》卷6《储嗣宗》。
⑥ 张宪华:《唐代安徽进士考补》(《学术界》1989年第5期)一文,将储嗣宗列为庐州籍进士。

一首。"其诗即《行县至浮查山寺》,叙述自己衣锦还乡情景,今肥东县王铁乡有浮槎山,疑即"浮查山"。根据这些材料,罗珦很可能为庐州人。①

罗珦之子罗让,亦见于新旧《唐书》。《新唐书·罗珦传》云:"(罗珦)子让,字景宣,以文学蚤有誉,举进士、宏辞、贤良方正,皆高第,为咸阳尉。父丧,几毁灭。服除,布衣粝饭,不应辟署十余年。淮南节度使李鄘即所居敦请置幕府,除监察御史,位给事中,累迁福建观察使,兼御史中丞。有仁惠名。"有著作《罗让集》三十卷。《旧唐书》卷一百八十八《罗让传》云:"子劭京,字子峻,进士擢第,又登科。让再从弟咏。咏子劭权,字昭衡,进士擢第。劭京、劭权知名于时,并历清贯。"据此,则罗氏一门进士登第者则有罗珦、罗让、罗劭京、罗劭权等四人。

除进士科考试外,唐代庐州士子也有通过制举和明经等科考试,走上仕途。如郭弘霸,庐江人。天授二年(691年),"自宋州宁陵丞应革命举,拜左台监察御史"。如意元年(692年),除左台殿中侍御史。长寿二年(693年),除右台侍御史②。又有周利贞,字正,庐江人,"初以门胄,入于国庠,明经擢第",历任数职,官至御史中丞。③

二、文化名人与庐州

合肥为淮右名城,江淮重镇,名胜古迹、韵事传说颇多,"江淮牧守、三台廊吏,多游(庐州)郡道"④,不少文人骚客流连忘返,留下了许

---

① 唐宰相权德舆《唐故太中大夫、守太子宾客、上柱国襄阳县开国男、赐紫金鱼袋罗公墓志铭》云:"公讳珦,其先会稽人。蜀广汉太守蒙,晋西鄂节侯宪;给事中袭,皆以茂绩焯于前载。曾祖彦荣,皇同州长史。祖思崇,韶、睦、常三州刺史;父怀操,桂州兴安县令,赠华州刺史。实有清行藏于家牒。"据墓志铭,罗珦祖先汉晋时为会稽(今浙江绍兴)人,《新唐书》卷197《罗珦传》则云:"罗珦,越州会稽人。"
② 《通典》卷169《刑法七》、《新唐书》卷209本传作"郭弘霸";《旧唐书》卷186本传、《资治通鉴》卷205"则天后长寿元年条"作"郭霸",今从《通典》,作"郭弘霸"。
③ 周绍良:《唐代墓志汇编》开元107《周利贞墓志铭并序》,上海古籍出版社1991年版;《旧唐书》卷186下《周利贞传》。
④ 《全唐文》卷612,陈鸿《庐州同食馆记》。

多绮丽的诗文。唐代诗人李白、罗隐、杜荀鹤都留下与合肥有关的诗篇。

(一) 李白与合肥

盛唐时代诗潮波澜壮阔,气象万千。其中最引人瞩目、动人心弦的,最充分也最集中地体现了那个时代的精神风貌的,则为李白(701—762年)的诗歌。他那饱满的青春热情、争取解放的蓬勃精神,积极乐观的理想展望、强烈的个性色彩,汇成了中国古代诗歌史上格外富有朝气的歌唱。

开元十二年(724年),李白"仗剑去国,辞亲远游"[①],出三峡到荆门而畅游祖国大地,直至病逝于当涂(今属安徽)。三十八年间,其足迹踏遍大半个中国。今天的江淮大地,更是到处留下诗人的足迹,并见之于诗章。据统计,李白在安徽境内所作的诗歌有170多首,[②]约占其全部诗作的六分之一,与合肥相关的诗作主要有四首。

天宝七年(748年),李白西游霍山,途径庐江郡,拜谒太守吴王李祗,有《寄上吴王三首》,诗云:

其一
淮王爱八公,携手绿云中。
小子忝枝叶,亦攀丹桂丛。
谬以词赋重,而将枚马同。
何日背淮水,东之观土风。

其二
坐啸庐江静,闲闻进玉觞。
去时无一物,东壁挂胡床。

---

① 李白:《李太白全集》卷26《上安州裴长史书》,中华书局1977年版。
② 张才良:《李白安徽诗文校笺》共收李白在安徽境内所写的诗歌178首,文9篇。郁贤皓先生在《序》中称其"已把今存李白在安徽境内所写的诗文网罗无遗",安徽文艺出版社1992年版。

第四章 唐代合肥文化教育和社会风俗

其三

英明庐江守,声誉广平籍。

洒扫黄金台,招邀青云客。

客曾与天通,出入清禁中。

襄王怜宋玉,愿入兰台宫。

庐江太守即吴王李祗,为唐太宗第三子吴王恪之孙,张掖郡王李琨之子,袭封嗣吴王,出为东平太守。安禄山举兵叛乱,河南陈留、荥阳、灵昌诸郡相继沦陷,李祗募兵作战,获得唐玄宗褒奖。累迁陈留(今河南开封)太守,持节河南道节度采访使,历太仆、宗正卿。但其为庐江太守之事,史籍失载。①

在这三首诗中,诗人首先感谢吴王李祗盛情款待,称颂吴王接纳宾客如同淮南王刘安,并向吴王作自我介绍,谦称愧列李姓皇族的门墙,攀上吴王这样名贵的丹桂,而且吴王词赋堪与西汉枚乘、司马相如相媲美。接着赞颂吴王的政绩,说吴王为官清廉,家无长物,受到庐江郡吏民拥戴。最后将吴王比作战国燕昭王置黄金台延揽天下士一样好客,希望吴王能像楚襄王怜爱宋玉那样举荐自己,从而得到重用,施展才干。

李白在合肥没有留下漫游山水诗篇,只有《同吴王送杜秀芝赴举入京》。诗中赞扬杜秀才才华风貌,预祝杜秀才赴京应试成功,内容情深意切。诗云:

秀才何翩翩?王许回也贤。

暂别庐江守,将游京兆天。

秋山宜落日,秀水出寒烟。

欲折一枝桂,还来雁沼前。

---

① 李白:《李太白全集》卷14《古近体诗·寄》,中华书局1977年版。

（二）罗隐与巢湖

唐代末年诗人罗隐（833—909年），浙江余杭（今浙江杭州）人，原名横，字昭谏，号江东生。少年时即负文名，大中十三年（859年）底至京师应进士试，历七年不第。咸通八年（867年）乃自编其文为《谗书》，讽刺时政，益为当权者所憎恶，累计"十上不第"，所以罗衮赠诗说："《谗书》虽胜一名休。"黄巢起义爆发后，罗隐避乱隐居池州九华山。光启三年（887年），归乡依杭州刺史钱镠，后钱镠据有两浙，受封吴越王，十分器重罗隐。罗隐历任钱塘令、司勋郎中、给事中等职，著作有《歌诗集》十四卷，《甲乙集》三卷，《外集》一卷，今编诗十一卷。

大约在唐宣宗大中年间，罗隐前来庐州，逗留四顶山、游巢湖中庙、玩半汤温泉等地，并留有诗作。据传他起初是慕名来到四顶山，只打算看看四顶朝霞就走。登上巢湖之滨的四顶山朝霞寺，发现这里为访幽探胜之佳境，撰《游四顶山》诗：

胜景天然别，精神入画图。
一山分四顶，三面瞰平湖。
过夏僧无热，凌冬草不枯。
游人来至此，愿剃发和须。

诗的开头两句，描绘四顶山风光。三、四两句，叙述四顶山的奇景所在。五、六两句，再写四顶山上冬暖夏凉，草木常青。结尾两句，以游人对比美景，愿在朝霞寺中削发出家，盛赞巢湖风光的绮丽宜人。

于是，诗人以四顶山为落脚点，早出晚归，或泛舟巢湖，或凭吊圣姥庙、白衣庵诸名胜。他在游圣姥庙时创作七律《登巢湖圣姥庙》，诗云：

临塘古庙一神仙，绣幌花容色俨然。

为逐朝云来此地,因随暮雨不归天。
眉分初月湖中鉴,香散余风竹上烟。
借问邑人沉水事,已经秦汉几千年。

圣姥庙,即太姥庙。这首诗吟咏的是刘宋时修建的"圣姥庙"。诗歌前两句,交待湖心小岛姥山,庙里供奉的一尊女神,为东岳大帝的女儿——碧霞元君,既美丽,又庄重。诗篇三、四两句,借用的"巫山神女"典故,出自宋玉《高唐赋》,原文是:"妾在巫山之阳,高丘之岨,旦为朝云,暮为行雨,朝朝暮暮,阳台之下。"这里用以形容仙姥来去飘忽,叙述碧霞元君,为了追逐爱情,来到巢湖之滨,不再返回天上了。五、六两句,描绘仙姥的两道蛾眉,像新月一般映照在湖水里;身上的芳香,随风飘散,像烟雾一样笼罩在翠竹上。最后两句,从圣姥庙四境的湖光山色,写到巢湖的来历,说这里陷落成湖还是秦汉以前发生的事,已经过去几千年了。诗人以寥寥数语,勾画出一位栩栩如生的女神,千媚百态,呼之欲出,从而寄托着诗人自己的无限感慨,读后令人浮想联翩。历代诗人在圣姥庙吟咏很多,但像这样充满娴美意境的诗却要首推罗隐。

诗人在泛舟巢湖期间,还游览了巢县半汤温泉。这里原有二泉,一冷一热,流至数里外才会合。鱼从冷泉出,触热泉而急回。罗隐借题发挥,吟咏出千古佳句:"饮水鱼心知冷暖,濯缨人足识炎凉。"移情托物,寓哲理于诗,读之不仅无说教、枯燥之感,反而觉得新鲜、有趣,发人深思。①

(三)杜荀鹤的巢湖绝句

杜荀鹤(约846—906年),字彦之,号九华山人,池州石埭(今安徽石台)人。他出身比较贫寒,曾说自己是"天地最穷人"。青年时期曾多次参加科举考试,但屡试不中,至大顺元年(890年)才考中进士。

---

① 王象之:《舆地纪胜》卷45《淮南西路·庐州》,四川大学出版社2005年版。

当时政局动荡,杜荀鹤虽然考上了进士,但并没有做官,来到宣州(今安徽宣城)节度使田頵幕下做幕客,担任从事。天复三年(903年),田頵起兵反抗淮南节度使杨行密,派杜荀鹤前往汴州(今河南开封)联络梁王朱温。田頵败死后,朱温向朝廷保荐杜荀鹤,被授为翰林学士、主客员外郎,但只有数天就去世了。

杜荀鹤虽然科举成名较晚,在诗坛上却很早就享有盛名,是唐代现实主义诗人之一。著作有《唐风集》,存诗三百多首,其中有吟巢湖的七绝诗两首。其一为《过巢湖》,诗云:

世人贪利复贪荣,来到湖边始至诚。
男子登舟与登陆,把心何不一般平。

这首七绝,实乃警世之作。面对浩瀚无边的巢湖,感到人生之渺小、人生之短暂,以短暂的人生去追名逐利,实在没有什么意思。然而为什么"登舟"与"登陆"的心境不一样?这首诗既揭示了社会弊端,也反映了诗人内心的矛盾和苦闷。

另一首是《送人归淝上》:

巢湖春涨裕溪深,才过东关见故林。
莫道南来总无事,水亭山寺二年吟。

这是一首朋友间酬赠之作。前两句点明了送友的时间、地点;后两句反映诗人与友人交游两年,携手游览山水亭寺,一同放歌吟咏,多么真挚难忘的友情![1]

此外,杜荀鹤还有《春日巢湖书事》诗,[2]一方面称赞巢湖旖旎风光,一方面感叹岁月变迁。诗云:

---

① 《舆地纪胜》卷45《淮南西路·庐州》。
② 彭定求:《全唐诗》卷764《杜荀鹤》,中华书局1980年版。

暖掠红香燕燕飞，五云仙珮晓相携。
花开鹦鹉韦郎曲，竹亚虬龙白帝溪。
富贵万场归紫酒，是非千载逐芳泥。
不知多少开元事，露泣春丛向日低。

第二节　宗教信仰与寺观建筑

唐代经济文化发达，思想领域十分活跃。佛教、道教在统治者倡导下得到迅速发展，与传统儒学并称为"三教"，甚至帝王也经常召集官员与道士、沙门，"讲论儒、道、释三教"①。武则天曾组织学士四十七人编纂《三教珠英》，内容多达一千三百多卷。虽然出现若干排佛现象，但唐代佛教已完成了中国化过程，影响到社会生活，很多士大夫出佛入道。唐初均田令对僧道、寺观授田的规定，承认宗教对土地的占有，从而使得寺观也有经济基础。与此同时，其他各种民间信仰和风俗习惯也在社会生活中发挥作用。

一、佛教的发展

唐代是佛教在中国发展的鼎盛时期，庐州佛教也有较大的发展，佛教寺院的修建数量、质量都达到一定规模。据嘉庆《合肥县志》记载，唐代"升州长庆道巘禅师，庐州人，初侍光孝，便领悟微言，即于湖南大光山剃度。逮化缘弥盛，出住长庆，朝入伽蓝，暮成正觉"。慧满禅师，"贞观间结庵于合肥大蜀山，尝诵《法华经》"。又有三刀禅师，"唐末居庐江显宁院。黄巢之乱，为贼所执，斫之三刀，无血，世号三

---

①　《旧唐书》卷135《裴延龄传》。

刀禅师"①。一些僧人还留有著述,如僧皎《桴槎寺八纪诗》,"《集古录》云:唐沙门僧皎撰,不著书人名氏,凡诗八首,不著刻石年月。在庐州桴槎山下"②。

(一)寺院的修建

唐代创建佛教寺院较多,根据《合肥县志》《庐江县志》《巢县志》《嘉庆庐州府志》《江南通志》《紫蓬山志》等方志及新中国建立后所撰《肥西县志》《肥东县志》《长丰县志》《合肥市志》相关资料,明确考证为唐代庐州修建寺院就有27所。

唐代庐州兴建佛寺表

序号	寺名	属县	修建情况
1	明教寺	合肥	《舆地纪胜》:在城岁丰桥北,即魏武教弩台。唐大历中,因得铁佛一丈八尺,奏立为院。
2	万寿寺	合肥	在时雍门内。唐贞观中建。
3	福泉寺	合肥	唐建,罗珦应举西行曾过此寺。
4	长宁寺	合肥	在长宁镇东北,离城六十余里。唐建。
5	开福寺	合肥	《舆地纪胜》:蜀山有开福禅寺,唐贞观间僧慧满道场。
6	白云寺	合肥	在大潜山下,离城百二十里。唐建。国朝雍正间重修。
7	定光院	慎县	《舆地纪胜》:在梁县南三十五里,有唐天祐间铸铁佛三像、罗汉十六尊,佛殿甚古。
8	明城寺	合肥	唐建。
9	净柱寺	慎县	在石塘桥北,离(合肥)城九十里。唐建。
10	香社寺	合肥	在柘塘集西北,离城百里。唐宋间建。

---

① 康熙《庐江县志》卷13《仙释传》。
② 《舆地纪胜》卷45《淮南西路·庐州》。桴槎山,古称"北九华",海拔418米,主峰位于合肥市肥东县王铁乡境内。山上树木成林,葱翠浓郁;有仙人洞、美女峰等名胜。山顶上有寺庙,名为"甘露寺",当地人喜欢称之为"大山庙"。

(续表)

序号	寺名	属县	修建情况
11	天王寺	合肥	在西平门内。《江南通志》：唐建,明正统丁卯重建,有碑文。
12	罗汉寺	合肥	在明教台后。唐建。
13	洗马寺	合肥	相传尉迟敬德驻军洗马于此。
14	西庐寺	合肥	《紫蓬山志》：魏将李典建庙山巅,祀其七世祖李陵,因改名李陵山,唐赐庙名西庐寺。
15	龙潭寺	合肥	《龙潭寺碑志》：创始自唐,屡毁屡修。
16	江宁庵	合肥	《合肥市志》卷十七之第九章《宗教·佛教》,建于唐代。
17	月潭庵	合肥	《合肥市志》卷十七之第九章《宗教·佛教》,建于唐代。
18	莲花庵	合肥	《合肥市志》卷十七之第九章《宗教·佛教》,建于唐代。
19	普济庵	合肥	《合肥市志》卷十七之第九章《宗教·佛教》,建于唐代。
20	慈云庵	合肥	《合肥市志》卷十七之第九章《宗教·佛教》,建于唐代。
21	睡佛庵	合肥	《合肥市志》卷十七之第九章《宗教·佛教》,建于唐代。
22	白衣庵	合肥	《合肥市志》卷十七之第九章《宗教·佛教》,建于唐代。
23	罗汉寺	合肥	《合肥市志》卷十七之第九章《宗教·佛教》,建于唐代。
24	冶父寺	庐江	在县治东北二十里南慕善乡,唐伏虎禅师所创。
25	伏虎庵	庐江	在冶父山顶。唐光化元年,伏虎禅师建。
26	显宁院	庐江	在光明山。唐末有僧结庐山中,值巢贼乱,执而斫之。凡三刀不见血,骇而释之,号三刀禅师。
27	金刚寺	庐江	在县东南紫芝坊,即杨行密故居。旧名光化,吴王建以居伏虎禅师。

另有多处寺院建筑年代无考。如合肥千佛寺,"《舆地纪胜》：'广化院,旧名千佛寺,在左厢东千佛坊。'旧志云：昔有铜佛千身,周世宗毁之。合肥县其旧基"。华祖寺,"在大西门街,建年无考"[①]。庐江甘泉寺,"在县治西三十五里龙池山之麓,不知创于何代。元泰定甲子

---

① 嘉庆《合肥县志》卷14《古迹志》。

所置桥石,字刻现存"①。也有寺庙唐代重建。如合肥明教寺,南朝梁天监年间建于教弩台故址。原名铁佛寺,存世并不长,因战乱频仍,建好不久便荒废了。到唐代大历年间(766—779年),有人在寺院废址上掘得铁佛一尊,高一丈八尺。庐州刺史裴谐上奏朝廷,唐代宗下诏重建,定名"明教院"。唐懿宗李漼时,寺院"创转关经藏",始称"明教寺"。

(二)明教寺转关经藏

合肥明教寺建立在高五米的古教弩台上。相传教弩台为曹操所筑军事堡垒。《舆地纪胜》记载:"教弩台,在怀德坊明教寺。旧经云:魏武帝筑台,教强弩五百人以御孙权棹船。"②南朝萧梁时期,佛教盛行,在教弩台上方兴建庙宇,名为"铁佛寺",但不久即荒废。唐代宗大历年间,有人在台上掘得一尊铁佛,高一丈八尺,"刺史裴谐奏请为明教寺"③。唐人吴资《咏教弩台》云:"曹公教弩台,今为比丘寺。东门小河桥,曾飞吴主骑。"④诗中道出了教弩台与明教寺的渊缘关系。

唐代合肥明教寺非常兴盛,不仅殿堂宏伟,僧人众多,而且所藏佛教经典数量巨大,修建了当时盛行的规模宏大的转关经藏。据唐人谭铢《庐州明教寺转关经藏记》载,庚寅岁(即唐懿宗咸通十一年,870年),有禅那僧文珦在明教寺"创转关经藏",其藏贮修多罗教数千轴,蕲州长史殿中侍御史上柱国王师贞特别给予赞助。己丑岁(即咸通十年,公元869年),"属徐方兵乱(即庞勋之乱),援军屯集",虽然对明教寺产生一定冲击,然而寺院仍然"色相端严,典教渐备"⑤。于

---

① 康熙《庐江县志》卷8《古迹志》。
② 祝穆:《方舆胜览》卷48《淮西路·庐州》。
③ 祝穆:《方舆胜览》卷48《淮西路·庐州》。前文"庐州牧守考证"唐大历年间裴姓刺史只有"裴谐",疑裴谐、裴缉为同一人。明教寺初建于南朝梁武帝年间,初名铁佛寺,隋末毁于兵火。唐朝大历年间,在废墟中挖得铁佛一尊,高丈八,刺史裴休奏告朝廷,代宗诏令重建,定名明教院,明代改称明教寺。历代屡加修葺。清咸丰三年(1853年)复毁于战火。同治九年(1870年)重建。现存大雄宝殿等主要建筑是清光绪十二年(1886年)所建。
④ 嘉庆《庐州府志》卷5《古迹下》。
⑤ 李昉:《文苑英华》卷820,谭铢《庐州明教寺转关经藏记》,中华书局1966年版。

是,在僧俗界人士的共同努力下,明教寺继续发展,并开始创建转关经藏。

转关经藏,又名转轮藏、转轮经藏、转法轮藏或经轮藏等,实际上就是用以收藏经文的、能够旋转的大书架。与此相联系,用于安放转轮藏的建筑,就称为转轮藏殿、转轮藏阁、毗卢殿或称法宝殿、藏经阁、摩尼殿等,是一般寺院的重要设施,起着佛教图书馆的作用,为古代佛教典籍、佛像等重要文物的保存、保护、流传和弘布发挥了积极作用。①

转关经藏的产生,是以经藏的存在为先决条件的。在印度早期的佛教寺院中,并无贮存经文的经藏。最早在3世纪左右,印度开始出现经库之类的设施。两汉之际,佛教传入中国,经过魏晋南北朝的发展,到隋唐时期,中国佛教发展到了鼎盛,佛教典籍日益增多,推动了经藏的产生。由于佛典数量庞大而难以通读,因而佛教中有转经之法:只读每卷的初、中、后行,然后即翻转经卷。转经又称转藏、转读。转关经藏的创始者为傅翕,《释门正统》卷三《塔庙志》中载:"初梁朝善慧大士(傅翕玄风),愍诸世人虽于此道颇知信向,然于赎命法宝。或有男女生来不识字者,或识字而为他缘逼迫不暇披阅者。大士为是之故,特设方便,创成转轮之藏。令信心者推之一匝,则与看读同功。"傅翕的初衷是为了解决不识字,或者识字而无暇诵持经书的佛教徒读诵经书的困难,这是一种方便的修行方法。这种方法使原来流行于贵族阶层的佛教文化开始走向平民百姓,使普通信众皆有成道之可能,这样就满足了普通信众成道的要求。

有关转关经藏的详细记载,梁、陈、隋各朝都未及见,唐代的也不多。现存最早、最确实可靠的资料,是唐穆宗长庆二年(822年)杨承和所撰的《邠国公功德铭》②,据文中记载,此轮藏下端立于地下;地面部分则状如楼阁花幢,五层装饰物之上方开四门,门藏经卷;轮藏外

---

① 黄美燕:《经藏与转轮藏的创始及其发展源流辨析》,《东方博物》2006年第2期。
② 《全唐文》卷998,杨承和《邠国公功德铭》。

面又绘画、雕刻龙神、菩萨等,并饰以水陆所产种种珍宝;北面,另有镜灯照之。

白居易于唐文宗开成二年(837年)撰写的《苏州南禅院千佛堂转轮经藏石记》,对苏州南禅院千佛堂的转轮经藏进行了细致的描述:"千佛堂转轮经藏者……堂之中,上盖下藏。盖之间,轮九层,佛千龛,彩绘金碧以为饰,环盖悬镜六十有二。藏八面,面二门,丹漆铜错以为固,环藏敷座六十有四。藏之内,转以轮,止以梐,经函二百五十有六,经卷五千五十有八。"①虽然中间仅间隔了数年,转关经藏已增为八面(邰国公所记,四门即四面),独立的镜灯也变成环盖悬镜了;更又添有佛龛、彩画、悬镜、环藏敷座等辅助性设施。

庐州转关经藏亦为八面,谭铢在《庐州明教寺转关经藏记》中阐释了"八"在佛教中的含义,文曰:"周回八角,角,觉也。佛以眼为八邪,耳为八患,鼻为八苦,舌为八难。回八邪为八觉,回八患为八解脱,回八苦为八安乐,回八难为八王子。指四八为三十二相,由此八关返邪归正,成佛之境矣。止则寂然无用,引则转而不穷。动虽有声,静乃无迹。""修多罗教,函于藏轮。周回八角,正道斯陈。动用一心,为万法因。忘因无法,得本归真。"②

除此之外,据史料载,这一时期还有不少转轮经藏的存在,如日本僧人圆仁记载了他在唐文宗开成五年(840年)五月廿三日巡礼山西五台山时,见金刚窟户楼上有六角转轮藏③;宋代王象之《舆地碑记目》卷一《婺州碑记》,有"唐咸通八年"的"转轮经藏石碑"。可见,转关经藏在唐代寺院中是很常见的器物。宋代以后,随着大藏经的屡屡印刻,转关经藏更是遍布天下梵刹。

唐代庐州明教寺转关经藏的形状、规模如何,因为史料有限,我们无法知道详情,但综观自唐以来的转关经藏,其主要特征有:为塔形木结构建筑,通高十米左右;下大上小,分藏座、藏身、天宫楼阁三

---

① 《全唐文》卷676,白居易《苏州南禅院千佛堂转轮经藏石记》。
② 《文苑英华》卷820,谭铢《庐州明教寺转关经藏记》。
③ 圆仁:《入唐求法巡礼行记》卷3,花山文艺出版社2007年版。

个部分，上绘或雕刻有佛教图案。整座转关经藏由一大柱支撑，柱上开八面而形成藏身的八角形构架；柱下入地处，设机轮于圆洞中，推之可转。藏身一般为八角形，以像转轮王之轮宝；有若干层次，八面设门，以贮经像。①

从其构造可看出，转关经藏实际上仍然如普通经藏一样，依旧起着图书馆的作用，贮存和保护释典、佛像。当然，转关经藏创设的初衷，在于以转动代替读诵经文，这就使佛教文化开始走向平民百姓，使普通信众都有成道的可能，佛教更加世俗化。唐代庐州明教寺转关经藏的建立推动了庐州佛教文化的发展。

（三）巢湖王乔洞石窟造像

巢湖王乔洞石窟造像，又名王乔石窟，是安徽目前所发现的唯一佛教摩崖造像。王乔洞位于巢湖市北郊五公里处维尼纶厂西侧，紫微山下。此洞乃天然石灰岩溶洞，长57.6米，宽3.5～7.8米，高5～8米，南北走向，洞内平坦，北端西折成曲尺形，两侧洞口皆可出入。在两侧洞口内进10米长的左右岩壁上，刻有浮雕佛像及罗汉像近600尊，造像每尊高25～60厘米不等，风格姿态亦有所不同。1981年9月安徽省人民政府公布其为第五批省级重点文物保护单位，将其时代定为宋明时代。2004年5月，南京师范大学文博系与安徽巢湖市文管所对巢湖紫薇山王乔洞中的佛教摩崖进行联合考察，②确认王乔洞摩崖造像包括南齐到宋代不同时期的艺术作品。

王乔洞中时代最早造像为一佛二菩萨的"西方三圣"，刻凿于溶洞中央的北壁之上，编号为1号造像。尽管造像头部已毁，但整个造像与南京栖霞山南朝佛教造像有诸多相似之处。洞内两壁上尚有500余身浮雕佛像，高度在20～30厘米之间不等。从这些佛像造型风格雷同的模式化情况来看，应该与前面叙述的西方三圣造像为同

① 张勇：《傅大士研究》，巴蜀书社2000年版，第455—457页。
② 南京师范大学文博系、安徽省巢湖市文管所：《安徽巢湖市王乔洞佛教摩崖的调查与研究》，《东南文化》2008年6期。

一时期的作品,或稍晚。故调查认为,王乔洞1号造像是魏晋南北朝时期的作品。其造像与南京栖霞山千佛崖下25窟的南朝佛像造型相似,两者的风格和佛座下树状云气纹都很相似。事实上王乔洞去南京不远,王乔洞的佛教造像当是在南京摄山三论宗的影响下出现的。

王乔洞佛像中另一铺大型造像为唐代作品,包括一佛二弟子二菩萨五身造像,刻凿于溶洞洞口的南壁上,编号为2号造像。主尊阿弥陀佛结跏趺坐于仰莲座上,后有背光与头光,其下有七层叠涩的八角形束腰基座,右手施无畏印,左手抚腿。身穿双领下垂的通肩袈裟,内着僧祇支,衣裙垂覆于台座前,衣纹兼用直平阶梯式和圆凸式线条雕刻。主尊阿弥托佛两边为二弟子和二菩萨,分别为大势至、阿难、迦叶和观世音菩萨,均着褒衣博带的交领大袖裙襦,双手合十,跣足站立于仰莲座上,其后镌以头光与背光。

除佛教造像外,王乔洞中还有历代题刻六处。最早为北宋绍圣二年(1095年),其余有明嘉靖二十九年(1550年)、明隆庆四年(1570年)、清康熙三年(1664年)以及光绪二十一年(1895年)石刻。在这里值得我们注意的是这些题记中所强调的都是作为神仙道家的王乔,而对洞中的佛教造像却只字未提。即使康熙年间的《巢县志》也只提及洞中仙道题记,而不提佛教造像,"洞如石屋,前后曲折相同,洞口石壁垂萝,流泉潺湲,林木亭树俱极雅胜,前人记之甚详,今遗迹犹存"①等。说明至少在巢湖地区,佛道之间的对立还是颇为尖锐的。尽管明人题记中的"洞中华盖迥凡庭"句似乎提到洞中佛像,但依然是针对王乔洞道家神仙福地的主旨而言。洞中规模庞大的佛教造像在这些仙家道士眼里视若无睹,这从一个侧面反映了二者之间的隔阂。

---

① 康熙《巢县志》卷5《形胜》。

二、道教的发展

道教是中国土生土长的宗教,经魏晋南北朝时期充实改造,已渐臻成熟。隋唐是道教鼎盛时期。唐高祖李渊自认教祖老子李耳为其祖宗,依托附会,推崇道教。高宗乾封元年(666年)东封泰山,归途又追尊老子为"太上玄元皇帝"。唐玄宗也托言梦见老子,因画老子像,颁布天下,并亲自注解《道德经》,加封老子为"大圣祖高上大道金阙玄元天皇大帝",各地修建玄元皇帝庙,举国上下大兴尊崇"圣祖"之风。这股风在地方上的表现主要有两方面:其一,每州皆兴建道宫,谓之"紫极宫"①;其二,各州设崇玄学,设玄学博士1人,讲授道教经典,生徒毕业后参加道举考试。另外,唐玄宗还大力支持搜集整理道教经典,派遣求道使到各地访求亡逸道经,把唐以前道教经籍勘定为道藏,编成3944卷的《三洞琼纲》,分送诸道采访使。唐代道教发展规模空前,各地道观林立,道徒众多,求仙学道之风遍及帝王公卿、工商百姓。道教活动的盛行,对唐代社会产生了深刻的影响。

唐代道教徒也受到优礼厚待,被视为皇族宗室,道士、女冠均隶属宗正寺,其犯罪"所由州县官,不得擅行决罚,如有违越,请依法科罪"②。在这样的背景下,庐州道教得到较大发展。目前仅见少量隋唐修道观的记载。

紫微观,在庐州襄安县(今巢湖市)。东晋咸康四年(338年)会稽道士王妙才所创。到隋开皇十四年(594年)刘颖立碑铭,至清代尚存"秉炰,驭鹤吹笙,脱履而归,举手长别"③十数言,余皆不可辨识。

---

① 《旧唐书》卷9《玄宗纪》。
② 《唐会要》卷50《尊崇道教》。
③ 赵绍祖:《安徽金石略》卷六《隋紫微观碑》,石刻史料新编本。赵绍祖注云:"按晋太元中废居巢县,侨置蕲县。隋开皇初更名襄安县,唐武德三年置巢州,七年州废,更县名为巢县,属庐州。"

左圣宫,亦作佐圣宫,在合肥南薰门。碑云:"唐建;明天启时修。"①

三清观,在合肥县,"离城二十里,唐建"②。

白鹤观,《江南通志》卷四十八《舆地志·寺观·庐州府》云,"在府东门,唐建"。

白鹤观,在州襄安镇墩上,唐建,墩形如印,高十余丈中有墨泉。③

现存资料有关庐州道士活动不多,较著名人物有崔自然、秦万,均为庐州巢县人。崔自然少学道,得服松脂法,后隐于城南洞中辟谷修炼。"每入山,虎豹见之,皆驯服。"④秦万家庭富裕,开米面、彩帛的店铺,元和四年(809年)五月身死,家人为其在宫中修斋三日三夜,大修道门功德,为秦万祈福。⑤

第三节 社会风俗与神祠崇拜

一、社会风俗

唐朝前期,庐州"不好学而酷信淫祀",遇有病患,"舍药物而乞灵于鬼神"⑥,境内各类神祠众多,以求福免祸。罗珦担任刺史后,"禁其听神,颁以良药",想方设法解决老百姓之病痛,令百姓"春无疟寒,夏无痟首之疾"。同时发展教育,"命乡塾党庠,缉其墙室,乡先生总童冠子

---

① 嘉庆《合肥县志》卷14《古迹志》。
② 嘉庆《合肥县志》卷14《古迹志》。
③ 赵宏恩:《江南通志》卷48《舆地志·寺观·庐州府》,商务印书馆2013年版。
④ 道光《巢县志》卷13《人物·仙释》。
⑤ 张君房:《云笈七签》卷121《灵验部五·秦万受斗尺欺人罪修黄箓斋验》。
⑥ 《全唐文》卷478,杨凭《唐庐州刺史本州团练使罗珦德政碑》。

弟",以《周礼》《易》等儒家经典及百王之言教之。① 民风为之一变。

民间孝顺之事也屡见于文献记载。

庐州人万敬儒,"三世同居,丧亲庐墓,刺血写浮屠书,断手二指,辄复生"。大中年间,宣宗旌表其家,同时"州改所居曰成孝乡广孝聚"②。时任庐州刺史卢潘亲为万敬儒撰写"孝行碑"③。

巢县人张进昭,"母患狐刺,左手堕而终。及殡,进昭截左腕庐于墓"④。截腕之事愚钝,也反映民风纯朴。又有巢县百姓唐海,"性笃孝",贞元年间,"母丧庐墓,手自耕植,以备祠祭。无何,于粟田之中,辄产嘉禾,一本六穗。一本五穗"⑤。庐州刺史裴靖派遣录事参军朱宁考察得实,遂上其事于淮南节度使,监察御史符载作《庐州进嘉禾表》。⑥

在墓葬方面,合肥地区依然重视厚葬。官员及乡里豪绅墓室一般为两室砖墓,且有较丰富的随葬品。1983年11月清理的巢湖市伍贾圩会昌二年(842年)伍子胥后人伍钧墓和1995年在合肥市发掘的元和元年(806年)冯遇汤墓,均有前、后室,前方后长,后室呈船形。"伍钧墓虽然在历史上曾被盗掘,但仍出土了长沙窑彩绘执壶5件,白瓷碗与青瓷碗3件,白釉钵、茶托各1件,陶盏、药碾各1件,还有风字形砚台及古钱币若干⑦。"据墓志记载,墓主伍钧为乡居的富豪。

二、巢湖太姥神信仰

圣妃庙,又称"焦湖庙""圣姥庙""圣母庙""太姥庙",为祭祀主

---

① 《全唐文》卷478,杨凭《唐庐州刺史本州团练使罗珦德政碑》。
② 《新唐书》卷195《孝友传·万敬儒》。
③ 《全唐文》卷792,卢潘《万敬儒孝行状碑》。
④ 《新唐书》卷195《孝友传序》。
⑤ 康熙《巢县志》卷15《人物志》。
⑥ 《全唐文》卷688,符载《庐州进嘉禾表》。
⑦ 《五十年来的安徽省文物考古工作》,载《新中国考古五十年》,文物出版社1999年版。

湖女神焦姥的古庙，始建于晋朝，位于姥山九峰之一的羊山顶上。唐罗隐《登圣姥庙》诗中有"临塘古庙一神仙，绣幌花容色俨然"，即指此。

庐州历代方志对巢湖圣妃庙均有记载。如《太平寰宇记》载："耆老相传曰：居巢县地，昔有一巫妪，豫知未然，所说吉凶，咸有征验。居巢门有石龟，巫云：'若龟出血，此地当陷为湖。'未几之间，乡邑祭祀，有人以猪血置龟口中，巫妪见之南走，回顾其地，已陷为湖，人多赖之。为巫立庙，今湖中姥之庙是。"①《江南通志》亦载："巢湖圣妃庙，在合肥县姥山，晋太康中建。"②可见，晋朝廷封赠焦姥为"圣妃"的同时，又敕令兴建"圣妃庙"用以对焦姥的纪念和祭祀。

唐僖宗中和年间，庙宇"为行寇所烬"，破败不堪。当时庐州为杨行密所控制，其部将蔡俦作战前曾向太姥祷告，军队转败为胜，遂在龙纪元年（889年）"营祠而酬"，即重建太姥庙。③

南唐保大二年（944年），德胜军节度使、庐滁军州观察使、庐州刺史周邺主持重建太姥庙，聘请学者章震撰《重建巢湖太姥庙记》以表述他的心迹意旨："太姥乃太虚灵贶，广借神功。好风轻吹于云樯，微浪不生于水面。往来利涉，上下无虞。既感威光，得无酬报？我公乃命其郢匠，诏彼般输，相以殿堂，度之材木。"④

由于居民和往来船公出于对焦姥的崇敬和神灵的崇拜，唐宋以后，在巢湖周边相继兴建多处"分庙"，一是方便祭祀、祈祷，二是有利于集会商贸。就文献确载者有：东口圣妃庙，位于巢湖东湖口；银屏山圣妃庙，位于巢湖东南银屏峰之巅；明教台圣妃庙，位于庐州城左厢明教台上（今明教寺）；施口圣妃庙，位于今肥东县湖滨施口。

---

① 《太平寰宇记》卷126《淮南道四·庐州》。
② 《江南通志》卷42《舆地志·坛庙六·庐州府》。
③ 《全唐文》卷819，邢甚夷《唐庐州重建巢湖太姥庙记》。
④ 《全唐文》卷871，章震《后唐重建巢湖太姥庙记》。

三、大蜀山龙王神祠

中华民族传统信仰中,龙神是主要的致雨神。高诱注《淮南子》"土龙致雨"曰:"汤遭旱,作土龙以像龙,云从龙,故致雨也。"①说明商汤时期已经用土龙求雨。唐玄宗开元二年(714年),"诏令祠龙池",开元十六年(728年),"诏置坛及祠堂,每仲春将祭,则奏之"。后"有司筮日,池傍设坛,官致斋,设笾豆,如祭雨师之仪,以龙致雨也"②。唐代已在龙池旁边置坛进行祭祀,"以龙致雨"。

合肥大蜀山下曾有渊济龙王庙,相传为当地百姓感谢龙王普降甘霖而建。据《唐永济龙王庙碑》载,唐贞观年间僧慧满主持开福禅寺③,诵《莲花经》二十余年,前来听他讲经的佛门信徒络绎不绝,东海龙王的幼子也慕名前来。这年,正值久旱不雨,农田龟裂,禾苗枯萎。慧满法师劝说龙子降雨普求众生。龙子答曰:"水旱上帝司之,若盗布天泽,当死。"慧满禅师说:"汝舍此身,救我此民,我诵此经,救汝此身。"龙子去后,大雨随之而下,合肥地区大片农田得救,但三天后,龙子却死于山下。当地百姓感激龙子舍身救民,遂在大蜀山上破土兴建一庙宇,葬龙子于庙中,取名为"渊济龙王庙","其后水旱,祈之必验。"对此,清代学者赵绍祖评论:"龙生前降雨而得罪死,龙死后水旱祈之而必验,其理不能贯串,此释氏张大之言耳!"④

---

① 高诱:《淮南鸿烈解》卷四《墬形训》,文渊阁《四库全书》本。
② 王溥:《唐会要》卷22《龙池坛》。
③ 《舆地纪胜》卷45《庐州》,僧慧满作"惠满"。
④ 赵绍祖:《安徽金石略》卷6《庐州府》,黄山书社2011年版。

开福寺，合肥市西郊大蜀山之南麓，是唐代僧人慧满法师卓锡弘化之所。贞观年间（627—649）慧满法师在该寺大演《法华经》，为百姓祈雨救生，超度渊济龙神，留下弘法利生、世代称颂之佳话。抗战期间古开福寺为日军飞机炸毁。2001年重建。

第五章

唐末五代合肥地区的政治变迁

第五章　唐末五代合肥地区的政治变迁

黄巢起义失败后,唐朝统治濒临崩溃,"号令不出国门"①,藩镇"自擅兵赋,迭相吞噬,朝廷不能制"②,庐州处在淮南节度使高骈控制之下。高骈宠任方士吕用之,猜忌帐下将领,导致众叛亲离,境内动荡不宁。中和二年(882年),合淝人杨行密起兵庐州,逐渐向外发展,占领宣州(今安徽宣城)、扬州。景福元年(892年),唐朝授杨行密淮南节度使,天复二年(902年)加封吴王,建立杨吴政权。五代时期,庐州作为杨吴肇基之地和抵御五代王朝南进基地,设置德胜军节度使,派驻重兵。此后经历南唐禅代,庐州依旧为军事重镇,直至显德五年(958年),后周占领庐州。

第一节　政局动荡与杨吴崛起

当唐末全国处于藩镇混战时,淮南内讧不断,周边藩镇虎视眈眈,亦欲兼并淮南诸州。经过长达十余年争战,庐州杨行密占领淮南、宣歙、江东地区,建立杨吴政权。杨吴是五代时期割据江淮的地方政权。自唐天复二年(902年)杨行密受封吴王至后晋天福二年(937年)南唐禅代,杨吴政权存在凡三十六年。如从景福元年杨行密占领扬州、担任淮南节度使算起,其割据江淮凡四十六年。庐州不仅是杨吴政权崛起之地,也是控扼江淮的军事重镇。杨行密转战南北,多以庐州作为基地,其集团核心成员大多出自庐州。庐州得失直接影响江淮局势的变化。

---

① 《资治通鉴》卷259,景福二年。
② 《旧唐书》卷19下《僖宗纪》。

一、唐末庐州的动荡

唐末"吏贪赋重,赏罚不平"①,加上天灾人祸,社会矛盾激化。乾符元年(874年)王仙芝、黄巢在山东起义后,势力迅速发展,"数月之间,众至数万"。毗邻山东的江淮地区,局势亦处在混乱之中。《旧五代史》记载,"乾符中,关东群盗并起,江淮间遍罹其苦"②。在黄巢起义推动下,庐州地境内小股起义不断。《新五代史·吴世家》记载,"乾符中,江淮群盗起,行密以为盗见获",杨行密也参加过反抗斗争。在庐州周边地区,寿州(今安徽寿县)王绪、舒州(今安徽安庆)吴迥、滁州(今属安徽)许勍等地方土豪也趁机起兵,各地反抗此起彼伏,这些势力的存在直接影响到庐州局势的变迁。

当时庐州刺史郑綮注意地方稳定,对境内"盗贼"均予从宽处置,令其回乡归农。广明元年(880年)正月,黄巢北上经过庐州,"綮移黄巢文牒,请不犯郡界,巢笑而从之,一郡独不被寇"③。郑綮在任期间,廉洁奉公,离任时不带私产,作诗《别庐州郡人》称"唯有两行公廨泪,一时洒向渡头风"④。庐州库中颇有盈余。据《新唐书》记载,郑綮离任后,"赢钱千缗藏州库。后它盗至,终不犯郑使君钱;及杨行密为刺史,送都还綮(郑綮)"⑤。

庐州是唐末淮南道八州之一,淮南节度使高骈早年以收复安南而名噪一时,后任郓州刺史、天平军节度观察等使,"治郓之政,民吏歌之"⑥。历西川、荆南、浙西节度使,转任淮南道,兼诸道兵马都统、江淮盐铁转运等使,"骈至淮南,缮完城垒,招募军旅,土客之军七万,

---

① 《新唐书》卷225下《逆臣传下》。
② 薛居正:《旧五代史》卷21《刘康乂传》,中华书局1976年版。
③ 《旧唐书》卷179《郑綮传》。
④ 彭定求:《全唐诗》卷870,郑綮《别庐州郡人》,中华书局1960年版。
⑤ 《新唐书》卷183《郑綮传》。
⑥ 《旧唐书》卷182《高骈传》。

乃传檄征天下兵,威望大振。朝廷深倚赖之,进位检校太尉、同平章事"。然黄巢北过江淮,高骈听从部将建议,拥兵自重,不出一兵拦截。黄巢西入关中,高骈拒绝朝命入援,自恃兵强地富,"欲兼并两浙,为孙策三分之计"①,此事受到朝廷指责,并被撤销都统及盐铁使之职。高骈心怀怨望,遂断绝江淮贡赋,上书诟骂朝廷。又宠任方士吕用之,部将离心离德。大将毕师铎担心被害,被迫联络其他将领,准备反抗。"旧将俞公楚、姚归礼皆为用之谗构见杀,师铎意不自安,有爱妾复为用之所夺"②;"用之既自任,淫刑重赋,人人思乱"③。淮南境内盗寇蜂起,领兵将领也占据州县,拓展自己势力。

"自巢、让之乱,关东方镇牙将,皆逐主帅,自号藩臣。时溥据徐州,朱瑄据郓州,朱瑾据兖州,王武俊据青州,周岌据许州,王重荣据河中,诸葛爽据河阳,皆自擅一藩,职贡不入,赏罚由己。"④这些藩镇极力对外兼并,蔡州军阀秦宗权派其骁将孙儒多次进军淮南,寇掠寿州、庐州,掠夺人口、土地;⑤宣武节度使朱温(朱全忠)、徐州感化节度使时溥比邻淮南,都欲兼并淮南。

二、杨行密崛起庐州

(一)起兵庐州

杨行密(852—905年),原名行愍,⑥字化源,庐州合淝人。"少孤贫,有臂力,日行三百里。"⑦"年二十,亡入盗中,刺史郑棨捕得,异其

---

① 《旧唐书》卷182《高骈传》。
② 《旧唐书》卷182《高骈传》
③ 《新唐书》卷224下《高骈传》。
④ 《旧唐书》卷164《王铎传》。
⑤ 《新唐书》卷188《杨行密传》。
⑥ 《资治通鉴》卷256载,光启二年(886年),"高骈命行愍更名行密"。
⑦ 《旧五代史》卷134《僭伪列传一》。

貌,曰:'尔且富贵,何为作贼?'纵之。"①后应募为庐州兵,报送奏章至成都行在,并出外戍守,以功补为队长,自募百余人。中和二年(882年),都将忌妒其才艺,"白刺史郎幼复遣使出戍于外"②,杨行密愤怒之下斩杀都将,占据军营,自称八营都知兵马使,刺史郎幼复被迫交出兵符印信,淮南节度使高骈以杨行密为淮南押牙、知庐州事,"行密遂据庐州"③。次年,唐廷授杨行密为庐州刺史。时高骈部属吕用之用事,担心杨行密难以控制,"遣俞公楚以兵五千屯合淝,名讨黄巢而阴图之"④,杨行密设伏消灭俞公楚,以其谋叛之罪呈报高骈。随后,以部下田頵为八营都将、陶雅为左冲山将,"讨定乡盗"⑤,完全控制庐州局面。

中和四年,舒州境内爆发陈儒起义,刺史高澞求援于庐州。杨行密派部将李神福间道入舒州,设疑兵解舒州之围。不久,江淮土豪吴迥、李本等率众进攻舒州,高澞战败逃往扬州,为高骈所戮。杨行密派遣陶雅、张训率军剿灭土豪吴迥、李本,奏表陶雅为舒州刺史。蔡州军阀秦宗权觊觎淮南,趁杨行密主力南下舒州之际,派遣其弟宗衡进攻庐州,占领舒城。杨行密急忙调遣部将田頵抵御,秦宗衡兵败后退回河南。蔡州是中原地区强镇,曾屡败河东节度使李克用、宣武节度使朱全忠及感化节度使时溥,这一仗提高了庐州军队的声威。

寿州是淮南道强郡,曾建置都团练使。刺史张翱(一作张敖)对杨行密势力的发展深感不安。光启二年(886年)十二月,"寿州刺史张翱遣其将魏虔将万人寇庐州,庐州刺史杨行愍遣其将田頵、李神

---

① 《新唐书》卷188《杨行密传》。
② 《资治通鉴》卷255,中和三年。
③ 《新五代史》卷61《吴世家》。
④ 《新唐书》卷188《杨行密传》。
⑤ 《新唐书》卷188《杨行密传》。

福、张训拒之,败虏于褚城"①。褚城之战不仅使庐州转危为安,也使杨行密庐州集团成为江淮地区举足轻重的力量。庐州军队北上之时,滁州刺史许勍袭舒州,刺史陶雅奔还庐州。由于杨行密在褚城决战中取胜,滁州兵停止北进,杨行密在庐州地位巩固下来。

(二)进军扬州

光启三年(887年)四月,秦宗权派遣骁将孙儒进攻淮南,高骈以部将毕师铎驻守高邮(今属江苏)。毕师铎原先是黄巢部将,投降高骈后受到信任。毕师铎前往高邮后,担心受到吕用之陷害,联络高邮镇遏使张神剑、淮宁军使郑汉璋等,率军三千回攻扬州,②很快进至扬州城下。扬州城高,防守坚固,毕师铎心怀畏惧,又求援于宣歙观察使秦彦,应允城破后推其为帅。秦彦随即派其亲信秦稠率兵八千渡江北上,助攻扬州。扬州城破后,吕用之逃走,高骈遭到拘禁。秦彦得知扬州已下,招其亲信、池州刺史赵锽入守宣州,亲率大军进驻扬州,自称淮南节度使,以毕师铎为行军司马。

在毕师铎围攻扬州之时,吕用之以高骈名义任命杨行密为淮南行军司马,令其奔赴救援。杨行密迟疑不决,谋士袁袭劝说杨行密:"高公昏惑,用之奸邪,师铎悖逆,凶德参会,而求兵于我,此天以淮南授明公也,趣赴之。"③杨行密乃调集庐州兵马,又向和州(今安徽和县)刺史孙端借兵,亲率部众一万余人东进,至天长会合吕用之残部。五月,杨行密驻兵扬州郊外蜀冈。此时,与毕师铎发生矛盾的张神剑、不满毕师铎接纳外藩的海陵镇遏使高霸以及曲溪人刘金、盱眙人贾令威也率众投奔杨行密。杨行密兵增至一万七千人,设立八处营

---

① 《资治通鉴》卷256,光启二年。《新唐书》卷188《杨行密传》,"褚城"作"楮城",寿州刺史作"张敖",云:"光启二年,张敖遣将魏虏攻庐州,大将李神福、田頵破之楮城。"嘉庆《合肥县志》卷14《古迹志·褚城》云:"《江南通志》:在城西北。唐光启二年,寿州刺史张翱兵寇庐州,杨行密将田頵败之于褚城是也。"
② 《旧唐书》卷182《毕师铎传》。
③ 《资治通鉴》卷257,光启三年。

寨围困扬州城。张神剑又从高邮运粮支持杨行密。六月,秦稠、毕师铎"以劲卒八千出战,大败,稠死之,士奔溺死者十八"①。此后扬州城内缺粮,"樵采路绝,宣州军始食人"②。八月,秦彦抽调全部军马二万人,由毕师铎、郑汉璋率领,再次开城出战,杨行密乃撤离营寨,将部分粮饷辎重留在空寨。秦彦饥兵争相掠取物资,杨行密率精兵出击,毕师铎大败,横尸数十里。经此一战,秦彦宣州军元气大伤。"城中食尽,米斗四十千,居人相啖略尽"③。十月,秦彦、毕师铎决定弃城出走,令部将杀死高骈及其家属,又派郑汉璋率步骑五千作最后出击,高霸、张神剑二寨仓皇迎战,被郑汉璋攻破,二人分别率残部逃回海陵、高邮。十一月,吕用之部属张审威率精兵三百人趁守军换防之际,攻入扬州城内,秦彦、毕师铎率二千余人狼狈出城。杨行密进入城中,"輂外寨之粟以食饥民,即日米价减至三千","居人癃憊奄奄,兵不忍加暴,反斥余粮救之"④。

淮南早为邻藩所觊觎。秦彦、毕师铎之乱时,秦宗权派其弟秦宗衡与部将孙儒前来争夺淮南。宣武朱温也准备夺取淮南,奏请唐僖宗以自己兼领淮南节度使,充东南面招讨使,"以平孙儒、行密之乱"⑤。但朱温东面有兖州朱宣、郓州朱瑾,东南有徐州时溥,南面有蔡州秦宗权,一时无力南下。杨行密进驻扬州后,朱温奏请杨行密为淮南节度副使,派部将张廷范出使扬州以相笼络。又以行军司马李璠权知淮南留后,牙将郭言领兵护送。杨行密拒绝接受李璠入主淮南,而李璠一行又受阻于徐州时溥,朱温乃表杨行密为淮南留后。

杨行密虽然进入扬州,城外到处是高骈的残兵溃卒,蔡州秦宗衡军队以刘建锋为前锋,直逼扬州。途中部将孙儒杀死秦宗衡,收编战败前来的秦彦、毕师铎所部,迅速夺取扬州城外营寨,杨行密滞留城

---

① 《新唐书》卷224下《高骈传》。
② 《资治通鉴》卷257,光启三年。
③ 《旧五代史》卷134《僭伪列传一》。
④ 《新唐书》卷224下《高骈传》。
⑤ 《旧唐书》卷182《高骈传》。

外的辎重也落入孙儒之手。文德元年(888年)正月,孙儒杀死秦彦、毕师铎,吞并其军队,进围扬州,"行密遣使求援于朱全忠"。① 但是前来救援的汴军很快为孙儒击退,杨行密顿时陷入进退两难境地。为集中指挥,杨行密杀干扰军政的吕用之,又追斩首鼠两端的张神剑、高霸等人,把军队掌握在自己手中,准备前往海陵(今江苏泰州)。袁袭陈言:"海陵虽守,而庐州吾旧治也,城廪完实,可为后图。"② 二月,杨行密遣延陵宗率兵返回和州,又派指挥使蔡俦领兵一千先回庐州。四月,杨行密放弃扬州,经天长返回庐州。孙儒随后进入扬州,"纳款于汴,且送宗衡、秦彦、毕师铎首,全忠藉以闻。昭宗授儒检校司空,全忠署儒为招讨副使"③,后授淮南节度使。"孙儒强,赫然有吞吴、越意。"④

三、庐州集团的形成

庐州是杨行密肇基之地。杨行密以庐州兵起家,其核心集团多为"行密奔走之旧"⑤。庐州起兵时,"行密所与起事刘威、陶雅之徒,号三十六英雄"⑥。这些多为庐州本贯人士,也有部分将领籍贯并非庐州,但因镇守江淮或者经商等滞留庐州,加入到杨行密庐州集团。在其发展过程中,杨行密又积极搜罗庐州人才。《资治通鉴》卷二百五十五记载:"行愍闻州人王勖贤,召,欲用之,固辞。问其子弟,曰:'子潜,好学慎密,可任以事;弟子稔,有气节,可为将。'行愍召潜置门下,以稔及定远人季章为骑将。"进入宣州、扬州之后,又吸纳南北人士,但庐州人士仍有较大的比重,列入《新唐书》《旧五代史》《新五代史》《九国志》《十国春秋》等书"列传"者近三十人。其中有在杨行密

---

① 《旧唐书》卷19下《僖宗纪》。
② 《新五代史》卷61《吴世家》。
③ 《新唐书》卷188《孙儒传》。
④ 《新唐书》卷188《杨行密传》。
⑤ 路振:《九国志》卷2《吴》,丛书集成初编本。
⑥ 《新五代史》卷61《吴世家》。

幕府任职，筹划用方略，更多的则是领兵作战，担任地方刺史、节度使等职。

在杨行密势力发展过程中，一大批幕宾都出自庐州。最知名的有袁袭、高勖、戴友规、骆知祥等人。袁袭"少好学，善属文，洞明纬象"①，曾为杨行密划策进取扬州、宣州等地，为杨行密前期主要谋士。袁袭病亡，杨行密痛惜道："天不欲成吾大功邪，何为折吾股肱也！"②高勖则长期担任掌书记，建议杨行密与周边开展贸易，又"选贤守，令劝课农桑"③。戴友规面对孙儒进逼，劝阻杨行密退兵，又进陈破敌之策，"太祖（杨行密）从其计，遂大破儒兵"④。骆知祥擅长理财，曾任宣州长史，后为杨行密淮南支计官，"励精为理，事无留滞"⑤，徐温主政时期，掌杨吴财赋大权，与谋士严可求齐名，吴人谓之"严骆"。

军事方面，前期主要将领多出自庐州。其中如田頵、刘威、陶雅、台濛、朱延寿、王茂章、秦裴等皆为一时名将。田頵，"略通书传，沈果有大志。与杨行密同里，约为兄弟。应州募屯边，迁主将。行密据庐州，頵谋为多"⑥。后来参与平定孙儒之乱，击败两浙钱镠，官至宁国军节度使。刘威，"少为小吏，豪爽有志节，行密起泗上，及平秦、毕有功"⑦，曾献策击破孙儒，官至庐州刺史、淮南节度副使，天祐三年授镇南节度使。陶雅，平庐州群盗，取舒州，以平定赵锽之功，授池州刺史，后改常州刺史、歙州刺史。台濛，"少为金牛镇将，行密据合淝，始来归。从征秦、毕、赵锽，俱有功"⑧。又从杨行密击孙儒，以功迁楚州刺史。乾宁三年（896年），攻破苏州，担任苏州刺史。后以讨伐田頵叛乱，官至宣州观察使。朱延寿，"事行密，破秦彦、毕师铎、赵锽、孙

---

① 《九国志》卷2《吴·袁袭传》。
② 《资治通鉴》卷258，龙纪元年。
③ 吴任臣：《十国春秋》卷5《高勖传》，中华书局1983年版。
④ 《十国春秋》卷5《戴友规传》。
⑤ 《十国春秋》卷10《骆知祥传》。
⑥ 《新唐书》卷189《田頵传》。
⑦ 《九国志》卷1《吴·刘威传》。
⑧ 《九国志》卷1《吴·台濛传》。

儒,功居多"①,后率兵夺取寿州、黄、蕲、光等州,以功迁寿州团练使。王茂章,"少从杨行密起淮南",曾率兵七千援救青州王师范,击斩朱全忠从子友宁,累功至润州团练使。以与行密子杨渥不和,投奔吴越,辗转投奔后梁。②秦裴,"少骁勇",从杨行密征战,以功授扬子县令,"历高邮、无锡令,俱有能名"③,官至洪州刺史、鄂岳观察使、武昌军节度使。甚至与杨行密反目成仇的蔡俦也是庐州人士。

姓 名	籍 贯	业绩	最后官职	材料来源
袁袭	庐江县	谋士,定策取扬州、宣州		《九国志》
高勗	舒城县	筹划政令	掌书记	《十国春秋》
戴友规	庐州	建策破孙儒		《新五代史》
骆知祥	合淝	主管财赋	中书侍郎	《十国春秋》
王潜	庐州	幕府参佐、典选事	左司郎中	《十国春秋》
田頵	合淝县	累立大功	宁国军节度使	《新唐书》
台濛	合淝县	从攻扬州,败田頵	宣州观察使	《九国志》
朱延寿	舒城县	积功,取寿、黄、蕲、光州	寿州团练使、遥领蔡州奉国军节度使	《新唐书》
刘威	慎县	破孙儒等	镇南节度使	《九国志》
陶雅	合淝县	取舒、池、歙等州	歙州团练使	《九国志》
李遇	合淝县	讨伐叛将安仁义	宣州观察使	《九国志》
秦裴	慎县	取洪州	武昌军节度使	《九国志》
张崇	慎县	积功	庐州观察使、德胜军节度使	《九国志》
王稔	合淝县	积功	寿州清淮军节度使	《十国春秋》

---

① 《新唐书》卷189《朱延寿传》。
② 《新五代史》卷23《王景仁传》。
③ 《九国志》卷1《吴·秦斐传》。

(续表)

姓 名	籍 贯	业 绩	最后官职	材料来源
王茂章	合淝县	积功,援救青州	宣州观察使	《新五代史》
马珣	庐江县	积功	舒州刺史	《九国志》
钟章	合淝县	积功	寿州团练使	《九国志》
王安	庐江县	积功	百胜军节度使	《十国春秋》
李章	庐江县	积功	庐州节度使	《十国春秋》
王绾	庐江县	援青州王师范	百胜军节度使	《九国志》
陈知新	庐江县	积功	岳州团练使	《九国志》
李友	合淝县	取常州、苏州	苏州刺史	《十国春秋》
张训	滁州	积功、清口之战先锋	黄州刺史	《九国志》
李神福	洺州	积功、攻蔡俦、杜洪、田頵	光州团练使	《九国志》
刘存	陈州	积功、取鄂州	鄂岳观察使	《九国志》
徐温	海州	积功、筹划方略	大丞相、都督中外诸军事	《新五代史》《九国志》

跟随杨行密庐州起兵的,还有一批非庐州籍贯将士。他们在杨吴政权建立过程中立有赫赫战功,其著名者有张训、刘存、李神福、徐温等人。张训,滁州清流(今安徽滁州)人,中和三年归杨行密于合淝,克宣州,取滁州,击孙儒,"训论功居多"①。乾宁四年(897年)清口之战中,张训充当前锋,击败汴军名将庞师古。刘存,陈州(今河南淮阳)人,"善拳勇,从行密起合淝,破秦毕、赵锽皆有功"②,以平孙儒功,授寿州马军都尉。乾宁年间,从破葛从周于渭河,迁舒州刺史,改团练使。后率军攻占鄂州,俘斩节度使杜洪父子,授淮南行军司马、鄂岳都团练使。后为湖南马殷所杀。李神福,洺州(今河北永年)人,隶上党军籍,"时高骈兼诸道行营都统,神福从州将成淮海,因投杨行

---

① 《九国志》卷1《吴·张训传》。
② 《九国志》卷1《吴·刘存传》。

密"①。后屡建奇功,平舒州陈儒,击退秦彦、毕师铎,攻取宣州。又出奇计败孙儒,建言:"儒扫地远来,利在速战。宜屯据险要,坚壁清野以老其师,时出轻骑抄其馈饷,夺其俘掠。彼前不得战,退无资粮,可坐擒也!"②又败庐州叛将蔡俦,屡挫钱镠、朱温军队。徐温,海州朐山(今属江苏)人,为杨行密庐州起事的"三十六英雄"之一,擅长谋略,曾劝阻杨行密以巨舰运粮,而改以轻便小舰,"行密由是奇温,始与议军事"③,杨行密死后,主持杨吴军政近二十年。

杨行密在向外进取过程中,又吸纳了一批人才。如周本,舒州宿松(今属安徽)人,三国名将周瑜之后,少孤贫,"初为宣州节度使赵锽将,勇冠军中"④,杨行密攻破宣州,遂为帐下牙将,每战皆先登,蒙犯矢石,身无完肤,攻衢州、抚州,皆有战绩,官至庐州德胜军节度使,拜太尉、中书令,封西平王。柴再用,原名柴存,系孙儒手下战将,孙儒败亡后归杨行密,屡败朱温及吴越军,官至德胜军节度使,加中书令,为"一时之良将"⑤。刘金,曲溪(今江苏苏州)人,光启三年杨行密进军扬州,行至天长,刘金与高霸等率众来附,"居三十六英雄之一",官至濠州团练使,"威名大震,为濠人所称"⑥。刘信,兖州中都(今属山东)人,初隶滁州许勍,归附杨行密后,从破秦彦、毕师铎及孙儒,迁滁州刺史,后以抚定江西,升为镇南军节度使。⑦ 李简,上蔡(今属河南)人,为宣州赵锽部将,归附后担任黑云队长,屡建战功,官至武昌军节度使。⑧ 这些将领,虽非庐州本贯,但在杨行密集团发展过程中,都发挥了重要作用。

---

① 《九国志》卷1《吴·李神福传》。
② 《资治通鉴》卷259,景福元年。
③ 《资治通鉴》卷263,天复二年。
④ 《十国春秋》卷7《周本传》。
⑤ 《九国志》卷1《吴·柴再用传》。
⑥ 《十国春秋》卷6《刘金传》。
⑦ 《九国志》卷2《吴·刘信传》。
⑧ 《九国志》卷1《吴·李简传》。

四、杨吴政权的建立

杨行密向外拓展过程中，庐州是其根据地，不断为杨行密提供物资和兵源。"唐末，杨行密自庐州起，既建国，遂为重镇。周师渡淮，舒、蕲、黄先皆款附，独庐未下，盖宿兵多，周师不敢轻犯也。"①

龙纪元年（889年），杨行密南下宣州（今安徽宣城），以其部将蔡俦为庐州刺史。孙儒趁庐州兵力空虚，大举来攻，"蔡俦为孙儒所破，以庐州降"②。景福元年（892年）寿州刺史高彦温，亦降附朱全忠，朱全忠以部将江从勖为刺史。孙儒败亡后，杨行密复入扬州。蔡俦担心杨行密追究其降敌之责，"以庐州叛附朱全忠"③。不仅如此，蔡俦接纳孙儒将领张颢，与舒州刺史倪章联络，共同对抗杨行密，又索性发掘杨行密父祖坟茔。景福二年，杨行密在扬州站稳之后，即派遣大将李神福进攻蔡俦，击败蔡俦亲信何壤，追至庐州城下。杨行密本人亲赴庐州城下督战，张颢逾城出降，蔡俦坚守城池不出，后兵败自杀。"诸将皆请毁其墓以报之"，杨行密叹道："俦以此为恶，吾岂复为邪？"④随后杨行密奏请以刘威为庐州刺史，"是时四郊多垒，井邑萧然，威内抚百姓，外御寇兵，庐州以宁"⑤。

随后，杨行密以庐州为据点，分兵规取失陷诸州。十月，重新夺回舒州，舒州刺史倪章往投宣武朱全忠，杨行密以李神福为刺史。乾宁二年（895年），杨行密派兵进攻寿州，"诸将惮城坚不可拔"，乃改派朱延寿领兵攻城，城破，表延寿为淮南节度副使。"全忠犹屯寿春，延寿以新军出，每旗五伍为列，遣李厚以十旗击西偏，不胜，将斩之，厚请益五旗，殊死战，全忠引去。"⑥朱延寿领兵西进，取黄、蕲、光三州，

---

① 《资治通鉴》卷294，显德五年，胡三省注。
② 《新唐书》卷188《杨行密传》。
③ 《新唐书》卷188《杨行密传》。
④ 《新五代史》卷61《吴世家》。
⑤ 《十国春秋》卷5《刘威传》。
⑥ 《新唐书》卷189《朱延寿传》。

"行密尽有淮南之地"①。唐昭宗加授同中书门下平章事,封弘农郡王。四年,在清口(今江苏淮安境内)大败朱温军队,杀汴军主将庞师古,"行密由是遂保据江、淮之间,全忠不能与之争"②。此后,杨行密再次出兵攻占升州(今江苏南京)、常州(今属江苏),"自淮以南、江以东诸州皆下之"③。又击败荆南节度使成汭,擒斩鄂州节度使杜洪,获鄂、岳等州。唐昭宗以淮南能与汴军相抗,"倚行密为重",天复二年(902年),"授行密东面诸道行营都统、检校太师、守中书令,封吴王,承制封拜"④,尽管名义上是唐朝的藩王,割据之势已经形成。

天祐二年(905年)十一月,杨行密病卒于扬州,年五十四。"遗令谷葛为衣,桐瓦为棺。夜葬山谷,人不知所在。诸将谥曰武忠。"⑤乾贞元年(927年),其子杨溥称帝,追尊为太祖忠武皇帝。史称杨行密"宽仁雅信,能得士心"⑥,在位期间,"招合遗散,与民休息,政事宽简"⑦,江淮地区经济得以恢复并有所发展。其生活也极为节俭,衣衫都经过缝补,自称"吾兴细微,不敢忘本"⑧。在五代十国帝王中,杨行密较为人们所称道。欧阳修以"盗亦有盗"来称颂杨行密,清初王夫之以为"非行密不能苏高骈虐用之孑黎",称杨行密"亦可以为民之主"⑨。

---

① 《旧五代史》卷134《僭伪列传一》。
② 《资治通鉴》卷261,乾宁四年。
③ 《新五代史》卷61《吴世家》。
④ 《新唐书》卷188《杨行密传》。
⑤ 《新唐书》卷188《杨行密传》。
⑥ 《新五代史》卷61《吴世家》。
⑦ 《旧五代史》卷134《僭伪列传一》。
⑧ 《新唐书》卷188《杨行密传》。
⑨ 王夫之:《读通鉴论》卷27《懿宗》,中华书局1975年版。

今长丰县吴山镇吴王碑

今长丰县吴山镇吴王庙

  杨行密墓称兴陵,兴陵位置,文献有不同记载。最早《旧五代史》卷一百一十八《周世宗纪五》记载,显德五年二月,"丁卯,驻跸于广陵……戊辰,遣使祭故淮南节度使杨行密、故升府节度使徐温等墓"。《通鉴纲目》记载:"杨行密墓,在扬州府,仪真县西七十里,墓号兴陵。"[①]清代李斗《扬州画舫录》记载,杨行密长女寻阳长公主卒于吴顺义七年(927年)七月,"窆于都城江都县与宁乡东袁墅村建义里庄西

---

① 朱熹:《资治通鉴纲目》,长征出版社1996年版。

北源"。1975年4月扬州邗江县杨市乡殷湖村发现寻阳长公主墓志铭。①

然宋王存《元丰九域志》卷五"庐州"条下有"杨行密墓"。嘉庆《合肥县志·古迹志》记载:"杨行密墓,在城西北六十里吴山庙东。昔人犁田,曾有见其隧道者。俗谓坟为山,因以名庙。"嘉庆《庐州府志》卷五《冢墓·五代吴王杨行密墓》则记载:"《舆地纪胜》:铁索涧,在合肥县,尝见涧侧有古坟,石板上龙凤,相传以为杨行密墓。又引《九域志》,有杨行密墓。"《大清一统志》亦记载:"(五代)杨行密墓,在合肥县铁索涧。"今合肥市北郊吴山镇有吴王墓及墓碑,相传为杨行密墓,并有吴王庙。"吴王遗踪"成为合肥十景之一。

第二节 政区建置与地方治理

自唐中和二年(882年)杨行密占领庐州,到后周显德五年(958年)南唐失去庐州,吴、南唐先后控制庐州七十六年。其间虽有庐州刺史蔡俦投靠孙儒、朱温,但很快被杨行密消灭。后来南唐禅代,李昪取代杨吴政权,也没有造成庐州地区的混乱。

一、政区建置

(一)吴、南唐政权禅代

天复二年(902年)三月,唐昭宗驻跸凤翔(今陕西乾县),以李俨为江淮宣谕使,授杨行密东面行营都统、中书令,进爵吴王。杨行密虽然是唐朝藩王,但唐朝已呈土崩瓦解之势,"号令不出国门",杨吴

---

① 吴炜、徐心然、汤杰:《新发现之杨吴寻阳长公主墓考辨》,《东南文化》1989年2期。

政权实际上已经建立起来。此后,杨行密平定内部宣州田頵、寿州朱延寿、润州(今江苏镇江)安仁义叛乱,稳定江淮地区,对外击退朱温进攻,与两浙钱镠保持往来,形势稳定下来。

天祐二年(905年)十月,杨行密病重,淮南节度判官周隐以其诸子幼弱,建议由庐州刺史刘威暂摄军府之事。淮南右衙指挥使徐温进言杨行密:"王平生出万死,冒矢石,为子孙立基业,安可使他人有之!"①随即与左衙指挥使张颢召回杨行密长子、宣州观察使杨渥,担任淮南节度留后。十一月,杨行密去世,在徐温、张颢支持下,杨渥袭职领兵,继任淮南节度使、东道诸道行营都统,兼侍中、弘农郡王。然杨渥昏暴贪残,继位不久杀死判官周隐,逼走新任宣州观察使王茂章。徐温、张颢屡谏不从,遂率兵诛戮杨渥亲信,把持大权。天祐五年五月,张颢杀死杨渥,图谋篡位遭到抵制,被迫拥立杨行密次子杨隆演(即杨渭)。又以徐温参与密谋,且手握军队,备加猜忌。徐温采纳谋士严可求建议,抢先杀死张颢及其党羽,加以弑君之罪。随后徐温本人兼任左右衙都指挥使,又兼淮南行军副使,"军府事咸取决焉"②。徐温执政后,力图改变吴国内部混乱状态。他对行军司马严可求说:"大事已定,吾与公辈当力行善政,使人解衣而寝耳。"③徐温先后秉政二十余年,境内比较安定,社会经济也有相当发展。史称"江、淮间旷土尽辟,桑柘满野,国以富强"④。

天祐十二年(915年),徐温出镇润州,"以升、润、常、宣、歙、池六州为巡属,军国庶务参决如故;留徐知训居广陵秉政"⑤。两年后,徙其治所于升州(今江苏南京),以其养子、升州刺史徐知诰为润州团练使。天祐十五年六月,徐温长子徐知训因专横跋扈、凌辱军将为大将朱瑾所杀,徐知诰进入扬州,平定内乱。随后徐温返回扬州,任命徐

---

① 《资治通鉴》卷265,天祐二年。
② 《新五代史》卷61《吴世家》。
③ 《资治通鉴》卷266,开平二年。
④ 《资治通鉴》卷270,贞明四年。
⑤ 《资治通鉴》卷268,贞明元年。

知诰辅政,自己仍回到升州,"总军国大纲,自余庶政,皆决于知诰"①。

天祐十六年初,鉴于中原梁晋夹河相争、后梁日益削弱,徐温率诸将请吴王称帝:"今大王与诸将皆为节度使,虽有都统之名,不足相临制;请建吴国,称帝而治。"②四月,杨隆演即国王位,大赦天下,建宗庙,置百官,用天子礼仪,改元武义(919—920)。徐温进拜大丞相、都督中外诸军事,封东海郡王。次年,杨隆演去世,徐温越次立杨行密第四子杨溥继位。顺义七年(927年),徐温表请杨溥即皇帝位,杨溥未许而徐温病卒,徐温养子徐知诰继续执政。

吴国自杨渥被杀以后,徐氏父子"中外共专其国,杨氏主祭而已"③。吴王杨隆演(杨渭)、杨溥幼弱谦逊,不过是徐温手中的傀儡。吴天祚三年(937年),徐温养子、齐王徐知诰通过禅让手段,逼迫杨溥退位,取得帝位,国号为齐,年号升元(937—942),以金陵为都城,改称江宁府。升元三年(939年),徐知诰以唐室后裔自居,改国号为唐,复姓李,取名李昪,尊徐温为"义祖",史称"南唐"。南唐继承吴政权疆土,李昪本人目睹战争造成的创伤,"志在守吴旧地而已,无复经营之略也,然吴人亦赖以休息"④。

(二)政区建置

杨吴政权是由唐代藩镇发展起来的,其基本疆域为唐代淮南、宣歙两道及江东部分州县。其极盛时期疆土大抵包括江东、宣歙、淮南、江西、鄂州之地。马令《南唐书·世裔谱》云,"杨行密以江淮二十八州辄建吴国……杨氏建国未久,政在徐温,而知训、知诰、景通、景迁、景遂继秉国政者三十余年,隆衍(隆演)与溥位号空存而已"。《十国春秋·十国地理表》亦载,"自江淮以南诸州为吴,而南唐因之"。尽管与五代各朝相比,南方各国疆土狭小,但都保留节镇(道)、州、县

---

① 《资治通鉴》卷270,贞明四年。
② 《资治通鉴》卷270,贞明五年。
③ 《旧五代史》卷134《僭伪列传一》。
④ 《新五代史》卷62《南唐世家》。

等三级政区建置，多数节镇没有支郡，仅辖一州而已。大体上节度使任所驻地州刺史，兼管内观察处置等使，掌境内行政、军事、司法之权。《十国春秋》评论说，十国"国内多设节度，周遍诸州，以示幅员之广"①。从各州来说，当时战争频繁，"刺史皆以军功拜"②，除节度使兼任本州刺史外，诸州刺史往往兼任防御使、团练使、都团练使，或由这些军职担任刺史，掌各州行政、财政、司法和军事之权。

庐州唐代属淮南道，唐末为淮南节度使所辖八州之一，辖有合淝、慎、舒城、庐江、巢等五县，终五代之世，没有大的改变。县下设有乡里组织。合肥县有右厢永宁乡纳善坊，③庐江县有洪崖乡鸾冈里。④唐末杨行密起兵之时，自称八营都支兵马使，随后刺史郎幼复被迫交出印绶，并推荐给淮南节度使高骈。中和三年三月，朝廷任命杨行密为庐州刺史。光启三年（887年），扬州毕师铎之乱，吕用之以高骈之命任命杨行密为淮南行军司马，令其出兵赴援。杨行密遂率庐州军，并获得和州兵马相助，全力进攻扬州。景福元年（892年）八月，杨行密担任淮南节度使。次年，杨行密平叛将蔡俦，以大将刘威为庐州刺史。天复三年（903年），杨行密"置德胜军于庐州"⑤，统领庐州、滁州等地，以庐州团练使刘威为节度使。南唐代吴，因之不改。后唐长兴二年（931年）闰五月，明宗设置庐州昭顺军节度，以衡州刺史姚彦章为昭顺军节度使，然不过遥置而已，不能实有其地。后周显德五年（958年）三月，南唐献江北四州于周，周世宗"改庐州军额为保信军"⑥，以右龙武统军赵赞为庐州节度使。

---

① 《十国春秋》卷113《十国藩镇表》。
② 《新五代史》卷46《郭延鲁传》。
③ 中国简牍集成编委会：《中国简牍集成》二编，第十九册，1841页，敦煌文艺出版社2005年版。
④ 《全唐文》卷887《唐故文水县君王夫人墓志铭》。参见周运中《杨吴、南唐政区地理考》，《唐史论丛》第十三辑，三秦出版社2011年版。
⑤ 《十国春秋》卷1《吴世家》。
⑥ 《旧五代史》卷118《周世宗纪五》。

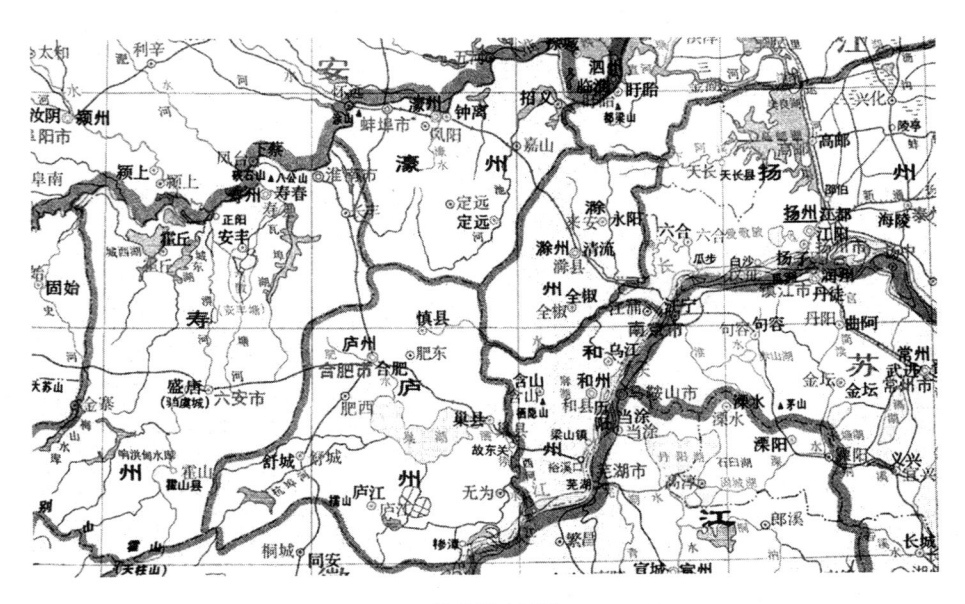

五代庐州政区图

（选自谭其骧《中国历史地图集》）

二、政治变迁

五代时期，庐州"西连襄汉，北接梁徐"[①]，地处后梁、后唐与杨吴争夺前线，军事地位日益凸现。杨吴先于庐州置团练使，不久置德胜军节度使。对于庐州刺史一职人选，也极为审慎。杨吴时期先后任庐州刺史的有刘威、张崇、徐知诰、柴再用、周本等人。详见下表：

刺史	在职时间	去职时间	备注/兼节度使
刘威	景福二年（893）	天祐四年（907）	德胜军节度使
康儒	天复三年（903）		未到任
张崇	天祐四年八月	吴大和四年（932），卒于任。	德胜军节度使

---

① 《全唐文》卷688，殷文圭《张崇修庐州外罗城记》。

(续表)

刺史	在职时间	去职时间	备注/兼节度使
徐知诰	大和四年	大和五年(933)	德胜军节度使
柴再用	大和五年	吴天祚元年(935)六月,卒于任。	德胜军节度使
周本	吴天祚元年	南唐升元二年(938)	德胜军节度使
李章	升元二年	升元四年八月,卒于任。	德胜军节度使
马仁裕	升元四年	升元六年三月,卒于任。	德胜军节度使
周邺	升元六年	保大六年(948)四月,卒于任。	德胜军节度使
王崇文	保大七年八月	保大十二年	德胜军节度使
孙汉威	保大十二年	南唐中兴元年(958)	德胜军节度使

(一)杨行密对庐州的控制

杨行密自中和三年(883年)担任节度使,到光启三年(887年)出征扬州,先后主持庐州四年。其间寿州张翱、滁州许勍等势力虎视眈眈,蔡州秦宗权也想将势力伸进庐州,庐州内部也不稳定。杨行密一方面整顿军队,另一方面发展生产,成功击退寿州军队进攻,迫使滁州军知难而退。同时又平定"乡盗",境内安定下来。随后发展生产,躬行节俭,招揽人才,境内发展较快。光启三年,扬州发生毕师铎之乱,杨行密在幕僚袁袭等人建议下,出兵扬州。到十一月,占领扬州。但城外驻扎蔡州孙儒以及宣州秦彦、毕师铎军队,城内粮食短缺。袁袭劝告杨行密:"广陵饥弊已甚,蔡贼复来,民必重困,不如避之。"[1]杨行密遣和州将延陵宗率其众两千人归和州,随后"又命指挥使蔡俦将兵千人,辎重数千两,归于庐州"[2]。次年四月,杨行密欲前往海陵(今江苏泰州),最后接受袁袭建议,返回庐州,"再为进取之计"。

文德元年(888年)十月,庐州杨行密联络和州刺史孙端、升州刺史赵晖,进攻宣州,留部将蔡俦守庐州,亲率大军从糁潭(今安徽无为

---

[1] 《资治通鉴》卷257,光启三年。
[2] 《资治通鉴》卷257,光启三年。

境内)渡江。渡江之后,庐州遂由蔡俦主持,"奏以知郡,有诏宜依"。①次年三月,杨行密攻占池州,以部将陶雅为池州刺史。六月,攻占宣州,俘杀观察使赵锽。唐昭宗以杨行密为宣州刺史、宣歙观察使。但在这时,扬州孙儒出兵进攻,庐州蔡俦兵势不敌,投降孙儒。杨行密失去了大后方,两面受敌,被迫向朱温求援,朱温派遣大将庞师古率兵进入淮南,但遭到孙儒反击,返回淮北。杨行密军事压力有所好转,进取江东地区。大顺元年(890年)三月,"唐赐宣歙军号宁国,以行密为节度使"②。此后,杨行密与孙儒在沿江地区进行争夺,互有得失。景福元年(892年)六月,杨行密在宣州城外消灭孙儒,进而夺回扬州。八月,唐昭宗任命杨行密为淮南节度使、同平章事,以田頵知宣州留后,安仁义为常州刺史,"自淮以南,江以东诸州皆下"。③

杨行密担任淮南节度使以后,开始整顿淮南所属诸州。庐州刺史蔡俦前此投降孙儒,深恐不能见容,索性挖掘杨行密父祖之墓,以庐州投降朱温。当时朱温正在全力进攻徐州时溥,乃予以拒绝。景福二年正月,李神福围攻庐州,蔡俦至此已无退路,倾其兵力抵抗。四月,杨行密亲往庐州督战,再调骁将田頵助攻。七月,庐州城内守将张颢出降,杨行密用为牙兵指挥使。蔡俦拒绝投降,城破后自刎而死。部将建议挖掘蔡俦父母坟墓,杨行密回答:"俦以此得罪,吾何为效之!"④

(二)刘威、张崇治理庐州

景福二年(893年)七月,杨行密收复庐州后,调刘威为庐州刺史,不久升为观察使。"是时四郊多垒,井邑萧然,威内抚百姓,外御寇兵,庐州以宁"。⑤ 天复三年(903年),庐州置德胜军,以刘威为节度

---

① 《全唐文》卷819《唐庐州重修巢湖太姥庙记》。
② 《十国春秋》卷1《吴太祖世家》。
③ 《新五代史》卷61《吴世家》。
④ 《资治通鉴》卷259,景福二年。
⑤ 《十国春秋》卷5《刘威传》云:"数月,除张崇为刺史,火灾乃止。"

使。"自南北分隔,戎华交驰。合淝之郊,常制冲要。故有台阶之命,以增外阃之威"。① 同年,宣州田頵谋叛,其部将康儒骁勇善战,杨行密"特授儒庐州刺史以间之"②,田頵遂杀死康儒,族灭其家属。天祐四年(907年),刘威改任洪州(今江西南昌)镇南节度使。

刘威去职后,庐州城内多次发生火灾。③ 八月,常州刺史张崇(861—932年)调任庐州刺史,兼本州团练使。张崇,庐州慎县人,早年追随杨行密起兵,破宣州赵锽、扬州孙儒,皆立战功,"故得擢自偏裨,升于列校"④。天祐十三年,张崇率兵平定光州将刘言之乱,加平南军节度使,后又擢为德胜军节度使,晋爵清河郡王。张崇在庐州二十多年,为政苛暴,多行不法之事,民怨颇大,但以财货交结权要,得以不断升迁。尝入觐扬州,百姓因其调离庐州,奔走相庆曰:"渠伊(此人)不复来矣!"张崇返回后,计口征收"渠伊钱";次年再次入觐,百姓不敢交语,"惟捋髭相庆",张崇闻知后,奏请留任,征收"捋髭钱"⑤,又获钱数万贯,"为民患者二十余年。"⑥侍御史杨廷式因借庐江县令贪赃事而纠弹张崇,徐知诰以牵涉徐温而不问。⑦《资治通鉴》评论张崇在庐州暴政:"崇在庐州贪暴,州人苦之,屡尝入朝,厚以货结权要,由是常得还镇,为庐州患者二十余年"⑧。

(三)周本与南唐禅代

吴天祚元年(935年),舒州宿松(今属安徽)人、老将周本出镇庐州,担任德胜军节度使。周本,自称三国名将周瑜之后,对僚属以礼相待,力改张崇苛政。史称,"本不知书,然能尊崇儒士,遇僚属以礼,

---

① 《全唐文》卷885,徐铉《马匡公神道碑铭》。
② 《十国春秋》卷13《田頵传》。
③ 《十国春秋》卷5《刘威传》。
④ 《全唐文》卷885,徐铉《马匡公神道碑铭》。
⑤ 郑文宝:《江表志》卷中,丛书集成初编,中华书局1991年版。
⑥ 《十国春秋》卷9《张崇传》。
⑦ 《资治通鉴》卷271,贞明六年。
⑧ 《资治通鉴》卷277,长兴元年。

士民爱之"①。徐知诰加周本为安西大将军、太尉,封西平王。吴天祚年间,徐知诰图谋禅代,其亲信徐玠、周宗等人以周本、李德诚名望素著,奉劝他们领头推戴。周本不忘杨氏故主,对同僚说:"我受吴室厚恩,老矣,复能推戴异姓乎?"②周本幼子弘祚担心家族被害,遂以周本名义拥戴徐知诰。当时杨行密第三子、临川王杨濛不满徐氏父子专权,被诬以"藏匿王命,擅造兵器"③,废为历阳公,软禁在和州(今安徽和县),闻听齐王徐知诰即将受禅,乃杀死监守官员,率亲信投奔周本,周本欲开门迎接,亦为周弘祚所阻。周本大呼:"我家郎君也,奈何不使我一见!"④周弘祚囚系杨濛,押往扬州,途中杨濛被杀。周本随后被迫前往金陵劝进,返回后愧恨成疾,数月而亡。

(四)南唐庐州吏治

南唐升元二年(938年),周本病卒。烈祖李昇以虔州(今江西赣州)节度使李章为庐州刺史、德胜军节度使。李章系庐江人,早年从吴王杨行密为骑将,与淮南节度使副使朱瑾交往甚厚。朱瑾被杀时受株连,同事六人当斩,其前五人被杀,次及李章。李章大呼:"四郊多垒,而奈何斩壮士耶!"⑤监斩官马仁裕大为赞赏,呈报徐知诰缓刑。获释后,李章担任洪州军校,累官至雄武军都虞侯、虔州节度使,"善抚士卒,勤于职务",改镇庐州,加中书令。升元四年八月,卒于任上,时年九十。

李章之后,马仁裕继任德胜节度使。徐知诰镇守润州时,淮南节度副使朱瑾杀徐温之子徐知训,马仁裕立即禀告徐知诰,徐知诰迅速出兵平定内乱。徐知诰执政时,以女嫁给马仁裕,是为兴平公主。后出外担任楚州刺史,入为左金吾大将军。李昇受禅后,迁润州节度

---

① 《十国春秋》卷7《周本传》。
② 陆游:《南唐书》卷6《周本传》,南京出版社2011年版。
③ 《资治通鉴》卷279,清泰元年。
④ 《资治通鉴》卷281,天福二年。
⑤ 马令:《南唐书》卷9《李章传》,南京出版社2011年版。

使。升元四年八月,移镇庐州,"为理宽简,吏民便之"①。当时中原局势混乱,后晋藩镇多次叛乱,威胁淮南地区。马仁裕"谨斥堠,审号令。习组练之士,则声如飙驰。严堡障之备,则势若山立。虏不敢犯,边是以宁"②。升元六年(942年)卒于庐州,年六十三。

据马令《南唐书·先主书》,升元六年三月,"庐州马仁裕卒,以滁州刺史周邺为保信军节度使留后",移镇庐州。不久改为德胜军节度使,"镇国西门,为王右臂"③。周邺系周本长子,早年随父作战,多次立功,治理庐州三年,"人唯安堵,物荷昭苏"④。保大六年(948年)四月病卒。次年八月,建州节度使王崇文移镇庐州。

王崇文,庐江人,吴开国功臣王绾之子,"性重厚儒雅,博综经史,少为军校,小心敏干,尚烈祖(李昇)妹广德公主"⑤,出为歙州、吉州刺史、虔州节度使、建州节度使,"出入三朝,世推名将"⑥,为治有方,吏民称便。"移镇庐州……其治皆如初"。在镇六年,保大十二年改神武统军使。

王崇文离任后,神武统军使孙汉威继任庐州德胜军节度使。其时后周已经建立,南唐岌岌可危。显德二年(955年)十一月,后周发兵进攻淮南诸州,孙汉威加强庐州防守,"严整御戎,精明出令,决胜有料,动算无遗。戎师屡攻,城守不拔"⑦,屡挫周军于庐州城下。显德五年(958年)三月,"唐主遣刘承遇奉表献庐、舒、蕲、黄四州"⑧,庐州为后周所控制。四月,后周置保信军于庐州,以右龙武统军赵匡赞为保信军节度使。五月,南唐元宗李景调孙汉威为池州奉化军节度使。

---

① 马令:《南唐书》卷10《马仁裕传》。
② 《全唐文》卷885,徐铉《马匡公神道碑铭》。
③ 《全唐文》卷871,章震《南唐重修巢湖太姥庙记》。
④ 《全唐文》卷871,章震《南唐重修巢湖太姥庙记》。
⑤ 马令:《南唐书》卷11《王崇文传》。
⑥ 郑文宝:《南唐近事》卷1,四库全书本。
⑦ 《全唐文》卷875,陈致雍《德胜军节度使孙汉威相公谥议》。
⑧ 《资治通鉴》卷294,显德五年。

第三节 南北对峙与战争

《读史方舆纪要·南直方舆纪要序》评论,"南北分疆,两淮皆战场也"。庐州地处江淮之间,唐代为南北交通"二京路"所经地区。唐末以来,杨吴及南唐与北方王朝大体以淮河为分界线,庐州、寿州等处在前线,是南方政权抵御五代王朝南下的军事重镇。天复三年(903年),杨行密置德胜军节度使于庐州,领庐、滁等州。① 寿州地区,后唐天成二年(927年),吴移濠州清淮军治寿州,统光、寿二州,加强沿淮地区军事部署。

一、后梁对庐州的争夺

乾宁四年(897年)清口之战后,杨行密在淮南的地位得到巩固,宣武军大败,"自是(朱)瑾率淮军连岁北寇徐、宿,大为东南之患"②。宣武朱温暂时无力大举南下,但并没有放弃攻占淮南的计划。朱温在吞并其他藩镇过程中,经常派兵南下,侵夺沿淮寿州、庐州等地区。

天复二年(902年)三月,宣武镇朱温围攻凤翔节度使李茂贞。李茂贞挟持唐昭宗,以金吾将军李俨为江淮宣谕使,授杨行密东面行营都统、中书令,进爵吴王,令其讨伐朱温。八月,杨行密亲率大军北上进攻宿州,屡攻不克,"竟以粮运不继引还"③。次年四月,平卢节度使王师范为朱温所攻,求援于杨行密。杨行密以骁将王茂章率步骑七千驰救,又遣别将率兵数万攻宿州。梁王朱温命大将康怀贞救宿州,杨行密遂从宿州退兵。五月,王茂章与平卢军攻拔密州(今山东高

---

① 朱玉龙:《五代十国方镇年表》,中华书局1997年版,第376页。
② 《旧五代史》卷13《朱瑾传》。
③ 《资治通鉴》卷263,天复二年。

密),杀朱温将刘康乂。八月,宁国节度使田頵与联络润州团练使安仁义起兵叛杨行密。田頵又派前进士杜荀鹤说服寿州团练使朱延寿共同举兵,并派遣至汴州联络朱温。朱温大喜,遣兵屯驻宿州声援。沿淮地区战事不断,需要加强军事力量。当年杨行密置德胜军于庐州,以庐州团练使刘威为节度使。

天祐元年(904年)十一月,杨行密进攻光州、鄂州,光州遣使来求援于朱温。朱温亲率大军渡过淮河,驻兵霍丘(今安徽霍邱),"大掠庐、寿之境,淮人(杨行密)乃弃光州而去"①。朱温在进攻中掠走大批耕畜分给淮北居民,每年收取牛租。但在鄂州(今湖北武汉)战场上,杨行密大将李神福大败宣武军,"攻陷鄂州,擒节度使杜洪,戮于扬州市。梁之戍兵数千人亦陷焉"②。朱温不甘心失败,次年正月、十月两次率军进攻寿州,另派遣大将杨师厚"深入淮甸,越寿春,侵庐江,军至大独山(今合肥市西郊大蜀山),遇淮夷(指杨行密军队),杀五千余众,振旅而还"③。

开平元年(907年)四月,朱温建立后梁,以汴州开封府为东都,洛阳为西都。河东李克用、凤翔李茂贞、淮南杨渥依旧使用唐天祐年号,西川王建仍用唐天复年号,与后梁对抗。梁、吴双方在庐州及沿淮地区继续进行争战。当年十一月,吴右都押牙米志诚率兵进攻颍州(今安徽阜阳),攻占外城,"刺史张实据子城拒守"④。十二月,后梁发步骑五千救颍州,米志诚屡攻不克,遂引兵退还淮南。其时吴越与吴战争不断。吴将周本、吕师造进围苏州,吴越将"张仁保攻常州之东洲,拔之。淮南兵死者万余人"⑤。吴徐温随后派遣大将柴再用援救常州。开平二年八月,"吴越王镠遣宁国节度使王景仁(王茂章)奉表诣大梁,陈取淮南之策",并向后梁求援。十一月,后梁以亳州团练

---

① 《旧五代史》卷2《梁太祖纪二》。
② 《旧五代史》卷134《僭伪列传一》。
③ 《旧五代史》卷19《黄文靖传》。
④ 《资治通鉴》卷266,开平元年。
⑤ 《资治通鉴》卷267,开平二年。

使寇彦卿为东南面行营都指挥使,率众南进。寇彦卿渡淮进攻庐州、寿州,不克而还。开平三年(天祐六年,909年)十二月,寇彦卿再次率军五万直逼庐州,"夜驱群孽,直渡城隍。搭长梯于女墙,攒霜矛于鹊垛"①。刺史张崇开庐江、潜桥两城门,亲领守军迎战,大破梁军,追至大独山(今大蜀山),时值大雪,梁军冻馁而死者甚众。

乾化三年(天祐十年,913年)十月,后梁以杨吴降将王景仁(王茂章)为淮南西北行营招讨应援使,与大将贺环将兵万余再次进攻庐州、寿州,"直抵罗城西独山门,排列至瓦步门,延亘数里","军过独山,山有武皇帝祠(杨行密祠堂),景仁再拜号泣而去"②。吴国徐温与大将朱瑾亲率大军追击,战于赵步,后梁先胜后败,渡淮北撤,吴霍丘(今属安徽)守将朱景预先把梁兵竖在淮河岸边的标尺转移他处,导致梁兵渡淮溺水而死者过半。徐温遂在霍丘将梁兵尸体筑为京观。

乾化四年八月,后梁以福王友璋为武宁军节度使,以取代节度使王殷(蒋殷)。王殷系郢王朱友珪亲信,拒不受代,归附吴国。九月,梁命淮南西北面招讨应援使牛存节、开封尹刘鄩郍领兵进讨。"蒋殷求救于淮南,杨溥遣大将朱瑾率众来援"③,为梁将牛存节所败。

贞明二年(916年)十月,吴光州守将王言杀刺史载肇,吴王杨渭(杨隆演)以楚州团练使李厚讨之。"庐州观察使张崇不俟命,引兵趣光州,言弃城走"④。吴随即以李厚权知光州。十一月,晋王李存勖遣使吴国,相约夹攻后梁。吴国以淮南行军副使徐知训充淮北行营都招讨使,与朱瑾等领兵渡淮,移檄州县,进围颍州。后梁宣武节度使袁象先率兵救援,吴兵受挫退回。贞明三年以后,后梁处于河东威胁之下,双方夹河对峙,没有力量渡淮南下,因而庐州较为安定。而杨吴徐温执政以后,力求保境安民,战争大为减少。

---

① 《全唐文》卷868,殷文圭《后唐张崇修庐州外罗城记》。
② 《十国春秋》卷7《王茂章传》。
③ 《旧五代史》卷8《梁末帝纪上》。
④ 《资治通鉴》卷269,贞明二年。

二、后唐以后庐州军事形势

同光元年(923年)十月,唐庄宗李存勖灭后梁,建立后唐(923—936)。此前杨吴与河东李克用、李存勖父子对抗后梁,双方往来较为频繁。唐庄宗李存勖与吴主杨溥正敌国之礼,致书称"大唐皇帝致书吴国主"。吴遣司农卿卢苹出使后唐,献上金银器物;又遣使张景报聘,称"大吴国主上书大唐皇帝"①。两淮地区结束清口之战以来的敌对状态,此后双方使节往来不断,吴"遣使献唐方物",后唐也回赠礼物。仅庄宗时期,通事舍人薛仁谦就曾三次出使吴国。《资治通鉴》称,"吴自庄宗灭梁以来,使者往来不绝"②。天成元年(926年),唐明宗嗣位,仍然保持往来,吴"遣使献新茶于唐",且为庄宗"辍朝七日"③。天成二年,荆南高季兴与后唐失和,举镇归附吴国。徐温以为:"为国者当务实效而去虚名。高氏事唐久矣,洛阳去江陵不远,唐人步骑袭之甚易,我以舟师沂流救之甚难。夫臣人而弗能救,使之危亡,能无愧乎!"徐温从实际情况考虑,遂接受荆南贡物而辞其称臣,"听其自附于唐"④。

天成二年十月,吴王杨溥称帝,后唐与吴关系一度恶化。"吴使者至,安重诲以为杨溥敢与朝廷抗礼,遣使窥觇,拒而不受,自是遂与吴绝。"⑤但两淮地区并没有发生大规模的冲突。长兴元年(930年)八月,吴海州都指挥使王传拯杀团练使陈宣,率众五千投奔后唐,随后吴国"涟水制置使王岩将兵入海州,以岩为威卫大将军,知海州"⑥。长兴二年闰五月,唐明宗以淮南道为唐朝幅员之内,升庐州为昭顺军,遥授楚王马殷部将、衡州刺史姚彦章为昭顺军节度使。长兴四年

---

① 《十国春秋》卷3《吴睿帝纪》。
② 《资治通鉴》卷276,天成三年。
③ 《十国春秋》卷3《吴睿帝纪》。
④ 《资治通鉴》卷275,天成二年。
⑤ 《资治通鉴》卷276,天成二年。
⑥ 《资治通鉴》卷277,长兴元年。

二月,又加姚彦章检校太尉、同平章事。十一月,明宗去世,愍帝李从厚即位,猜忌明宗养子凤翔节度使李从珂(唐废帝)及河东节度使石敬瑭。次年三月,李从珂取得帝位,后唐内部矛盾不断,沿淮地区大抵较为稳定。

后晋是后唐河东节度使石敬瑭(晋高祖)建立的。石敬瑭以称臣、称子、割让幽云十六州以及岁贡绢帛三十万匹,取得契丹支持,灭亡后唐。史称,"高祖取天下不顺,常以此惭,藩镇多务,过为姑息。而藩镇之臣,或不自安,或心慕高祖所为,谓举可成事,故在位七年,而反者六起"①。后晋时期社会动荡,外部受制于契丹,内部藩镇叛乱不断,处在不稳定的状态,自顾不暇,更无力对外进攻。到天福四年(939年)五月,"昭顺军节度使姚彦章卒"②,便不再设置昭顺军节度。而南唐烈祖李昪在位,"志在守吴旧地而已,无复经营之略"③,庐州境内也有了发展的机遇。

后汉(947—950年)是后晋河东节度使刘知远建立的短暂王朝,历时不过四年。期间河中、晋昌、凤翔三镇联兵叛乱,淮北地区局势混乱。乾祐元年(南唐保大六年,948年)九月,护国节度使李守贞起兵河中,派遣从事朱元、李平前往南唐求援。南唐以李金全为北面行营招讨使,清淮节度使刘彦贞副之,查文徽为监军使,魏岑为沿淮巡检使出兵北上援救。后汉随即以王重裔为亳州防御使,"又令于徐州巡检,兼知军州",准备抵御。④ 十一月,河中李守贞很快陷入失败境地,南唐军难以前进,遂退回海州。次年七月,李守贞叛乱势力被消灭。南唐鉴于沿淮军事形势,一方面安置河中使节,"以朱元为驾部员外郎,待诏文理院李平为尚书员外郎"⑤,一方面加强沿淮地区军事布置,以永安节度使王崇文镇庐州,以谏议大夫查文徽为永安军节度

---

① 《新五代史》卷51《安重荣传》。
② 《旧五代史》卷78《晋高祖纪四》。
③ 《新五代史》卷62《南唐世家》。
④ 《旧五代史》卷128《王重裔传》。
⑤ 《资治通鉴》卷288,乾祐二年。

留后。十月,南唐军队很快在正阳被击退,南唐元宗李璟下诏罢兵,招回北面行营招讨使李金全。乾祐三年(南唐保大八年,950年)二月,寿州清淮军将士讹传后汉将大举南侵,南唐李璟下诏以燕王弘冀为润、宣二州大都督,镇润州;同平章事周宗为东都留守,部署第二道军事防线。

三、后周世宗征淮南

后周初年,北方局势不稳,河东节度使刘崇、兖州节度使慕容彦超相继举兵叛乱,周太祖郭威对淮南采取安抚政策。后周广顺元年(951年)正月,南唐李璟君臣以中原王朝更迭不断,讨论北伐之事。大臣韩熙载以为,"郭氏奸雄,虽有国日浅,而为理已固。兵若轻举,非独无成,亦且有害"①。李璟接受其建议,派遣招讨使李金全巡视沿淮地区,不再北攻。后周则在沿淮采取守势,"广顺元年二月,诏沿淮州县军镇,今后自守疆土,不得纵一人一骑擅入淮南地分"。二月,南唐境内发生饥荒,后周开放沿淮边境。四月,"诏沿淮州县,许淮南人就淮北籴易糇粮,时淮南饥故也"②。

但当时南唐元宗(中主)李璟"自附唐室苗裔,訹于斥大境土之说"③,对于进取中原仍有幻想。广顺元年十月,唐将边镐趁湖南内乱,占领潭州(今湖南长沙),迁马氏全族于金陵。十二月,泰宁节度使慕容彦超起兵反周,求援于南唐。南唐则以指挥使燕敬权率兵北上,次年正月,后周大破南唐军于沭阳(今属江苏),执燕敬权。二月,后周放回燕敬权,遣使诘责:"尔国助叛,得无非计?"后又遣颍州团练使郭琼致书南唐寿州节席使刘彦贞,以为:"自古有国,皆恶叛臣,贵邦何为常事招诱?"南唐李璟乃归还所掠北方人口,颍州官府也放还

---

① 马令:《南唐书》卷3《嗣主书第三》。
② 《旧五代史》卷111《周太祖纪二》。
③ 《十国春秋》卷15《元宗纪》。

所俘获的淮南人口。① 边境维持一年多的安定。显德元年（954年）正月，周太祖去世，世宗继位。慕容彦超再次遣使求援，南唐派兵数千应援，为后周所败。周世宗遣还被俘将校，告诫："归谕尔主，朕诛逆命，何苦来援！"李璟开始改变政策。后汉末年曾派人到潭州买茶，适逢边镐平湖南，使臣被俘获至金陵。至此李璟召见使臣，"以上茗万斤遣之"②。南唐边臣以边境安定，逐渐放松戒备。以前"每冬淮水浅涸，唐人常发兵戍守，谓之'把浅'"③，寿州监军吴廷绍以为"把浅"徒费军粮，奏请停罢。清淮军节度使刘仁赡上表力争，李璟不听。

周世宗积极有为，奋发进取。即位之初，亲率大军败北汉于高平。"自高平克捷之后，常训兵讲武，思混一天下"④。显德二年（955年）三月，"秦州民夷有诣大梁献策请恢复旧疆者，帝纳其言"⑤。派遣大将王景、向训出兵，于年底击败后蜀，收复秦、凤、成、阶四州。与此同时，周世宗命臣下撰写《为君难为臣不易论》和《平边策》各一篇，王朴、陶谷、窦仪、杨昭俭等都主张出兵攻取南唐，以便"削平天下"。比部郎中王朴上言，"凡攻取之道，必先其易者。唐与吾接境几二千里，其势易扰也。扰之当以无备之处为始，备东则扰西，备西则扰东，彼必奔走而救之"，建议先夺取南唐江北之地，"既得江北，则用彼之民，行我之法，江南亦易取也。得江南则岭南、巴蜀可传檄而定"，然后出兵北汉，统一全国。⑥ 世宗接受王朴等人的建议，开始进行对唐作战准备。

显德二年十一月，攻蜀刚刚结束，周世宗以南唐招降纳叛、勾结契丹为名，"以李谷为淮南道前军行营都部署兼知庐、寿等行府事，以忠武节度使王彦超副之，督侍卫马军都指挥使韩令坤等十二将以伐

---

① 《旧五代史》卷112《周太祖纪三》。
② 《十国春秋》卷16《元宗纪》。
③ 《资治通鉴》卷292，显德二年。
④ 《册府元龟》卷104《访问》。
⑤ 《资治通鉴》卷292，显德二年。
⑥ 《资治通鉴》卷292，显德二年。

唐"①。南征之役从寿州开始。南唐以神武统军刘彦贞为北面行营都部署,率军两万援救寿州,奉化节度使皇甫晖为北面行营应援使,常州团练使姚凤为应缓都监,率军三万屯定远县。又征兆镇南节度使宋齐丘入朝商讨对策,令皇子安定郡公从嘉(即后主李煜)为沿江巡检。十二月,周将王彦超大败南唐军二千余人于寿州城下,周先锋指挥使白延遇又败唐军千人于山口镇。三年正月,周将李谷败唐军千人于上窑,又大败刘彦贞于正阳,刘彦贞战死,咸师朗等人被擒。当月,周世宗亲至寿州城下,屯兵于淝水南面,继续围困寿春,并将正阳浮桥移至下蔡(今安徽凤台)。他同时征集宋、亳、陈、颍、徐、宿、许、蔡等州丁夫数十万,协助进攻寿州。当月,周将赵匡胤败唐兵万人于涡口,南唐都监何延锡战死,获战船五十余艘。二月,后周庐寿光黄巡检使司超败唐兵于盛唐(今安徽六安),执都监高弼。另一支周军在赵匡胤率领下,攻克清流关,夺取滁州,擒获唐将皇甫晖、姚凤。

面对后周的军事强势,南唐派遣泗州牙将王知朗奉书徐州求和,继派再遣翰林学士、户部侍郎钟谟,工部侍郎文理院学士李德明前往下蔡行在,奉表称臣,请求罢兵,又献上金银丝绸,世宗不予答复。这时周军进展迅速,攻取扬州、天长、泰州、光州、蕲州、舒州、和州等地。三月,南唐再遣司空孙晟、礼部尚书王崇质,请求比附两浙钱氏、湖南马氏之例。世宗遂遣李德明、王崇质返回,迫以割让江北之地。李璟斩杀李德明,拒绝割让江北州县,派兵加强防御。四月,南唐收复泰州。五月,周世宗见淮南诸州一时难以攻取,返回开封,留下诸军继续进攻。这时深入淮南的周军烧杀劫掠,遭到当地居民抵抗。秋七月,唐兵陆续收复扬州、舒州、蕲州、光州、和州、滁州,但寿州形势更加严峻。

显德四年正月,南唐齐王景达派遣许文稹、边镐、朱元援救寿州,屯兵紫金山(即淮南八公山),建筑甬道运粮到城中,为周将李重进所败。二月,周世宗再次亲征淮南,三月到达寿州城下,唐将朱元与主

---

① 《资治通鉴》卷292,显德二年。

将不和,投奔周军。周军尽破唐兵诸寨,杀唐兵近四万人。寿州危在旦夕,副将孙羽乘守将刘仁赡病重之机,献城投降。寿州之战以后周胜利而告结束,后周随即"诏开寿州仓振饥民"①。四月,周世宗北返。十一月,周世宗第三次亲征淮南。十二月,南唐濠州团练使郭廷谓、泗州刺史范再遇举城出降。扬州、泰州随后也落入后周之手。五年正月,周师攻取海州、静海军、楚州。二月,攻取天长、舒州。三月,周世宗前往扬州、泰州,耀兵于长江北岸。"周师渡淮,舒、蕲、黄先皆款附,独庐未下,盖宿兵多,周师不敢轻犯也。"②周世宗"遣李重进将兵趣庐州",李璟大惧,再遣枢密使陈觉请和,尽献江北未下诸州。

四月,周世宗以淮南局势已定,率军返回开封。五月,中主下令去皇帝称号,改称国主,用周显德年号,"凡天子仪制皆从降损,改名景,以避周庙讳"③。淮南之役,后周尽得南唐江北、淮南土地,计为光、黄、蕲、舒、寿、庐、滁、和、濠、泗、楚、海、扬、泰等十四州之地,六十县,三十二六千五百七十四户,④并得到南唐犒军银十万两、绢十万匹、钱十万贯,茶五十万斤,米麦二十万石,此后南唐必须每年进贡大量财物。

淮南之役后,江北之地归属五代王朝,改变了自唐末清口之战以来南北政权隔淮对峙的局面。中原王朝获得淮南州县,不仅地理上处于优势,而且经济力量也大为增长,并得到南唐犒军、进贡的财物。南唐则失去抗衡中原地区的力量,不仅都城处在军事威胁之下,经济上也极为被动。李璟因为金陵处在长江南岸,下令迁都南昌。而南唐则始终处于不利的地位,"唐自淮上用兵及割江北,臣事于周,岁时贡献,府藏空竭,钱益少,物价腾贵"⑤。南唐原来依靠江北盐场提供食盐,失去江北以后,食盐供给不得不仰赖中原王朝。五年五月,南

---

① 《资治通鉴》卷293,显德四年。
② 《资治通鉴》卷294,显德五年,胡三省注。
③ 《十国春秋》卷16《南唐元宗纪》。
④ 《旧五代史》卷118《周世宗纪五》。
⑤ 《资治通鉴》卷294,显德六年。

唐"以江南无卤田,愿得海陵监南属以赡军",为后周所拒绝。周世宗应允"岁支盐三十万斛以给江南"[①]。在对南唐作战中,后周自己也培养出大量水军。《旧五代史·世宗纪》记载,"初,帝之渡淮也,比无水战之备,每遇贼之战棹,无如之何,敌人亦以此自恃,有轻我之意"。随后后周修造楼船,"逾岁得数百艘,兼得江、淮舟船",又俘获南唐战舰和水军,"遂令所获南军教北人习水战出没之势,未几,舟师大备。至是水陆皆捷,故江南大震"[②]。这为后来北宋统一战争创造了有利条件。

---

① 《资治通鉴》卷294,显德六年。
② 《旧五代史》卷117《周世宗纪四》。

第六章

五代时期合肥经济与文化

第六章 五代时期合肥经济与文化

五代是战乱之世，北方战乱不休，但南方相对稳定。庐州地处淮南，为杨吴、南唐政权所控制。杨吴、南唐一脉相承，势力较强。《旧五代史·僭伪列传》评论说，"其地东暨衢、婺；南及五岭；西至湖、湘；北据长淮，凡三十余州。广袤数千里，尽为其所有。近代僭窃之地，最为强盛"。为能与北方五代王朝相抗衡，抵制周边割据政权的侵扰，吴和南唐注重稳定内部，与周边割据政权进行往来，发展经济。《册府元龟·僭伪总序》称，"杨行密宅淮海之壤，擅鱼盐之富建号而称吴"，"李昪承吴人之业，保重江之阻，冒旧服而为唐"。地方经济得到恢复并有所发展，当时中原地区战乱不休，但江淮地区"耕织岁滋，文物彬焕，渐有中朝之风"①。当时社会相对安定，虽然经历吴和南唐的禅代，并没有引起较大的动荡。

第一节　政策调整与经济措施

唐末五代时期，割据藩镇经过数十年混战，形成五代分裂局面。《资治通鉴》卷二百八十二称，"自黄巢犯长安以来，天下血战数十年，然后诸国各有分土，兵革稍息"。与五代"天下大乱，中国之祸，篡弑相寻"不同，②南方割据政权从巩固统治出发，息兵保境，调整政策，注意发展经济，史称"吴、蜀、江南、荆湖、南粤，皆号富强"③，经济和文化有一定程度的发展。

一、"息兵睦邻"国策

景福元年（892年），杨行密消灭孙儒，夺回扬州。随后唐昭宗任

---

① 史虚白：《钓矶立谈》，四库全书本。
② 《新五代史》卷61《吴世家》。
③ 马端临：《文献通考》卷245《国用考二·历代国用》，中华书局2011年版。

命杨行密为淮南节度使,淮南、宣歙、江东地区,遂为杨行密所控制,又夺取鄂州等地。杨行密所面临的对手,主要是北方朱温、湖南马殷以及两浙钱镠。大体上到天复元年前后,两淮地区局势稳定下来。天复三年,吴国发生田頵之乱,杨行密求援于钱镠,"钱镠命方永珍屯润州,从弟镒屯宣州",随时派兵援救。次年三月,杨行密将女儿嫁给钱镠之子钱传璙,并归还被俘的吴越大将顾全武。"先是,王与钱氏不相能,常命以大索为钱贯,号曰穿钱眼,两浙亦以大斧斫柳,谓之斫杨头,至是二姓通婚,两境渐睦焉"①。随后又将马殷之弟、黑云都指挥使马赛遣归湖南,希望"勉为吾合二国之欢,通商贾,易有无以相资"②。

吴国徐温执政时期,虽然与吴越战争再起,但双方保持克制。武义元年(919年),吴越在后梁支持下进攻吴国。徐温率军反击,大败吴越军于无锡。无锡之战后,吴国东南威胁得以解除,徐温谋求与吴越和解。徐知诰欲以精兵两千袭取苏州,诸将也建议乘此消灭吴越,均为徐温所拒。徐温告诫诸将:"天下纷纭,民甚困矣,钱公亦未可轻也;若连兵不解,方为诸君之忧。今战胜以惧之,戢兵以怀之,其势不得不服。使两地之民各保室家吾辈亦高枕而乐,岂不快哉,多杀何为!"③随后徐温遣返所获吴越将士,派遣客省使欧阳江往聘修好。吴越亦遣使请和,归还俘囚,"自是吴国休兵息民,三十余州民乐业者二十余年"④。

南唐建立后,烈祖李昪继续推行保境政策,"志在守吴旧地而已,无复经营之略也。然吴人亦赖以休息"⑤。当时"江淮比年丰稔,兵食有余","群臣争言:'陛下中兴,今北方多难,宜出兵恢复旧疆。'唐主曰:'吾少长军旅,见兵之为民害深矣,不忍复言。使彼民安,则吾民

---

① 《十国春秋》卷1《吴世家》。
② 《新五代史》卷66《楚世家》。
③ 《九国志》卷3《徐温传》。
④ 《资治通鉴》卷270,贞明五年。
⑤ 《新五代史》卷62《南唐世家》。

亦安矣，又何求焉！'"①南汉刘晟派人到南唐，要求联合出兵，攻取楚国，也为烈祖李昇所拒绝。

二、发展经济措施

经过唐末战乱，江淮地区荆棘遍地，人口流亡，经济上处于瘫痪状态。吴、南唐的统治者从杨行密、徐温到李昇，都注意发展经济，稳定内部。《旧五代史·僭伪列传》记载，"自光启末，高骈失守之后，行密与毕师铎、秦彦、孙儒递相窥图，六七年中，兵戈竞起，八州之内，鞠为荒榛，圆幅数百里，人烟断绝"。这八州就是寿州、濠州、庐州、舒州、和州、光州、扬州、楚州。面对经济残破，杨行密在消灭军阀孙儒以后，"招合遗散，与民休息，政事宽闲，百姓便之"②。又采纳幕僚高勖建议，与周边开展贸易，"尽我所有，易邻道所无"，"选贤守，令劝课农桑"③。同时提倡节俭，"赐与将吏，帛不过数尺，钱不过数百；而能以勤俭足用，非公宴，未尝举乐"④，江淮地区经济得以恢复并有所发展。杨行密生活也极为节俭，衣衫都经过缝补，自称"吾兴细微，不敢忘本"⑤。天祐二年（905年）病亡，"遗令谷葛为衣，桐瓦为棺"⑥。

徐温执政时期，继续推行杨行密时期政策，整顿吏治，惩治贪暴官吏。天祐五年（908年）徐温消灭张颢后，对幕僚严可求说："大事已定，吾与公辈当力行善政，使人解衣而寝耳。""乃立法度，禁强暴，举大纲，军民安之。"⑦寿州团练使崔太初为政苛暴，徐温征调其入朝。

---

① 《资治通鉴》卷282，天福六年。
② 《旧五代史》卷134《僭伪列传一》。
③ 《十国春秋》卷5《高勖传》。
④ 《资治通鉴》卷259，景福元年。
⑤ 《资治通鉴》卷260，乾宁二年。
⑥ 《新唐书》卷188《杨行密传》。嘉庆《合肥县志》卷14《古迹志》："杨行密墓，在城西北六十里吴山庙集东。昔人犁田，曾见有其隧道者。俗谓坟为山，因以庙名。"
⑦ 《资治通鉴》卷266，开平二年。

养子徐知诰担心激成变故,徐温大怒:"一崔太初不能制,如他人何!"①继任团练使钟泰章曾为徐温杀死政敌张颢,被人告发"侵市官马",徐温立派滁州刺史王稔接替其职,决不袒护。尽管徐温本人不知书,"使人读狱讼之辞而决之,皆中情理"②。徐温生活亦尚俭朴,其母周氏病亡后,丧仪所用偶人皆饰以绫锦,徐温对此不满。他告诫将吏:"此皆出民力,奈何施于此而焚之,宜解以衣贫者。"③徐温秉政期间,境内比较安定,社会经济也有较快的发展,"江、淮间旷土尽辟,桑柘满野,国以富强"④。

天祐十二年(915年),徐温受封为齐国公、两浙招讨使,出镇润州,由其长子徐知训据守广陵辅政,"大事温遥决之"⑤。十五年,徐知训为大将朱瑾所杀。其养子徐知诰(李昪)闻变赶赴扬州平乱,"温还镇金陵,总吴朝大纲,自余庶政,皆决于知诰"⑥。徐知诰出身贫寒,幼年经历乱离,执政以后尽力避免对外用兵,告诫臣下:"百姓皆父母所生,安用争城广地,使之肝脑异处,膏涂草野。"⑦吴天祚三年(937年),徐知诰即位称帝,取代吴帝杨溥,是为南唐烈祖。史称"唐主性节俭,常蹑蒲屦,盥颒用铁盆,暑则寝于青葛帷,左右使令惟老丑宫人,服饰粗略",执政及称帝时期,"仁厚恭俭,务在养民,有古贤主之风"⑧。

现存文献对于徐知诰各项设施记载较多,大体上包括减免赋役,招民垦荒,救济灾民,兴修水利等方面。其一,改革税制,减免赋役。李昪执政之初,"以吴王之命,悉蠲天祐十三年以前逋税,余俟丰年乃

---

① 《资治通鉴》卷271,龙德元年。
② 《资治通鉴》卷266,开平二年。
③ 《资治通鉴》卷267,开平四年。
④ 《资治通鉴》卷270,贞明四年。
⑤ 《新五代史》卷61《吴世家》。
⑥ 《资治通鉴》卷270,贞明四年。
⑦ 龙衮:《江南野史》卷1《先主》。
⑧ 陆游:《南唐书》卷1《烈祖纪》。

输之"①。唐末藩镇计丁征钱,谓之丁口钱,两税则输纳铜钱。杨吴相沿未改,"吴有丁口钱,又计亩输钱,钱重物轻,民甚苦之"。李昪根据宋齐丘建议,取消丁口钱,两税改为交纳谷帛,②避免商人、高利贷盘剥。升元四年(940年)二月,"诏罢营造力役,毋妨农事"。六月,"罢宣州岁贡木瓜杂果"③。升元五年,李昪再次赋税改革,"冬十一月,定民田税","分遣使者按行民田,以肥瘠定其税,民间称其平允"④。其二,招民垦荒。南唐对于渡淮南迁百姓,注意安抚,解决其生计问题。升元三年,烈祖李昪下诏,对于归附百姓,"有司计口给食,愿耕植者授之土田,仍复三岁租役"⑤。其三,鼓励从事农桑。升元三年四月,诏"民三年艺桑及三千本者,赐帛五十匹。每丁垦田及八十亩者,赐钱二万,皆五年勿收租税"⑥。其四,救济灾民。升元三年,境内发生旱灾;六年六月,"常、宣、歙三州大雨涨溢",派人前去赈济。同年,"大蝗自淮北蔽空而至","俞州县捕蝗,瘗之"⑦。

《十国春秋·刘承勋传》称,"自杨氏建国,抚有江淮,比他国最为富饶,山泽之利,岁入不赀。烈祖励以节俭,一金寸物不妄费,其积如山"。继位者元宗李璟、后主李煜治国虽不及烈祖李昪,然也能关注民生疾苦,发展经济。保大元年(943年),元宗刚即位就下诏"蠲民逋负租税,赐鳏寡孤独粟帛"。保大四年九月,"淮南虫食稼,除民田税"⑧。保大十二年,南唐发生旱灾和饥荒,"俞州县鬻糜食饿者"⑨。这些措施都有利于稳定地方秩序,促进江淮经济的恢复和发展。吴、南唐发展经济政策是成效较为显著,让农民能够安心生产,区域经济

---

① 陆游:《南唐书》卷1《烈祖纪》。
② 《文献通考》卷3《田赋考三》。
③ 陆游:《南唐书》卷1《烈祖纪》。
④ 《资治通鉴》卷282,天福五年。
⑤ 马令:《南唐书》卷1《先主书》。
⑥ 陆游:《南唐书》卷1《烈祖纪》。
⑦ 《十国春秋》卷15《南唐烈祖纪》。
⑧ 陆游:《南唐书》卷2《元宗纪》。
⑨ 《十国春秋》卷16《南唐元宗纪》。

得以持续发展,"江淮之地,比他国最富饶,山泽之利,岁入不资"。到烈祖李昪晚年,其德昌宫积聚"兵器缯帛七百余万","耕织岁滋,文物彬焕,渐有中朝之风采"。① 南唐还重视兴修水利建设,烈祖多次要求地方官留意修葺陂塘,并把"遏陂塘"作为考核刺史、县令的主要依据,当时江淮地区不仅原有的水利得到维护、改造与扩建,还开凿了新的陂塘。

从杨行密、徐温到烈祖李昪时期,吴、南唐的休养生息措施取得相当的成效,境内比较安定,农民能安心生产,经济发展较快,"由是旷土尽辟,国以富强"②。

第二节 经济发展及其程度

五代是战乱之世,由于南方地区相对稳定,加上割据政权注意发展经济,经济也得到恢复和发展。庐州既是当时军事重镇,经济基础较好,也获得较快的发展。

一、农业恢复和发展

唐朝末年,各地藩镇互相争战,造成生产停滞,人口流亡。杨行密出身下层,深知民间疾苦,担任庐州刺史后,便注意"招合遗黎",发展生产。景福元年(892年),杨行密与孙儒在宣州决战,孙儒部众号称五十万。杨行密以众寡不敌,欲避其锋芒,幕僚戴友规建议:"淮南士民从公渡江及自儒军来降者甚众,公宜遣将先护送归淮南,使复生业;儒军闻淮南安堵,皆有思归之心,人心既摇,安得不败!"杨行密接受其建议,将这些流民遣返淮南,开垦荒地。夺回扬州后,唐昭宗任

---

① 史虚白:《钓矶立谈》,四库全书本。
② 马端临:《文献通考》卷3《田赋考三》,中华书局1989年版。

命杨行密为淮南节度使,杨行密"招抚流散,轻徭薄敛,未及数年,公私富庶,几复承平之旧"①。

南唐建立以后,烈祖李昇招民垦荒,新垦土地免征三年租税。元宗时期,接受尚书员外郎李德明建议,"兴复旷土为屯田,以广兵食"②。各州设置屯田使或营田使,利用荒闲土地组织军民开展屯田。庐州地区屯田规模较大,主要用以充实军储。后周进攻淮南时,"诸郡屯田相率以农器为兵,襞纸为铠,处处保聚,号曰白甲军。周师苦之"③。屯田一方面使荒地得到开垦,保障军粮供应,但也引起社会问题。元宗后期,由于用人不当,"吏缘为奸,强夺民田为屯田"④。"庐州营田使施汴,尝恃势夺民田数十顷,其主退为耕夫",招致百姓不满⑤。保大十四年(956年),南唐被迫取消部分州县屯田,但未罢者"尚处处有之"⑥。庐州地区屯田直到后周显德五年(958年),南唐献给后周后才被废除。

唐末战乱,北方人口大量流寓江淮,蔡州军阀孙儒也将河南人口带到江淮地区,其中如孙儒部将张颢就曾率军兵投靠庐州刺史蔡俦。杨吴、南唐统治时期,境内比较稳定,又有一批流亡人口返回家园,人口数量也在不断增加。《元和郡县志》载庐州元和户数22900户,而《宋史·地理志》记载,宋太平兴国初(976年)庐州有45228户,可见人口数量增加不少。

五代时期,庐州境内的肥水(今南淝河)、巢湖沿岸的陂塘,寿州境内的芍陂,都得到治理。经南唐整修后,继续发挥较好的灌溉效益。寿州疏浚的芍陂,"溉田万顷,寿阳赖之"⑦。庐江县内,杨吴时凿新河,在县治东半里,"旁引枋水,西流入东水关,绕学宫出南关,会绣

---

① 《资治通鉴》卷259,景福元年。
② 李焘:《续资治通鉴长编》卷2,建隆二年,中华书局1979年版。
③ 马令:《南唐书》卷4《嗣主书》。
④ 《十国春秋》卷16《南唐元宗纪》。
⑤ 李昉:《太平广记》卷134《施汴》,中华书局1961年版。
⑥ 李焘:《续资治通鉴长编》卷2,建隆二年。
⑦ 文莹:《玉壶清话》卷10《江南遗事》,中华书局1984年版。

溪水而注之湖（黄陂湖）"。① 南唐除兴修大量水利工程外，元宗时期还下诏，"陂塘废者，修复之"。② 一些已有水利工程得到修复。

二、工商业的发展

五代时期，庐州手工业成就主要表现在制茶、纺织和陶瓷等方面。唐代庐州茶业较为发达。《册府元龟》称，唐代以来，"江淮人，什二三以茶为业"。③《太平寰宇记》也提到庐州以茶叶为土贡，其中最著名的是"开火新茶"④。杨行密占据淮南时，与宣武朱温有商贸往来，曾派人持茶叶前往开封进行贸易。乾宁元年（894年），"行密遣押牙唐令回持茶万余斤如汴宋贸易，全忠执令回，尽取其茶"，双方矛盾开始激化。⑤

在瓷器制造方面，庐州地区有特色的是寿州窑。陆羽《茶经》卷中就提到："碗，越州上，鼎州次，婺州次，岳州次，寿州、洪州次。"唐末五代时期，寿州窑在庐州分布较广，产地更多。近年在合肥市郊发现五代墓中，出土有寿州窑黄釉水盂，由器盖、器身组成。据研究，"器盖圆形，微微隆起，顶部捏塑斜蒂钮，盖面施白釉，盖底部无釉，白胎。从盖径、榫口及釉色来看，应为另配。整体圆唇，口沿微敛，肩腹外弧

寿州窑黄釉水盂

---

① 康熙《庐江县志》卷3《疆域·山川》。
② 马令：《南唐书》卷3《嗣主书》。
③ 《册府元龟》卷510《邦計部·重斂》。
④ 《太平寰宇记》卷126《淮南道·庐州》。
⑤ 《资治通鉴》卷259，乾宁元年。

呈鼓状,饼形足,底部外缘一圈斜修一刀,露灰白胎。通体青釉微泛黄,釉层较薄,有细小开片,剥釉严重"①。

此外,长丰县杨庙镇南唐墓葬里还发现铜镜,"圆形镜面裂成了4块,其中有一小块缺失。镜面直径约18厘米,厚半厘米左右。从残镜来看,镜背中心有一个突出的铜钮,两面刻有两排铭文,从左至右为'都省铜坊''匠人□成'(右边第三字缺失),意思很明显,即此铜镜系都省铜坊铸造,匠人即铸造者,下二字是铸造者名称"②。

南唐铜镜

丝织业方面,唐代庐州就较为发达。《新唐书·地理志》记载庐州出产花纱、交绫丝布。天祐十五年(918年)七月,徐知诰接受宋齐丘建议,将两税"计亩输钱"改为"自余税悉输谷帛",促使农民更多地植桑养蚕,"由是江淮间旷土尽辟,桑柘满野,国以富强"③。南唐升元三年(939年)诏书规定,"民三年艺桑及三千本者,赐帛五十匹,每丁垦田及八十亩者赐钱二万,皆五年勿收租税"④。这道奖励农桑的诏令,从侧面反映了南唐府库绢帛充盈的情况。此外,丝织品中还出现"油绢"等新产品。宋人陶谷《清异录》称:"张崇帅庐,在镇不法,酷于聚敛,从者数千人,出遇雨雪,众顶莲花帽,琥珀衫。所费油绢不知纪极,市人称曰'雨仙'。"⑤麻纺织业成就较为突出,从《太平寰宇记》记

---

① 夏腾:《合肥出土的寿州窑瓷器雅析》,《文物鉴定与鉴赏》2011年10期。
② 周亮、马翔宇、陶伟:《安徽长丰树林疑挖出南唐铜镜》,《安徽商报》2014年5月28日。
③ 《资治通鉴》卷270,贞明四年。
④ 吴任臣:《十国春秋》卷15《南唐烈祖纪》,中华书局1983年版。
⑤ 陶谷:《清异录》,四库全书本。

载来看，庐州、寿州、和州、舒州、濠州等州均以苎布作为土产，反映该地区麻纺织业比较有名。南唐各州产纻布、葛布、麻布以及高级金丝布。江淮地区民间织布业相当普遍。

吴、南唐重视与周边地区贸易。杨行密接受谋士高勖建议，"悉我所有，易四邻所无"①，主动与宣武朱温、湖南马殷、两浙钱镠进行贸易。后唐灭梁后，吴国遣使洛阳，允许商人渡淮贸易，也派人进行官方商贸往来。后汉河中节度使李守贞举兵叛乱，南唐援助叛军导致双方关系恶化，但事后元宗致书后汉，"请复通商旅，且请赦守贞"②。庐州刺史也重视通商，张崇任职期间，"广通商而贸易"③，商业也有发展。

当时各国通用唐朝货币，还铸造货币。杨吴时期没有铸造新币，但南唐时期大量铸造钱币，且在五代十国中铸钱最多。《旧五代史·食货志》记载，五代时期，"江南因唐旧制，饶州置永平监，岁铸钱。池州永宁监，建州永丰监，并岁铸钱。"传世有"大齐通宝"，是徐知诰称帝后升平（937—942）初年所铸造。又有"保大元宝"钱，保大是南唐元宗李璟年号（943—957），可见铸于保大年间。这些钱币俱流通于庐州境内。显德五年（958年）六月，庐州隶属后周管辖，通行周世宗时期所铸"周元通宝"。

保大元宝

---

① 《新唐书》卷188《杨行密传》。
② 《资治通鉴》卷288，乾祐元年。
③ 《全唐文》卷868，殷文圭《后唐张崇修庐州外城记》。

三、庐州城的重修及其规模

自隋代以来,合淝一直是庐州倚郭县。唐贞观年间,大将军尉迟敬德在合淝旧城东南高地筑土城,谓之唐城、金斗城。贞元年间,"刺史路应求以古城皆土筑,特加甓焉",合肥始有砖砌城垣。唐末以来战争不断,庐州多次遭到北方军队围攻,特别是后梁屡次侵扰庐州地区。

天祐四年(907年),常州刺史张崇调任庐州刺史兼本州团练使。八月到任后,即以庐州为故里,且为杨行密肇基之地,兼之前沿重镇,筹划增修城池。次年五月,弘农王杨渥被杀,杨行密次子杨隆演嗣继任淮南节度使、东南行营诸道都统,袭爵弘农王,大将徐温秉政。张崇前来扬州朝觐,建言合淝罗城系咸通十年(869年)卢钿担任刺史所建,"绵岁月以滋深,致缔建之匪固。渐成崩溃,难御奔冲",需要重修,得到允准。张崇返回庐州后,便准备重修城池工作。工程分两部分,一是罗城扩建和护城河建设。罗城周围二十六里一百七十步;护城河宽六十至七十丈,深八丈;城墙用砖瓦砌成,高三丈,置窑灶五十五所;所用城砖长一尺三寸、宽六寸;建造城门十三所、大弩楼四十四所。① 同时在合淝东城上修建五凤楼。据《合肥通志》记载,"落成时,有五色鸟集其上,因名"。② 工程首尾一年完工。二是城内廨舍学校及桥梁、庙宇建设。"凡诸廨宇,久历星霜,多至摧颓,咸新剖劂……所建州内廨舍,间架甚繁,廉添置梵舍琳宫,神祠儒庙,及造明教桥一所,次造市桥一所,次造县桥一所,次造通远桥一所,次造西水闸门一所,奇妙难名。"东水闸门原为咸通三年(862年)刺史敬湘所建,予以

---

① 《全唐文》卷868,殷文圭《后唐张崇修庐州外罗城记》:"其城周回二十六里一百七十步,壕面阔七十丈至六十丈,深八丈,城身用瓦砌高三丈,置窑灶五十五所。其瓦每口长一尺三寸、阔六寸。建造罗城门十三所,及大弩楼都共四十四所。"《诸山圣迹志》作者范海印却说"其城周围卅里",与殷文圭所记相差三里多。

② 嘉庆《合肥县志》卷14《古迹志》。

修复，又建西水闸门与之对应。"郭内官路，造小史桥一所，次造赤栏桥一所，东正门桥一所，崇化门桥一所，怀德门桥一所，都共造桥一十一所，并用楠、榈、杞、梓。"

天祐六年（909 年）十二月，外城尚未完工，后梁亳州团练使"寇彦卿将领马走徒党五万余人，乘修励未办之问，恣仓卒奔冲之计"①。张崇率军从庐江、潜桥两门出城迎战，梁军大败退走。天祐十年十月，后梁宁国节度使王景仁（王茂章）和贺环率军四万再次进攻，"直抵罗城西独山门，排列至瓦步门，延亘数里"，亦为张崇所击退，随后徐温与淮南节度副使朱瑾追击两军，败梁军于霍丘，梁军渡淮退走。

十二年四月，全部工程完成，张崇携带合肥城图朝觐，加都团练、观察处置等使。十四年四月，加武宁、平难军节度使，滁、宿等州观察处置使，依前权淮南行军副使、知庐州、都团练观察处置等使。为纪念庐州扩建之事，翰林学士、淮南节度掌书记殷文圭受嘱托，撰写《张崇修庐州外罗城记》。此后直到南宋乾道五年（1169 年），淮西安抚使郭振屯驻合肥，为防御金兵侵袭合肥，筑斗梁城，合肥城内面貌才发生变化。

四、经济发展程度

自唐末以来，藩镇混战，各地经济遭到不同程度的破坏。特别是蔡州秦宗权四处攻掠，孙儒进军江淮，造成"西至关内，东及青齐，南出江淮，北至卫、滑，鱼烂鸟散，人烟断绝，荆棘蔽野"②。特别是后来秦宗权部将孙儒进军江淮，造成地方骚动不安。景福元年，孙儒进攻庐州，杨行密守将、庐州刺史蔡俦兵败投降。景福二年（893 年），杨行密派遣大将李神福进攻庐州，后又亲领大军征讨，杀蔡俦，以大将刘威为庐州刺史，"是时四郊多垒，井邑萧然，威内抚百姓，外御寇兵，庐

---

① 《十国春秋》卷 2《吴世家二》作"天祐五年"。
② 《旧唐书》卷 200 下《秦宗权传》。

州以宁"。①

战乱之后,江淮地区变得疮痍满目,哀鸿遍野。杨行密采纳谋士的建议,实行"招合遗散,与民休息,政事宽简"的政策。在人民的辛勤劳动下,"未及数年,公私富庶,几复承平之旧"②。杨行密的继任者徐温、李昪继续实行奖掖农耕、轻徭薄赋的政策,人们生活安定,经济得到恢复,"由是江、淮间旷土尽辟,桑柘满野,国以富强"③,重又出现了繁华景象。南唐初年,"是时江淮无事,累岁丰稔,兵食盈积"④。庐州经济也得到发展,号称"十年之储蓄有余,千弩之金缯足用"⑤。

第三节　宗教与文化

唐末五代时期,战争频仍,社会动荡,宗教势力得到发展。庐州地区佛教达到前所未有的程度,道教也得到庐州官员的重视,民间祭祀和信仰也纳入宗教体系中。随着淮南局势稳定,官办学校逐渐得到恢复,文化也获得一定发展,出现伍乔等杰出人物。

一、巢湖太姥庙的重建

太姥庙,亦称圣姥庙、忠庙、巢湖庙、巢湖神庙,位在巢湖姥山岛上,因地处巢县、合肥中间,故曰"中庙",又称忠庙,号称"湖天第一胜境"。历代香火旺盛,素有"南九华,北中庙"之说。中庙始建于东吴赤乌二年(239年),供奉"太姥神",晋代封为圣妃。自后庙宇屡废屡修。

---

① 《十国春秋》卷5《刘威传》。
② 《资治通鉴》卷259,景福元年。
③ 《资治通鉴》卷270,贞明四年。
④ 龙衮:《江南野史》卷1《先主》,四库全书本。
⑤ 《全唐文》卷868,殷文圭《后唐张崇修庐州外罗城记》。

唐僖宗中和年间（881—884），太姥庙"为行寇所烬，其屋壁竹树，无孑遗焉"①。昭宗龙纪元年（889年）十月，杨行密部将、庐州刺史蔡俦重修庙宇，②"鸳瓦搀空，虹梁用壮，妙臻土木，美极丹青"。馆驿巡官邢甚夷撰写《唐庐州重建巢湖太姥庙记》。③

南唐升元六年（942年），滁州刺史周邺改任庐州刺史，加德胜军节度使。在周邺倡导下，保大二年（944年）再修太姥庙，共六排二十四间，"计用缗钱十万，工夫五千"。章震撰写《重修巢湖太姥庙记》，考订太姥来历，"巢湖太姥者，姓宁氏，则古巢州人也。当汉末魏初之日，值吴强蜀霸之年。国既鼎分，雄争虎踞"，太姥拯救生灵，殁后成为巢湖神祇，"生则免兹漂溺，殁乃主此波涛。阴功大及于行人，灵验寻兴于庙宇"。随后记载太姥庙重建情形，"造正殿一间两徘徊，两面行廊九间，中门一间，并两挟廊；横屋四间一徘徊，南台将军殿一间两徘徊，官厅两间一徘徊。厨两间，东门一间，利市婆堂一间，周回共二

巢湖太姥庙

---

① 《全唐文》卷819，邢甚夷《唐庐州重建巢湖太姥庙记》。
② 文献不载庐州刺史名。考《资治通鉴》卷257，文德元年（888年）八月，"杨行密畏孙儒之逼……使蔡俦守庐州，帅诸将济自椮潭"；《新唐书·昭宗纪》云，龙纪元年六月，"庐州刺史蔡俦叛附于孙儒"。又，邢甚夷《唐庐州重建巢湖太姥庙记》云，中和年间，"今太守尚书时九苞未彰，隐於将领……文德初，淮南节度留后兼行军司马宏农公、司空（杨行密）酬公前功，奏以知郡，有诏宜依。龙纪元年秋七月，大梁淮南两道连帅、东平王、沛国公、中令（朱全忠）以公能理，奏请正授。"故，此太守指庐州刺史蔡俦。
③ 王象之：《舆地碑记目》卷2《庐州碑记》，中华书局1985年版。

十四间六徘徊,竹木砖瓦并彩画队仗等","丹脸桃红,双眉柳绿"的太姥神像"立于宝室,列位于香坛"①。

元朝将庙基圈拱成桥,称"鳌背洞",在洞上建殿。清时庙有"杰阁,有拜殿,有亭,有栏榭"。光绪十五年(1889年)李鸿章倡募重修,分前、中、后三殿,七十余间,后殿藏经阁三层,窗开八面,四角飞檐,角角系铃。民国十年加以装修,民国二十七年底,后殿因火灾被毁,仅存前、中两殿及厢房。1986年以来中庙多次整修,再具规模,殿内壁梁壁画也更彩换颜。中庙坐落在巢湖北岸延伸湖面百米的巨石矶上。石矶呈朱砂色,突入湖中,形似飞凤,通称凤凰台。古庙坐北朝南,横峙湖岸,凌空映波,殿高压云。庙门上有"巢湖中庙"书刻。整个庙宇楼阁重檐飞出,似丹凤之冠,在晚霞的照射下,灿灿生辉。中庙现供奉关羽、观音和诸神。

二、伏虎禅师创建寺院

自唐代以来,佛教在江淮地区得到较快的发展。五代时期,吴、南唐重视利用宗教,推崇佛教。庐州地区佛教寺庙发展很快,其中最著名的是伏虎禅师创建庐江寺院和庐州刺史张崇推崇佛教。

伏虎禅师本为利氏之子,庐江县黄屯人。相传利氏子生而双目俱盲,父母弃于光明山顶石窟中,"虎乳之三载",并刨开泉水,为其治愈双目。② 利氏子长大后为僧,携老虎隐于冶父山。唐光化元年(898年),于冶父山上创建寺庙,传经礼佛。唐昭宗闻其道行高洁,禅理圆融,与虎为伴,特赐号"孝慈伏虎禅师",敕建无量殿于山顶,寺因此得名"伏虎寺"③。是时杨行密据有淮南,将他在庐江城东南紫芝坊旧

---

① 《全唐文》卷871,章震《后唐重修巢湖太姥庙记》。
② 王方歧:康熙《庐江县志》卷3《山川》:"虎跑泉,治南七十里。光明寺侧。昔传高僧病目,虎以爪刨地,泉忽涌出,取而洗之,即愈,因名。其寺曰光明。"
③ 康熙《庐江县志》卷13《仙释》。

宅，赠与伏虎禅师以居，遂名为光化寺（后改称金刚寺）。① 伏虎禅师居之数年，厌其周边嚣杂。天复二年（902年）辞归冶父山，建冶父寺于山之南麓，寺有天王殿、大雄宝殿、毗卢殿、方丈室、藏经楼等，房屋二百余间，并开毗尼法坛，受戒弟子八百余众，号称千僧。后晋天福年间，伏虎禅师圆寂于冶父山，葬于佛塔之中。伏虎禅师塔，"在庐江城东安丰乡石塘村，距冶父山五里。相传后晋天福三年建"。② 到了宋代，宋太祖赐额曰"实际禅寺"。自此山上山下，冶父山寺庙建筑连成整体，成为江淮闻名的佛教宝刹。仁宗景祐年间（1034—1038年），住持道川禅师便迁庙址于东麓（即今址），改建大刹。

庐江县金刚寺，在庐江县城四牌楼西侧，始建于唐光化元年（898年），故原名光化寺。 为淮南节度使、吴王杨行密舍宅改建，因寺内有金刚院，后易名金刚寺。 寺成立后，吴王因慕伏虎禅师之名，聘其为首任住持。

---

① 康熙《庐江县志》卷8《古迹》。
② 陈诗：《冶父山志》卷1《名胜》。

实际禅寺,在庐江县东北冶父山东部南麓,为唐代伏虎禅师创建,始建于唐昭宗光化元年(898年)。现为省级重点寺观、县级重点文物保护单位。元代泰定年间(1324—1328年)僧聪再予修建。明代永乐、正统年间,僧兴智、大宁重修。成化、弘治年间,僧方珍、明善续修。清代顺治四年(1647年),僧星朗增建石廊、山门及禅堂。咸丰年间,寺遭兵燹。光绪四年(1878年),僧如亭、能持、文华募化,并得邑绅吴长庆助资,修建斋堂一间,寮房十余间。天王殿,山门在1988—1989年由群众集资修缮。天王殿匾额为中国佛教协会会长赵朴初所书。"大雄宝殿"四字,出自赵朴初手书。

张崇担任庐州刺史二十余年,期间除捍御北边、重修合肥外城以及搜刮敛财外,大力推行佛教,对庐州佛教发展起到重要作用。五代敦煌僧人范海印巡礼中原,后来留下游记《诸山圣迹志》,记载了张崇礼佛及庐州佛教盛况。[①] 吴武义元年(后梁贞明五年,919年),范海印巡行至庐州,[②]在《诸山圣迹志》称张崇为"州主张相公"。又称庐州城周围三十里,境内有僧尼千余人。"州主张相公,笃信僧伽,弥崇福祐,赡身之外,以作福为怀。任庐州十三年,斋僧廿万,写经十五藏,盖福院一所,计十万贯,并诸处布施。然(燃)灯造幡,每年用钱五万贯。江淮崇福,难曰(越)此人,往来商旅,无不赞赏,至今见在矣。"在合肥外城扩建过程,张崇对城内"遍修于寺庙、桥梁","填置梵舍琳

---

① 黄永武:《敦煌宝藏》S1529《诸山圣迹志》,新文丰出版公司1981年版。
② 郑炳林、陈双印:《敦煌写本〈诸山圣迹志〉撰写人与敦煌僧人的中原巡礼》,郑炳林主编《敦煌归义军史专题研究三编》,甘肃文化出版社,2005年,第177—194页。

宫、神祠儒庙"。①

三、学校和文化

"自唐末以来,所在学校废绝"。② 随着局势稳定,各地学校逐步得到恢复,而五代时期科举并未停止。尽管战乱不休,各地贡士始终不断。吴、南唐虽然不向中原王朝贡士,但也有中原文士来到江淮,唐末庐州文人袁袭、高勖、戴友规等受到重用。同光四年(926年,吴顺义六年),后唐进士韩熙载避祸南奔,奏称"大吴开国,聿修文教"③。南唐建国后,"鸠集典坟,特置学官,滨秦淮开国子监,复有庐山国学,其徒不下数百,所统州县,往往有学"④。后来开设科举,州县学校相继恢复。元陆友仁《砚北杂志》评论:"五代僭伪诸国,独江南(南唐)文物为盛。"清王士禛也称,"五代时中原丧乱,文献放阙,惟南唐文物甲于诸邦"⑤。合肥地区最著名的是南唐状元伍乔、进士李羽等人。

伍乔,庐州庐江县人,"性嗜学,以淮人无出己右者,遂渡江,居庐山国学,苦节自励"⑥。乾隆《池州府志》卷四十二也有《伍乔传》:"唐伍乔,贵池人,幼学诗。"然马令、陆游两部《南唐书》均作庐江人,其墓亦在庐江境内。光绪《庐江县志》卷十六《冢墓》云:"伍乔墓在庐江县马厂冈,居民耕田得碑为验。其母墓在柴埠渡南冈,有碑。"庐山求学期间,虽生活艰苦,而读书不辍。其《庐山书送祝秀才还乡》诗云:"莫使蹉跎恋疏野,男儿酬志在当年。"后得僧人"倾资奉之,使入金陵应进士举"。保大十三年(955年),伍乔与好友张洎赴金陵参加科举考试,"试《画八卦赋》、《霁后望钟山诗》"。同时应试者数百人,榜出,

---

① 《全唐文》卷868,殷文圭《后唐张崇修庐州外罗城记》。
② 《资治通鉴》卷291,显德三年。
③ 郑文宝:《江表志》卷中。
④ 马令:《南唐书》卷23《朱弼传》。
⑤ 王士禛:《香祖笔记》卷5,上海古籍出版社1981年版。
⑥ 吴任臣:《十国春秋》卷31《伍乔传》。

"复考榜出,乔果第一,泪第二,(宋)贞观第三"①。伍乔科举诗文得到元宗李璟赞赏,"元宗亦大爱乔程文,命勒石以为永式"。② 初授歙州司马,年久不迁,后经清辉殿学士张泪举荐,入朝担任考功员外郎,卒于任上。伍乔虽状元出身,但仕宦不显。传世至今有诗一卷。《全唐诗》卷744收录其诗二十一首和两句残诗,多为送别寄赠、游览题咏之作。③

伍乔,生卒年月不详,庐江人,自幼入庐山国学,工诗文。南唐保大元年(943年)以《八卦赋》中进士第一,后官歙州通判、考功员外郎。

李羽,庐州人,"能诗"④,年五十时,"登南唐进士第"⑤。《全唐诗》存其诗一首《献江淮郡守卢公》,诗云:"塞诏东来泚水滨,时情惟望秉陶钧。将军一阵为功业,忍见沙场百战人。"

南唐时期还有一位文人章震,《宋史·艺文志》载其著作有《肥川集》十卷、《磨盾集》十卷,两书今皆不存,唯存《后唐重建巢湖太姥庙记》一文。太姥庙即今巢湖忠庙,南唐保大二年(944年)庐州德胜军节度使周邺重建,章震为之作记,清代董诰等纂修的《全唐文》时收录该文,然《全唐文》仅称章震南唐保大时人,无明确籍贯,但据《肥川集》之"肥川"二字当指合肥。

又有许坚,字介石,庐江人,⑥"早年,坚以时事干江南李氏,人讶其憨,以为风恙,莫与之礼",遂以绝句《上舍人徐铉》云:"几宵烟月锁楼台,欲寄侯门荐下才。满面尘埃人不识,谩随流水出山来。"随即归隐江淮间,后隐居三茅山(简称茅山,今江苏金坛境内),"好餐鱼,能

---

① 光绪《庐江县志》卷15《艺文·伍乔传》。
② 陆游:《南唐书》卷12《伍乔传》,南京出版社2010年版。
③ 季昌清:《池州地区志》卷18《人物》谓:伍乔"后升至户部员外郎。开宝八年(975年),南唐被宋太祖赵国胤消灭后,归隐于九华山,卒年不详"。方志出版社1996年版。
④ 郑文宝:《南唐近事》卷3。
⑤ 《全唐诗》卷757《李羽》。
⑥ 《全唐诗》卷861《仙·许坚》。

为诗,多谈神仙事"。① 著作有《许先生十二时歌》一卷,②已佚。《全唐诗》录其诗五首,残诗二首。其《题茅山观》云:

"常恨清风千载郁,洞天令得恣游遨。松楸古色玉坛静,鸾鹤不来青汉高。茅氏井寒丹已化,玄宗碑断梦仍劳。分明有个长生路,休向红尘叹二毛。"

---

① 阮阅:《诗话总龟》卷46《隐逸门》引《雅言杂载》,人民出版社1987年版。
② 陈振孙:《直斋书目解题》卷12,上海古籍出版社1987年版。

第七章
宋代合肥地区政治与社会

显德七年（960年）正月，后周禁军统帅、殿前都点检赵匡胤发动陈桥兵变，宰相范质、王溥束手无策，年幼的周恭帝被迫退位。赵匡胤即位称帝，建国号为"宋"，是为宋太祖，仍以开封为都城，史称北宋（960—1127）。北宋建立后，宋太祖赵匡胤继续进行统一战争，先后平定荆南、湖南、后蜀、南汉。开宝七年（974年）九月，开始发起对南唐征战。次年消灭南唐，后主李煜投降。宋太宗继位，清源军节度使陈洪进献漳、泉二州，吴越国王钱弘俶被迫进奉两浙及福州等十三州之地。太平兴国四年（979年），宋太宗亲征北汉，完成全国统一。

北宋是继唐之后的统一王朝，宋太祖、宋太宗采取加强中央集权制度和措施，与北方契丹及西夏和好，维持一百五十多年的稳定，合肥地区经济、文化得到巨大发展。北宋末年政治腐败，加以随之而来的金军南侵，导致北宋灭亡。建炎元年（1127年）五月，宋徽宗第九子康王赵构称帝于南京（今河南商丘），建立南宋（1127—1279年）。然而南宋在金朝进攻之下，谋求苟安，绍兴八年（1138年），定都杭州，改称临安府，随后与金朝签订绍兴和议，划淮河为界，偏安于东南地区。合肥地区成为防御金朝南进的前沿阵地，宋金在这里进行几次会战，南宋挡住了金军的进攻。金亡以后，蒙古军队多次渡淮进攻。由于宋金长期对峙及战争，庐州成为军事冲要之地，南宋时期经济文化发展受到较大的影响。

第一节　政区建制与结构

北宋为消除唐末五代藩镇割据，收夺地方之权，进行了较大规模的政区调整。地方政区大体上分为路、府州军监、县三级。《宋史·地理志》云，"至道三年，分天下为十五路，天圣析为十八，元丰又析为二十三：曰京东东、西，曰京西南、北，曰河北东、西，曰永兴，曰秦凤，曰河东，曰淮南东、西，曰两浙，曰江南东、西，曰荆湖南、北，曰成都、梓、利、夔，曰福建，曰广南东、西"。各路设转运使司、提点刑狱司、安抚使司、提举常平司，分管各路财赋、刑狱、军事、常平救济及农田水利等事，兼领地方监察事务，谓之监司；而府州军监及县长官例以京、朝官充任，三年一任，又设通判以牵制知府、知州，从而加强对地方控制，起到强干弱枝的作用。

一、政区建制沿革

宋代地方最高政区为路。路是由唐代"道"演变而来的。宋太宗淳化四年（993年）十月，分天下为十道，五年十月又撤销十道之制。至道三年（997年），全国分为十五路，即京东、京西、河北、河东、陕西、淮南、江南、荆湖南、荆湖北、两浙、福建、西川、峡西、广南东、广南西。真宗咸平四年（1001年）分西川、峡西为益、梓、利、夔四路，仁宗天圣八年（1030年）分江南路为江南东路、江南西路，合为十八路。熙宁年间，分淮南路为淮南东路、淮南西路，京西路为京西南路和京西北路，分陕西路为永兴、秦凤路，河北路为河北东、河北西路，京东路为京东东、京东西路，到元丰时已增加到二十三路。

合肥地区，北宋前期隶属淮南路，后期则隶属淮南西路。熙宁五年（1072年），宋神宗分淮南为东、西二路。淮南东路，领扬、亳、宿、楚、海、泰、泗、滁、真、通等十州，高邮、涟水二军，县三十八。淮南西路领寿春府及庐、蕲、和、舒、濠、光、黄等七州，六安、无为二军，县三十三。[①] 就地区范围来看，今合肥地区主要在庐州、无为军境内，包括庐州所辖合肥县、梁县，无为军所辖巢县、庐江县。另外寿春府安丰县之夏塘（即今长丰县下塘镇）、合寨（在今长丰县南）和寿春县史源（即今长丰县西史院）、南庐（在今长丰县东），以及六安军之山南（即今肥西县之山南馆）也属于合肥市范围。

庐州，后周显德五年（958年）置保信军节度使。北宋前期为节度

---

① 脱脱：《宋史》卷88《地理志四》，中华书局1977年版。

州,大观二年(1108年)升为望州。北宋初,庐州沿袭旧制,统领合肥、慎县、舒城、庐江、巢县。① 太平兴国三年(978年),升巢县无为镇为无为军,割巢县、庐江属无为军,至此庐州领合肥、慎、舒城三县,迄南宋未改。

合肥县,上县,为倚郭县,旧有二十一乡,北宋初改为十一乡,到元丰年间,有十乡及段寨、青阳、移风、永安等四镇。

慎县,中县,旧有十七乡,到元丰年间,共有六乡及竹里故郡、东曹、大涧、清水、沛城、节衷团等六镇。绍兴三十二年(1162年),避宋孝宗名讳,改为梁县。

舒城,下县,唐开元二十三年庐州刺史竹承构奏请始置,旧有二十乡,至元丰年间置有二乡及九井、新仓、桃城、航步等四镇。②

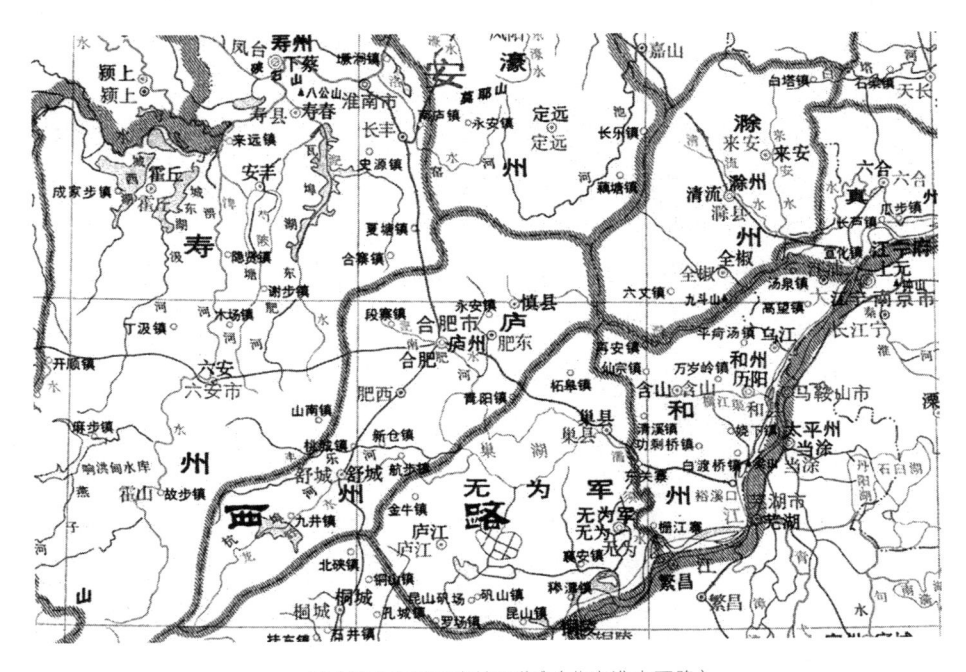

谭其骧《中国历史地图集》(北宋淮南西路)

---

① 乐史:《太平寰宇记》卷126《淮南道四·庐州》,中华书局2008年版。
② 王存:《元丰九域志》卷5《淮南路》,中华书局1984年版。

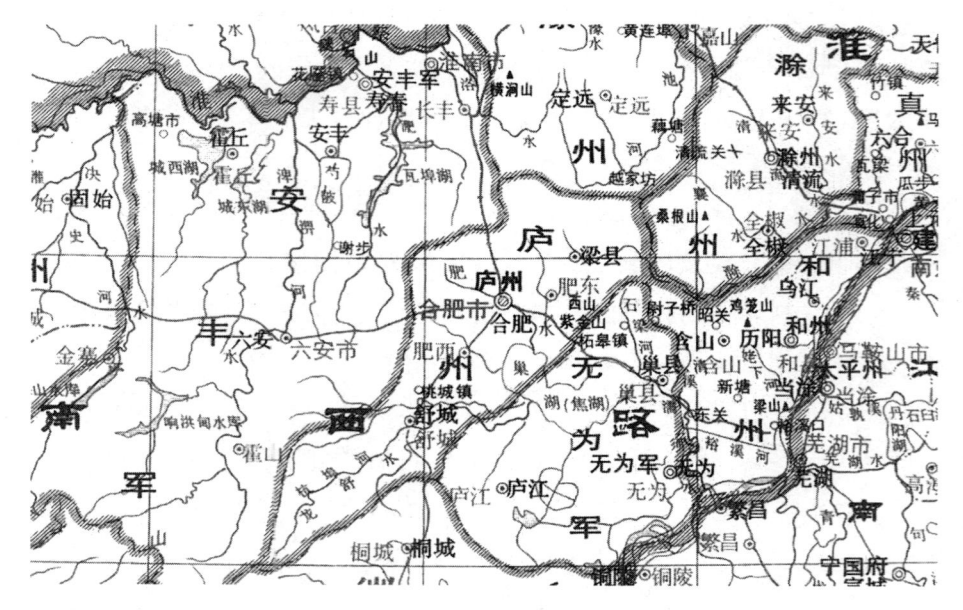

谭其骧《中国历史地图集》（南宋淮南西路）

无为军，同下州。太平兴国三年（978年），江淮两浙发运使杨允恭以庐州所属巢县、庐江，"道远多寇，民输劳费"，"请以二县建军，诏许之，以无为为额"，①获准后升巢县无为镇为无为军，以巢、庐江二县隶之。熙宁三年（1070年），析庐江、巢县地置无为县。无为军领无为、巢、庐江三县。

无为县，望县，为倚郭县，设有五乡及襄安、糁潭、石涧镇。

巢县，望县，设有十一乡及石牌、柘皋二镇。绍兴五年（1135年）县废为镇；次年复置，到十一年改属庐州，十二年复隶属无为军，"景定三年（1262年），升巢县为镇巢军"，②隶属沿江制置司。

庐江县，望县，始置于梁武帝年间，太平兴国三年（978年）割属无为军，旧有十二乡，元丰年间有十乡及金牛、清野、罗场、矾山、武亭、昆山等六镇，昆山一矾场。

---

① 《宋史》卷309《杨允恭传》。
② 《宋史》卷88《地理志四》。

		合肥
淮南西路	庐州	慎县
		舒城
	无为军	无为
		巢县
		庐江
	寿春府	下蔡
		安丰
		霍丘
		寿春
	六安军	六安

二、地区管理机构

两宋合肥地区管理机构包括行政、军事及其他直属机构。这些机构以地方行政管理机构为主，包括淮南西路、庐州及无为军以及诸县等地方官府。

（一）驻庐州之路级机构

宋代改道为路，路级管理体制至熙宁、元丰间稳定下来，形成所谓"元丰二十三路"。及至靖康之变，宋高宗建都临安（今浙江杭州），建立南宋，仅保有东南半壁江山。《宋史·地理志》称，"高宗仓惶渡江，驻跸吴会，中原、陕右尽入于金，东画长淮，西割商、秦之半，以散关为界，其所存者两浙、两淮、江东西、湖南北、西蜀、福建、广东、广西十五路而已"。

宋代各路设立转运使司、安抚使司、提点刑狱司和提举常平司，互不统属，皆有监察州县之责，合称"监司"。转运使司，亦称漕司，

"经度一路财赋",①掌握其盈余有无,筹措上供朝廷钱物,年终统计各州县之出纳,盈者提取,亏者补足;安抚使司,亦称帅司,"总一路兵政"②;提点刑狱司,又称宪司,掌各路司法刑狱,初为分散转运司的事权而设,末年兼掌坑冶事务;提举常平司,又曰仓司,负责常平仓、义仓、免役、市易、场坊河渡、农田水利、保甲义勇、户绝田地处置等事务。与唐代相比,宋代"监司各有建台之所,每司专有长官,专有掾佐,而号令之行于统属者,从此始烦矣"③。

淮南及淮南西路(简称淮西路),设有淮南转运使或江淮发运使。太宗至道元年(995年),"始命洛苑副使杨允恭、西京作坊副使李廷遂、太子中允王子舆为江淮两浙发运使,于淮南创使廨",但次年罢江淮发运使,"自后并以淮南转运使领其务"。④ 不久复置发运使,然转运使与发运使职责存在重叠现象。据王栐《燕翼诒谋录》记载,"淮南转运使旧有二员,皆在楚州,明道元年(1032年)七月甲戌,诏徙一员于庐州"。南宋以后,"废江淮发运使,而治楚州者移治真州,治庐州者移治舒州。其后,又自舒州移治无为军矣"。⑤

安抚司创设于北宋真宗年间,设置河北沿边安抚使,仁宗以后逐渐推广开来。《宋史·职官志》记载,"安抚总一路兵政,以知州兼充……品卑者止称主管某路安抚使公事"⑥。庐州安抚使,始置于真宗大中祥符三年(1010年)。"大中祥符三年八月……戊辰,诏升、洪、扬、庐州长吏兼安抚使"⑦。但北宋时期各路安抚司或置或废,并未固定。建炎元年(1127年),宋高宗下诏:"要郡文臣一员带本路兵马钤辖,武臣一员充副钤辖;次要郡文臣一员带本路兵马都监,武臣一员

---

① 《宋史》卷167《职官志七》。
② 《宋史》卷167《职官志七》。
③ 《江南通志》卷101《职官志·文职三》。
④ 吕祖谦:《历代制度详说》卷4《漕运·制度》,上海古籍出版社1992年版。
⑤ 王栐:《燕翼诒谋录》卷4,中华书局1981年版。
⑥ 《宋史》卷167《职官志七》。
⑦ 《宋史》卷7《真宗纪二》。

充副都监。"①建炎元年（1127年），庐州知州兼淮西路兵马钤辖。次年，以庐州知州胡舜陟兼淮南西路安抚使，庐州自此成为"淮西九郡帅府"，"淮西九郡皆属焉"②。"绍兴初，寄治巢县。乾道二年（1166年），置司于和州"。③ 乾道五年（1169年），淮西安抚司迁回庐州。淳熙二年（1175年），宋孝宗接受谏官汤邦彦建议，"诏扬州、庐州、荆南、襄阳、金州、兴元、兴州分为七路，每路委文臣一员充安抚使以治民，武臣一人充都总管以治兵，其逐路都总管职事，且令帅臣依旧带行，候正官到日交割"。④ 到宁宗嘉定年间（1208—1224年），又以庐州知州兼淮西制置使。⑤

此外淮西路还设有提点刑狱司和提举常平司，分理刑狱及农田水利、赈济等事，北宋时驻寿州（今安徽凤台），南宋绍兴三十二年（1162年）迁驻寿春府（今安徽寿县）。宋代各路监司分权而治，并没有统一的主管机构，权力并不完整。各府州军都由京官兼管，权力直通朝廷。监司仅为皇帝"耳目之寄"，"付以一路"⑥，又有"外台"之称。⑦

据《宋史》及嘉庆《庐州府志》，两宋庐州文武监镇（路级机构官员）如下：

	官员姓名、籍贯	任职及其时间
太祖	苏晓，京兆武功人	乾德二年，为淮南运使。
太宗	谭廷美，大名朝城人	太平兴国初，庐寿濠光州军巡检使。
	武允成，不详	至道间，庐州节度副使。
	杨允恭，汉州绵竹人	至道间，江淮发运使。

---

① 《宋史》卷167《职官志七》。
② 王象之：《舆地纪胜》卷45《庐州》，四川大学出版社2005年版。
③ 《宋史》卷88《地理志四》。
④ 《宋史》卷167《职官志七》。
⑤ 王象之：《舆地纪胜》卷45《庐州》。
⑥ 《宋史》卷333《范祖禹传》。
⑦ 《宋史》卷342《孙永传》。

(续表)

	官员姓名、籍贯	任职及其时间
真宗	雷有终,郃阳人	保信军节度使、观察留后。
仁宗	王素,魏州人	庆历初,为淮南都转运、按察使。
高宗	吕颐浩,齐州人	建炎四年,江东安抚制置使兼宣抚,领寿春府、滁、和州、无为军。
	胡舜陟,绩溪人	建炎初,知庐州,后迁庐寿宣抚使。
	李光,上虞人	端明殿学士、江东安抚大使,知寿春、滁、濠、庐、寿无为军宣抚。
	韩世忠,延安人	建炎中,为淮南东西路宣抚使。
	张俊,凤翔成纪人	绍兴四年,为淮西宣抚使。
	叶梦得,吴县人	建炎中,以江东安抚使兼领无为军。
	赵师㮮,宋宗室	绍兴初,为淮西帅兼提举屯田事。
	吕祉,建阳人	绍兴四年,以兵部尚书节制庐州军事。
	刘光世,保安军人	三镇节度使,驻庐州。
	杨存中,代州崞县人	保信军承宣使,绍兴中以淮西制置使驻庐州。
	刘锜,德顺军人	绍兴七年,帅合肥;后以宣抚判官副杨存中。
	王德,通辽军人	绍兴七年,行营左护军都统制帅合肥,郦琼副之。
	李显忠,清㵎人	绍兴中,为保信军节度使。
	张宗颜,延安人	绍兴八年,知庐州总帅事。
	王权,不详	绍兴中,淮西都统。
	姚兴,相州人	绍兴中,隶都统王权麾下,权驻庐州,兴战死。
	张璟,不详	庐州统制。
	乔仲福,不详	兵马钤辖。
	解元,德清㵎人	保信军节度使。

(续表)

	官员姓名、籍贯	任职及其时间
孝宗	张浚,汉州绵竹人	隆兴初,江淮东西路安抚使,驻庐州。
	方有开,歙县人	隆兴进士,以转运使帅庐州。
	赵磻老,东平人	隆兴二年,为淮西招抚使。
	郭振,泾县人	乾道间,以都统制帅淮西。
	延玺,不详	淳熙八年,淮西安抚使。
宁宗	邱崈,江阴人	开禧中,江淮宣抚使,保庐州。
	田琳,开封人	开禧间,为庐州帅。
	翟朝宗,开封人	嘉定间,殿前诸军都统制兼知庐州。
理宗	杜杲,邵武人	安抚使兼知州,迁太府卿、淮西制置兼转运使。
	史嵩之,庆元鄞县人	安抚制置使节制蕲舒诸军,解庐州围。
	吴渊,宣州人	沿江制置江东安抚使,节制和州、无为军、安庆府兼三郡屯田。
	吕文德,安丰人	淳祐二年,为淮西安抚司。
	王埜,金华人	淳祐末,沿江制置江东安抚使,节制和州、无为军、安庆府兼三郡。
	马光祖,金华人	沿江制置江东安抚使,节制和州、无为军、安庆府兼三郡。
	赵与筹,湖州人	沿江制置使、江东安抚使,节制三郡屯田使。
	别之杰,郢州人	沿江制置使、江东安抚使,知无为军、安庆府等郡屯田。
	杜庶,邵武人	庐州安抚副使。
	董槐,濠州定远人	以制置使兼无为屯田使。
度宗	夏贵,安丰人	绍定间,除淮西安抚使、知庐州。
	洪福,安丰人	江左军统制,后知镇巢军。

(二)州县机构

北宋建立后,为防止藩镇割据,收夺地方之权,逐步取消州刺史,由朝廷派遣文臣为知某州军州事,"以权设之名,为经常之任"。① 太平兴国二年(977年)八月,宋太宗罢节镇领支郡后,各州直属朝廷,"天下节镇无复领支郡者矣"②。朝廷派遣京朝官前往各州"权知州军事",简称知州。知州掌本州军民之政,举凡户口、赋役、钱谷、狱讼听断之事,绳法以总领之;至于宣布条教,岁时劝课农桑,旌别孝悌,考察郡吏;遇水旱,以法赈济,安集流亡,均负其职。③ 景德三年(1006年)二月,诏知州兼管内劝农使。④《宋史·职官志》云:"宋初革五季之患,召诸镇节度会于京师,赐第以留之,分命朝臣出守列郡,号权知军州事,军谓兵,州谓民政焉。其后,文武官参为知州军事,二品以上及带中书、枢密院、宣徽使职事,称判某府、州、军、监。诸府置知府事一人,州、军、监亦如之。"

嘉庆《庐州府志》卷九《职官表一·宋庐州知州》

各朝	知州及其籍贯	知州及其籍贯	知州及其籍贯
太祖	冯瓒,历城人。	杨景明,开宝中知庐州。	
太宗	赵安易,蓟人。	刁衎,升州人。	魏震,端拱中知庐州。
真宗	赵良规,洛阳人。	赵镕,乐陵人。	
	宋太初,晋城人。	刘廉叟,宁陵人。	俞献卿,歙县人,祥符中知庐州。
	赵贺,封丘人。	杨日严,河南人。	刘综,虞乡人。
	陈尧佐,阆中人,祥符中三知州事。	马亮,合肥人。	刘筠,大名人。

---

① 徐松:《宋会要辑稿·职官》47之1,中华书局1957年版。
② 《续资治通鉴长编》卷18,太平兴国二年,中华书局1979年版。
③ 《宋会要辑稿·职官》47之12。
④ 《续资治通鉴长编》卷62,景德三年。

（续表）

各朝	知州及其籍贯	知州及其籍贯	知州及其籍贯
仁宗	张子寇,冤句人。	梁颀,长汀人。	唐询,钱塘人,景祐中以御史知庐州。
	冯京,江夏人。	包拯,合肥人。	陈希亮,眉州人。
	张亿,刑部员外郎任。	林滩,自谏院出知庐州。	张田,澶渊人。
	吴及,静海人,工部员外郎任。	吕公弼,寿州人。	吕公孺,夷简季子。
	李端愿,镇东留守任。		
英宗	李柬之,濮州人,故相迪子。	郑兴。	刘定。
神宗	傅尧俞,郓州人。	孙觉。	穆珣,汶阳人。
	吕居厚,洪州人。	王质,大名人。	李良辅。
哲宗	蹇周辅,双流人,以刑部侍郎任。	朱服,乌程人,钦宗时再任。	杨波,晋江人。
	陈轩,建阳人。	章衡,浦城人,元祐中任。	龚原,寿昌人。
徽宗	陈思锡,建阳人。	蒋猷,金坛人,中书舍人任。	林颜。
	翟汝文,丹阳人。		
钦宗	冯询。		
高宗	李会。	胡舜陟。	陈规,安丘人。
	赵不群,太祖六世孙。	刘甲,东光人。	仇悆,益都人。
	魏良臣。	赵康直,宗室。	冀涛。
	赵善俊。		
孝宗	宇文绍杰,益都人。	李爽。	王希吕,宿州人。
宁宗	赵善湘,濮王五世孙。	范朝宗。	启示中。
	薛叔似,永嘉人。	史嵩之。	姚兴。
	杜杲,邵武人。	吕好问,信安人。	
理宗	全子才。	龚基先,高邮人。	杜庶。
度宗	夏贵,安丰人。	朱焕。	

嘉庆《庐州府志》卷九《职官表一·宋庐州郡佐僚幕》

各朝	郡佐僚幕	郡佐僚幕
太宗	何蒙,洪州人,太宗时通判庐州。	苏京,太宗通判庐州,有传。
真宗	杨居简,青阳人,真宗时以员外郎通判庐州。	李处厚,真宗时通判庐州。
仁宗	汪谷,婺源人,仁宗时庐州观察推官,有传。	田京,沧州人,仁宗时通判庐州。
仁宗	刘攽,嘉祐中庐州观察推官,有传。	彭汝砺,仁宗时保信军推官。
英宗	张奎,英宗时通判庐州,有传。	
神宗	刘拯,南陵人,元丰中庐州转运判官。	江复休,陈留人,神宗时通判庐州。
徽宗	蹇序辰,大观中签书判官。	苏攜,丹阳人,以丹阳丞徙判庐州。
徽宗	赵葵,长沙人,通判庐州,有传。	
高宗	王彦融,金坛人,绍兴初授庐州录事参军。	
宁宗	陈中孚,三山人,嘉定中通判庐州。	
理宗	李伯玉,余干人,端平中庐州转运判官。	常挺,景定中以直龙图阁为庐州转运判官。
理宗	理宗	李祥,无为人,司理参军。

  两宋县分为赤、次赤、畿、次畿、望(四千户以上)、紧(三千户以上)、上(二千户以上)、中(千户以上)、下(不满千户)、下下(五百户以下)十等,三年一次确定等级升降。① 县长官有县令或知县事(以京、朝官充)、丞、主薄、尉等。县令或知县总一县民政,"掌总治民政、劝课农桑、平决狱讼,有德泽禁令,则宣布于治境。凡户口、赋役、钱谷、振济、给纳之事皆掌之,以时造户版及催理二税。有水旱则有灾伤之诉,以分数蠲免;民以水旱流亡,则抚存安集之,无使失业。有孝悌行义闻于乡闾者,具事实上于州,激劝以励风俗。"② 宋代知县职权较广,熙宁年间宰相吕惠卿对县政概括为:"天下之民事皆领于县,则奉朝廷之法令,而使辞讼简、刑狱平、会议当、赋役均、给纳时、水旱有备,

---

① 《宋会要辑稿》职官11之76。
② 《宋史》卷167《职官志七》。

盗贼不作,衣食滋殖,风俗敦厚,必自县始。"①

北宋前期,县令或知县常用朝官出任,以重民社之寄。仁宗天圣以后,参用京官幕职及试衔官。到靖康初年,文资官升迁者必经历知县之任。绍兴七年(1137年),诏寺监丞、簿等任满已改官人,如未历民事者,各除授知县一次。乾道二年(1166年),诏非两任县令不得除授监察御史。自是,官员无不经历知县之任者。县令或知县之属,北宋初年仅置主簿、县尉,不置县丞。仁宗天圣年间,始置丞于赤县。熙宁四年(1071年),县二万户以上者,乃置丞,嗣后小邑率不置丞,以主簿兼县丞之职。②

合肥地区包括合肥、慎、巢、庐江四县,其中巢县、庐江县为望县,丁户在四千以上;合肥县为上县,丁户在二千以上;慎县为中县,丁户在千户以上。南宋后期曾升巢县为镇巢军。

嘉庆《合肥县志》卷十六《职官表》所见县官

两宋各朝	县令或知县	丞	主簿	尉
太宗			胡宿	
仁宗	潘友文、韩缜			郑诏
英宗	万适			
神宗			孙觉	
哲宗	汪慥			
徽宗	俞献卿		王言恭	
孝宗	滕珙		唐琦	
理宗	谢翼孙			
度宗			江润身、李处厚	

① 吕祖谦:《皇朝文鉴》卷90,吕惠卿《县法序》,四部丛刊初编本。
② 赵宏恩:《江南通志》卷101《职官志·文职三》,广陵书社2011年版。

康熙《巢县志》卷十《职官志》

两宋时期	知巢县或知镇巢军	丞	主簿	尉
元丰	阮美成,知县事			
绍兴	许必胜,县令	谨修、崔尧封		
绍熙	赵登善,县令	焦柳①		
嘉熙	曾如骥,知镇巢军			
淳熙	江瑁,县令			
德祐	曹旺,知镇巢军			
德祐	洪福,知镇巢军			

康熙《庐江县志》卷九《秩官》

两宋时期	知县事	丞	主簿	尉
建隆	谢惟士		陈瑾	
元祐	贾述		高桂	
崇宁	张述			
徽宗	吴懋			
隆兴	刘诜			
绍定	龚基先			

　　在州县政区之内,还有镇、寨、津、堡等军事或者行政单位,其官员设有总管、钤辖、都监等,负责各地军队的屯戍、训练、管理等事。总管,最初称部署,又有都部署之职。都部署"有止一州者,有数州为一路者,有带两路、三路者"②,前期为边区统帅,后期则只置于一路。钤辖,有路分钤辖和州钤辖。都监,级别低者称监押,"国朝以阁门祗候以上充,三班为之名监押。诸州、军、府、监皆有之,县即知县兼充,朝官为都监,京官、幕职为监押,畿县则云签书兵马司公事"。③《宋会

---

① 嘉庆《庐州府志》卷25《名宦传下》作"焦抑",云"绍兴间任巢县丞"。
② 孙逢吉:《职官分纪》卷35《兵马总管副总管》,四库全书本。
③ 《职官分记》卷35《都监监押》。

要》亦云,"若京朝幕官则为知县事,有成兵则兼兵马都监或监押"。①这些军职或者为州府下属,如州钤辖,或者独立建制,或者按照其级别高下,由安抚使、知州、知府、知县兼任。

与此相联系,各地禁兵有驻泊和屯驻之分,"更戍者谓之屯驻,非戍诸州而隶于总管司者,谓之驻泊"。② 在一些地区,则设提举兵甲、提辖兵甲一职,由知州或知府担任,或辖一州或几州,统领本地禁军,负责该域治安。此外,巡检司和县尉司为地方治安机构,前者"各随所在,听州县守令节制"。③ 其所统武装称为土兵,后者则为知县、县令下属,统辖弓手。

(三)其他直属机构

宋代合肥地区中央直属机构主要是淮南十三场与无为榷货务。

其一,淮南十三场。

乾德三年(965年),北宋开始在淮南推行榷茶制度。蕲州(今湖北蕲春)、黄州(今湖北黄冈)、舒州(今安徽安庆)、庐州(今安徽合肥)、寿州(今安徽凤台)、光州(今河南潢川)相继设立十三处买卖茶场,置官主管榷茶事宜。其职责是:用茶折算向园户征税;规定园户岁额,按官定茶价预支本钱,收买茶叶;收买园户课税以外余茶,禁止私卖;将征收和购买的茶叶就场出卖,或凭借榷货务交引向茶商交付茶叶。嘉祐四年(1059年),朝廷放宽茶禁,准许茶商与园户直接交易,十三场相继废除。

其二,无为榷货务。

这是沿江地区六大榷货务之一。北宋政府为了财政与军需,采取茶盐等专卖,除了在京城设立在京榷货务外,在江南交通要道也设立地方榷货务,主管茶叶买卖,即由榷货务从园户手中包买茶叶,转

---

① 《宋会要辑稿·职官》48之29。
② 章如愚:《群书考索·后集》卷40,书目文献出版社1992年版。
③ 《宋史》卷167《职官志七》。

手卖给商人,从中获得税收。江南地区六大榷货务是:江陵府、真州、海州、汉阳军、无为军、蕲州之蕲口。榷货务设提领官统领,通常有左右侍郎或户部侍郎兼领,下设提辖官一员,监场官二员。无为榷货务同时兼管昆山、矾山等处榷矾事务。榷货务的设立使得合肥地区成为重要的物资集散地和人口聚集地,对繁荣地方经济起到巨大推动作用。

第二节　政治发展

嘉庆《庐州府志·职官表一》列举庐州知州有75人,其中最后一任知州朱焕未能上任,当时淮西制置使兼知庐州夏贵以淮西降元,实际到任只有74人,又载有庐州佐官通判、推官等19人,皆有治绩,所辖合肥、慎县(梁县)、舒城官吏皆有可称。无为军所领庐江、巢县也出现不少廉吏。置于淮西地区的发运使、安抚使等多由文臣担任,治理成效较为显著。史称北宋时期合肥地区"吏治简易,民俗富乐"①。北宋诗人吴资《合肥怀古》云:"合肥一都会,世号征战地。我来值明时,不识兵革事。"②

一、官清吏廉,治效显著

两宋帝王认识到,"王者虽以武功克定,终须用文德致治"③,推行重文政策,重视选用廉吏。宋太祖曾说:"五代方镇残虐,民受其祸,

---

① 司马光:《涑水纪闻》卷3云:"庐州曾绍齐言,其乡里数十年之间,吏治简易,民俗富乐。"中华书局1989年版。
② 《全宋诗》卷72,北京大学出版社1998年版。
③ 《续资治通鉴长编》卷23,太平兴国七年。

朕令选儒臣干事者百余，分治大藩，纵皆贪浊，亦未及武臣一人也。"①庐州守臣亦多以清廉著称，在任打击豪强，整饬吏治，造福于民。太祖建隆初年，陈留（今河南开封）人谢惟士以大理评事担任庐江县令，"抚绥士民，境内以安"。② 太宗时，苏京通判庐州，"有善政，去之日，士民遮留罢市"。③ 大中祥符七年（1014年），刘综知庐州，在任一年，"强敏有吏材，所至抑挫豪右，振举文法，时称干治"④。阆中（今属四川）人陈尧佐，"真宗朝三知庐州"，有政绩，在府署后堂北建"三至堂"，时人叶祖洽撰《三至堂记》。⑤ 张奎，仁宗时知合肥县事，"持身守法，风力精强，所至有治迹，吏不敢欺，与兄亢皆知名一时"，⑥到英宗时张奎又以御史知庐州。

仁宗朝，陈希亮知庐州，虎翼军谋叛，其军士被迁至庐州，内心疑虑不安，有举报军士窃入府舍，陈希亮说："此必醉耳！"以此安抚军心，并"尽以其余给左右使令，且以守仓库，人为之惧，希亮益加亲信"⑦。澶渊人张田"临政以清"，仁宗时"改知湖州，徙庐州，治有善迹"⑧。宰相吕夷简之子吕公孺，先后知泽、颍、庐、常等四州，以"廉俭"著称。⑨ 同时期，婺源人汪谷担任庐州观察推官，"居官有异政"。⑩ 嘉祐二年（1057年），刘攽为庐州观察推官，"欧阳修称其文学优赡，操履清慎，堪充馆职"。⑪ 他曾来到巢湖沿岸，作《巢湖》诗一首："湖势西来回，川形百道开。中流还岛屿，傍市有楼台。入望苍烟合，临虚白浪豗。兴来思击楫，惭愧济川才。"

---

① 《续资治通鉴长编》卷13，开宝五年十二月。
② 嘉庆《庐州府志》卷25《名宦传下》。
③ 嘉庆《庐州府志》卷24《名宦传中》。
④ 《宋史》卷277《刘综传》。
⑤ 赵绍祖：《安徽金石志》卷6《宋三至堂记》。
⑥ 嘉庆《庐州府志》卷24《名宦传中》。
⑦ 《宋史》卷298《陈希亮传》。
⑧ 《宋史》卷333《张田传》。
⑨ 《宋史》卷311《吕公孺传》。
⑩ 嘉庆《庐州府志》卷24《名宦传中》。
⑪ 嘉庆《庐州府志》卷24《名宦传中》。

南宋孝宗淳熙八年(1181年),延玺为淮西安抚使,"在郡逾年,民和政成,修表节台祀包孝肃公。又以孝肃(包拯)与忠肃(马亮)皆常典乡郡,乃绘其像于学,冀以兴起庐俗"。① 江瑄,淳熙年间知巢县,"政尚仁厚,修学校,振士风,民皆称颂"②。理宗时,杜庶担任淮西提点刑狱,"浚城濠,增守备,修学宫。知真州兼淮东提点刑狱,逾年,进直秘阁,移淮西兼庐州安抚副使,人欢迎如见慈父,治绩甚多"。③ 度宗咸淳年间(1265—1274年),婺源(今属江西)人江润身登进士,授合肥县主簿,"廉明刚决,狱多平反"。④

二、赈灾救济,发展生产

救灾赈济,是地方官重要职责。宋太宗时,何蒙以水部员外郎通判庐州,"郡中火燔廨舍,榷务俱尽。蒙假民器,贷邻郡曲米为酒,既而课增倍。户部使上其状,诏赉缗钱奖之",后来"又上淮南酒榷便宜,特改库部,复赐二十万,因命至淮右提总其事,自是岁有羡利"。⑤ 又有孙觉,仁宗时以进士及第,调合肥县主簿。岁旱,庐州官员督促百姓捕杀蝗虫,输送官府。孙觉进言:"民方艰食,难督以威。若以来易之,必尽力,是为除害而享利也。"⑥州官接受其建议,并在其他县内推行。熙宁年间,孙觉担任庐州知州,后入朝任右司谏。

乌程(今浙江湖州)人朱服两次知庐州。元祐年间(1086—1093年),以直龙图阁知庐州,"庐人饥,守便宜振护,全活十余万口。明年大疫,又课医持善药分拯之,赖以安者甚众"。⑦ 徽宗即位,朱服加集

---

① 嘉庆《庐州府志》卷24《名宦传中》。
② 康熙《巢县志》卷10《职官守》。
③ 《宋史》卷412《杜庶传》。
④ 嘉庆《庐州府志》卷25《名宦传下》。
⑤ 《宋史》卷277《何蒙传》。
⑥ 《宋史》卷344《孙觉传》。
⑦ 《宋史》卷347《朱服传》。

贤殿修撰,再次知庐州,仅有两月便改知广州。他对庐州印象颇佳,在《过庐州》诗中写道:"昔年吴魏交兵地,今日承平会府开。沃壤欲包淮甸尽,坚城犹抱蜀山回。柳塘春水藏舟浦,兰若秋风教弩台。独有无情原上草,青青还入烧痕来。"

南宋时期,宗室进士赵善俊两次知庐州,初知庐州时,"会岁旱,江、浙饥,民麇至。善俊括境内官田均给之,贷牛种,僦屋以居,死者为给槥,人至如归";"再知庐州。首言和好不可恃,当高城浚池以为备。复芍陂、七门堰,农政用修。免责属邑坊场、河渡羡钱,百姓德之"。① 高宗绍兴年间(1131—1162年),焦抑担任巢县丞,"值岁饥帑空,抑极力佐令行宽恤节省之政,设粥济饥民,存活者众,尤加意学校。当时以文章、政事称之"②。淳熙二年(1175年),王希吕"知庐州兼安抚使。修葺城守,安集流散,兵民赖之"③。

三、修城筑垒,巩固边防

宋室南渡后,江淮地处军事前沿,金军多次渡淮南下。庐州知州例兼宣抚使、安抚使或制置使等职,用以领兵镇戍,抵御金军南侵。绍兴四年(1134年),青州(今属山东)人仇悆以淮西宣抚使知庐州。当时伪齐刘豫之子刘麟联合金兵渡淮南侵,宣抚司统制张琦欲驱百姓逃亡江南,拥甲士数千人胁迫仇悆。仇悆谓众人曰:"若辈无守土责,吾当以死徇国,寇未至而逃,人何赖焉。"张琦等迫于形势,解散其党徒,人心渐定。随后仇悆向朝廷告急,朝廷无法分兵援救,宰相张浚令仇悆权宜行事,仇悆回答:"残破之余,兵食不给,诚不能支敌。然帅臣任一路之责,誓当死守。今若委城,使金人有淮西,治兵徒于巢湖,必贻朝廷忧。"仇悆一面安抚士卒,"犒以酒食,慰劳之,众皆感励",一面募兵,主动出击,"募庐、寿兵得数百,益乡

---

① 《宋史》卷247《宗室传四》。
② 嘉庆《庐州府志》卷25《名宦传下》。
③ 《宋史》卷388《王希吕传》。

兵二千,出奇直抵寿春城下,敌三战皆北,却走度淮。其后麟复增兵来寇,却复寿春,俘馘甚众,获旗械数千,焚粮船百余艘,降渤海首领二人。"刘麟进攻失败,仍不甘心,复以步骑数千进犯合肥,诈称金将宗弼率兵殿后,"人心怖骇,不知所为"。其时京湖制置使岳飞派遣部将牛皋率兵来救,仇悆却顾左右曰:"召牛观察来击贼。"牛皋奋勇杀敌,刘麟兵溃退走,"以悆克复守御功,加徽猷阁待制",①不久,高宗召见仇悆,"军民号送之"。

绍兴八年(1138年),延安人张宗颜知庐州、总帅事,金军南侵,"数百骑抵城下,宗颜以骑百余御之,敌退"。② 孝宗时,知庐州赵善俊整修城墙,"州城旧毁于兵,善俊葺完之"。他上书朝廷:"异时恃焦湖(即巢湖)以通馈运,今既堙涸,宜募乡兵保孤、姥二山,治屋以储粟。敌或败盟,则吾城守有余,饷道无乏矣。"隆兴和议后,宋金关系由君臣改为叔侄,南宋屈辱地位有所改善,赵善俊仍上书,"首言和好不可恃,当高城浚池以为备"。③ 宁宗庆元年间,宇文绍节迁宝谟阁待制、知庐州,"修筑古城,创造砦栅,专为固圉计"④。开禧北伐时,邱崈出任江淮宣抚使,"金人拥众自涡口犯淮南,或劝崈弃庐、和州为守江计,崈曰:弃淮则与敌共长江之险矣!吾当与淮南俱存亡。益增兵为防守。寻改江淮制置大使,招辑边民二万,号雄淮军,淮西赖其力"。⑤

又有开封人田琳,开禧二年(1206年)八月担任淮南西路安抚使兼知庐州。田琳以庐州为淮西根本,"而古城又为州之襟要,于是增陴壕。又有月城,亦得城势而卑不可恃,且为筑羊马城,且为重堑。城甫毕,敌大入,乘城拒守,夜遣偏将攻其营,杀数千人,敌解而趋和州,侯断桥梁,烧敌舰,绝饷道,和州亦坚壁,敌穷乃遁"。嘉定元年

---

① 《宋史》卷399《仇悆传》。
② 《宋史》卷369《张宗颜传》。
③ 《宋史》卷247《宗室传四》。
④ 《宋史》卷398《宇文绍节传》。
⑤ 嘉庆《庐州府志》卷24《名宦传中》。

(1208年),田琳迁调达州(今属重庆),百姓感念其惠,在庐州城中为其建生祠。①

四、治理匪患,维持治安

两宋之际,庐州局势较为混乱,盗寇匪患不止,人心恐慌。徽宗时,阳羡(今江苏宜兴)人吴懋为庐江县令,"时剧盗刘伍囊橐庐、寿间,寇掠旁县,去庐江才一驿,懋赴任行至中途,或止其行。懋笑曰:男儿当斩寇平乱,此鼠辈何为者,今行缚之。盗闻其来,不敢入境。"②高宗即位之时,胡舜陟除集英殿修撰、知庐州,"时淮西盗贼充斥,庐人震恐,日具舟楫为南渡计。舜陟至,修城治战具,人心始安"。冀州(今属河北)云骑卒孙琪聚兵为盗,号"一海虾",流窜到庐州,胡舜陟乘城拒守。孙琪勒索资粮,胡舜陟予以拒绝。他对部属说:"吾非有所爱,顾贼心无厌,与之则示弱,彼无能为也。"随后出兵追击抢掠溃兵,夺回被掠物资,孙琪连夜逃走。溃兵张遇自濠州突至梁县,胡舜陟派人拆毁竹里桥,伏兵河对岸,伺其半渡击败之。高宗擢胡舜陟徽猷阁待制,充淮西制置使。"自军兴后,淮西八郡,群盗攻蹂无全城,舜陟守庐二年,按堵如故,以徽猷阁待制知建康府,充沿江都制置使。逾年,改知临安府,复为徽猷阁待制,充京畿数路宣抚使。寻罢,迁庐、寿镇抚使,改淮西安抚使。至庐州,溃兵王全与其徒来降,舜陟散财发粟,流民渐归"。③

---

① 赵绍祖:《安徽金石志》卷6《宋庐帅田侯生祠记》。
② 嘉庆《庐州府志》卷25《名宦传下》。
③ 《宋史》卷378《胡舜陟传》。

第三节 社会变迁

北宋社会相对稳定,合肥地区经济发展较快,文化方面也有显著的成就,通过科举走上仕途人数增多,并在政坛上发挥作用。两宋之际靖康之变造成局势动荡,金军南下以及宋金隔淮对峙,造成合肥地区成为南宋抗金前沿阵地,经济发展受到冲击,北方人口不断涌入,合肥军事人才增多。

一、官僚群体形成

两宋是合肥地区发展的重要时期。特别是北宋时期,社会稳定,经济文化发展较快,合肥地区名人辈出。嘉庆《庐州府志·选举表》云:"庐州在三国六朝为兵争之地,士以选举进者盖希。隋唐设进士科,庐州必有文艺登者,惜乎旧志不能详也。自宋以来,乃彬彬矣。"其中著名的就有马亮、包拯、杨察与杨寘、马仲甫、钟离瑾、王绪、柳瑊、王蔺等人,他们或任职庐州,或在各地供职,皆有治绩而载入史册。

(一)马亮、马仲甫父子

马亮,字叔明,庐州合肥人,太平兴国五年(980年)登进士第。初授大理评事,累官至知芜湖县,再迁殿中丞、通判常州,擢知濮州(今河南濮阳),"有智略,敏于政事",为政宽简,治绩突出。奉命前往福建纠察刑狱,"覆讯冤狱,全活者数十人"。[①] 迁太常博士、知福州。改知饶州,诛豪民白氏,一境肃然。境内有铸钱监,工匠数多而铜锡不

---

① 《宋史》卷298《马亮传》。

足，奏请别置铸钱监于池州，岁增铸缗钱十万。迁殿中侍御史，调西川转运副使。咸平三年（1000年）十月，益州（今四川成都）驻军王均兵变失败，主将肆行杀戮，马亮释放牵连者千余人，"城中米斗千钱，亮出廪米裁其价，人赖以济"。时诸州盐井岁久泉涸，盐课不足，官府关押欠课者数百人，马亮"尽释系者，而奏废其井，减免积欠税额二百余万"①。历知潭州、升州、虔州、洪州、江陵府，再迁尚书工部侍郎，复知昇州。徙知杭州，调兵修筑江堤，保护两岸农田。入为御史中丞。天禧年间（1017—1021年），改兵部侍郎、知庐州，期间以庐州为家乡所在，于城内建"衣锦亭"②。徙江陵，又徙江宁府。仁宗初年，拜尚书右丞，复知庐州，召判尚书都省兼知审刑院，迁工部尚书，知亳州，又迁江宁府，以太子少保致仕。卒年七十三，赐谥号为忠肃。马亮仕宦州县四十余年，所至皆有治绩。

其子马仲甫，字子山，登天圣五年（1027年）进士第。授知登封县，到任即修整道路，便利通行，百姓为之刻石颂美。改通判赵州，擢知台州，入朝为度支判官。历夔路转运使，"岁饥，盗粟者当论死，仲甫请罪减一等"。改淮南转运使、发运使，建议造洪泽渠六十里，"漕者便之"。③ 仁宗末年，拜天章阁待制知瀛州，改知秦州，修筑甘谷堡以御西夏。熙宁（1068—1077年）初，改知亳、许、扬等州，所到之处，皆能为百姓兴利除弊，称誉一时。迁知通进银台司，复为扬州知州，提举崇禧观，卒。

（二）政治家包拯

包拯（999—1062年），字希仁，庐州合肥县人。父令仪，太平兴国年间进士，授朝散大夫、虞部员外郎。包拯幼年勤奋好学，及长以孝行闻于乡里。天圣五年（1027年）登进士第，初授大理评事，出知建昌

---

① 《宋史》卷298《马亮传》。
② 《大明一统志》卷14《庐州府》云："衣锦亭，在府治东，宋马亮归守乡郡，因创此亭。通判张君房作《记》。"
③ 《宋史》卷331《马仲甫传》。

县，以父母年高未赴。改监和州税，旋解官归养父母。景祐四年（1037年），始赴京听选。出知天长县（今属安徽），以审断盗割牛舌案而闻名。① 康定元年（1040年），徙知端州（今广东肇庆）。庆历三年（1043年），入京除殿中丞，迁任监察御史。遂向朝廷建言："国家岁赂契丹，非御戎之策，宜练兵选将，务实边备。"② 又请重门下封驳之制，及废锢赃吏，精选郡县守令，行考试补荫弟子之法。六年，奉命出使契丹，归后擢三司户部判官，出为京东、陕西、河北等路转运使。八年，入为三司户部副使，上《天章阁对策》等奏疏。皇祐二年（1050年）除天章阁待制、知谏院。四年，除龙图阁直学士、河北都转运使，后徙知瀛、扬、庐、池等州，改知江宁府。在任清查各种摊派，取消官府科率和税外加税，积极赈灾，改革盐法、矿冶，兴办教育，移风易俗。嘉祐元年（1056年），权知开封府，拆除贵戚豪门跨河修建的园榭，疏通惠民河。三年，迁权御史中丞，兼领京畿转运使、提点刑狱、考课院。次年，以枢密直学士权三司使。六年，迁给事中，改三司使，随即升任枢密副使。七年（1062年）五月，卒于开封邸舍，"京师吏民，莫不感伤；叹息之声，闻于衢路"。③ 追赠礼部尚书，谥孝肃。

包拯仕宦三十余年，为官以廉洁著称。出仕前，曾写诗咏志："清心为治本，直道是身谋。秀于终成栋，精钢不作钩。仓充鼠雀喜，草尽狐兔愁。史册有遗训，毋贻来者羞。"知端州（今广东肇庆）期间，亲书"清心为治本，直道是身谋"以明心志，当地盛产名砚，"岁满不持一砚归"。立朝刚正，敢于直言，提出革新主张：财政方面，主张养民固本，薄赋宽役，减轻民负，精选计臣，裁减冗杂，节省用度；吏治方面，提出抑制贵戚和宦官的权利；选官方面，建议严格科举，裁汰冗杂、罢黜贪暴、降免懦弱；军事方面，主张抵御契丹，选将练兵御戎，主张裁减冗兵，训练民兵，广储军粮，巩固边防。又数任执法官吏，不畏权

---

① 《宋史》卷316《包拯传》载，包拯知天长县，"有盗割人牛舌者，主来诉。拯曰：'第归，杀而鬻之。'寻复有来告私杀牛者，拯曰：'何为割牛舌而又告之？'盗惊服。"
② 《宋史》卷316《包拯传》。
③ 《全宋文》卷985，吴奎《包公墓志铭》，第23册。

贵，弹劾贪赃枉法官员数百名，有姓名记录者六十一人，如淮南转运按察使张可久、汾州知州任弁、转运使王逵、三司使张方平等人，并上章弹劾宰相宋庠、贵戚郭承祐以及仁宗张贵妃的伯父张尧佐等人。执法严峻，断讼以明敏著称。在知天长县期间，智断"牛舌案"，查出真凶。知庐州时，执法不避亲党，责罚其违法之从舅。权知开封府时，大开衙门正门，令讼者直到堂前自陈曲直，杜绝奸吏勒索、舞弊。贵戚、宦官为之敛手，京师有"关节不到，有阎罗包老"①之语。后世则把包拯当作清官的化身，称之包待制、包龙图、包青天。包拯一生铁面无私，嫉恶如仇，廉洁自律，尤其痛恨贪官污吏，以为"贪者，民之贼也"。生前立下《家训》："后世子孙仕宦有犯赃滥者，不得放归本家；亡殁之后，不得葬于祖茔之中。不从吾志，非吾子孙。"他还将《家训》镌刻于石碑，竖立于堂屋东壁，以昭示后人。长子包繶、次子包綖（后改名包绶）及孙包永年皆居官清廉，颇获世人好评。据嘉庆《合肥县志》记载，包拯墓，"在城东十五里，自通判繶以下皆附葬"。②

包拯著作有《包孝肃奏议》十卷传世。南宋以后，包拯事迹广为流传，并衍生出许多轶闻传说，并有大量以包拯为主题的故事和戏曲，元杂剧中更有大量的包公戏如《陈州粜米》。后来又有小说《包公案》流行，遂成为家喻户晓的传奇人物。

---

① 《宋史》卷316《包拯传》。
② 嘉庆《合肥县志》卷14《古迹志》。包拯墓原址在安徽合肥市肥东县解集乡包村，1987年迁至包河东南畔，占地3公顷，建筑面积1500平方米，由中国著名古建筑家潘谷西先生设计并建成。由西向东，主要建筑物有照壁、子母双石阙、神道碑、祁门、望柱、墓前石刻群、享堂、包拯墓、墓室和葬区等。据《新中国考古五十年》（文物出版社，1999年）记载，1973年合钢二厂扩建，附近墓葬需要迁移，合肥市清理了包拯夫妇及其子孙的墓葬，总计12座。其中四座墓有墓志可考，分别为包拯夫妇迁葬墓、长子包繶夫妇墓、次子包绶夫妇墓、长孙包永年墓等。墓室分石室墓和土坑墓两种，因墓室曾被有意识地破坏和盗掘，仅出土各种器物50余件，墓志6块。墓志详细记载了包拯夫妇及其子孙衍生的情况，是十分珍贵的文字史料。其中包拯墓志形体巨大，方形，边长1.25米，厚0.27米，是安徽已发现的40多方宋代墓志中形体最大、文字最多（3200多字）、墓主品级最高（二品官）的一块。

包拯像

（三）杨察、杨寘兄弟

杨察（1010—1056年），字隐甫，庐州合肥人。其先世为太原（今属山西）人，后其父居简庐州做官，遂为合肥人。"幼孤，七岁始能言，母颇知书，尝自教之"。① 登景祐元年（1034年）进士第，除将作监丞、通判宿州。迁秘书省著作郎、直集贤院，出知颍、寿二州，入为开封府推官，判三司盐铁、度支勾院，修起居注，历江南东路转运使。举荐贤才，鞭挞奸隐，众吏皆畏伏。累官至为知制诰，拜翰林学士、权知开封府，擢右谏议大夫、权御史中丞，"论事无所避"。未几，坐前在开封府失出笞罪，罢知信州。徙扬州，复为翰林侍读学士，又兼龙图阁学士，知永兴军，加端明殿学士、知益州。再迁礼部侍郎，复权知开封府，复为翰林学士、权三司使。后乞罢三司，迁户部侍郎兼三学士，提举集禧院，进承旨。踰年，复以本官充三司使。《宋史》称杨察敏于属文，所拟制诰皆雅致有体，"遇事明决，勤于吏职"。有文集二十卷，然已

---

① 《宋史》卷295《杨察传》。

散佚。《全宋文》卷988、989收录杨察文五篇。

杨察之弟杨寘，字审贤，少有隽才。庆历二年（1042年），举进士京师，试国子监、礼部皆第一。既试崇政殿，仁宗擢为进士第一，"公卿相贺为得人"。① 授剑浦（今属福建）县尉，其友人欧阳修为之作《送杨寘序》。② 改将作监丞，擢颍州（今安徽阜阳）通判，未赴任，以母丧回家守制，病羸而卒。长于文学，《宋史》收入《文苑传》。

（四）钟离瑾、张肃、王缙、柳瑊、李琥、王蔺等人

钟离瑾，字公瑜，庐州合肥人。庆历二年（1042年）登进士第，授简州（今四川简阳）推官，累官以殿中丞通判益州，以州县官员呈报水旱灾情多舞弊，"请令监司劾其不实者"。③ 擢为开封府推官，迁提点两浙刑狱。衢州（今属浙江）、润州（今江苏镇江）饥荒，开设粥铺赈济灾民，又令开仓发米二万斛，每家一斛。历京西、河东、河北转运使，改江淮制置发运使，奉诏整修扬州运河，置闸召伯埭以调剂水量，节省工时。累迁刑部郎中、三司户部副使，除龙图阁待制，权知开封府，"未逾月，得疾，仁宗封药赐之，使未及门而卒"。④

张肃，庐江人，仕宦至广东转运判官，"以直谅称"，后升为江东提点刑狱，"自司马光而下七十有四人，分韵作诗以赠其行，皆一时名流"，官至刑部尚书，"其后三世登第"。⑤

王缙，字国器，其先庐州合肥人，后徙家庐江，遂为庐江县人。登大观三年（1109年）进士第。建炎二年（1128年），累官至朝请郎、吏部考功司员外郎，迁秘书监丞、尚书右司员外郎，擢提点福建路刑狱。绍兴五年（1135年），直徽猷阁、知漳州。后迁为淮西路提点刑狱，"有

---

① 《宋史》卷443《文苑传五》。
② 欧阳修：《欧阳文忠公集》卷42《送杨寘序》，四部丛刊初编本。
③ 《宋史》卷299《钟离瑾传》。
④ 《宋史》卷299《钟离瑾传》。钟离瑾妻任氏墓，1973年在合肥大蜀山东边柏树郢发现，出土有"宋故寿安县太君任氏墓志铭"，见程如峰《合肥北宋任氏墓志》，刊于《安徽史学》1984年5期。
⑤ 嘉庆《庐州府志》卷26《名臣传上》。

平反之颂",①政声颇佳。

柳瑊(1071—1136年),字伯玉,庐州合肥人。少时才思敏捷,数千言片刻而就,登崇宁五年(1106年)进士第,授淄州淄川县主簿。秩满调苏州观察推官,为同僚所评。累迁陕西转运判官,反对宣抚使童贯另铸大钱取代关陕铁钱。改利州路提点刑狱。宣和四年(1122年),调知浚州,移洺州,击退河北盗寇张岩。胜捷兵军将屠杀村民数百,指为盗贼报功。事发,柳瑊诛杀领兵将官数人,遂与权阉童贯结怨。童贯弹劾柳瑊滥杀无辜,遭到降职调用。靖康元年(1126年),以朝奉大夫致仕。建炎二年(1128年),起知蔡州(今河南汝南),称疾不赴。三年,召赴行在,又以疾辞提举台州太平观。绍兴元年(1131年),除福建路提点刑狱,改两浙东路,旋授提举台州明道观。传世作品有《雁塔题名帖》十卷,系宣和二年(1120年)柳瑊搜拓慈恩寺雁塔唐人题名,现存二卷,收藏中国社会科学院考古研究所。

李琥(1098—1174年),字西美,无为军庐江县人,自称为南唐烈祖李昇之后。宣和七年(1125年),以父荫补将仕郎。建炎三年(1129年),授虔州虔化县尉。未上,改为舒州桐城县主簿,历临江军新喻县尉,以捕盗功转右修职郎,寻监中岳庙。绍兴十一年(1141年),转右从事郎,摄永新县事。历兴国军判官,调知江州瑞昌县,庭无留讼。及离任,百姓造巨舟护送出境。二十九年,改清海军签判,摄惠州事,阅半年而以治效闻。孝宗即位,迁为昭信军签判,终通判邵州,以疾奉祠,提举台州崇道观。晚年自称知足老人。

王蔺,字谦仲,号轩山,无为军庐江县人。其父王之道与之义、之深三兄弟同登宣和六年(1124年)进士。王蔺登乾道五年(1169年)进士第,授信州上饶县尉,历鄂州教授、四川宣抚司干办公事,除武学谕。孝宗前往武学,褒奖有加。迁枢密院编修官,改宗正丞、监察御史、起居舍人,刚直敢言,奏举潘时、郑矫、林大中等八人,皆获重用。

---

① 嘉庆《庐州府志》卷26《名宦传上》。

擢礼部尚书,进拜参知政事。孝宗称其"磊磊落落,惟卿一人"①。光宗即位,迁知枢密院事兼参政,拜枢密使。所论时政得失,皆切中要害。时议欲建皇后李氏家庙,力争不可。为御史中丞何淡弹劾,罢职。起为荆湖北路安抚使。宁宗即位,改湖南安抚使,遭弹劾归里奉祠。嘉泰元年(1201年)卒。《宋史》评论:"蔺尽言无隐,然嫉恶太甚,同列多忌之,竟以不合去。"端平元年(1234年)始加谥为献肃。善诗词,著作有《轩山集》十卷、《轩山奏议》二卷。

此外,还有合肥陈相、束元嘉等人。陈相,绍兴(1131—1162年)末年为吏部侍郎,"有贤能声"。束元嘉,担任通城(今属湖北)主簿时"毁淫祠,正风俗",后摄县令,"以政最闻",擢知秦州(今甘肃天水),"岁饥赈济有法,全活甚众",官至枢密院都承旨。年老引归,年九十"犹课诸孙,至夜分不倦"②。

二、军功集团兴起

北宋时期,合肥地区尚未出现著名的军事将领,南宋时期由于战争频繁,北方居民大量南下,滞留于江淮地区,朝廷在这里募兵,组织雄勇等军,加强军事防御。元人程文称,"淮西在宋时为极边,其民操干戈、持弓矢、习战斗"③,民风强悍,民俗尚武。不少庐州居民投身军事,或以武举出身,涌现出一批军事将领,可考宋代合肥武进士五十三人,其中北宋二人,南宋五十一人。南宋时期,载入《宋史·忠义传》的合肥将领有褚一正、密佑、刘师勇、洪福四人,均为宋末抗元殉国武将,其他如刘虎等皆为一时名将。

(一)刘虎

刘虎(1201—1253年),字伯林,庐州梁县(今属肥东)人,出身农

---

① 《宋史》卷386《王蔺传》。
② 嘉庆《庐州府志》卷26《名宦传上》。
③ 嘉庆《合肥县志》卷32,程文《庆阳山房记》。

家,后投军。淮西安抚使赵善湘见其身材魁梧,诏至帐下听调。嘉定十五年(1222年),率军援救安丰(今安徽寿县境),与金兵战于贾鸡山、陈村漕口,斩首六百级,献所获萧、张二统军以及千户穆昆等十三人。宝庆二年(1226年),积功至镇江府防江军准备将,败红袄军于山阳(今江苏淮安),从戍扬州。三年,与金兵战于盱眙、楚州、海州、涟水军等地,大小捷三十七次,亲手射杀金兵统军没拐曳,以功升进勇副尉、靖安水军正将。绍定四年(1231年),收复盐城、淮安等地,斩金兵万户李松。遂率军渡淮围攻泗州,自四月至九月战无虚日,杀金军扬州总领庞万户,擒万户刘山儿等十三人,泗州守将被迫投降。行赏战功居第一,擢镇江副都统制,负责边境事宜,仍总辖淮阴水陆军马。

端平元年(1234年)正月,金朝灭亡,南宋谋划收复南京应天府(今河南商丘)、东京开封府、西京河南府(今河南洛阳)等三京地区。刘虎受淮东制置使赵葵之遣,率军进驻海州、涟水军。当年,宋军北上经略河南,刘虎授知应天府,节制水陆军马,屯驻要冲以牵制蒙古军。明年,迁许浦水军都统制。淳祐元年(1241年),戍守真州(今江苏仪征),总制在城军马。二年,加带御器械,领兵镇濠州(今安徽凤阳),败蒙古汉军兵马都元帅察罕,擒蒙古军将十人,以功擢和州防御使,改镇江都统治兼知淮安。三年,率军援救寿春,与宣抚使吕文德再次击败蒙古将察罕,遂解寿春之围。理宗命赐金带金线袍,擢利州观察使。明年,封合肥郡侯。七年,枢密督视赵葵辟为谘议官,令其防守江面。八年,除知和州,修葺城池,减轻役夫劳动强度。境内大旱,以屯田所聚粮食赈灾,又开放湖泽,听任百姓渔樵。以疾请祠,命提举建康府崇禧观。十年,权知安庆府事,屡败蒙古入境抄掠之军。宝祐元年(1253年),知泰州。以箭疮发作,引疾归金陵而卒。兄刘海,从弟师勇、师雄、师贤皆以擅长骑射,为一时名将。

(二)刘师勇

刘师勇,庐州梁县人,早年从军,以战功历环卫官。德祐元年(1275年)二月,元军在池州江面丁家洲大败南宋军,"贾似道欲东入海,师勇赞之,入扬州图再举,似道然之"。① 未几,刘师勇率领淮西军收复吕城(今江苏丹阳市吕城镇),朝廷授和州防御使,协助姚訔守常州,以张彦守吕城,联合抗击元军。元军攻破吕城,俘获张彦,置张彦于常州城下招降,"师勇以大义斥彦,彦惭而退。又遣范文虎来谕,师勇伏弩射走之"。② 常州被围困数月,援兵断绝,姚訔及淮军数千人皆战死。常州城破,刘师勇突出重围,跟从宋益王、广王至海上,见时事不可为,忧愤纵酒卒,葬于鼓山(今福建福州东郊)。

(三)褚一正

褚一正,字粹翁,庐州合肥人,武举进士。曾任提刑司谘议,置司高邮,后知高邮军。德祐元年(1275 年)七月,以守边有功,加阁门宣赞舍人。元军进攻高邮,褚一正前往城外高沙督战,身负受伤,"竟没于水"。③

(四)密佑

密佑(? —1275 年),先世为密州(今山东高密)人,徙至庐州,遂为合肥人。密佑起家行伍,为人刚毅质朴,以战功升为庐州驻札、御前游击中军统领,改权江西路副总管。德祐元年(1275 年),元军主帅伯颜、阿术、阿里海牙率军南下,两湖溃卒逃往江西。江西制置使黄万石驻守抚州(今江西临川),招集两湖溃卒,"且募宁都、广昌、南剑义兵千余人,尽以属佑",④升密佑为江西都统。十一月,奉命率兵二千援救隆兴(今江西南昌),未至,隆兴守将刘槃投降元朝,"都统夏骥率所部兵溃围出"。随后,元军元帅张荣实、吕师夔提兵逼抚州,佑率众逆之进贤坪,苦战竟日,身中四箭三枪,将士伤亡殆尽,突围途中马蹶被擒。元军都元帅宋都带嘉其忠勇,为其敷药疗伤,劝其投降,又

---

① 《宋史》卷 451《刘师勇传》。
② 《宋史》卷 451《刘师勇传》。
③ 《宋史》卷 454《宋应龙传》。
④ 《宋史》卷 451《密佑传》。

授予金牌、千户,遭到拒绝,囚禁数月,终不肯投降,遂被杀于隆兴西华门外。

(五)洪福

洪福,庐州合肥人(一作安丰人)。原为淮西将领夏贵家僮,以从夏贵征战,积功为镇巢雄江左军统制,镇守江北。德祐元年(1275年)丁家洲之战后,宋军士气不振,"知无为军刘权、知镇巢军曹旺、知和州王喜,俱以城降"。① 四月,洪福与其子大渊、大源及与部将彭元亮收复江北诸郡,以功加右武大夫、知镇巢军。二年(1276年)正月,都城临安陷落。二月,淮西制置使夏贵以淮西诸郡附元,派人前来镇巢军劝降,遭到洪福拒绝。夏贵再派遣其从子前来劝降,被洪福下令斩首。元军围攻数月不克,夏贵亲往城中劝降,元军乘机入城,洪福父子均为所执。洪福临刑前,"大骂夏贵不忠,请身南向死,以明不背国也,闻者流涕"。②

三、词讼与治安问题

宋代苏轼曾比较淮河南北民风之异同,称颂淮南风清气正。"过淮风气清,一洗尘埃容。水木渐幽茂,菰蒲杂游龙"③。两宋合肥地区民情风俗与前代差异不大,但由于"不立田制"④、"不抑兼并"⑤,土地兼并严重,失去土地的民户称作"客户",数量庞大,加上赋役不均,民间争讼增多,社会矛盾较为突出。

(一)争讼之风

北宋社会稳定,但随着经济发展,唐末以来社会积弊越来越多,

---

① 《元史》卷127《伯颜传》。
② 《宋史》卷451《忠义传六》。
③ 苏轼:《苏东坡全集·后集》卷4《过高邮寄孙君孚》,北京燕山出版社,2009年。
④ 《宋史》卷173《食货志上》。
⑤ 王明清:《挥麈录·余话》卷一,上海古籍出版社2012年版。

合肥地区争讼之风逐渐兴起,特别是南宋以后矛盾更为复杂。"自兵火后,江、浙之民实居之,流徙多于土著,于是淳朴之风不如古而嚣讼好争"①。汪藻《浮溪集》卷二十五《苏携墓志铭》亦云:"合肥俗喜告讦,为匿名书。"巢县地区"封疆阔而土田瘠,于是嚣讼奸争"②。嘉庆《合肥县志》也记载:合肥"其民质直而无二心,其俗勤生而无外慕之好,其材强悍而无孱弱可乘之气"③。在北宋时期,有两起案件引起人们关注,一是巢县民举报县令贪渎,一是庐州尼姑状告徐铉。

徽宗崇宁三年(1104年),巢县民举报知县贪婪敛财,所积钱物"数百千楼,藏置列肆中"。知无为军胡伸"政尚慈恕",立即派人查问,"得其楼与簿书"。经过审核,簿书详细记载钱财用途,均为胥吏俸饷,并非聚敛贪渎,确定"所诉不实,按致其罪",并安抚知县。④

太宗淳化二年(991年),庐州尼姑道安向开封府状告弟媳,道安弟媳系左常侍徐铉妻子的外甥女。开封府判官张去华认为所告不实,将道安遣返庐州。道安不服,再次前往开封,并击登闻鼓告状,声称徐铉用书信求情,而张去华徇私情不受理词讼。宋太宗遂将案件移交大理寺审理。左司谏、判大理寺王禹偁经多方审查,确认道安系诬告徐铉,应予惩罚,张去华、徐铉本身并无过失,最后经刑部复审,定案呈上。但宋太宗对案件心存疑虑,对道安"有诏勿治"⑤,对相关官员反而进行惩处,"法官皆贬"。徐铉贬为静难行军司马,张去华为安州司马,王禹偁"抗疏雪铉,请论道安罪,坐贬商州团练副使,岁余移解州",判刑部宋湜贬为均州团练副使;判大理寺向敏中系张去华岳父,"以亲累落职,出知广州"⑥,宋白与张去华友善,贬为保大节度行军司马。

---

① 祝穆:《方舆胜览》卷48引《郡志》,中华书局2003年版。
② 陆龙腾:《巢县志》卷7《风俗志》。
③ 嘉庆《合肥县志》卷8《风俗志》。
④ 罗愿:《新安志》卷7《胡司业》,黄山书社2008年版。
⑤ 《宋史》卷293《王禹偁传》。
⑥ 《宋史》卷282《向敏中传》。

(二)社会治安问题

两宋时期,合肥地区是南北过渡地区,流民、盗贼和溃兵相对严重,威胁到地方治安。特别是两宋之际,由于金军南侵和宋军接连失利,导致兵匪横行,百姓流离失所,灾难深重。

其一,流民问题。

两宋不抑兼并,土地兼并蔚然成风,北宋中期"天下田畴,半为形势所占"[①]。遇到自然灾害,或者失去土地农民,有的成为客户,有的成为流民,向外迁移。大中祥符四年(1011年)九月,两浙转运使陈尧佐上言,"淮南庐、寿等州有流民至常、润州,已依诏旨发廪粟减直出粜"[②]。仁宗明道初年,淮南、江南地区大旱,"种饷皆绝,人多流亡,困饥成疫气,相传死者十二三","村聚墟里,几为之空"[③]。元祐元年(1086年),监察御史孙升提到,淮南、两浙地区人口流亡多由赋税过重所致,官吏"因缘为奸,其增添税数","税赋加重,一遇歉岁,遂复逃移"[④]。

北方居民避乱或者因饥荒大批南下,其中部分人口进入淮南。建炎兵兴,"西北衣冠百姓,奔赴东南者络绎道路"[⑤]。隆兴北伐,"淮甸流民二三十万避乱江南,结草舍遍山谷,暴露冻馁,疫死者半,仅有还者亦死"[⑥]。开禧间(1205—1207年),金兵攻庐州不下,留兵濠州以待议和,淮南老百姓大惊,纷纷逃往江南,仅在建康的流民就有数十万之多。[⑦] 嘉定间(1208—1224年),"淮南流民南渡,自采石弥路满城"[⑧]。嘉熙(1237—1240年)初,蒙古攻宋,涌入江南东路的两淮

---

① 《宋会要辑稿·食货》之3之69。
② 《续资治通鉴长编》卷76,大中祥符四年。
③ 《续资治通鉴长编》卷112,明道二年二月。
④ 《续资治通鉴长编》卷377,元祐元年五月。
⑤ 徐梦莘:《三朝北盟会编》卷134,上海古籍出版社2008年版。
⑥ 《宋史》卷62《五行志一》。
⑦ 《宋史》卷397《徐谊传》。
⑧ 程敏政:《新安文献志》卷79,方回《吕午家传》,黄山书社2004年版。

流民四十余万。① 嘉熙二年,"两淮饥民渡江者多剽掠,其首张世尤万勇悍,拥众三千余人至(宁国)城外"②。这些流民离开家乡,离开土地,无以为生,弱者转死沟壑,强者劫掠为资。《黄先生文肃公文集》卷三十二《安庆府筑城记》云:"开禧丙寅(1206 年),淮人避寇,千百为群,沿途劫掠。"

北宋流民多为就食、逃债而游走他乡,劫掠等祸不甚严重。而南宋流民则是为了躲避战乱,流向集中在江南东路,因为当时社会已严重失控,故时有剽掠、互相攻击等事发生,对社会危害更深。

其二,盗贼侵扰。

两宋时期,尽管没有发生全国规模的农民起义,由于百姓生活贫困而铤而走险者有之,盗贼问题始终没有解决。北宋前期,淮南诸州厉行盐禁,贩卖私盐者人数很多,"至有持兵器往来为盗者"③。太平兴国三年(978 年),江淮两浙发运使"道远多寇,民输劳费"④,建议将巢县、庐江从庐州分出,建置无为军,得到宋太宗的批准。明道元年(1032 年)二月,"淮南民大饥,有聚为盗者,命张亿经画以闻"⑤。景祐元年(1034 年)二月,"河北、京东、淮南,比多盗贼"⑥,朝廷令各州军都监、监押与各处巡检搜捕。二年,庐州有巨盗张雄,后因内讧,被朝廷捕杀。⑦ 这种情况引起有识之士的不安。熙宁十年(1077 年)十二月,司马光致信宰相吴充:"河北、京东、淮南蜂起之盗,攻剽城邑,杀掠官吏,官军不能制矣。若不幸复有方二三千里之水旱霜蝗,所在如是,其为忧患,岂可胜讳哉!"⑧ 元丰五年(1082 年)七月,枢密院上

---

① 《宋史》卷 416《吴渊传》。
② 《宋史》卷 407《杜范传》。
③ 《宋史》卷 309《杨允恭传》。
④ 《宋史》卷 309《杨允恭传》。
⑤ 《续资治通鉴长编》卷 111,明道元年。
⑥ 《续资治通鉴长编》卷 114,景祐元年。
⑦ 《苏学士集》卷 16《王质行状》。
⑧ 《续资治通鉴长编》卷 286,熙宁十年。

奏"淮南群贼驱掳良民，经历数州，彭铎追捕未得"，建议朝廷悬赏捕盗。① 元祐六年秋，庐、濠、寿等州饥荒，民以榆树皮及糠麸杂马齿苋充饥，富豪之家多被劫掠。② 政和五年(1115年)，舒城县刘五聚众杀富豪，③后北上庐州、寿州等地，被官军擒杀。④ 到两宋之际，"淮西盗贼充斥，庐人震恐，日具舟楫为南渡计"。⑤《三朝北盟会编》还记载，建炎年间(1127—1130)，淮南"州县无官司，比比皆是盗贼"⑥。其中巨盗李绅活跃于庐州一带，朝廷即以为庐寿镇抚使，但李绅凶恣残暴如故。四年十一月，为无为军兵马铃辖王亨所消灭。《宋史·胡舜涉传》说："自军兴后，淮西八郡，群盗攻蹂，无全城。"经庐州知州胡舜陟悉心治理，庐州才逐渐安定下来。

其三，溃兵劫掠。

北宋靖康年间，金兵南下攻掠河北、山东，州县守将望风而遁，这些溃兵成群涌入江淮地区。开封被金军包围期间，"广之东西、湖之南北、福建、江淮，越数千里争先勤王"，开封之围解除后，朝廷骤加遣散勤王之兵，"使之饥饿困穷，弱者填沟壑，强者为盗贼"。⑦ 其中"杨进号没角牛，兵三十万，王再兴、李贵、王大郎等各拥众数万，往来京西、淮南、河南、北，侵掠为患"⑧。

高宗南迁之后，两淮地区成为宋金交战之地。金军南下蹂躏加以散兵游勇烧杀劫掠，攻城掠地，给地区带来深重灾难。济南僧人刘文舜曾募兵勤王，开封陷落后，刘文舜率众渡淮，剽掠庐州境内，多次击败官军。后为知庐州胡舜陟招抚，进讨溃兵丁进、张遇等军，朝廷授为淮西安抚司统制。然建炎三年以后，刘文舜经常寇掠濠州、舒

---

① 《续资治通鉴长编》卷328，元丰五年。
② 《苏东坡全集·奏议集》卷10《乞赐度牒籴斛斗准备赈济淮浙流民状》。
③ 韩元吉：《南涧甲乙稿》卷20《李宏墓志铭》，中华书局1985年版。
④ 汪藻：《浮溪集》卷24《直龙图阁张公行状》，四部丛刊初编本。
⑤ 《宋史》卷378《胡舜陟传》。
⑥ 《三朝北盟会编》卷134《炎兴下帙三十四》。
⑦ 《宋史》卷360《宗泽传》。
⑧ 《宋史》卷360《宗泽传》。

州,建炎四年为张俊部下统制王德所杀。

建炎二年(1128年)二月,金军陷淮宁府(治今河南淮阳县),王善率部溃围而出,遂分兵转掠宿、亳、濠等州。六月,为宿州统军王冠所败,遂南下屯军巢县。十月,金兵犯合肥,王善以巢县降金,其所属各部滋扰两淮地区。

又有磁州人崔增,旧隶泗州守将阎瑾军,建炎三年正月,金兵攻破泗州,崔增逃往寿春境中,劫祝博士寨,併其寨兵,始稍振。四年五月,自寿转濠趋巢县,攻巢湖水寨,掠得金银资财及大小战船数十只。七月,渡江南下,后投降官军。

真定府溃兵张遇,绰号一窠蜂。建炎元年,张遇自濠州南下攻庐州,进至梁县,知州胡舜陟派人拆毁竹里桥,"伏兵河西,伺其半渡击败之"。① 张遇遂离开庐州,渡江南下,后投降两浙制置使王渊,隶韩世忠部,战死于沭阳。

冀州云骑卒孙琪,号"一海虾",建炎年间,聚溃兵为盗,窜至庐州,邀集资粮,为守臣胡舜陟所拒绝。胡舜陟对守将说:"吾非有所爱,顾贼心无厌,与之则示弱,彼无能为也。"②孙琪纵兵抄掠乡里,"宵遁,舜陟伏兵邀击,得其辎重而归"。

相州军校张琪,建炎年间亦率兵渡淮南下。建炎四年,屯驻庐江县界,先后攻破矾山寨和昆山寨,八月移屯襄安镇,遂引兵渡江。到绍兴七年(1137年)八月,淮西统制官郦琼叛于庐州,率兵四万人投奔伪齐刘豫,"军士纵掠城中而去",③直接影响宋金战争形势。三十一年,金军大举南下,都统制刘宝所属陈孝恭溃逃,暴掠庐州、寿州一带。④

---

① 《宋史》卷378《胡舜陟传》。
② 《宋史》卷378《胡舜涉传》。
③ 李心传:《建炎以来系年要录》卷113,绍兴七年,中华书局2013年版。
④ 《建炎以来系年要录》卷188,绍兴三十一年。

第八章

南宋合肥军事形势与军事斗争

第八章 南宋合肥军事形势与军事斗争

靖康元年（1126年）十二月，金军攻占东京外城，宋钦宗被扣留于金军营地。次年四月，金朝将宋徽宗、宋钦宗及文武百官、太学生等三千人俘送北方，北宋灭亡。五月，宋徽宗第九子康王赵构即位于南京应天府，是为宋高宗。宋高宗面对金军压力，不断南迁，而金军则派兵追击，以致宋高宗被迫入海以避金军。最后在南宋军民抗击之下，特别是韩世忠、岳飞等抗金将领的坚持下，南宋才稳定下来。绍兴八年（1138年），南宋定都杭州，升为临安府。绍兴十一年，宋金签订绍兴和议，双方以秦岭、淮河为分界线，形成对峙局面。

南宋时期，合肥地区政区没有大的变化。庐州，治合肥，领合肥、舒城、慎三县。建炎二年（1128年），以知庐州兼本路安抚使。绍兴三十二年（1162年），避孝宗赵昚名讳，改慎县为梁县，仍治于今肥东梁园镇。无为军，旧领无为、庐江、巢三县和昆山场，治无为县。绍兴五年（1135年），废巢县为镇，六年，复旧。十一年，以巢县隶庐州；十二年，复还隶无为军。景定元年（1260年）六月，"诏升巢县为镇巢军"，①与上县同级。南宋时期，合肥地区范围包括合肥、梁、巢及庐江等四县，另有寿春府之寿春县、安丰县部分地区。

第一节 军事形势与防御体制

南宋始终偏安江南，先后与北方金朝、蒙古分淮而治，形成南北对峙局面。"南北分疆，两淮皆战场也"。② 在与北方强敌长期对峙的过程中，庐州地处江淮要冲，成为南宋军事边镇和对敌作战的前沿阵地，在南宋军事防御体系中有着重要地位。

---

① 《宋史》卷45《理宗纪五》。《宋史》卷88《地理志四》云"景定三年，升巢县为镇巢军"，年月与《理宗纪》稍异。

② 顾祖禹：《读史方舆纪要·江南方舆纪要序》。

一、地理环境与军事地位

南宋时期,庐州属于淮南西路管辖范围。《宋史·地理志》记载,南宋淮南西路辖区:"府二,安庆、寿春,州六,庐、蕲、和、濠、光、黄,军四,安丰、镇巢、怀远、六安为淮西路。"其范围相当于今安徽省中西部、河南省东南部以及湖北省东南部地区。这些地区河流纵横,河网密集,错落分布巢湖、大雷池等众湖泊,尤其淮河、长江两大河流,是阻挡北方骑兵南下的天然屏障。"江浙、淮南多是潴水塘泺之地,可以限隔贼马"。① 而淮西气候温暖湿润,适宜农业生产,也是重要粮食产区。对于南北政权来说,控制淮西地区,不仅拥有形胜之地,且能解决军队给养问题。

庐州位于淮西地区中部偏右地区,北宋初从中析出巢县、庐江,仅领合肥、舒城、慎等三县,然境地处江淮腹地,北临淮河,南临巢湖、长江。嘉庆《庐州府志·序》称,"庐州据江淮之间,湖山环汇,最为雄峻"。庐州北与濠州相连、南与无为军与安庆府交界、西与安丰军接壤。"当西淮要冲,市河通彻巢湖,可以漕运,又有居巢、历阳、射胡关相为掎角",②是江淮之间重要的战略要地。同时与庐州北方寿春府、东南和州及滁州经庐州相连接,组成纵深的军事防御体系,因而"庐为淮西根本,江北恃为唇齿,地有所必争"③。被视为"淮右噤喉,江南唇齿",庐州对于阻止北方民族南下,稳定南宋政权有着极为重要的地位。

金军渡淮南下,庐州战略地位至关重要。建炎元年,宰相李纲在给宋高宗的奏章中提出,"淮西路寿春为帅府,庐、舒、蕲为要郡,光、黄、濠、和为次要郡",④建议在淮西地区寿春、庐州、舒州等地重点布

---

① 徐松:《宋会要辑稿》兵28,上海古籍出版社2014年版。
② 徐松:《宋会要辑稿》方域9。
③ 祝穆:《方舆胜览》卷48,第847页,中华书局2003年版。
④ 徐松:《宋会要辑稿》方域5。

防。直龙图阁、知建康府吕祉上言,"欲守东南,则淮甸、荆州皆不可失","如沿江一带,自襄阳、江陵、武昌、九江而下,淮甸诸郡,如合肥、寿春、盱眙、广陵等处,各屯军马,西与四川形势联接,使上下有备,表里如一,庶几可以抗御,虽未剪去凶逆,南北之势成矣"。① 此后南宋宰相张浚也指出:"今江淮形势,表里连亘,数千里之间为襟喉抗制之地者,不过承、楚、襄、汉、合肥耳……合肥旁通大湖,自湖抵江,轻舟所行,则又次之。"② 庐州凭借其有利地势,成为南宋淮西地区防守重镇,南宋君臣对此也有清醒地认识:"城庐……于西,金汤屹然,所以为守者,具矣。"③ 南宋在此驻扎大量军队,来抵御北方民族的侵扰,"宋南渡以后,庐州尤为要地,往往拒守于此,为淮西根本"。④ 从建炎二年(1128年)开始,南宋以庐州知州兼淮西路安抚使,嘉定以后又例兼淮西制置使。

二、军事防御体制

(一)合肥城的防御与扩建

庐州作为淮西地区防守的重要据点,其城防关键在于其治所合肥城的防守。南宋庐州人王之道在《上江东宣抚李端明书》评论:"盖合肥在淮南最为重城,西北距淮二百里有奇。而寿春实在淮上,东南距江亦二百里有奇。而建康实在江左,江淮相距不逾五百里。而三郡在焉,其势犹唇齿股肱不可以相无也。国家诚欲都建康,则宜紧守淮南以为藩篱,欲守淮南而不能保有寿春、合肥,虽守犹不守也……失合肥,则失淮南;失淮南,则天下事去矣。"⑤ 合肥为东淝河和南淝河

---

① 李心传:《建炎以来系年要录》卷 77,上海古籍出版社 1992 年版。
② 黄淮:《历代名臣奏议》卷 232,四库全书本。
③ 黄淮:《历代名臣奏议》卷 232,四库全书本。
④ 何绍基:光绪《重修安徽通志》,清光绪四年刻本。
⑤ 王之道:《相山集》,四库全书本。

交汇之地，东淝河汇入淮河，南淝河流入巢湖，在地理上"南临江湖……腹巢湖，控涡、颍"①，成为阻挡北方军队南下的重要屏障，"合肥捍蔽寿春，自古北军，悉自涡口渡淮；彼或长驱，则两淮皆非我有"。②顾祖禹《读史方舆纪要》也说过："自大江而北出，得合肥，则可以西向申、蔡，北向徐、寿，而争胜于中原；中原得合肥，则扼江南之吭而拊其背亦。"

  防守合肥的关键在于城池的修建，北方少数民族善于骑射，修筑城池则可以限制其发挥快速灵活的特点，也有利于宋军依靠城池进行防守。合肥于秦代置县，汉代开始筑城，到了唐代贞元年间修建了瓮城。南宋初年，"淮西盗贼充斥，庐人震恐，日具舟楫为南渡计"，③胡舜陟出任庐州知府，"修治城池，建楼橹战棚，具蔺石，布渠答，又增筑东西水门，疏决壅溃，固濠垒以备冲击，由是庐人始安。"④此后，南宋政府陆陆续续对合肥城进行了修葺和加固，以确保江淮地区安全，阻挡金军南下。绍兴末年，金军大举南下，吏部侍郎金安节建议，"庐之合肥，和之濡须，皆昔人控扼孔道"，"盖形势之地，攻守百倍"，⑤建议朝廷调集精兵驻守，为朝廷所采纳。

  孝宗即位后，委任郭振为淮西路安抚使、知庐州。乾道三年（1167年），"诏修庐、和二州城"。⑥乾道五年，郭振"以镇大城小，拓其地跨河，立水关二"⑦，"截金斗城之半"，"跨金斗河，拓其北"的建城计划，新城称作"斗梁城"。《舆地纪胜》记载，"乾道五年，郭振筑新城，号斗梁。横截旧城（金斗城）之半，而阻绝旧城于斗梁城之外"。⑧新城地跨金斗河，使金斗河横贯城中，并与南淝河河道并网连通，极

---

① 祝穆：《方舆胜览》卷48，中华书局2003年版。
② 《建炎以来系年要录》卷192，绍兴三十一年八月。
③ 《宋史》卷378《胡舜陟传》。
④ 《建炎以来系年要录》卷7，建炎元年七月。
⑤ 《宋史》卷386《金安节传》。
⑥ 嘉庆《庐州府志》卷2《沿革志》。
⑦ 《江南通志》卷21《舆地志》。
⑧ 《舆地纪胜》卷45《景物上》。

大地便利了城内城外物资的流通运输,使水运物资可直达城内,加强防御力量。

宋宁宗时,宇文绍节任庐州知州,"修筑古城,创造砦栅,专为固圉计。"①继任知州田琳等相继修葺城池,可见南宋朝廷对合肥城池防御的高度重视。同时,南宋时期火器得到广泛使用,这就对城池的坚固性提出了更大的要求。南宋政府也不断改进筑城技术,相对于以前大量采用土块筑城,这一时期主要采用砖块筑城,往往使用多层进行堆砌,以突出合肥城防守的效果。

(二)强化军事的行政体系

随着南宋政治重心南移,地处江淮之间的庐州地位凸显,既是重要边境州郡,也是保卫京城临安的重要防区。南宋朝廷逐步在淮西地区设立以庐州为中心的军事指挥系统,通常为淮西制置使司、淮西安抚使司等军政机构。

南宋建立后,建炎元年(1127年)即置淮南东路安抚使于扬州。淮西地区,庐州旧领淮南西路兵马钤辖,建炎二年以庐州知州"兼本路安抚使",②以筹备物资和加强作战能力。当年九月,宋高宗"诏诸路管内安抚使,军期事并听帅司节制。如将兵屯戍、就粮在本州,听管内安抚使节制"③。

制置使一职北宋时期已出现。《宋史·职官志七》云,"制置使,不常置,掌经画边鄙军旅之事。政和中,熙、秦用兵,以内侍童贯为之,仍兼经略使","中兴以后,置使,掌本路诸州军马屯防捍御,多以安抚大使兼之,亦以统兵马官充;地重秩高者加制置大使,位宣抚副使上"。制置使最初以安抚使兼任,"建炎元年,诏令安抚使、发运、监司、州军官,并听制置司节制",但由于权力过于集中,"于是诏止许便宜制置军事,其他刑狱、财赋付提刑、转运。后又诏诸路帅臣并罢制

---

① 《宋史》卷398《宇文绍节传》。
② 《宋史》卷88《地理志四》。
③ 《宋会要辑稿》职官41之89。

置使之名,惟统兵官如故。隆兴以后,或置或省"。①

淮西制置使多以安抚使为依托,由淮西安抚使兼任,或仅为淮西安抚使,对内维持治安和对外御敌,其机构或在太平州,或在泗州、黄州、建康,大多时间驻在庐州,由庐州知州兼任。而由朝廷委派督实淮南军马大员则称江淮制置大使、宣抚大使,如杜充、刘光世、吕颐浩、张浚、邱窑、赵善湘、何淡、刘锜、李显忠、赵葵等。据《江南通志》和嘉庆《庐州府志》记载,南宋时期担任淮西安抚使、制置使的有张俊、延玺、胡舜陟、杨存中、史嵩之、杜杲、吴渊、马光祖、王埜、吕文福、夏贵等人。

不仅如此,南宋还在淮南地区从南迁人口挑选骁勇者编入军队,屯驻在江淮地区,特别是庐州地区驻军最多。建炎二年(1128年)二月,南宋政府又下诏,命"京畿、京东西、河北、淮南路,置振华军八万人"②。

淳熙四年(1177年),"十一月丁酉,诏两淮归正人为强勇军"。③

淳熙十二年(1185年),"六月乙卯,立淮东强勇军郊用效士法"。④

嘉泰四年(1204年)六月,"丁巳,增庐州强勇军为千人"。⑤

开禧元年(1205年)三月,"辛巳,以淮西安抚司所招军为强勇军"。⑥

开禧二年(1206年)八月,"壬申,以淮东安抚司所招军为御前强勇军"。⑦

据《宋史·兵志二》,屯驻淮西庐州禁军的主要有"强勇前军、强勇右军、武定、游奕、忠义、雄边、全年"等军,屯驻淮西无为军巢县主

---

① 《宋史》卷167《职官志七》。
② 《宋史》卷25《高宗纪二》。
③ 《宋史》卷34《孝宗纪二》。
④ 《宋史》卷35《孝宗纪三》。
⑤ 《宋史》卷38《宁宗纪二》。
⑥ 《宋史》卷38《宁宗纪二》。
⑦ 《宋史》卷38《宁宗纪二》。

要是池司右军,用以防守,抵御北方金朝的南侵。端平元年(1234年),淮西制置副使兼知庐州全子才北伐,其所统辖主力为屯驻庐州的强勇军。

(三)军事保障设施

南宋边患不断,边境驻军众多,军粮消耗巨大。南宋朝廷大部分财政收入都用于军费开支,"十中八九赡军"。[①] 为此,南宋政府设置了专门的机构来管理军费开支。负责地方屯驻军队的钱筹措的机构主要是总领所,分为淮西、淮东、湖广、四川四个总领所。淮西总领所的物资来源,主要是江南地区的建康路,"淮西总领所饷军十万,比之他所供亿最繁,全仰建康府务入纳应副支遣"。[②] 但是总领所只负责钱粮的筹措,具体运输则由转运司负责。其主要运输方式以水路为主,这与淮西地区河网纵横的地理环境有极大的关系。采用水运,不仅便利,且能降低成本。但是,淮西地区是南北双方交战的主要地区,南宋在此屯兵众多,完全依靠从建康等地水运军粮的方法不切实际,因此,南宋政府积极在淮西地区进行屯田,努力实现物资自给自足。

绍兴五年(1135年),南宋正式下诏屯田于淮南地区,淮南西路屯田即在此时间开始。最初屯田集中于淮河沿岸地区,随着战争持续不断,屯田范围扩展到庐州与和州等地。淳熙十年(1183年)六月,"和州兴置屯田五百余所,庐州管下,亦有山三十六围,皆濒江临湖,另称沃壤。"[③]南宋在庐州地区屯田,起到巩固边防的作用,并在相当程度上缓解军用物资的需求,"边关有储峙之丰,战有余勇,守有余备"。[④]

南宋王朝先后与金朝、蒙古东以淮河地区,西以秦岭、大散关地

---

① 李焘:《续资治通鉴长编》卷124,宝元二年九月。
② 蔡戡:《定斋集》卷3,四库全书本。
③ 毕沅:《续资治通鉴》卷148,淳祐十年,中华书局1986年版。
④ 《宋史》卷176《食货志四》。

区为分界线相互对峙。庐州长期处于对敌作战前沿阵地,其得失直接关系到南宋统治的安危,因而这里成为南宋重点防御的重点,不仅设置安抚司、淮西制置司,而且屯驻大量军队。在南宋淮河沿线防御体系中,庐州凭借复杂的地理环境成为南北战争频发的战场,是南宋淮西地区重要据点。南宋政府在庐州地区采取了积极的防御措施,巩固了淮西地区的防御体系,在一定的限度里确保了南宋政权的稳定。

第二节 金军南侵与庐州抗金

靖康二年(1127年)四月,金军掳宋徽宗、钦宗北上。当年五月,宋徽宗第九子康王赵构在应天府(今河南商丘)称帝,改元建炎,建立南宋(1127—1279年)。绍兴八年,正式定都临安府(今浙江杭州),称"行在"。南宋前期,宋金在淮河南北多次交锋,合肥成为宋金争战的主要战场,庐州多次易手。南宋后期,庐州又成为阻挡蒙古南进的前沿阵地。由于军事形势严峻,南宋庐州"守臣多以武人为之,几百年间,未尝一岁无兵革"[①]。

一、建炎年间抗金活动

宋高宗即位后,迫于严峻的形势,起用主战派李纲担任宰相,宗泽为东京留守。李纲与黄河以北抗金武装联合,这些武装包括王彦"八字军"(活动在太行山地区)、马扩五马山寨义军(河北赞皇)以及河北和山东等地抗金武装。但宋高宗又任用主和派黄潜善、汪伯彦等人,多次向金朝求和,李纲担任七十五天宰相即被撤职。其时金军

---

① 余阙:《青阳集》卷4《序》,四库全书本。

势力强盛,决意消灭南宋政权。建炎元年(1127年)十月,宋高宗逃到扬州。十二月,金军分三路大举南下,河北、河东、山东、河南和陕西在金军进攻之下,相继失守。

建炎三年十月,金中路军突破南宋沿淮防线,攻陷寿州、黄州(今湖北黄冈),南宋寿春安抚使马世元"以城降"。① 十一月一日抵达庐州城下,"守臣李会以城降"②。金军分兵夺取巢县、和州、真州,巢县守将王善投降。③ 金军将领阿鲁补以兵四千留和州(今安徽和县),"总督江、淮间戍将,以讨未附郡县"。④ 和州守臣李俦举城投降,知无为军李知己仓皇逃走。

建炎四年初,南宋收复庐州。金将阿鲁补回军北上,打败宋军六千骑,随后击败宋军二万于慎县。宋将张永率步骑数万援救,阿鲁补溃围而出,与金将迪古不会合,击败宋军万人于柘皋。五月,金军元帅宗弼追击宋高宗无功,自江南北返,途中在黄天荡、建康(今江苏南京)为宋将韩世忠、岳飞所败。阿鲁补围攻庐州不下,也随宗弼军北上。

与此同时,淮南军民结寨自保,有力地牵制金军南进。自建炎年间起,江淮百姓为躲避战乱,抵御北方金军进攻,常依山傍水,筑堡立寨,团结自保。无为军有无为县孤鼻山寨及庐江县崮山、矾山山寨,寿州有芍陂水寨,庐州有焦湖水寨和浮槎山、方山山寨。这些地区"团丁壮置军,分立队伍,星联棋布,脉络贯通,无事则耕,有警则御"⑤,其规模大者不下数万家,无为军山水寨,起初"不下二三十处,而积日累月之久,能获保全者仅一二数。余皆不溃则破,至有自相吞噬者"⑥。到绍兴末,只剩下孤鼻山和豹子山二寨。孤鼻山寨系进士王之道兄弟率宗族、邻里所建,屡次击退来犯的金军、溃兵和土匪,保

---

① 《金史》卷60《交聘表上》,中华书局1975年版。
② 《宋史》卷25《高宗纪二》。
③ 《金史》卷77《宗弼传》。
④ 《金史》卷68《阿鲁补传》。
⑤ 《宋史》卷415《吴渊传》。
⑥ 《历代名臣奏议集》卷222,王之道《论建江北义社事奏》。

护数以千计居民,百姓改孤鼻山曰胡避山。

二、绍兴前期抗金斗争

建炎四年金军北撤,宋金战争局势开始转化。金朝兵源短缺,物资供应不足,难以长期作战,而南宋则在战争中锻炼出一批杰出将领如韩世忠、岳飞等人,从而由劣势转为优势。面对形势变化,建炎四年(金天会八年,1130年)九月,金太宗册立原北宋济南知府刘豫为皇帝,国号大齐,统治中原占领区,作为金宋之间的缓冲地带。伪齐政权初都大名(今属河北),后来迁往开封。随后金朝放回在汴京沦陷时被俘的御史中丞秦桧,让他从南宋内部主持和议。

绍兴元年(1131年)十月,伪齐刘豫为配合金军,派遣大将王世冲渡淮南下,进攻庐州,"守臣王亨大破之,斩世冲"。① 次年七月,"知庐州王亨复安丰寿春县"。三年二月,南宋以庐寿等州镇抚使胡舜陟为淮西安抚使、知庐州。溃兵王全率众进犯庐州,胡舜陟派人安抚,"溃兵王全与其徒来降,舜陟散财发粟,流民渐归",② 庐州形势渐趋稳定。四年十月,金军五万人与伪齐联兵入侵淮南,趋寿州,知滁州寇宏兵败弃城逃走。十一月,金军占领滁州,进逼庐州。十二月,南宋淮西安抚使、知庐州仇悆发兵千人御敌,结果全部战死。仇悆遂婴城固守,求援于荆南制置使岳飞。

当时岳飞屯兵于襄阳,闻讯随即派遣统制官牛皋及大将徐庆率轻骑二千赴援。牛皋率军刚到庐州,传闻"金人五千骑将逼城",仇悆惶恐不安。牛皋曰:"无畏也,当为公退之。"牛皋随即率领随从数十名骑兵,冲入敌阵,大喝:"牛皋在此,尔辈何为见侵!"金军闻之失色,疑有宋军伏兵,仓皇后退。牛皋"率骑追之",逐敌三十余里,"金人相践及杀死者不可胜计",③ 庐州之围遂得以解除。金军主将宗弼(兀

---

① 《宋史》卷26《高宗纪三》。
② 《宋史》卷378《胡舜陟传》。
③ 陈邦瞻:《宋史纪事本末》卷67《金人立刘豫》,中华书局1977年版。

术)溃败之后,获悉金太宗完颜晟病重,渡淮北上。伪齐军队也弃辎重仓皇遁去,南宋乘胜收复滁州。据嘉庆《合肥县志》记载:合肥城西北三十余里,牛寨寺北有古城遗址,"大十余亩,有土垣,高七八尺",前人曾在此"掘得箭镞",居民相传,此地乃牛皋"破金、齐后扎寨处"。①

绍兴五年(1135年)二月,南宋主战派张浚出任右仆射兼知枢密院事、都督诸路军马,组建都督府,筹划收复中原失地。次年六月,张浚督军淮河沿线,令淮西宣抚使刘光世屯兵合肥。十月,伪齐刘豫分兵渡淮南下,其子刘麟率中路兵由寿春进犯合肥,刘猊率东路兵由紫金山进犯定远,孔彦舟率西路兵由光州进犯六安。"淮西宣抚使刘光世欲弃庐州,退保太平"。面对伪齐攻势,张浚立即派遣大将张俊前往迎击刘猊,又令殿帅杨沂中(杨存中)前去增援。杨沂中到达泗州,刘光世弃城而逃,张浚派人前去传令:"一人渡江,即斩以徇。"②刘光世不得已退还庐州,与杨沂中相接应。刘猊进攻定远县,杨沂中以二千骑兵败之于城外越家坊。刘猊遂改向合肥,欲与刘麟合兵,至藕塘又为殿帅杨沂中、统制张宗颜所败,刘猊、刘麟、孔彦舟遂退回北方。

三、淮西兵变及其影响

绍兴六年十二月,张浚以"刘光世在淮西,军无纪律",奏请罢其兵权。③ 次年一月,受张浚与言官弹劾,刘光世被迫引疾辞职。三月,宋高宗抵建康后,解除刘光世职务,改授刘光世万寿观使,封荣国公。

刘光世治军无方,部将勾心斗角,特别是统制官王德、郦琼素来不和。刘光世解职后,宋高宗命王德为都统制,位在郦琼之上,引起郦琼担忧和不满,伪齐乘机派人前来策反。朝廷获知刘光世旧部军情不稳,命王德率所部八千军撤回建康,听从张浚都督府节制,并令

---

① 嘉庆《合肥县志》卷14《古迹志》。
② 《宋史》卷367《杨存中传》。
③ 《宋史》卷361《张浚传》。

刑部侍郎兼都督行府参议军事吕祉至庐州节制郦琼部队。吕祉出身进士，"不习军旅"，"不足服众"，①且素来轻视军将，来到至庐州后，严厉督责淮西军旅，表面上好言安抚郦琼，暗中奏请罢免郦琼兵权。郦琼既不满王德升任都统制，又对吕祉从严治军抱有怨言，获知吕祉奏请撤其兵权后，遂起叛宋投齐之心。八月，郦琼率部哗变，杀庐州知州赵康直、都督府官员乔仲福、统制官刘永、刘衡友，②掳获庐州官员，率部众四万裹胁其眷属、庐州百姓共二十万，渡淮投奔刘豫，途中杀死吕祉，大肆掳掠。

淮西兵变震惊了南宋朝廷。宋高宗要求岳飞利用同乡关系招抚郦琼，又紧急起用刘光世，想通过旧帅回归来安抚叛军。但刘光世受阻无法到达郦琼军中，郦琼在给岳飞回信中拒绝招抚："昨在合肥，已闻大齐政事修明，奉法向公，人民安业。今既至此，目自见之，投身效命，合得其所。"③淮西兵变直接造成南宋沿江防御的空虚，影响南宋整体军事布局。宋廷调派岳飞四千多水军巩固池州和江州防线，岳飞亲自领军驻扎江州；又以杨沂中为淮西制置使，主管侍卫马军司，刘锜副之，进驻庐州。刘锜招抚北方流民，逐渐稳定淮西形势。

淮西兵变，对高宗朝廷造成极大的震撼，南宋士气亦遭受重大挫折。张浚不得不引咎辞职，贬居永州（今属湖南）。赵鼎复任宰相，极力排斥张浚幕僚，秦桧担任枢密使，参赞军机重务。在军务上，南宋再度恢复到先前保守战略，高宗返回临安，伪齐接纳了来自南宋的四万多精锐大军。但当淮西大军来到伪齐后，并没有得到他们原先所预想的待遇，很快被金人所拆解，其粮草后勤补给也并不丰厚，士卒多有后悔之意。

淮西兵变给宋人留下的教训是惨痛的。战后人们反思这件事，完全是南宋处置不当造成的，"朝廷乃以吕祉代刘光世，遂致郦琼之

---

① 《宋史》卷365《岳飞传》。
② 嘉庆《合肥县志》卷12《祠祀志》："乔、张二公庙，在府治东。祀统制乔仲福、张璟。绍兴间，郦琼叛，二公不从乱，被害。"
③ 赵鼎：《忠正德文集》卷8《丁巳笔录》，四库全书本。

叛。盖光世之军,多陕西之盗贼,最为揉杂而难治。西人重世族,光世乃世将,故仅能总统之。郦琼、王德皆光世之爱将也。二人平日不相下,若得威名之将以代之,则可以驾驭而立功。朝廷始以公(岳飞)代光世,得之矣。已而中变,易以吕祉,故二将无所忌惮而斗,琼惧而谋叛,刘豫又以高官重禄以诱之,所以丧淮西之一军。不然,公(岳飞)成恢复之功矣。今天下庸人孺子皆知公之威名,至于公(岳飞)之大计,与夫功之所以不遂者,士大夫盖未知也。"①

四、柘皋之战与宋金和议

淮西兵变后不久,金朝因伪齐南进失败而大为不满。即位不久的金熙宗改变对宋策略,起用主和派人物挞懒(完颜昌)。绍兴七年十一月,金熙宗废除伪齐政权,开始与南宋进行议和,愿意归还陕西、河南之地。绍兴九年(金天眷二年,1139年),金朝内部发生政变,挞懒等人以谋反罪名被杀,主战派宗弼总揽军政大权。宗弼看到南宋军事逐渐恢复,"今若不取,后恐难图",②遂公然撕毁宋金和议,重新夺取河南、陕西之地。

绍兴十年(金天眷三年,1140年)十二月,宗弼前往燕京(今北京),奏称宋将岳飞、张俊、韩世忠"率众渡江",准备北上进攻河南。③金熙宗遂下诏以宗弼为都元帅,元帅左监军阿鲁补为左副元帅,右监军撒离合为右副元帅,令其南下攻宋。随即宗弼率众返回开封,点检粮草,调集兵马,准备以重兵南侵淮西,直抵长江,迫使南宋投降。

十一年正月,金都元帅宗弼率精兵十余万人由开封向南推进,以孔彦舟为先锋,很快渡过淮水,攻占寿春(今安徽寿县),逼近合肥。当时淮西宣抚使张俊率部滞留在临安,南宋立即督促张俊由建康率领全军渡江迎击,同时令驻扎在太平州(今安徽当涂)的刘锜率军二

---

① 岳珂:《金佗续编》卷27,黄元振《百氏昭忠录》,中华书局1989年版。
② 《金史》卷77《宗弼传》。
③ 《金史》卷4《熙宗纪》。

万渡江前往防守庐州,并急调杨存中率殿前司兵驰援前线。刘锜抵达时,庐州知州陈规已病死,守城器具缺乏,只有统制闵师古率兵二千余人在此勉强支撑。刘锜见庐州残破无法防御,遂同守将关师古向南撤到巢县东南的东关(今安徽含山西南),依水傍山,据险扎营。金军骑兵很快占领庐州、含山及和州等地,"大纵杀戮"。[①] 二月初,张俊部将王德率前锋从采石渡江,收复和州。宋军全部渡江后,张俊、杨沂中、刘锜分路出击,相继收复清溪、含山等地,金军败退至柘皋(今合肥巢湖市境内)。

柘皋东临石梁河,地势开阔,"柘皋皆平地,金人谓骑兵之利也"。[②] 金军抢先毁坏河上桥梁,分十万军士分为左、右两翼,夹道而阵,以待宋军前来进攻。刘锜军先至,即令士兵搭建桥梁,掩护大军渡河。二月十八日,杨沂中与王德也各率所部赶到柘皋,与刘锜分兵三路进击。杨沂中轻敌冒进,初战失利,略有损失。王德继之指挥将士过桥,直捣金军右翼,射杀金军裨将,鼓噪而进。金军"拐子马"从两翼向宋军冲击,杨沂中率宋军万余人手持长斧,奋力砍杀,"锜与德等追之又败于东山,敌望见曰:此顺昌旗帜也,即退走。"[③] 宋军大胜,乘胜追击,"兀术亲率兵逆战于店步(今肥东店埠),沂中等又败之,乘胜逐北,遂复庐州"。[④] 金军撤退到镇北的紫金山(今寿县东南),宋军乘胜收复庐州。此役金军死者以数万计,"柘皋战地,横尸十余万,臭不堪行"。[⑤]

在这场会战中,宋军主力为淮西宣抚使张俊所部八万人,淮北宣抚副使杨沂中(杨存中)三万人,殿前司都指挥使刘锜二万人。岳飞虽有奉诏支援,但未等到岳飞赶到战场,杨沂中、刘锜、王德已在柘皋大败金军。毕沅《续资治通鉴》记载,"是役也,将官拱卫大夫、武胜军

---

① 徐梦莘:《三朝北盟会编》卷205。
② 徐梦莘:《三朝北盟会编》卷205。
③ 《宋史》卷366《刘锜传》。
④ 《宋史》卷29《高宗纪六》。
⑤ 熊克:《中兴小记》卷29。

承宣使姚端以下,死敌者九百三人,而敌之死者甚众"。① 在柘皋之战中,两军统帅完颜宗弼和张俊均未直接参加战役,金军主要由阿鲁补和韩常指挥,宋军主要由杨沂中和刘锜负责。《宋史·高宗纪六》评论:"杨沂中、刘锜等大败兀术军于柘皋。"

柘皋之战后,南宋方面无意扩大战果,张俊等将领认为金军全部退往淮北,淮西战事宣告结束,便命令刘锜率先退军,返回太平州。然而,三月初,金军在北还过程中,以孔彦舟为先锋,急攻濠州。张俊闻讯派人追截刘锜,前往救援濠州,但金军很快攻陷濠州。三月八日,金军大举出击,宋军前锋杨沂中、王德所部大半被歼。韩世忠奉命从楚州率部前来,又被迫退回楚州。此时金军已成强弩之末,无力大举反攻。而待命舒州的岳飞,得知战局变化立即挥师北上。十二日,岳家军抵达濠州以南的定远县,金军闻风渡淮而去。张俊、杨沂中、刘锜等随后班师。

柘皋之战在宋金战争史上具有重要的意义。首先,柘皋之战的胜利鼓舞了南宋将士的士气,坚定了广大将士抗战斗争的信心。其次,阻挡了金朝南下,并为南宋重新部署军事行动赢得了时间。柘皋之战打乱了宗弼的军事部署,客观上为南宋在战争中争取到了宝贵的时间,南宋重新布置抗金的各项防务,集结兵力。再次,柘皋之战的胜利对南北局势产生了重要的影响。南宋打退了金人的进攻,收复庐州,以及多处被金军占领的失地。战争之后,南宋北部边境地区的战事得以平息,宋金的疆界基本稳定下来。

金军柘皋战败后,虽然在回军途中击败过宋军,但兵临长江的目的已难实现,宗弼至此不得不承认金军已失去优势。此时,金朝开国已近三十年,功臣宿将丧亡殆尽,统治集团内部权利之争加剧,攻守之势已不如从前,金朝在连遭挫败之后,也不得不改变策略,重开和谈之门。南宋方面则因秦桧主政,竭力排斥抗战派。宋高宗为确保皇位,希望金朝继续羁留宋钦宗,同时继续北伐可能造成大将久握兵

---

① 毕沅:《续资治通鉴》卷124,绍兴十一年。

权而尾大不掉,也希望尽快结束战争。绍兴十一年四月,宋高宗以论功行赏为名,任命韩世忠、张俊为枢密使,岳飞为枢密副使,削夺其兵权。九月,宗弼提出"以便宜画淮为界"[1],放还羁留在金的南宋使臣莫将等人,以示和谈之意。同时引兵破泗州,以威慑南宋求和。十月,南宋派魏良臣为禀议使,赶赴宗弼军前。金朝派萧毅、邢具瞻为审议使,与魏良臣一道赴南宋。到十二月底,双方签订绍兴和议。

五、绍兴和议后的抗金斗争

绍兴和议后,宋金双方以淮河为界,对峙局面正式形成。绍兴十九年(1149年,金皇统九年)十二月,金废帝完颜亮杀金熙宗,开始大规模南侵准备。三十一年春,完颜亮前往开封,并将首脑机关迁到这里。九月,金军分兵四路大举南侵。西路由徒单合喜、张中彦率领,自凤翔攻大散关以取四川;中路由刘萼、仆散乌者率领,自蔡州南攻荆襄;东路系南侵主力,由完颜亮亲自率领,自淮西南侵;另遣苏保衡、完颜郑家率水军直取临安,企图一举消灭南宋。

金军南侵消息传来,江淮制置使刘锜自镇江渡江前往扬州,随即派兵北上,进驻宝应、盱眙、淮阴,部署淮东地区防务;负责淮西防务的都统制王权尚在建康,经刘锜多次催促,方才进驻庐州,此后不再前进,也没有部署淮西防务。金军很快渡过淮河,攻占寿春。十月初,金军南趋庐州,"在城官吏望风争遁",[2]王权本人也闻风夜遁。十一日,金军扎营合肥城北二十里的白马庙。庐州安抚使龚涛委派兵马都监杨椿(一作杨春)权领州事,"弃城走"。[3] 十四日,庐州城被攻破,权知州事杨椿突围出城,经过中派河南下,率乡兵坚守巢湖水寨。十七日,完颜亮进入庐州城,以康定山知庐州,纥石烈为庐州同知。

时都统制王权屯兵昭关(今安徽含山县北),金军继续南进,宋军

---

[1] 《金史》卷 4《熙宗纪》。
[2] 徐梦莘:《三朝北盟会编》卷 234《炎兴下帙一百三十四》。
[3] 《宋史》卷 32《高宗纪九》。

将士欲出迎战,而王权引兵辄先逃遁。金兵追至尉子桥(今安徽和县境内),统制官姚兴以四百骑抵御十余万金军,"金人以铁骑进,兴麾兵力战,手杀数百人",遣使告急于王权,王权不敢出兵,姚兴父子力战身亡。金军感叹:"有如姚兴者十辈,吾属敢前乎!"①金完颜亮赞叹其忠勇,作《宋统制姚兴诗》:"独领孤军将姓姚,一心忠孝为南朝。元戎若假征兵檄,未必将军死尉桥。"②宋高宗后来闻知姚兴战死疆场,追封为"容州观察使",赐银数千两,在其墓地建庙即姚兴庙,并亲笔题写"旌忠",后人称庙为"姚公庙"③。

金军占领庐州后,继续向南进军。王权从和州渡江逃到采石(今属安徽),金军很快占领和州、真州、扬州,并派兵渡江。南宋以知枢密院事叶义问督视江淮军马,中书舍人虞允文为参谋军事,同时解除王权军职,以都统制李显忠代领。李显忠尚未到任,金军便渡江来袭。十一月九日,虞允文组织宋军大败金军,烧毁金军船舰,取得采石大捷。金军兵败后,被迫退回和州,转往扬州。南宋相继收复江北州县,"崔定复巢县,任天锡复上津、商洛二县"。④ 十一月二十七日,完颜亮被其部将完颜元宜所杀,金军闻知金世宗完颜雍即位于东京(今辽宁辽阳),派人前往宋营议和,陆续北撤。庐州都监、权州事杨椿驻军水寨,招募丁壮,派兵偷袭金军,守城金军"全无粮草,日夜惊忧"⑤。十二月三日,杨椿临阵斩杀高定山,纥石烈逃走,遂收复庐州。⑥ 到十二月底,"金人渡淮北去",⑦淮河以南失地全部收复。

---

① 《宋史》卷453《忠义传八》。
② 嘉庆《合肥县志》卷31《集文第一》。
③ 嘉庆《合肥县志》卷12《祠祀志》:"姚、李二公庙,在德胜门外十三里,祀宋统制姚兴、招抚使李显忠。又南乡亦有姚公庙。""旌忠庙,在北乡定林铺。祀宋统制姚兴父子。绍兴末,金主南侵,统制与金遇于尉子桥。力战,杀数百人,父子俱死。事闻,即其寨立庙。及复淮西,又立庙战所,赐额旌忠。统制以四百骑当金人数十万,金人向谓曰:'有如此者士辈,吾属敢前乎?'"
④ 《宋史》卷32《高宗纪九》。
⑤ 《三朝北盟会编》卷235《炎兴下帙一百三十五》。
⑥ 《三朝北盟会编》卷235《炎兴下帙一百三十五》。
⑦ 《宋史》卷32《高宗纪九》。

绍兴三十二年六月,宋高宗退位,称太上皇帝。太子赵眘即位,是为宋孝宗。宋孝宗锐意北伐,结果因符离(今安徽宿州境内)之败,与金朝再度议和,双方订立隆兴和议。和议确定双方世为叔侄之国,"岁贡"改为"岁币",银绢各为二十万两疋,两国疆界维持不变。隆庆和议后,宋金战争告一段落。南宋孝宗为加强边防,诏加固庐州城防。乾道五年(1169年)正月,安抚使郭振拓展庐州城墙,防守能力加强。庆元元年(1195年)十一月,金将仆散揆率军渡淮,攻陷安丰军,进犯庐州,遭到宋军坚决抵抗。其后南宋权臣韩侂胄图谋北伐,庐州知州宇文绍节"议修筑古城,创造砦栅,专为固圉计"①。

开禧二年(1206年)四月,金命仆散揆领行省于汴,分守要害。南宋以邓友龙为两淮宣抚使。五月,南宋在平章军国事韩侂胄主持下北伐中原。八月,"诏以开封田侯琳为淮南西路安抚使兼知庐州"②。十月,金将纥石烈执中(胡沙虎)军渡淮,围楚州,攻盱眙。十一月,仆散揆率军渡过淮河,攻破安丰军,进围合肥。"金人犯庐州,田琳拒退之"。③ 金军围攻不下,仆散揆遂从庐州撤离,退屯下蔡(今安徽凤台)。开禧三年(1207年),四川吴曦之叛被平定,淮南形势也渐平稳,金大将仆散揆病死军中,形势对宋有利。然南宋内部矛盾再起,主和派、礼部侍郎史弥远与杨皇后等勾结,杀死韩侂胄,派人向金朝议和。嘉定元年(1208年)三月,宋、金订立嘉定和议。

端平元年(1234年),蒙古与南宋联合灭金,随后蒙古军队返回北方。六月,南宋派军北上,欲趁机收复三京。宋将全子才率军万人从庐州出发,收复归德府,随后开封守将李伯渊杀死主帅崔立,以开封献于南宋。次年,蒙古军队反击,宋蒙战争正式开始。

---

① 《宋史》卷398《宇文绍节传》。
② 赵绍祖:《安徽金石志》卷6《宋庐帅田侯生祠记》。
③ 《宋史》卷38《宁宗纪二》。

第三节　蒙古军南下与庐州抗蒙斗争

金朝灭亡后，蒙古与南宋处于军事对峙状态，两淮地区成为蒙宋交战之地。庐州处于南宋对蒙作战前线，蒙古军多次南下，进攻庐州，侵扰两淮地区。但到忽必烈即位之前，蒙古南进并未有所突破。直到元军攻占襄阳后，形势急剧变化。至元十三年（1276年）正月，元军攻占南宋都城临安，次月南宋淮西制置使夏贵投降，庐州陷落。随后元军进攻镇巢，平定舒州等地武装，完全控制淮西地区。

一、端平入洛与蒙古军南侵

南宋端平元年（1234年）正月初十日，蒙古与宋军联合攻陷蔡州，金哀宗自缢身亡，金朝灭亡。宋理宗随后派遣官员前往洛阳祭扫北宋皇陵，同时进行军事侦察，图谋收复三京（东京开封府、西京河南府、南京应天府），"据关守河"[①]，即西守潼关、北依黄河，与蒙古对峙。五月，宋理宗授赵范为两淮制置大使、沿江制置副使，节制沿边军马。六月，南宋淮西制置副使、庐州知州全子才为先锋直趋汴京，淮东制置使赵葵率五万主力军作为后继，赵范驻军光州、黄州之间负责接应。六月十二日，全子才率淮西兵万余人从庐州出发，自寿州（今安徽凤台）渡过淮河北上，如入无人之境，"沿途茂草长林，白骨相望，蝱蝇扑面，杳无人踪"。[②] 六月底占领南京应天府（今河南商丘），七月初抵达开封城下，开封守将李伯渊杀死主帅崔立，投降宋军。全子才另派樊辛、王安率军进占郑州，终因缺粮而无法西进。

[①]　《宋史》卷416《吴渊传》。
[②]　周密：《齐东野语》卷5《端平入洛》。

赵葵率主力经泗州、宿州、徐州、应天府,于七月二十日抵达开封,随即以全子才守城,改命淮西制置司主管机宜文字徐敏子率军一万一千人,包括降将范用吉义士三千、樊辛武安军四千、李先雄关军二千、胡显雄关军二千,次日向洛阳进发,"各给五日粮"。① 与此同时派人前往光州等地催运粮食,又派杨义率领庐州强勇军一万五千人等候粮草后前往洛阳。此时蒙古大帅塔察儿驻军黄河北岸,伺机渡河反扑。

七月二十六日,徐敏子进至洛阳城下,洛阳居民迎接宋军入城。二十九日,杨义率军抵达洛阳近郊龙门镇,遭塔察儿蒙古军伏击,大半被歼,"拥入洛水者甚众,义仅以身免。于是在洛之师,闻而夺气"。② 其时洛阳城中粮食缺乏,难以坚守,守城宋军决定向南突围,遭到蒙古军沿途追杀,"死伤者十八九",到达光州时不过三百余人。洛阳溃败消息传来,赵葵、全子才担心开封遭到蒙古军合围,决定放弃开封南撤,随后开封重新落入蒙古军之手。年底,应天府被蒙古军攻占。次年正月,降将国用安以徐、邳等州迎降蒙古,③南宋所收复河南州府多半复归蒙古版图。端平入洛,南宋以两淮驻军为主,出动六万人,结果以失败而结束,宋理宗下诏罪己,处置主战官员和相关将领,赵葵、全子才官阶各削一秩,"范用吉降武翼郎,徐敏子削三秩放罢,杨义削四秩,勒停自效"。④

自端平入洛开始,南宋与蒙古之间战争爆发。蒙古、汉军兵马都元帅塔察儿、察罕、张柔驻军河南,连年出兵南下,攻掠淮南、荆襄地区。南宋也在庐州、泗州、光州处于对蒙作战前沿阵地,屯驻大军。"时庐、泗、盱眙、安丰间,宋屯戍相望,斥候甚严"。⑤ 端平三年十月,蒙古统帅号称"叶国大王"进军淮西,攻破固始(今属河南),包围光

---

① 周密:《齐东野语》卷5《端平入洛》。
② 周密:《齐东野语》卷5《端平入洛》。
③ 《金史》卷117《国用安传》。
④ 《宋史》卷41《理宗纪一》。
⑤ 宋濂:《元史》卷147《张柔传》,中华书局1977年版。

州,"淮西将昌文信、杜林率溃兵数万叛,六安、霍丘皆群盗所据"。①随后进攻庐州,"诏史嵩之援光州,赵葵援合肥,陈韡遏和州,为淮西声援"。这次蒙古军以抄掠为主,在南宋积极反攻下,次年蒙古军被迫退回淮北。南宋枢密院言:"大元兵自光州、信阳抵合肥,制司参议官李曾伯、庐州守臣赵胜、都统王福战守,俱有劳效。"宋理宗诏李曾伯等十一人各转一官。②

嘉熙二年(1238年),蒙古都元帅察罕、保州万户张柔统领河南蒙古、汉军,号称八十万,再次猛攻庐州,蒙古军于庐州城外筑土城,环围六十余里,又筑高坝窥视城中,欲取庐州,"造舟巢湖以窥江"。③ 南宋以知安丰军杜杲为淮西安抚使、知庐州。杜杲亦于城内筑土城,并建"串楼"以抗衡,并以火炮轰击蒙古军。宋宗室赵时赙在淮东召集流民,结为堡寨,闻庐州军情紧急,抽调五百壮士紧急增援。杜杲乘胜出击,大败蒙古军于城下,斩蒙古军二万六千人,追击数十里。蒙古军庐州受挫后,察罕遂率军转攻滁州,知招信军余玠派兵援救,镇江知府吴潜也组织民兵夜渡长江,攻劫蒙古营寨。蒙古军无法立足,抄掠滁州后退回北方。

二、元军攻取庐州

开庆元年七月(元宪宗九年,1259年)七月,蒙古宪宗蒙哥在进攻合州(今重庆合川)时病死,蒙古大军撤回北方。次年三月,蒙哥之弟忽必烈在开平(今内蒙古正蓝旗东)宣布即位,改年号为中统元年(南宋景定元年,1260年),是为元世祖。忽必烈即位之初,幼弟阿里不哥称汗于漠北,双方大打出手,暂时无力南下,遂以翰林侍读学士郝经充国信使出使南宋。然中统三年二月,益都(今山东青州)世侯李璮

---

① 《宋史》卷42《理宗纪二》。
② 《宋史》卷42《理宗纪二》。
③ 刘克庄:《后村先生大全集》卷141《杜尚书神道碑》,四部丛刊初编本。

举兵叛乱,并遣使求援南宋,获得南宋支持。李璮失败后,蒙古大军以此为借口,继续南下抄掠。蒙古将怀都"领蒙古、汉军,攻海州,略淮南庐州"①。南宋也积极布署两淮前线军事。景定三年(1262年)十一月,"以夏贵知庐州、淮西安抚副使"。咸淳元年(1265年)八月,"大元元帅阿术率大军至庐州及安庆",②南宋诸路统制范胜、统领张林、正将高兴、副将孟兴等相继战死,但蒙古军也因后援不继而被迫撤回。蒙古军虽然多次渡淮进攻,但都遭到坚决抵抗,在两淮前线并没有取得军事上的优势。与此同时,元朝在荆襄、四川等地也向南宋发动进攻。

咸淳二年(至元三年,1266年),南宋泸州安抚使刘整投降忽必烈。刘整向忽必烈提出"平宋之策",建言"攻宋方略,宜先从事襄阳",③"如覆襄阳,浮汉入江,则宋可平也"。忽必烈接受其建议。次年八月,忽必烈设立河南行中书省,主持进攻襄阳,以都元帅阿术、南京宣慰使刘整为主帅进攻襄阳(今属湖北)。咸淳八年(至元九年,1272年)正月,元军攻克襄阳(今属湖北),襄阳之战历时六年以南宋失败而结束。随后元廷讨论进攻南宋方略,朝议:"淮上诸郡,宋之北藩,城坚兵精,攻之不可猝下,徒老我师。宜先渡江翦其根本,留兵淮甸绝其救授,则长江可乘虚而渡也。"忽必烈乃以塔出为镇国上将军、淮西行省参知政事,"帅师攻安丰、庐、寿等州"。④

咸淳十年(至元十一年,1274年)正月,忽必烈发布《讨宋檄文》,以中书右丞相伯颜、平章政事阿术率领主力二十万人进攻南宋,水陆并进,同时在四川、两淮地区也发动攻势,牵制宋军援救都城临安。九月,伯颜率军从襄阳出发,以襄阳降将吕文焕为先锋,顺汉水南下,随即包围鄂州。两淮地区则以参知政事塔出、董文炳等率军进攻,

---

① 《元史》卷131《怀都传》。
② 《宋史》卷46《度宗纪一》。
③ 《元史》卷6《世祖纪三》。
④ 《元史》卷135《塔出传》。

"塔出引兵渡淮,屯庐、扬间"。① 十二月,元军进入长江水道,伯颜进驻汉口。南宋淮西制置使夏贵自庐州率军来援,结果兵溃于阳逻堡(今湖北武汉境内)。夏贵率舟师三百艘溃逃,返回庐州。此后,南宋军事形势急转而下,汉阳、鄂州相继降元。在蒙古军进攻和招降下,黄州(今湖北黄冈)奕喜、蕲州(今湖北蕲春东南)管景模、江州(今江西九江)吕师夔、安庆范文虎全都不战而降。十二年二月,伯颜自池州向东推进,南宋丞相贾似道率孙虎臣、夏贵等部在池州丁家洲江面迎击元军。伯颜部骑兵沿大江两岸进攻宋军,阿术则以舟师进攻宋军,宋军大败,夏贵逃回庐州,贾似道单舸走扬州。

丁家洲之战后,宋军士气不振,"知无为军刘权、知镇巢军曹旺、知和州王喜,俱以城降",②随后元军不费一兵一卒进驻建康(今江苏南京)。接着,石祖军以镇江降,李世修以江阴降,戴之泰、王虎臣以常州降。五月,伯颜奉诏北上商讨西北叛王之事,留阿术进取沿江未克诸州。七月,宋将张世杰、刘师勇集舟师万余艘,次于镇江江面焦山,与元军展开决战,阿术、董文炳、张弘范纵火焚烧宋军,宋人自是"不复能军"③。九月,伯颜取道益都,会同淮东都元帅孛鲁欢攻陷淮安、宝应、高邮,围攻扬州,抵达建康。十月,伯颜重新部署军事,"留阿术定淮南东道,其西道则属之昂吉儿,驻兵和州",④牵制两淮宋军。在上游方面,则令都元帅李恒、宋都带与吕师夔出江西,参知政事阿里海牙攻取湖广。伯颜则统筹三路直趋南宋都城临安。

昂吉儿进驻和州后,淮西制置使夏贵联络和州宋兵,派遣侯都统率军四万进攻元军,结果在和州千秋涧(今安徽和县境内)遇伏败归,从此固守庐州,不敢外出作战。⑤ 元将昂吉儿进攻庐州,屡次派人劝

---

① 《元史》卷135《塔出传》。
② 《元史》卷127《伯颜传》。
③ 《元史》卷8《世祖纪五》。
④ 《元史》卷132《昂吉儿传》。
⑤ 《元史》卷132《昂吉儿传》。

降,"夏贵使人来言曰:公毋吾攻为也。吾主降,吾即降矣。"①至元十三年(1276年)正月,南宋太皇太后谢氏及宋恭帝投降,元军占领临安。在元军胁迫下,谢太后令南宋各路归附元朝。二月,忽必烈也两次派人前来淮西招降,"淮西制置夏贵以淮西诸郡来降。"②夏贵以淮西各州降元,元朝"得府二、州六、军四、县三十四,户五十一万三千八百二十七,口一百二万一千三百四十九"③。镇巢军前已投降元朝,元千户阿塔赤率阿速军戍守,阿速军贪残骄横,南宋都统洪福不愿降元,杀死阿塔赤,尽歼阿速戍军。元军主帅阿术领兵攻城,夏贵亲至城下劝降,也为洪福所拒绝,然元军趁机攻城,洪福被俘,不屈而死。至此,庐州境内全为元军占领。夏贵降元后,授淮西宣慰使,时年七十九,后加参知政事,两年后去世,卒年八十一岁。元诗人刘埙作诗嘲讽:"小臣裨校耳,职也宜死绥。庐州大将在,白首竖降旗。"④

　　元军完全控制淮西,淮东地区处于孤立无援状态。至元十三年六月,扬州知府朱焕降元,南宋将领李庭芝、姜才被俘身死,江淮全部被元军控制。十六年(1279年)二月,元蒙古汉军都元帅张弘范、李恒率水陆两军合围南宋最后据点崖山(今广东新会),南宋丞相陆秀夫负宋帝昺蹈海死,大将张世杰突围走海上,遇风涛覆舟而亡,南宋残余势力被消灭。至此元朝在全国范围内统治建立起来。

---

① 《元史》卷132《昂吉儿传》。
② 《元史》卷9《世祖纪六》。
③ 《元史》卷9《世祖纪六》。
④ 顾嗣立:《元诗选》二集上《甲集》,刘埙《江西制置司都统密公》,中华书局1987年版。

第九章
两宋合肥地区经济发展

第九章 两宋合肥地区经济发展

宋代经济文化较为发达。在全国经济发展基础上，合肥地区社会经济也得到较大的发展。《宋史·食货志》记载，"自景德以来，四方无事，百姓康乐，户口蕃庶，田野日辟"。北宋时期国家统一，社会安定，合肥地区经济发展较快。到南宋时期，宋金隔淮对峙，合肥成为南宋军事重镇和前沿阵地，受到战争影响较大，民风强悍，境内荒地较多，经济发展趋于停滞。

第一节 农业经济

北宋时期，今合肥地区较为稳定，户口增加，耕地面积扩大，农田水利建设卓有成效，粮食单位面积产量大幅度提高，呈现一派多年未有的新气象。徽宗时期，庐州知州朱服《过庐州》写道："昔年吴魏交兵地，今日承平会府开。沃壤欲包淮甸尽，坚城犹抱蜀山回。"[①] 南宋初期，随着合肥地区成为南北交战的重要场所，大量人口南迁，加以流民、寇盗侵扰，社会生产力遭到破坏。宋金和议以后，政府推行军屯、民屯，农耕生产有所恢复与发展。

一、农业政策与措施

北宋统一之初，全国只有三百万户，土地荒芜，经济残破严重。开封周围二十三州，土地垦种者"十才二三"[②]。为稳定统治，增加税收，北宋时期采取恢复农业措施，推动了经济的恢复和发展。

（一）鼓励垦荒

北宋初年，两淮地区荒闲土地很多。乾德四年（966年），宋太祖

---

① 厉鹗：《宋诗纪事》卷25，朱服《过庐州》，上海古籍出版社1983年版。
② 《续资治通鉴长编》卷40，至道二年七月。

诏令"所在长吏,告谕百姓,有能广植桑枣、开垦荒田者,并只输旧租,永不通检"①。淳化元年(990年)九月,太宗诏江、浙诸路抛荒土地,耕种者五年内免纳租税,五年后减十分之三租税。至道元年(995年),仅邓、许、陈、蔡、颍、宿、亳七州即有官府闲田22万顷,凡351处,而私家荒田尚不在其内。②朝廷命大理寺丞、庐江人皇甫选经度颍、寿屯田之事。③次年,宋太宗命京西劝农使陈靖"按行陈、蔡、颍、襄、邓、唐、汝等州,劝民垦田"④,并给以优惠条件,"只计每岁所垦田亩桑枣输税,至五年复旧。旧所逋欠,悉从除免"。真宗咸平六年(1003年),颍州(今安徽阜阳)诸处陂塘荒田1500余顷,朝廷命大理寺丞黄宗旦前往经度之。黄宗旦募民耕田,免其租赋和徭役,应募者有300余家。⑤仁宗对垦荒也较为重视,《续资治通鉴长编》卷一百九十二嘉祐五年(1060年)七月条记载:

初,天下废田尚多,民罕土著,或弃田流徙为闲民。自天圣初下敕书,即诏民流积十年者,其田听人耕,三年而后收赋,减旧额之半。又诏流民能自复者,赋亦如之。既而又与流民期,百日复业,蠲赋役五年,减旧赋十之八。期尽不至,听他人得耕。自是每下赦令,辄以招集流亡,募人耕垦为言。民被灾而流者,又优其蠲复,缓其期招之。又尝诏州县长吏令佐,能劝民修起陂池沟洫之久废者,及垦辟荒田增税及二十万,以议赏。监司能督部吏经画,赏亦如之。久之,天下生齿益蕃,四野加辟。

神宗熙宁年间,颁布农田水利法,鼓励农民垦荒。合肥地区荒闲土地大部分都得到开发利用。

(二)减轻赋税

北宋实行"不抑兼并"政策,土地高度集中,自耕农数量减少,大

---

① 《宋会要辑稿·食货》1之16。
② 《宋会要辑稿·食货》7之3。
③ 《续资治通鉴长编》卷37,至道元年。
④ 《续资治通鉴长编》卷40,至道二年。
⑤ 《续资治通鉴长编》卷54,咸平六年。

量农民成为佃户、客户。宋人称,"乡墅有不占田之民,借人之牛,受人之土,庸而耕者,谓之客户"。① 佃户约占全国人口三分之一。协调好地主与佃农的关系,把地主对佃农的剥削量限定在一定的范围内,成为发展农业生产和保障社会安定的重要问题。北宋王朝曾先后多次颁布降租及限定租率的诏令,并以诏令形式允许佃户自由迁徙。仁宗天圣年间诏书提到:"旧制,私下分田客(佃户),非时不得起移。如主人发遣,给予凭由(凭证),方许别住,多被主人抑勒,不放起移。自今后,客户起移,更不取主人凭由,须每年收田毕日,商量去处,各取稳便,即不得非时衷私起移。如是主人非理拦占,许经县论详。"② 佃客如果迁移,不再需要地主发遣"凭由",只要在每年收获之后,交清地租,即可自由迁移他处。这虽然无法从根本上改变佃农的经济地位,但在当时历史条件下,还是具有一定积极意义的。

面对土地高度集中和税赋严重不均,北宋也采取措施。宋太祖在位期间,曾在一些州县开展"均田"活动,所谓"均田"即均田亩之税,按照田亩来承担赋税,借以减轻少田或无田客户负担。开宝四年(971年),庐州地区实行"均田","均田"结束,官府刻有《庐州五县均田记》,记载这次均定赋税情况。③ 均税在两宋多次举行。庆历三年(1043年)十月,欧阳修请于"亳、寿、汝、蔡择赋尤不均者均之"④。三司派郭谘、孙琳去解决,亳、寿均税具体情况失载,仅知郭氏在蔡州上蔡一县即括出逃税田26930余顷。神宗熙宁五年(1072年),"重修定方田法,诏司农以《方田均税条约》并式颁之天下"⑤。方田均税,明确土地所有权和应承担的赋税,有利于调动农民的生产积极性。

北宋时期还采取减税措施,以应对各种灾荒。庐州地区也多次减免赋税,救济灾民。到南宋时期,减税救灾仍在不断进行。如建炎

---

① 石介:《徂徕先生文集》卷八《录微言者》,中华书局1984年版。
② 《宋会要辑稿·食货》1之24。
③ 《舆地纪胜》卷45《淮南西路·庐州》。
④ 《续资治通鉴长编》卷144,熙宁五年。
⑤ 《宋史》卷174《食货志上》。

四年(1130年),"贷庐州民钱万缗,以买耕牛";①绍兴二十七年(1157年)十一月,"蠲庐州二税及上供钱米一年";②淳熙二年(1175年),"振恤淮南水旱州县";③绍熙五年(1194年),"蠲庐州旱伤百姓贷稻种三万二千一百石";④嘉泰四年(1204年)十一月,"诏两淮、荆襄诸州值荒歉奏请不及者,听先发廪以闻";⑤嘉定十七年(1224年),"夏四月辛卯,诏庐州振粜饥民"。⑥ 地方官也注重救济灾民,以恢复和发展生产。

（三）设置劝农司以劝农,推广农业技术

北宋初年,处理地方农业生产中碰到的问题,一般都是派遣劝农使,尚属临时差遣性质。真宗景德年间(1004—1007年),始正式设置劝农司,命诸路转运使、提点刑狱、知府事、知州事兼辖区内劝农使,负责督促指导劝课农桑、招民耕垦、检括赋税等事务。与此同时,北宋还积极推广农业知识。景德二年(1005年),三司机构编纂《景德农田敕》五卷,雕印颁行,用来指导生产,"民间咸以为便"⑦。天禧四年(1020年),又雕印《四时纂要》、《齐民要术》二书,"赐诸道劝农司"。⑧

由于自然环境和历史背景不同,各地耕作制度和农作物结构也有所差别,江南专种粳稻,江北杂种五谷。为了防止灾荒发生,合理使用地力,北宋多次要求农民改变传统耕作方式,各地兼种稻麦杂谷。宋太宗时,曾下诏:"江南、两浙、荆湖、岭南、福建诸州长吏,劝民益种五谷,民乏粟、麦、黍、豆种者,于淮北州郡给之。"江北诸州,随着

---

① 《宋史》卷173《食货志上》。
② 《宋史》卷31《高宗纪》。
③ 《宋史》卷34《孝宗纪二》。
④ 《宋史》卷173《食货志上》。
⑤ 《宋史》卷38《宁宗纪》。
⑥ 《宋史》卷40《宁宗纪》。
⑦ 《续资治通鉴长编》卷61,景德二年十月。
⑧ 《宋会要辑稿·职官》42之2。

水利工程的兴复,"亦令就水广种粳稻,并免其租"。① 推行的结果,原来"地不宜麦"②的淮南,哲宗时期"望此夏田,以日为岁。大麦已秀,小麦已孕"③。因地制宜,参种不同作物,使土地得到充分合理地利用,也开辟了新的生产领域,增加了农民的收入。

  北宋政府重视良种的选择和推广。大中祥符五年(1012年)五月,以江、淮、两浙路大旱,政府"遣使到福建取占城稻三万斛,分给三路,令择民田之高仰者莳之",还把"种法付转运使,揭榜谕民"④。占城稻"穗长而无芒,粒差小,不择地而生",耐旱、省功、生长期短,自下种至收成仅五十余日,⑤是一种适应性很强的良种,深受江淮吏民欢迎。因此宋真宗又遣使臣至占城(今越南南部)购买这种稻种。《湘山野录》卷下《真宗求占城种》记载此事说:"真宗深念稼穑,闻占城稻耐旱,西天菉豆子多而粒大,各遣使以珍货求其种。占城得种二十石,至今在处播之。西天中印土得绿豆种二石。"总之,这些政策和措施,对北宋江淮地区农业的恢复和发展,都起了很好的作用。

二、大规模土地屯垦

  北宋时期,社会稳定。政府在淮南地区鼓励垦荒,从而大批土地得到开垦。到南宋以后,由于金军多次南侵,加以溃兵败卒骚扰,合肥居民纷纷逃亡,以至于"民去本业,十室而九空。其不耕之田,千里相望"⑥,"人户逃窜,良田沃土,悉为茂草"。⑦ 特别宋金沿淮对峙以后,合肥处于前线阵地,需要加强国防力量,南宋在这里组织屯垦。屯垦主要有军屯与民屯两种。

---

 ① 《宋史》卷173《食货志上》。
 ② 《宋史》卷299《张洞传》。
 ③ 《苏东坡全集·后集》卷15《祈雨僧伽塔祝文》。
 ④ 《续资治通鉴长编》卷77,大中祥符五年五月。
 ⑤ 王应麟:《玉海》卷77,广陵书社2007年版;《宋史》卷173《食货志上》。
 ⑥ 《三朝北盟汇编》卷148《炎兴下帙四十八》。
 ⑦ 《宋会要辑稿·食货》63之97。

军屯是由国家调拨军队进行屯垦,当时称屯田或营田。绍兴二年(1132年),淮南东路提刑兼营田副使王实"被旨措置营田,劝诱人户或召募军兵请射布种……分拨诸军,趁时耕种"①。绍兴五年,淮东宣抚司参谋官陈桷建议朝廷:"濒淮之地,久经兵火,官私废田,一目千里,连年既失耕耨,草莽覆养,地皆肥饶。臣愿敕分屯诸帅,占射无主荒田,废轻重之力,斟酌多寡,给所部官兵,趁时布种"②。南宋在这里设置军屯机构,进行较大规模军屯。

绍兴二十三年九月,南宋根据庐州官员鲁恺奏请,诏淮南西路安抚司置主管机宜文字一员,营田司置干办公事、准备差使各二员。高宗令鲁恺与建康府都统制王权同商议营田,"须是令熟议可行与不可行。如与之中分,其利便,军人乐然从之,方可行也"。军屯所得,政府与军人各得一半。从南宋记载来看,军屯解决部分军粮问题,但由于备边军队数量较多,加上管理漏洞,效果并不理想。乾道三年(1167年),总领两淮营田官叶衡上奏:"本所有营田五军庄,计田207顷65亩,岁收夏料大麦4001硕,小麦1300余硕,秋收禾稻18100余硕……以时代估计共可值钱20000贯,而所差使臣军人各584人掌管,岁请钱47700余贯,所得不能偿所费之半。"③乾道八年,知庐州赵善俊提出军屯三不可,认为:"朝廷分兵屯田,诚为至计,然屯驻诸军愿耕者不得遣,所遣者不得耕,军司并缘为奸。当遣者侥幸,苟免得遣者,矫情不率,此不可一也;且以庐州合肥一县言之,五军七庄共1500余人,正军岁支钱145400余贯,米13900余硕,岁下稻麦种仅千硕,所收才得5000硕之数,若计其支遣,所收只可充两月,请给之费,又未免取办于州县,此不可二也;朝廷以兵数不足,召募新民,今乃令屯田,蓄三二千习艺之兵,矫情于四野之间,缓急将兵用之,此不可三也。"④

---

① 《宋会要辑稿·食货》2之9。
② 《建炎以来系年要录》卷8,绍兴五年。
③ 《宋会要辑稿·食货》3之16。
④ 《宋会要辑稿·食货》3之20。

《文献通考》卷二五《国用考三》记载:"绍兴初,因地之宜,以两浙粟专供行在,以江东之粟饷淮东,以江西之粟饷淮西,荆湖之粟饷岳、鄂、荆南。"可知两淮驻军需要江东、江西两路提供部分军粮。如果单纯从经济效果看,军队在两淮屯田确实是得不偿失的。但在两淮空旷、劳动力严重缺乏的情况下,南宋政府采取这项措施,既可促进两淮荒地的开辟,又能节约军费开支,比单纯养兵要好得多。更何况军队屯田既可使一贯游手好闲的军兵从事农业生产,又可减少其扰民之举。

民屯即招募百姓进行耕作,"召人耕种","出榜劝谕召募"。绍兴三十年(1160年)三月八日,淮南转运司判官张祁奏请:"被旨措置开垦荒田,修筑圩岸陂塘,窃见无为军庐江扬柳圩一所,周环五十里,兵火后来不曾修筑,致圩岸损缺,沟洫壅蔽,一向荒闲二十余年。及无为县佳成圩一所,各有荒闲田土。本司见已修筑堤岸,盖造庄屋,收买牛具,招集百姓耕垦。窃念淮甸穷陋,本司别无宽剩钱物应副,逐急支遣。欲望详酌权于本路州军合起发钱内科拨三万贯,从本司置历专充措置开荒田支废。便稍有次第,即将逐年所收庄课椿管拨还,支过钱数。诏于淮东茶盐司庄管钱内支拨三万贯应付。"①乾道六年(1170年),户部侍郎叶衡也向朝廷建议招民屯垦合肥濒湖圩田。他说:"合肥濒湖有圩田四十里,旧为沃壤,久废垦辟。今若招民以耕,可得谷数十万斛,蠲其租税,俟二三年后,阡陌既成,然后仿历阳、柘皋营田,官私各收其半。"②朝廷接受了叶衡建议,贷给百姓牛具、种粮,令其垦种圩田。无为军柘皋镇屯田,即是"召沿淮归正人耕作"。

南宋民屯大体上四六分成,官得四成,民得六成。乾道六年,淮西转运判官吕企中受命措置屯田,也谈道:"屯田元系军人开垦,官给种子等,所收花利,主客中半分受。今召人耕种,即与向来军人耕种

---

① 《宋会要辑稿·食货》61之115。
② 《宋史》卷384《叶衡传》。

不同,窃缘当来营田系是四六分,官收四分,客户六分。盖欲优异人户今来,欲乞除种子外,依营田例四六分数,官私分受。"南宋政府还把屯田多少作为奖罚官员的依据。乾道七年,诏淮东路帅漕臣将诸州官田招募百姓种二麦,并把已种顷亩申三省枢密院,"岁终差官覆实,取旨,殿最赏罚"。嘉定四年(1211年),左司谏郑昭先上书,请求委两淮郡守三年为任之制,不要频繁更易,"以垦田之多寡为守令之殿最,异时,户口增衍者则增秩赐金,旌擢其才;或户口减耗,田野不辟者必须责罚"①。这一措施调动了官员的积极性,有利于两淮荒田的开垦,但由于官员虚报垦田数字,多缴纳地租,也挫伤民户的热情。

淮西地区,经常发生豪强大户冒占兼并屯田。乾道二年(1166年),有官员上书:"两淮膏腴之田皆为品官及形势之家占佃,既不施,种随成荒田。"②薛季宣奉使淮西也上书曰:"江南转徙人户来淮甸者,东极温台,南尽福建,西达赣吉,往往有之,土人包占既多,无田可以耕佃,以故失所者众,来者甚艰。"③一方面是百姓无田可耕,另一方面是大户"所占虽多,实力不给",以致于"种之卤莽,收亦卤莽",造成广种薄收,"大率淮田百亩所收不及江浙十亩,况有不及耕种之处!"④南宋在合肥地区的大规模屯田,对荒田的开辟,流民的安置,边防的巩固都起到一定作用。

三、户口的增加

人是生产力诸要素中最主要的因素。户口多寡在一定程度上反映农业发展水平。北宋合肥户口资料相对完整,根据《宋史·地理志》、《太平寰宇记》、《元丰九域志》和《文献通考》记载的数据,列表如下:

---

① 《宋会要辑稿·食货》6 之 27。
② 《宋会要辑稿·食货》6 之 15。
③ 薛季宣:《浪语集》卷16《奉使淮西回上殿札子一》,四库全书本。
④ 虞俦:《尊白堂集》卷8《使北回上殿札子》,四库全书本。

北宋合肥地区户口对照表

州军名称	北宋初			元丰初			崇宁初		
	县数	总户数	县平均数	县数	总户数	县平均数	县数	总户数	县平均数
寿州	5	33503	6700.60	5	128768	25753.60	4	126383	31595.75
庐州	5	45228	9045.60	3	90488	30162.66	3	83056	27685.33
无为军				3	51887	17295.66	3	60138	20046.00

由于文献记载的差异,本表反映了当时人口的大致情况。如宋祁《寿州风俗记》云:"籍户主客,九万有畸,生齿倍之。"① 该文撰于庆历二年(1042年),是本表同期户数的三倍。从北宋合肥地区人口变化来看,周世宗伐南唐,战事历时四年才结束,淮南地区寿、舒、庐、滁、和等州争战激烈,人户损失较多。建隆二年(961年),庐江县"户一万三千八百四十七,税钱九万八千七十五"②。神宗元丰初,在经历近百年来的休养生息之后,绝大部分州县人口都大幅度增加,庐州平均每县达到三万多户,无为军也在一万七千户以上。庐州增加333%。元丰初至崇宁初只有25年,前后相差无几。与元丰初相比,无为军增加2751户,庐州减少2477.33户,增减的幅度不大。

靖康之乱后,江淮地区遭受战争破坏。"建炎以来,内外用兵,所在多逃绝之田"③。金人南侵烧杀抢掠,"杀人如刈麻,臭闻数百里"④。所到之处,大肆掳掠丁壮男女,如建炎四年十二月,一次就从寿州掠去丁壮450人。⑤ 近邻巢县的无为县,"曩户二千,今绝江而往者什九"⑥。北宋崇宁初,无为军三县户总60138,平均每县20046,与南宋正常年份"户二千"相比,后者仅是前者的十分之一。若再去掉"绝江

---

① 宋祁:《宋景文集》卷46《寿州风俗记》。
② 康熙《庐江县志》卷15《重建县治记》。
③ 《宋史》卷173《食货志上》。
④ 《建炎以来系年要录》卷4,建炎元年四月。
⑤ 《建炎以来系年要录》卷40,建炎四年十二月。
⑥ 《永乐大典》卷7514《濡须志》引王苋《新建平籴仓记》,中华书局2012年版。

而去者",当时无为实有户数骤降至崇宁间的百分之一。

为确切反映南宋正常年份安徽江淮之间户口状况,根据《安徽通史·宋元卷》提供的数据,对淮东、淮西的户口对比,列表如下:

户口路名 年份	淮南西路		淮南东路	
	户数	丁口数	户数	丁口数
北宋崇宁(1102—1106)初	709916	1584126	664257	1341973
南宋绍兴三十二年(1162)			110897	278954
南宋隆兴元年(1163)	96169	244611	101548	269318
南宋乾道元年(1165)	106638	203468	104468	281989
南宋乾道七年(1171)	126269	315619	107005	261638
南宋嘉定十六年(1223)	218250	779612	127369	404261
南宋德祐元年(1275)	513827	1021349	542624	1083217
备 注	一、绍兴三十二年,淮西路因新经战火,免供帐,故缺。二、北宋淮西路辖33县,南宋略同。三、北宋淮东路辖38县,南宋亳州七县、宿州五县入金,止领26县。			

据上表,一、北宋崇宁初,淮西路平均每县在籍户21512.7、口48003.8;隆兴初,平均每县在籍户2914、口7412。隆兴距离大规模战争已20余年,户数仅及崇宁初的七分之一、口数才及崇宁初的六点五分之一,建炎、绍兴间生产力破坏程度之严重,更可想而知。即便到嘉定十六年,淮西路平均每县也才6614户、23625口,仅占崇宁户口的30.7%和49.2%,可见恢复速度之缓慢。二、北宋崇宁初,淮东路平均每县户17480.4、口35355;隆兴元年,平均每县户3905.7、口10358.4,分别占崇宁户口的22.4%和29.3%。到了嘉定十六年,淮东路平均每县户口占到崇宁初的29%和44%。三、德祐元年(1275年),淮西路平均每县户15570.5、口30949.9,淮东路户20870.9、口41662.2。很明显,嘉定以后,淮东路户口增长较快,到德祐元年,户、口皆已超过北宋崇宁之数。

而淮西增速却非常缓慢,到德祐元年(1275年),户比崇宁尚少20万,丁口少56万。

以牛马驴为主的畜力,不是被金兵掠走,就是被官军、盗贼、饥民宰杀吃掉,也影响农业恢复和发展。叶梦得《石林奏议》卷6《奏缴王才受招安状》讲到,盗寇王才据濠州横涧山,掠牛千余头以备资粮。《宋会要辑稿·食货六五》云,乾道元年(1165年)十月,太府卿杨由义在滁州措置营田,奏称"营田七十顷,见有耕牛二头,佃农二十七户",可见当时耕牛之缺乏。

四、农田水利建设

北宋农田主要分布在全国各地。其中开封、淮南、江东等路垦田最多,说明当地土地开发利用率较高。而淮南路平均每户垦田达71.7亩,远远高于其他路分。

水利直接关系农业兴衰。历代王朝重视农田水利建设。真宗初,崔立知安丰县,"大水坏期斯塘,立躬督缮治,逾月而成"。[①] 期斯塘,亦称期思塘,即芍陂,在今安徽寿县境内。舒城吴塘堰,是历史上有名的水利工程,系聚竹落石筑成,长计百余丈,自北折水而南,历五斗门,凡十七堰,溉田千余顷,或云溉田二万顷。周围富户豪民多近塘置水碓、碾硙,并常有盗决之事发生,致使不能发挥其应有的效能。明道元年(1032年)十一月,朝廷命各县官员岁检功料,以上户为陂头,组织人夫重加整治,禁止近塘置水碓水硙及在陂种莳,发现盗决者论如律[②]。同年十二月,李若谷知寿州,"安丰芍陂皆美田,多豪右分占,盛夏雨溢坏田,辄盗决。若谷擿冒占者逐之,每决,辄调濒陂诸豪使塞堤,其后盗决乃止"[③]。神宗熙宁年间,侍御史韩宗魏安抚淮南,"合肥有陂可溉田,久为右姓专其利,公决导以济下户,得以衣食

---

① 《宋史》卷426《崔立传》。
② 《续资治通鉴长编》卷111,明道元年。
③ 《续资治通鉴长编》卷111,明道元年。

者不可胜数"。① 哲宗绍圣（1094—1097）初，王蘧知无为军，修三圩，开十二井，筑北岭以捍水患。② 内修旧者居多，新建者较少；中小型的多，大型设施偏少。除个别系私人出资兴建的，余则基本上是由政府利用农隙或荒年凶岁，用常平仓钱谷，以工代赈建成的。据《宋会要辑稿·食货六一》，淮南水利工程总数，淮西1761处，淮东513处，合为2274处，与《文献通考》稍异。然就全国范围而言，两浙路水利田最多，淮南路紧随其后，河北又在淮南之下，大体反映了当时农业发展情况。

特别值得一提的是，两宋时期合肥地区圩田的兴建。宋沈括云："江南大都皆山也，可耕之土皆下湿，厌水濒江，规其地以堤，而艺其中，谓之圩。"③《文献通考》称，"江东水乡，堤河两涯，田其中谓之圩。农家云圩者，围也。内以围田，外以围水。盖河高而田在水下，沿堤通斗门，每门疏港以溉田，故有丰年而无水患"。④ 据《宋史·食货志》《宋会要辑稿》和有关方志记载，江淮之间庐江、合肥、无为、历阳、怀宁、枞阳等地均有圩田分布。北宋时期合肥规模较大的圩田有三十六所，号称合肥三十六圩或陆隆三十六圩，"皆濒江临湖，号称沃壤"。⑤ 北宋时已开筑庐江县杨柳圩、无为军嘉诚圩等圩田都在此时得到修复。史载："无为军庐江县杨柳圩一所，周环五十里。兵火后来不曾修筑，致圩埠损缺、沟洫壅闭……无为县嘉城圩一所，各有荒闲田土……见已修筑圩埠，盖造庄屋。"⑥《宋史·食货志》称，"大抵南渡后水田之利，富于中原，故水利大兴"。绍兴三十年（1160年），巢湖东南岸"修筑圩岸陂塘"。孝宗乾道年间，设"招田之官"，江淮圩田随之兴筑，尤以巢湖流域的圩田为盛。《宋

---

① 苏舜卿：《苏学士集》卷16《韩公行状》，四部备要本。
② 乾隆《无为州志》卷22，赵汝谈《待制楚公祠堂记》。
③ 沈括：《长兴集》卷9《万春圩图记》，上海书店1986年版。
④ 《文献通考》卷6《田赋考》。
⑤ 《宋会要辑稿》食货6。
⑥ 《宋会要辑稿》食货7。

史·叶衡传》记载,"合肥濒湖有圩田四十里",太府少卿叶衡上奏:"募民以耕,岁可得谷数十万斛租税,二三年后阡陌成,仿营田,官私各收其半。"①南宋朝廷接受其建议。乾道八年(1172年),宰相虞允文派遣薛季宣"行淮西,收以实边。季宣为表废田,相原隰,复合肥三十六圩"②。同时与淮西安抚使赵善俊招抚流散人口,以三十六圩之地安置合肥地区流民,"凡合肥户三百四十有四,口一千九百九十有六,胜耕夫八百一十有五,为田三百七顷八十有四亩",授给耕牛农具,让他们安心生产。③

  战争使水利设施破坏严重,战争间隙,百姓又相继开始修复。淳熙四年(1177年),赵善俊知庐州,复芍陂、七门堰,农政用修。④ 孝宗时,薛季宣巡边,把淮北流民"凡为户六百八十有五,分处合肥、黄州间,并边归正者振业之",修复圩田。⑤ 知无为军王蓬,率百姓新筑三圩,又凿井十二眼供人畜饮用,筑北岭以捍来水,到了明代,人尚受其利。⑥ 宁宗嘉定年间,黄干知安丰军,芍陂北旧有河道,引陂水通寿春县城南关,岁久失修,河道埋塞已百余年,黄氏奏准朝廷开挖浚治,既得灌溉之利,又可自芍陂放舟通寿春。⑦ 同时期,又有知无为军丁仁,"筑堰蓄水,以资灌溉,民呼为丁公堰"。⑧ 这些水利工程虽然多为小型的、修复性工程,但对农业发展起到促进作用。

---

  ① 《宋史》卷384《叶衡传》。
  ② 《宋史》卷434《薛季宣传》。
  ③ 薛季宣:《浪语集》附录,陈傅良《宋右奉议郎新改差常州借紫薛公行状》,上海社科院出版社2003年版。
  ④ 《宋史》卷207《赵善俊传》。
  ⑤ 《宋史》卷434《薛季宣传》。
  ⑥ 闻人诠修,陈沂纂:《南畿志》卷387,四库全书本。
  ⑦ 黄干:《勉斋先生黄文肃公文集》卷30《安丰申视开浚河道》。
  ⑧ 《江南通志》卷117《职官志·名宦》。

五、粮食与经济作物

(一)北宋时期

北宋粮食生产仍实行传统的二年三熟制,粮食作物种类很多。合肥地区是稻、麦和杂粮参半,种类比较单调。

两淮的单位面积产量也高于以往历史时期,有关史料记载,真宗至道年间(995—997年),"寿春亩产三斛"①,宋神宗时,"和州麻浓湖一带亩产约四、五斛"②。双季稻在两淮也有种植。庆历八年(1048年),"庐州合肥县稻再实"③。如果按照亩产两石计,淮南每年可收粮194714200石,接近两亿石。司马光在《送崔尉尧封之巢县》中写道:"巢湖映微寒,照眼正清泚,低昂蘸荷芡,明灭萦葭苇。银花鲙肥鱼,玉粒炊香米。居人自丰乐,不与佗乡比。"④

粮食大面积丰收使得"所在积稻粟,仓庾不能贮"。真宗时期宰相王旦等请"兴葺廪舍"⑤。北宋定都开封,对东南诸路物资依赖较强。庆历元年(1041年),司封员外郎贾昌朝上书:"天下诸道,若京之东、西,财可自足,陕右、河朔,岁须供馈,所仰者淮南、江东数十郡耳。"⑥据沈括《梦溪笔谈》记载:"发运司岁供京师米,以六百万石为额:淮南一百三十万石,江南东路九十九万一千一百石,江南西路一百二十万八千九百石,荆湖南路六十五万石,荆湖北路三十五万石,两浙路一百五十万石,通余羡岁入六百二十万石。"⑦淮南路岁贡之米超过总额五分之一。除漕运外,地方还要留一部分粮食供荒年赈济

---

① 《宋会要辑稿·食货》63之44。
② 范祖禹:《范太史文集》卷42,四库全书本。
③ 《宋史》卷11《仁宗纪三》。
④ 司马光:《传家集》卷2《古诗一》。
⑤ 《宋会要辑稿·食货》62之54。
⑥ 《续资治通鉴长编》卷123,庆历元年。
⑦ 《梦溪笔谈》卷12《官政二》。

之用,如大中祥符三年(1010年),江淮发运使李溥奏称:"今春运米凡六百七十九万石,诸路各留三年支用。江南留百七十万石,外有上供五十万石;淮南留三百三十万石,外有上供五十七万石,所留以备赈粜。两浙有米百五十万石,上供外,有九十一万石备淮南赈粜。"① 以淮南路漕运数为130万石计算,加上备留的330万石和上供57万石,那么两淮每年仅政府掌握的粮食就达517万石。合肥地区耕地多,所产粮食丰富。真宗以后,经常运粮往周边地区,或用于赈济饥民,或用于平抑粮价。《宋会要辑稿·食货六·赈贷》记载,大中祥符四年,登、莱等州民艰食,命淮南转运司雇船运粟三十万石赈之。天禧二年,京东及河北二路谷贵,诏江淮运米十万斛至彼处。熙宁元年,京师梗米贵,又以淮南上供新米平抑之。元祐二年(1087年),调淮南、两浙谷四十万石赈济京东路。

合肥地区桑麻种植历史悠久。北宋中期,李觏说东南地区,"平原沃土,桑柘甚盛。蚕女勤苦,罔畏饥渴,急采疾食,如避盗贼,茧薄山立"。② 大体来说,合肥地区实行桑麻间作,桑根植深,苎根植浅,并不相妨,而利倍差,"若能勤粪治,即一岁三收"。③ 根据《元丰九域志》及《宋史·地理志》所载,合肥地区土产以麻布最多。《太平寰宇记》记载,庐州土产包括交梭丝布、石斛、开火新茶等。

茶叶也是合肥重要产业。淮南路舒、庐、寿、滁、和州及无为军均以产茶而著名。宋代茶叶分名茶、号茶、散茶(不及号者)三类,宋初允许淮南地区商人入山自行买卖。乾德以后,榷茶制度严密。《宋史·食货志》记载,"在淮南则蕲、黄、庐、舒、光、寿六州,官自为场,置吏总之,谓之山场者十三;六州采茶之民皆隶焉,谓之园户。岁课作茶输租,余则官悉市之。其售于官者,皆先受钱而后入茶,谓之本钱;又民岁输税愿折茶者,谓之折税茶。总为岁课八百六十五万余斤,其出

---

① 《续资治通鉴长编》卷74,大中祥符三年。
② 李觏:《直讲李先生文集》卷16《富国策》,中华书局1981年版。
③ 陈旉:《农书》卷下《种桑之法篇》。

鬻皆就本场"。① 淮南十三场之茶或通过税课，或通过官市，全部由官方掌握。小型茶园，可自产输税。十三场包括庐州王同场。收茶之时，茶农把生产出来的茶叶全部运至指定的山场，除去用以输租、折税外，剩余需全部交官府，主持茶场的官吏再把这些茶叶或批发给商人，或运到指定的榷货务，由榷货务批发给商人到各地零售，朝廷从中获利甚厚。乾德年间，淮南转运使苏晓"建议榷蕲黄、舒、庐、寿五州茶，置十四场，规其利，岁入百余万缗"②。榷茶制度损害茶农利益，"民被诛求之困，日惟咨嗟"③，也引发茶商不满。嘉祐四年（1059年），朝廷承认榷法为患益深，榷茶之后允许百姓自由贸易。④

（二）南宋时期

南宋时期，江淮之民为逃避战乱，多移居江南。农忙时回到江北的家乡，收种完毕后，又回到江南。⑤ 特别是寿、庐、濠、泗等滨淮诸州，"依山水险要为堡坞"，"春夏散耕，秋冬入堡"⑥，这种粗放型经营，影响到农作物产量。根据《安徽通史·宋元卷》研究，合肥地区粮食产量亩产在 1 至 1.5 石之间。⑦ 由于粮食不足，粮价不断上涨。北宋时淮南地区粮价较为稳定。天圣四年（1026 年）"每斗或七十至百文足"⑧，南宋初"斗米数十千，且不可得"⑨，粮价上涨近十倍。绍熙（1190—1194 年）、庆元（1195—1200 年）之交，淮南米价每石 3000

---

① 《宋史》卷 183《食货志下》。
② 《宋史》卷 270《苏晓传》。
③ 《宋史》卷 184《食货志下六》。
④ 《宋史》卷 184《食货志下六》。
⑤ 《永乐大典》卷 7514《濡须志》引王觅（苋）《新建平籴仓记》。
⑥ 《宋史》卷 434《叶适传》。
⑦ 乾道三年淮西营田平均亩产 1.3 石。又，绍兴二十二年知滁州魏安行代还时讲，垦种水陆田 2300 余顷，每年收 30 余万斛，则平均每亩产 1.3 斛。据此，以 1 至 1.3 之间。
⑧ 《续资治通鉴长编》卷 143，天圣四年。
⑨ 庄季裕：《鸡肋篇》卷中。

文。① 嘉定元年(1208年),米价竟高达每石20000文。②

由于持续的社会动荡,江淮茶叶生产也受到影响,茶叶产量大幅度降低。《宋会要辑稿·食货》二九之三和二九之四记载绍兴年间(1131—1162年)和乾道年间(1165—1173年)东南诸路产茶数。建炎二年(1128年)八月,东南榷茶以斤计,江东路宣、徽、饶、信、池、太平州及广德、南康军,计375万斤;淮西路四州1万斤;浙西五州448万斤;江西十一州军445万斤;湖南八州113万斤;荆湖北路十州90万斤;福建五州98万斤。③ 绍兴三十二年,舒州所辖怀宁、太湖、宿松、桐城4县,榷茶10339斤;庐州226斤8两;寿春府1560斤。据统计,两淮绍兴年间的产茶额仅为19257斤,仅占东南六路总数的0.1%。乾道(1165—1173年)、淳熙(1174—1189年)年间,舒州四县榷茶11805斤9两,安丰军1657斤。④ 乾道年间产茶额仅有22951斤,占总数的0.13%。今霍山、金寨等地茶园,初被十三家佃占,园户重受其困,生产积极性低落。淳熙以后,置六安茶场,准许比附包占田土法,听园户与客商有引者直接交贸易,茶叶生产始稍振作。国家每岁可从茶场收到息钱10万贯。⑤ 合肥地区的庐州仅仅226斤,不仅与北宋无法比较,也不及南宋的皖南地区。上述情况不能反映南宋两淮的实际产茶量,事实上应略高于此数额。北宋时期,两淮茶叶实行官榷制,政府容易掌握,而南宋两淮兵荒马乱,官榷松驰,私茶贸易盛行,从而使政府掌握的数字低于实际数字。

大规模的森林砍伐和农田开发,对增加社会生产力,促进农业经济快速发展,发挥了重要作用,但给生态环境也带来不少负面影响。合肥地区的围湖造田还破坏了水生资源,《北山纪事》载无为县百万湖"富菱藕蒲芦,饥民取之,可以充食,今即为田,不可复得"。宝祐

---

① 《历代名称奏议》卷247。
② 《宋史》卷67《五行志》。
③ 《建炎以来系年要录》卷17,建炎二年。
④ 《宋会要辑稿·食货》17。
⑤ 《永乐大典》卷7650,何淡《黄公(永存)墓志铭》。

《濡须志》引王苹《百万湖诗》说："台下弥漫百万湖，丛生萑苇伴菰蒲。自从围作民田后，每遇凶年一物空。"

第二节 手工业成就

唐代合肥地区的矿冶和手工业已较为发达。入宋以后，在社会需求不断扩大的刺激下，又有了新的发展，并出现许多新的特点。

一、采矿和冶铸业

合肥地区矿冶种类较多，以矾矿、铁矿较为有名。北宋无为军所属庐江县以生产白矾著称，其规模、产量仅次于北方晋、慈、隰等州，也是当时南方最大产矾之地。朝廷对矾矿时而榷卖，时而允许民间经销，主要行销于朝廷指定的南方九路。北宋初年，朝廷在无为军置昆山务，规定镬户生产出来的矾，由政府派遣的场务官收购，再转售给商人。仁宗天圣二年（1024年）八月废昆山务，听民自鬻。神宗熙宁、元丰间，又恢复官卖，由淮南发运司主持其事。哲宗元祐（1086—1093年）初年，再改行通商，每百斤收税50文。绍圣（1094—1098年）之初，恢复熙丰旧制。徽宗大观元年（1107年），再罢官卖，听商贩，置提举官掌其事。政和（1111—1117年）初，又恢复官卖，罢商贩，事权归属发运司。

受战争影响，无为军昆山矾场生产时续时断。北宋元丰六年（1083年）定为150万斤，花费成本约1.83万贯，平均每斤12.2文。官府批发给商贩的价钱，宋初每斤150文，天圣二年（1024年）为120文，六年减为90文，十年减为60文。昆山矾场产量天圣二年120万斤，治平（1064—1067年）至元丰（1078—1085年）之间，每年产150万斤。朝廷从中获得丰厚的财政收入，熙宁元年（1068年）为36400

余缗,六年起增至 113100 余贯,元丰六年(1083 年)又增至 337900 缗,徽宗大观二年(1108 年)降至 90000 缗,政和二年(1112 年)降为 33100 缗,四年复升至 90000 缗。① 南宋初,改为每引(100 斤)纳钱 12 贯,加饶 20 斤,是每斤 100 文。商人把昆山矾贩运到指定地区零售,每斤卖到 200 文。因为市场缩小、路险利薄,销售凝滞,出现大量积压。到绍兴八年(1138 年)六月,积压之数达到 10898000 斤。为了解决这个矛盾,朝廷采取两方面措施:其一,将租额从 150 万斤降至 60 万斤;其二,减少商人引钱六分之一,即按每斤 83 文的价格批发给商人。绍兴二十九年五月,昆山矾场上缴朝廷年利 41585 贯,此后朝廷即以四万贯为年租额。②

淮西地区,铁矿自汉代已负盛名,入宋以后仍为江淮间重要金属矿产。北宋铁矿多数由官府经营,设立矿监管理。同时允许民间经营矿冶,但需交纳百分之二十的矿税。熙宁时规定:"金银坑冶召百姓采取,自备物料采取,十分为率,官收二分,其八分许坑户自便货卖。"③光绪《庐江县志》卷十四移录(宋)祝况《重建庐江县治记》讲到县之出产时曾说:"有东顾、白若、铁冶……所谓群商之扼会,万货之泉薮也。"根据《宋会要辑稿·食货》三三之七至十八所载,各路矿产总额和元丰元年实际产量,陕西、广东、京东、河北、广西、湖南、福建七路是我国北宋时期最重要的金属矿产基地。庐江县开发不足或所产甚微,略而不计,因而没有数据记载。

铁钱是两淮地区常用的金属货币,北宋已在淮西置监铸钱,建炎、绍兴间停铸,大约到孝宗乾道年间才开始陆续恢复,并随着用量的增加,又新设了一些钱监。见于《宋史》《宋会要辑稿》《建炎以来系年要录》和《两朝纲目备要》者,乾道四年(1168 年)二月,置和州监,铸铁钱。五年八月,命淮西路铸小铁钱。六年,置宿松监,复同安监和山口古监。是年夏,朝廷命有司往淮西措置铸夹锡铁钱,并定同安监

---

① 据《宋史·食货志》及《宋会要辑稿·食货》部分撰成。
② 系据《宋会要辑稿·食货十七》《建炎以来系年要录》卷 120 和 181 修入。
③ 马端临:《文献通考》卷 18《征榷考五》。

岁额为25万缗。宿松监在今安徽宿松县境内。

二、造纸与制砚业

北宋文化发达，笔墨纸砚产地遍及各地。宋代无为军所产纸比较有名，《宝晋英光集·补遗》说："无为纸，亦有细白者，硾亦久用。"宋代合肥纸最为显著的特点是除用于书画、印刷事业外，还可用来制作衣被和甲胄。纸甲，唐末已出现，《新唐书》卷113《徐商传》记载，懿宗朝，徐商为河中节度使，"置备征军凡千人，襞纸为铠，劲矢不能动"。五代周世宗征南唐，淮南百姓"相聚山泽，立堡壁自固，操农器为兵，积纸为甲，时人谓之'白甲军'"①。宋仁宗康定元年（1040年）四月，诏令淮南、江南、两浙三路造纸甲三万给陕西防城弓手②。关于纸甲的制造方法，茅元仪《武备志》和朱国祯《涌幢小品》都有记载，大抵用纸与绢间隔，叠厚一至三寸，再用钉子钉实而成。纸衣有"外风不入，内气不出"的特点，制作方法："每一百幅用胡桃、乳香各一两煮之，不尔，蒸之亦妙。如蒸之，即常洒乳香等水，令热熟阴干，用竹箭竿横卷而蹙之。然患其补缀繁碎，今黟歙中有人造纸衣段，可如大门阖许。近士大夫征行，亦有衣之者。"③这种方法，后来传到日本。

合肥地区所产砚台虽没有歙砚出名，但流传地区较广，寿州、庐州都有名砚。寿州出产紫石砚，产自寿春县紫金山（今寿县八公山），特点是"甚发墨，扣之有声"，"特轻薄"④。庐州出产青石砚。米芾《砚史》中列举了十八州一府一军所产石砚，内有庐州青石砚。该砚特点是"大略与潭州谷山同"，而潭州（今湖南长沙）谷山砚为"色淡青，有纹如乱丝理慢，扣之无声，得墨快，发墨有光"。米芾认为石砚有三个层次，"石理发墨为上色，次之，形制工拙，又其次，文藻缘饰，虽天然

---

① 《资治通鉴》卷293，显德三年。
② 《续资治通鉴长编》卷127，康定元年。
③ 苏易简：《文房四谱·纸谱》，中华书局2011年版。
④ 杜绾：《云林石谱》卷上，中华书局2012年版。

失砚之用。"北宋纸砚等文具制造业的繁荣昌盛,得益于北宋合肥地区经济和文化教育事业长足发展之驱动。

三、纺织、印染、酿造和陶瓷业

纺织业是传统手工业部门。北宋时期,合肥地区生产纺织品种类较多,"淮南桑麻之富不减京东","一路上供内藏䌷绢九十余万"。[①] 至道二年(996年),诏淮南税绢90余万匹入内藏库。政和五年(1115年),淮南转运司上言:"每年管催夏税绸绢,并为上供内府支用,淮南路并无尺寸。"[②] 按宋制,质量上乘物品始准入内藏库,淮南路税收中的绸绢全部上供,说明其产品整体优良。淮南路的绫、纱、绝也很出名,朝廷曾命庐、寿等州折征小绫,寿州折征白縠,庐、寿、濠、泗、和等州折纳官绝。

北宋中后期,黑釉瓷器在安徽的江淮之间迅速发展起来,庐江果树窑,以烧制黑釉器而著名。根据考古发掘,该窑位于庐江城西三十公里汤池果树乡河西村,处在地名"二姑尖"东麓山梁上,专家考定为典型的北宋中晚期窑,现存遗址总面积在2万平方米,窑具有束腰形、园角形、钵形和垫饼等多种,有大量瓷片堆积。经鉴定,残片焙烧时温度均在1000度以上,渗水率低,击之有金石声。器形有20~30种,釉色有青釉、酱褐色、黄黑釉等。不过,该窑瓷器大都釉色欠匀净,胎土不够精细,器物造型并无特色。该窑址1987年公布为县级重点文物保护单位,2005年为省级重点文物保护单位。

1988年在合肥南郊发掘的北宋马绍庭夫妇墓为一长方形竖穴木棺墓,墓圹中并列两座木棺,墓中出土漆木器、瓷器、金银器、铜器和文房用具65件,另有钱币1200余牧。[③] 其中"歙州黄山张谷"墨锭、"九华山朱覬墨"锭以及文具盒中的五支毛笔,被国家文物鉴定委

---

① 《建炎以来系年要录》卷119,绍兴八年。
② 《宋会要辑稿·食货》64之26。
③ 合肥市文物管理处:《合肥北宋马绍庭夫妻合葬墓》,《文物》1991年第3期。

员会定为国家"一级甲等文物"①。

北宋实行酒榷制度,先在东、西、南三京分设都酒务,后又扩大到北京大名府。州、府、军所在城市置酒务,县、镇、乡、间设坊场。酒务和坊场管理酿酒卖酒,兼收酒税,然其弊端颇多。淳化五年(994年),官府不得不将一些经营不善的坊场改为"募民自酤"②。所谓"募民自酤",就是由官府发榜召人出价承包,官府"视价高者给之"③,这种办法,文献中又称买朴。但酒曲的制造和销售仍由官府垄断,不准私人染指,违者要处以重刑。酿出的酒也只能在官府划定的地界内销售,越界者也要处以重刑。酿酒业受地理条件的制约较少,各地都可生产,但质量因受水土和气候影响,各地酒类质量、特色不同。见于文献的合肥名酒有:庐州金城酒、金斗酒、杏仁酒,寿州王氏酒。

酿酒规模,现已无从确知,但《宋会要辑稿·食货十九》录有熙宁十年各路卖曲所得钱数:淮南路1261955贯,曲与酒有一定的产出比,用曲多少,产酒量也相应有高低。陕西、河北两路售曲量遥遥领先于其他路,一是因为西北天气寒冷,人们喜欢以酒御寒。二是有数十万大军长期驻扎,对酒的需求量较大,从而刺激当地的酿酒业。淮南路仅次于陕西、河北、两浙、京东四路,应该说也属于酿酒业比较发达的地区。无为军为全国六大榷货务之一的无为榷货务驻地,酒类产量较高。

北宋今合肥及其相近区域各州军酿酒情况见下表:

地名	租额	熙宁十年
寿州	99548 贯	78524 贯 770 文
庐州	84657 贯	70725 贯 539 文
无为军	53152 贯	32682 贯 667 文

---

① 《五十年来安徽省文物考古工作》,载于《新中国考古五十年》,文物出版社1999年版。
② 《宋史》卷185《食货志下七》。
③ 《续资治通鉴长编》卷217,熙宁三年。

第三节　商业与城镇

两宋是商业发展的重要时期。在农业、手工业发展的基础上，农副产品及手工业品需要扩大其交换市场，两宋对商品交换采取相对宽松政策，这些都有利于商业经济的发展，城市经济也取得突飞猛进的发展。当时国家政治中心由关陕转移到以开封和洛阳为中心的中原地区，合肥地区的庐寿大道与无为军的榷货务成为京师与富庶的东南地区联系的纽带。

一、商品种类的扩大

为了发展商业，繁荣经济，宋太祖即位之初便推行"薄税敛"，以鼓励商人经商。建隆二年（961年）二月，"诏蔡河、颖河、五丈河及汴河州县民船载粟者勿算"[①]。太宗即位后，"诏榜商税则例于务门，无得擅改更、增损及创收"，[②]重申"除商旅货币外，其贩夫贩妇细碎交易，并不得收其算"[③]。仁宗嘉祐年间（1056—1063年），制定"犯榷货者，不根问经由"的"海行条法"[④]，放松海上贸易的限制。熙宁六年（1073年）十二月，淮南西路提点刑狱陈枢上书："熙宁五年，苏、湖大稔，米价视淮南才十之五，客船贩米，以缘路场务收往来力胜，故苏、湖之米不至淮南。乞权令免纳。"[⑤]力胜钱，即交易税。神宗接受其建议，免征粮食交易的力胜钱。政策环境的改善，给商业发展带来了机遇。

---

① 《宋会要辑稿·食货》17之10。
② 《文献通考》卷14《征榷考一》。
③ 《文献通考》卷14《征榷考一》。
④ 《建炎以来系年要录》卷91，绍兴五年。
⑤ 《续资治通鉴长编》卷248，熙宁六年。

北宋时期,我国商品构成发生了重大变化,商品种类以居民生产、生活资料为主,专供皇亲国戚、达官贵人消费的乳香犀玉、金银珍玩较少。合肥地区大宗的商品主要是粮食、茶、盐;其他如布帛、酒、竹木、牲畜、药材、陶瓷、文具、农耕器具等日常用品也成为商品。

合肥地处江淮之间,环绕巢湖,圩田成片,向为鱼米之乡。但江淮丘陵也容易产生水旱灾害,粮食进出贸易较为繁忙。景德年间,江淮连岁大稔,三司官员提到,当时"富商大贾自江淮贱市粳稻,转至京师,坐邀厚利"①。熙宁六年(1073年),免征淮西力胜钱后,大大推动了淮南地区粮食贸易。

江淮也是茶叶重要产地。寿州"开顺、麻步、霍山,岁榷无虑三万钧(约百万斤),坐居竹斋,率千金以算,其利不赀"②。北宋设置无为榷茶务,主管两淮地区茶叶贸易。舒城县茶叶销售被当地大姓张迪等五家把持,其他商人莫能染指,知县陈某曾依法纠正,张迪等人诬构其他罪名,险些为此罢官③。梅尧臣《闻进士贩茶》反映士人违法贩茶,"浮浪书生亦贪利,史笥经箱为盗囊。"④

食盐有三种,池盐、井盐和海盐。两淮诸州及江南东路宣、池、太平州和广德军,行销海盐,又以淮盐为主,自真州榷货务或设在楚、泰、通州的盐仓搬运。官府收买淮盐每斤付4文钱,售价视距产地路途远近而上下其估。宋初,定淮盐为21等,售价每斤自47文至8文不等。颗盐分3等,每斤售价从44文至34文不等,后来陆续提高售价。熙宁、元丰年间,每斤增至六七十文。销售方式分为通商、官卖(即禁榷)二种,至于具体采取哪种方式,原则上随州军所宜而定,但也经常变化。初,淮南十八州军半行榷卖,半行通商,涉及今安徽地区的单、颍、亳、宿皆为禁榷地。因为私盐物美价廉,官盐质劣价高,百姓皆利食私盐,以致私贩者越来越多,官府财源流失严重。至道二年(996年)十一月,朝

---

① 《续资治通鉴长编》卷63,景德三年。
② 宋祁:《宋景文集》卷46《寿州风俗记》,四库全书本。
③ 祖无择:《龙学文集》卷9《陈君神道碑铭》,四库全书本。
④ 梅尧臣:《宛陵集》卷34《闻进士贩茶》,上海古籍出版社1980年版。

廷采纳西京作坊使杨允恭建议,诸州食盐均采取官卖形式。天禧(1017—1021年)初,复罢榷法,允许商人入钱粟京师而前往淮东路购盐,然后自行销售。熙宁年间(1068—1077年),为把盐利收归国有,在淮西推行周辅盐法,即由官吏坐肆卖盐。卖盐官吏往往课民买盐,并根据贫富及财产多寡规定其买盐数量,招致民间不满,尤其富豪之家怨声载道。元丰(1078—1085年)年间改制,调整周辅盐法。崇宁(1102—1106年)以后,恢复熙宁课买之制,规定州县每年卖官盐数额,"以卖盐多寡为官吏殿最,如有循职养民不忍侵克,则指为沮法,必重劾遣黜。州县孰不望风畏威,竞为刻虐,由是东南诸州县三等以上户,俱以物产高下勒认盐数之多寡。上户岁有至千缗,第三等户不下三五十贯,籍为定数,使依贩易,以足岁额。稍或愆期,鞭挞随之"①。政和二年(1112年),蔡京复用事,又变盐法。政府听商人赴榷货务请盐,榷货务批发给商人的价钱是300斤10贯,即每斤33文。官府允许商人自定零售价。商人因成本剧增,又得增损售价之便利,于是"盐价苦高,私贩者众"②。行之不久,又改为课买制。

《宋会要辑稿·食货二十二》详细记载熙宁中各州县镇务课买食盐钱数,具体地反映合肥各地盐业情况,列表如下:

合肥各县镇务课买盐数

州军	县镇务	钱数
庐州	合肥县	56142贯197文
	慎　县	13280贯285文
	舒城县	22652贯836文
	青阳镇	1351贯397文
	九井镇	954贯829文
	总计	93381贯544文

① 《宋史》卷182《食货志四下》。
② 《宋史》卷182《食货志四下》。

(续表)

州军	县镇务	钱数
无为军	无为县	20130 贯 908 文
	庐江县	29498 贯 451 文
	巢　县	11670 贯 107 文
	零盐场	2191 贯 621 文
	糁潭务	4151 贯 430 文
	石牌务	1721 贯 822 文
	柘皋务	4147 贯 81 文
	昆山务	12610 贯 179 文
	总计	86119 贯 598 文

就官方规定一年的交易量来看，可说食盐是仅次于粮食、茶叶之外又一大宗商品。由于进价和售价之比高低悬殊，利润空间很大，长期以来私贩猖獗。至道二年（996 年）闰七月，"江淮发运使杨允恭捕获贩私盐贼三十九人送阙下"[①]。参与私贩人员，也不再限于穷苦的黎民百姓，"江淮间虽衣冠士人，狃于厚利，或以贩盐为事"[②]。

二、货币流通与大商人

北宋初年，使用的金属货币为铜钱和铁钱，同时金银一类贵重金属已开始在市面上流通，并为国家所承认。宋太祖时，铸造铜钱"宋元通宝"和"皇宋元宝"，作为通用钱币。宋太宗即位，改年号为太平兴国，铸造"太平通宝"，后来改元淳化，铸造"淳化元宝"。此后每当改元，就要铸造新的年号钱，与其他钱币一起流通。铁钱流通在川陕地区，铜钱通行于全国。宋真宗时，四川十六家富户联合发行纸币，称作"交子"，代替铁钱在市场流通。交子行用后，富户无法解决伪造

---

① 《续资治通鉴长编》卷 46，至道二年。
② 《续资治通鉴长编》卷 196，嘉祐七年。

的问题,"亦有诈伪者,兴行词讼不少",①又因私家难以维持交子信用,仁宗天圣元年(1023年),朝廷在益州设立交子务,由政府经营交子,每张交子票面都有固定的价值。徽宗崇宁四年(1105年)改"交子"为"钱引",没有准备金,大量发行,除闽浙湖广地区外,其余各地普遍推行,与铜钱并用。因而合肥地区以行用铜钱为主,金银也作为货币在市场流通。1979年,合肥市阜阳路地段出土了南宋晚期的一处金器窖藏,内有金条3根,金片11根,金钗18根,总重813克。②大批金器的发现,也从侧面证明了合肥当时商业贸易的规模比前代有所扩大。

南宋时期,作为贸易媒介的纸币日益代替铜钱,成为主要的交换手段。在江淮地区,南宋政府专门发行一种纸币——"两淮交子",在两淮地区流通。绍熙三年(1192年),规定"淮交"每贯值铁钱720文,以三年为界。

南宋禁止铜钱过江,今合肥地区流通手段主要为会子和淮交、铁钱。会子,初由商人发行,绍兴三十一年改由户部办理发行,"与铜钱并行",③用于纳税和一般交易,三年换发一次,并兑换现钱,称为一界。币面印有发行机关名称、界数、面额等。钱引仍在江淮行用,习称"淮交"。铁钱为现金准备,起初一交兑铁钱一贯,自绍熙三年,改为一交兑720文。三年兑现一次,发新交子,称为一界。绍兴六年二月,朝廷应张澄之请,命依四川法造交子30万贯,用于两淮,与铁钱并行。绍兴三十一年七月,改行会子。行之不久,至乾道二年十月,复行交子。绍熙二年七月、十二月,朝廷两次用会子共200万收两淮私铸铁钱;明年八月,两淮地区复行铁钱和交子。反反复复,然总的说来行用铁钱和交子的时间比较长,用会子的时间比较短。

随着商品交换的频繁,出现一些大商人。合肥及其周边地区也

---

① 李攸:《宋朝事实》卷15《财用》,中华书局1955年版。
② 《五十年来的安徽省文物考古工作》,载于《新中国考古五十年》,文物出版社1999年版。
③ 《建炎以来系年要录》卷187,绍兴三十年。

涌现出一批全国闻名的富商大贾。"无为陈氏,家有赀累百巨万"①。寿州范氏、陈氏,势力更大。仁宗时期,"左右引寿州茶商陈氏女入宫",据传"陈氏父号陈子城者,始因杨太后纳女宫中,太后尝许以为后矣"②,郭皇后被废以后,仁宗欲以陈氏女为皇后,遭到吕夷简、宋绶、王曾等大臣反对,方才作罢。真宗朝宰相程琳之妻亦出自寿州陈氏。③

其中一些大商人以买扑形式,取得某种商品的经营销售权或承包权。如寿州、无为军某些商人买扑数都超过了官营。豪强用买断专卖权,强行销售,遇民有吉凶事,辄抑配沽酒,④居民婚丧嫁娶之事,仅酒钱就要用十几贯,而这些承包商则坐享厚利。根据《宋会要辑稿·食货一九》所载官营及买扑酒钱,合肥及其周边官营与买扑酒钱如下表:

熙宁十年合肥及其周边官营与买扑酒钱

州军名称	官营	买扑	合计
寿州	31885贯180文	46639贯590文	78524贯770文
庐州	57605贯919文	13119贯540文	70725贯539文
无为军	14771贯194文	17915贯473文	32686贯667文

丰厚的商业利润,加速了农业资本、手工业资本等社会资金向商业资本转移的速度。有些地主一改有钱买田的传统经营方式,开始在城镇建商铺、货栈、邸店,兼营商业。《宋景文集》卷46《寿州风俗记》讲寿州"农与商参,迭为并兼",说明这种情况比较流行。

商业交换的发展,也使商税数量急剧上升。根据《宋会要辑稿·食货》记载,合肥地区旧税额及熙宁十年实际上交商税钱如下:

---

① 郭彖:《睽车志》卷5,上海古籍出版社2012年版。
② 《续资治通鉴长编》卷115,景祐元年。
③ 王安石:《临川集》卷98《陈氏墓志》,上海古籍出版社1999年版。
④ 《续资治通鉴长编》卷108,天圣七年。

州军县名	旧额	熙宁十年上交商税数	名次
寿州	133224 贯	53456 贯 560 文	2
庐州	50882 贯	72074 贯 317 文	1
无为军	56856 贯	37964 贯 555 文	4

上表说明,第一,总体看来,合肥所属各州军呈均衡发展态势,无论旧额还是熙宁十年上交数,都在万贯以上。第二,无为军、庐州、颖州也都在五万贯以上,在全国也属于交税较高的州军。第三,从发展趋势看,庐州呈上升趋势。增加二万多贯。寿州及无为军呈下降趋势,寿州减少八万贯,无为军近二万贯。商税多寡是商业发达还是落后的标志,说明彼处商业已经由繁荣开始走向衰退和萎缩。

到南宋时期,合肥地区处于战争前沿,受到战争影响以及金军南侵破坏,商业活动不及北宋。在商业交换方面,呈现出一些特色,其主体是民间商业交换与军民贸易。民间商品交换是居民日常生产和生活必需品,如粮油、布帛、盐、酒、茶、陶瓷器、农具等。经济残破,社会购买力和投入交换的物品都显著下降或减少,城乡间的经济往来也大为减少。南宋为弥补州县经费不足,又不断加大对商税的征管。如绍兴五年(1135 年)正月,两淮形势稍微稳定,朝廷就下令淮西州军并置市易务,随后濠州、泗州、庐州、寿州相继设置市易务。① 后来收税场务越来越多,而商贾受到多重盘剥,经营成本大大增加。直到绍兴二十六年,政府在商贾压力下,命诸州减少税务机构,以安抚商贾。②

军民贸易,系指驻军与当地百姓间的商业往来活动。南宋时期,合肥地区大量驻军,他们生活用品中有很大一部分要靠当地解决,于是附近的老百姓和商人,便从四面八方赶来,把贩买来的商品或自己的多余产品卖给将士,从中谋利。所以当时流传一首民谣说:"欲得

---

① 《建炎以来系年要录》卷 85,绍兴五年。
② 《宋史》卷 31《高宗纪八》。

富,赶著行在卖酒醋。"①行在,本指皇帝临时驻跸之地,引申其意,泛指人员集中地,当然也应包括驻军之地。

三、城镇的发展与变迁

唐末以来,随着社会经济的不断发展,人口数量的急剧增加,商业的日益发达,一些州府县城功能逐渐变化。至北宋时期,城内原有坊制市制被打破,城市也不断扩容,对各个地区经济辐射力增大。同时,传统意义的集镇,亦由军事性质变为地方基层行政组织,而发展成为行政与商业经济的结合体。② 庐州治所合肥,自乾道五年(1169年)郭振扩建斗梁城后,金斗河入城,促进了合肥城市的繁荣。清嘉庆《庐州府志》记载:"自河入城之后,而民间之利甚溥矣。谷粒之出入,竹木之栖泊,舟船经抵县桥或至郡邑署后。百货骈集,千橹鳞次,两岸悉列货肆,商贾喧阗。因其地气疏通,人心愉畅,而官长之超擢者,缙绅之显达者,甲乙榜之多,土风之厚,民俗之醇,甲于他郡。"

不仅如此,城市周围、农村交通要道以及人口稠密地区,集市贸易逐渐形成,市镇产生了。"诸镇置于管下人烟繁盛处,设监官,管火禁或兼酒税之事",③宋代在人口稠密的地方设立镇,这些镇不是军事驻点,而是市场经济发展的产物,所以称作市镇。

(一)城镇的分布与类型

今合肥地区,宋代分属庐州、无为军,还有部分地区在寿州所属安丰、寿春县境内。根据《元丰九域志》记载,庐州所属合肥县设有十一乡四镇,慎县有六乡六镇,无为军所属巢县有十一乡二镇,庐江县有十乡六镇,这些市镇与四县治所,共同构成城镇。

---

① 庄绰:《鸡肋编》卷中,上海书店1983年版。
② 郁越祖:《关于宋代建制镇的几个历史地理问题》,《历史地理》第七辑,上海人民出版社1988年版。
③ 《宋史》卷167《职官志七》。

北宋沿用唐代制度,"诸非州县之所,不得置市",[①]州县治所置"市"设置市令、市佐管理。《元丰九域志》已经将城镇分为两个层次,一是县治以上的城市,二是县管辖的集镇。这是因为县治是有别于集镇的。首先,县治是行政中心,而集镇为非行政中心;其次,县治城在税收和聚落人数上与镇有差别。若以《宋会要辑稿·食货一六》,熙宁十年(1077年)淮南税务数与元丰镇数相比,约近一半的镇没有税额数,且绝大多数镇的商税额都低于县治城。可见,县治不仅是军事行政中心,也是经济商业中心。

宋代将县级机构分级,县治与集镇还可以转化。《宋会要辑稿·方域》六之九记载,绍兴五年正月二十四日三尚书省言:"令逐州守臣量度户口多寡,地里远近,各具合废县,分申帅司保明,申尚书省。其废并去处,各置监镇官一员,从之。"朝廷主要是通过对行政管理(包括军事轻重)、户口数、税收等三方面的评估,以决定县是否降为镇。同样集镇是否升为县也主要取决于这三点。当然在不同时期侧重点也有所不同,平时侧重于户口、税收等经济因素,战时就侧重于政治、军事。合肥地区在北宋时期县镇的转化较少,经过宋初对非经济形式镇的大量裁减,元丰时期城镇的分布状况,大致反映北宋城镇分布情况。

南宋时期由于金军多次入侵,合肥地区遭受破坏,一些县降为镇。根据《宋会要辑稿·方域六》和《宋史·地理志》记载,无为军巢县曾被废为镇,后复升为县,又升为镇巢军,一度成为庐州军事指挥中心。前者降为镇,可能与户口减少有关,后者升为军,又与地势险要相关。尽管宋代有些城镇已经消失,也没有完整资料记载,但就相关资料来看,元丰年间合肥城镇类型有三种:商业城镇、矿冶市镇、交通城镇。

商业城镇最多,除了州军县治之外,较为典型的是柘皋镇。矿冶市镇,主要是无为军庐江县的矾矿开采,逐渐聚集而形成矾山、昆山两镇。《大清一统志》卷八十五《庐州府》记载:"矾山,在庐江县东南

---

① 《唐会要》卷86《市》。

四十五里,与无为州分界,出矾,山下有矾蓬。朱砂涧,一名昆山。王存《元丰九域志》,庐江有昆山矾场,即此。旧志,山上有清水潭,山下临江。"[1]交通城镇,其特点就是位于交通要道,是人员汇集之地,也是商业集散之地,更是税收易收之地。如永安镇,根据《大清一统志·庐州府》记载:"永安桥,在合肥县西四十里,一名城西桥。下有巨岩,其水独西注,盖即宋之永安镇也。"罗场镇(今安徽庐江县罗河镇),也称罗昌市镇,位于庐江县南五十里。因为有罗昌河,源出大凹诸山,南流入江。清水镇,慎县"北一百里,宋开禧中,以濠州陷,尝移治于此"[2]。竹里镇,位于慎县与濠州之间的交通要道,所以"张遇自濠州奄至梁县,舜陟使毁竹里桥,伏兵河西,伺其半渡,击败之"[3]。上述市镇有的已经消失,但大都位于水路交通要道。

(二)城镇与交通

合肥地区处于南北过渡地带,其城镇发展与南北交通路线有着非常密切的关系。主要城市都是随着交通运输的发展、变化而发展、变化。交通运输的盛衰,直接影响到地区城镇的商业等其他功能的发展。自汉末以来,北方地区进入该地区的交通路线,主要经颍河、涡河南下,渡淮后顺肥水(今南淝河)过巢湖而至历阳渡江。沿着这条线路,主要的城市有谯(今安徽亳州)、寿春(今安徽寿县)、合肥、历阳(今安徽和县),而以寿春为入淮之枢纽,合肥则为江淮之间中继站。《读史方舆纪要》卷十九云:"淮西山泽相半,南北所通行也,惟庐寿一路。陆有东关(今安徽和县乌江镇西)、濡须、硖石(在今安徽桐城境)之扼,重以陂水之艰,最为险要。无水隔者,独邾城、白沙戍(今湖北黄州)入武昌(今鄂州)及六安(今安徽六安)、舒城(今舒城),走南硖二路耳。"通过这些交通干道将许多城镇联系起来,形成一个交

---

[1] 《大明一统志》卷14《庐州府》云:"昆山,在庐江县南四十里,产礬(矾),又名礬(矾)山。"

[2] 《江南通志》卷27《舆地志·庐州府》。

[3] 《宋史》卷378《胡舜陟传》。

通网。如濠州（今安徽凤阳东北）为涡口控扼之守，控淮之要，"地带淮、濠，皆通舟楫"，也是寿春沿淮东行的要地。蕲州"北接光蔡，西连黄岗（冈），东峙隔皖"。

以合肥为中心的淮西运道是漕运的重要线路。北宋开宝五年（972年），"率汴、蔡两河公私船，运江、淮米数十万石以给兵食"。① 陆运也可自福建由洪州渡江经舒州至京。② 正如《舆地纪胜》卷三七云："淮南之西，大江之东，南至五岭、蜀汉十一路，百州之迁徙、贸易之人，往还皆出扬州之下，舟车日夜灌输京师者，居天下十之七。"这些南北运输线路，皆走淮西运道。

据《宋会要辑稿·食货一七》，仁宗天圣七年（1029年）正月，淮南江浙荆湖制置司奏言真、楚州、高邮军状，可略见当时商路的基本情况：

商贾执在京等货物公凭，并无为军榷货务文帖，算买茶货，借路泗、真、扬持税钱入汴上京，亏却逐务课利。勘会客人算买山阳榷务货，元无借条，始因大中祥符中，商客买贩蕲口、洗马、石桥、太湖茶货到庐州，泥水阻滞车头，权令转江船般，借路取真、扬州、高邮军、楚、泗州，经过只纳旧路庐、寿等州一路税钱。后来商客援例借汴路上京，乞下三司定夺，或兴于真、扬州、高邮军、楚、宿州、亳州永城、南京税务合收税钱，减放钱数……如取西路庐、寿、正阳等州军上京，并令依旧送纳本路税钱，或若水路船般转江下来，取东路真、扬州、高邮军、楚、泗、宿、亳州、南京，经过上京者，依贩买汉阳榷务等处茶例，并依经过去处，征收钱税，更不立借路名目，依元是限于在京榷货务送纳，从之。

从这段奏文可知，湖北、淮西的贩茶商路一般取自淮西庐、寿大

---

① 《宋史》卷175《食货志上三》。
② 《宋会要辑稿·食货》48之13。

道,当庐州之北道行路艰难时,可转船走江路,从真州(今江苏仪征)转入东路运河上京,东路比西路虽绕远,但畅通易行。

宋室南渡后,金军几次大规模南进,大都循着这几条南北交通干线深入淮南,并渡江进入江浙等地区。根据《三朝北盟会编》、《建炎以来系年要录》、《宋史》记载,金军最初从淮东南下,然后转向淮西,两淮所遭破坏都很大。但中期、后期由淮西进入较多,不仅从传统寿庐主干道,还从光州向黄州突入淮西沿江地带。绍兴三十二年二月,御营宿卫使杨沂中、淮西制置使李显忠、主管淮西安抚司公事方滋等曾上奏,"庐州地势难守,四经残破,舒州地势襟带,居诸郡之中,乞移淮西帅司就舒州,知州兼领庐州管下合肥、慎县、舒城,尽归舒州",建议将其降为合肥县,升为军使兼知县,"建康府驻扎诸军差统领官一员充沿淮都巡检使,将官兵千人、马二百,于合肥屯戍,每岁或半年一易,听本路帅司节制"。① 由于给事中金安节等人反对,遂搁置下来。

(三)城镇商业与税收

合肥地区商业发展情况,可以用政府商税收入数额及其变化作为具体指标。宋代设有征收商税机构"务","凡州县皆置务,关镇亦或有之,大则专置官监临,小则令、佐兼领,诸州乃令都监、监押同掌。行者赍货,谓之'过税',每千钱算二十;居者市鬻,谓之'住税',每千钱算三十,大约如此。然无定制,其名物各随地宜而不一焉。"② 宋代商税主要有过税和住税两种,前者约收货物的百分之二,后者约为百分之三。

根据北宋熙宁十年及其以前商税额记录的统计,淮南路是商业最繁盛之地,庐州商业水平始终名列淮南各州前茅。

---

① 《建炎以来系年要录》卷197,绍兴三十二年。
② 《宋史》卷186《食货志八》。

熙宁十年前后淮南西路商税比较表

州名	熙宁十年前额（贯）	熙宁十年额（贯）
寿州	14802	7307
庐州	7268	12414
蕲州	6196	6708
和州	3374	4499
舒州	2146	1779
濠州	3210	4775
光州	5148	3553
黄州	3327	4957
无为军	6317	5165

注：资料来源《宋会要辑稿·食货一六》。各州平均商税额以各州总税额除以税务数所得。

从上表可以看到，淮南西路为寿、庐、无为军等地区商业最为发达。若就各个城镇来看，商税多寡是反映城镇商业规模大小及经济意义轻重的主要参数，《安徽通史·宋元卷》根据《宋会要辑稿·食货》十五至十七记载的熙宁十年商税额，列表如下：合肥城镇统计如下。

熙宁十年合肥地区及其周边商税额

州军名	县镇务名	熙宁十年商税额	淮西同级行政单位中的名次
寿州	下蔡 在城	17550 贯 621 文	城第 4
	寿春 在城	6274 贯 533 文	城第 22
	安丰 在城	8863 贯 154 文	城第 15
	霍丘 在城	13796 贯 622 文	城第 8
	六安 在城	18500 贯 937 文	城第 3
	麻步务	1265 贯 203 文	镇第 21
	霍山务	4255 贯 919 文	镇第 5
	开顺务	1331 贯 35 文	镇第 17
	来远务	382 贯 953 文	
	土厥涧务	1162 贯 613 文	镇第 24
庐州	合肥 在城	50315 贯 887 文	城第 1
	慎县 在城	1971 贯 217 文	
	舒城 在城	8087 贯 505 文	城第 17
	青阳	403 贯 77 文	
	九井	1296 贯 636 文	镇第 19
无为军	无为 在城	20040 贯 837 文	城第 2
	巢县 在城	3968 贯 90 文	
	庐江 在城	9971 贯 339 文	城第 13
	糁潭	907 贯 56 文	
	柘皋	1096 贯 997 文	镇第 27
	昆山	900 贯 741 文	
	石牌	238 贯 495 文	

《安徽通史》列举全省六十二个城镇中，商税超万贯的有十二个，从高到低依次为合肥、无为、六安、下蔡、宣城、历阳、符离、霍丘、芜

湖、清流、歙县、广德,其中八个在江北,四个在江南。商税万至五千贯的有十个,从高到低依次为庐江、定远、安丰、钟离、舒城、天长、城父、建德、宁国、寿春,其中八个在江北,两个在江南。城镇年商税两千贯以上者有九个,从高到低依次为池口、铜城、永安、鸶山、霍山、正阳、大通、东关、灵壁,其中七个在江北,二个在江南。三组数字都说明,长江以北城镇的商业规模远远超过江南,尤其是合肥县城,高出同级县城几倍,甚至十几倍。

合肥所在的庐州是四达之地,东淝河沟通淮河,南淝河入巢湖出长江。陆路方面,西经六安至河南信阳,南通滁舒,因此自秦汉已为"都会"城市,历魏晋南北朝隋唐至北宋,一直为江淮间重镇,直到元改都北京,始渐衰落。

第十章

宋代合肥地区文化与社会

第十章 宋代合肥地区文化与社会

重文轻武是两宋基本国策。两宋时期,最高统治者认识到,"王者虽以武功克定,终须用文德致治"。① 为了王朝长治久安,北宋推崇文治,"兴文教,抑武事",② 优容士大夫。宋太祖还以"祖宗家法"形式告诫子孙,不得轻杀大臣和言官,"终宋之世,文臣无欧刀之辟"。③《宋史·文苑传》称:"艺祖(太祖)革命,首用文吏而夺武臣之权,宋之尚文,端本乎此。"宽松的环境,加以发达的社会经济,都使合肥乃至全国学术文化取得了辉煌成就。

第一节 教育与科举

北宋初期,承唐末五代干戈扰攘之余,学校制度很不完备。直到仁宗以后,地方学校陆续建立起来,并呈现良好的发展态势。两宋之际战争,造成合肥地区学校受不同程度破坏,但局势稳定后相继恢复。私学和书院也得到相应的发展,通过科举走上仕途的官员大大增多,并带动区域文化发展。

一、学校和书院

(一)州县官学

北宋建国之初,州县官学不多。真宗大中祥符二年(1009年),诏许曲阜先圣庙立学,又赐南京应天府书院匾额。仁宗天圣七年(1029年),吕夷简入相,首发州郡建学之议,④ 才开始有所兴作。到庆历四

---

① 《续资治通鉴长编》卷23,太平兴国七年。
② 《续资治通鉴长编》卷18,太平兴国二年。
③ 王夫之《宋论》卷1《太祖四》,中华书局1964年版。
④ 魏了翁:《鹤山集》卷62《跋吕文靖公试卷真迹》,北京图书馆出版社2004年版。

年(1044年),时北宋建国已八十余年,政权日益巩固,经济渐趋繁富,经范仲淹、欧阳修、宋祁等一批大臣的陈请下,始解兴学之禁,"诏诸路州、军、监各令立学,学者二百人以上,许更置县学。自是州郡无不有学"。① 地方官员也重视学校。宗室赵善俊,绍兴二十七年进士,知庐州时,"增筑学舍,新包拯祠,春秋祀之,人感其化"。② 乾道九年(1173年),赵磻老以淮西安抚使兼知庐州,"至郡,谒文庙,即倡议修复",到淳熙元年(1174年),"营构一新,祀马忠肃(马亮)、包孝肃(包拯)二公于翼室,揭示勉学,厥功懋焉"。③ 嘉定十五年(1222年)翟朝宗以殿前诸军都统制兼知庐州,"下车即议修学,出前赵、许二帅所捐金,益以戎司之帑,营宫庙,迁稽古阁于直庐后院"。④ 各县官员也多以兴学为己任。绍熙年间(1190—1194年),赵登善为巢县令,"茸理县治,尤注意学校,殿堂门庑,焕然一新。弦诵蔼然,文风为之丕振"。⑤ 江琯为巢县令,"饬县治,振士风,修学校,有仁厚之政"。⑥

两宋时期,合肥、慎县(梁县)、巢县、庐江均置有官学,合肥为庐州治所,其官学为州学。康熙《庐江县志》记载,"初置学无官,令佐皆得兼之,以管勾学事系衔。景定三年,始置主学一员"。⑦ 在管理体制上,官学是系官办学校,其教官都由朝廷任命。北宋前期,官学由地方长官或副手督办,以"管勾学事"系衔。根据目前资料,合肥地区设立教授作为学职始于宋哲宗元祐元年(1086年)。《续资治通鉴长编》卷三百八十九记载,元祐元年十月,"诏齐、庐、宿、常、虔、颍、同、怀州各置教授一员……从近臣荐也。"《宋会要辑稿·崇儒一》亦载:"元祐元年十月十二日,诏齐、庐、宿、常、虔、颍、同、怀州各置教授一员。"

---

① 《宋史》卷167《职官志七》。
② 《宋史》卷247《宗室传四》。
③ 嘉庆《庐州府志》卷24《名宦传中》。
④ 嘉庆《庐州府志》卷24《名宦传中》。
⑤ 嘉庆《庐州府志》卷25《名宦传下》。
⑥ 嘉庆《庐州府志》卷25《名宦传下》。
⑦ 康熙《庐江县志》卷9《秩官》。

州县学一览表

学校名称	建置始末	资料来源
庐州州学	肇建于唐会昌,盛于北宋咸平,毁于建炎兵乱。乾道以后,帅守赵蟠老、翟朝宗、杜庶曾先后重新修缮。	《南畿志》卷37 光绪《续修庐州府志》卷17 赵蟠老《庐州府新学碑》 周必大《平园续稿》卷24 《赵善俊神道碑》
梁县县学	始建年代不详,南宋绍定元年县令王迈之鼎新之。	刘宰《漫塘集》卷22《梁县学记》
合肥县学	旧在县治东南,南宋淳熙中郭振移置于三贤祠。	《南畿志》卷37
巢县县学	南宋绍熙中县令赵登善兴建,庆元元年竣工。	光绪《庐州府志》卷17 焦抑《巢县学记》
庐江县学	庐江庙学之设,旧矣。学规宏邃,比于大府。	《康熙庐江县志》卷15,元罗永登《儒学重建文庙记》

对于教授选拔,开始时需由地方主官举荐申请。后来成为定制,从京官或举人中考察选拔。《宋会要辑稿·崇儒二》记载,"庆历四年(1044年)三月,诏诸路州府军监,除旧有学外,余并各令立学。如学者二百人以上,许更置学,若州县未有顿备,即且就文宣王庙或系官屋宇,仍委转运司或长吏于幕职州县官内荐教授,以三年为一任。若文学官有差,即令本处举人,众举有德行艺业者充。候及三年,无私过,本处具教授人数并本人履业事状以闻,当议特以推恩。内有因本学及第人多处,亦与等第酬赏。如任满,本处举留者,亦听。"

又据《续资治通鉴长编》卷二百四十三载,"熙宁六年(1073年)三月己未,诏诸路学官并委中书选京朝官选人或举人充"。因而从熙宁六年开始,教授改由朝廷任命,即所谓"特从官使"。后来在教授选任过程中出现请托等舞弊现象,元丰六年七月十三日,国子司业朱服上奏,诸州学或不置教授,乞委长吏选现任官兼充。其具体办法是:"先以名上礼部,从本监体验,可为教授即依所乞。其逐州旧补差教授,悉乞放罢。"后来礼部奏陈,先由周子监考察现任官"学行堪充教授"与否,杜绝徇私请许之弊,然后上报礼部,"见为教授人候有新官,令罢。"朝廷接受这一建议。① 府州学教授由各府州长官考察举荐,呈报礼部,再行委任。

教授以下学官,亦有相应的选拔条件。元祐三年(1088年)七月,朝廷规定:"学正、学录、学谕仍于上舍内逐经选二员充,如学行卓然尤异者,委主判及直讲保明闻奏,中书考察,取旨除官,其有职事者,授官讫仍旧管勾,候直讲、教授有缺,次第选充。"②

教授职责是,"以经术行义训导诸生,掌其课试之事,而纠正不如规者"。③ 庐州府学教授,宋以前设官不可考。据嘉庆《庐州府志》卷十一《职官三》,其姓名如下。

庐州府学教授一览表

时代	人名
哲宗	周邦彦、南飞卿、吴祗若、吴侔
徽宗	杨邦乂
孝宗	胡舜陟、吴芸、余宰、毕有、李世杰、张纲、郭颐、杨起晦、徐太发、陈应斗、翟起润、陈协道、孙震奋
光宗	唐易守、秦榛
宁宗	丁端祖、钱宽、蔡任、陶大章、余伯麟、刘湛然、李知孝、朱庆乾、胡岩起、阮霓、章炳、徐梦进、林世雄、张洪
理宗	赵体国、陈唐器、杨有直、刘芹、过梦行、周元龟、李介叔、杨瑶、崔大辉、王粲、王时中、黄国用、胡顺昌、王长孺
度宗	杨震西、于应翔、奚守仁、林肖传、洪戊

县学学官为"教谕",专门从事县学管理,但是目前未见集中资料记载。从上表来看,庐州教授53人,这些人又主要集中在南宋,其中原因除了兴学较晚之外,更主要与南北交战,文献资料散佚有关。同时反映南宋时期,虽然南北交战,但文化教育得到恢复并有所发展。

---

① 《宋会要辑稿》崇儒二,651页。
② 《宋会要辑稿》崇儒一,640页。
③ 《宋史》卷167《职官志七》。

北宋词臣周邦彦在元祐年间曾出任庐州教授。① 吴侔在任庐州教授期间,知庐州为朱服,时值朝廷党争激烈,二人因政见不和,朝廷改调朱服知寿州。据朱服之子朱彧在《萍州可谈》卷一记载:"先公在元祐背驰,与苏辙尤不相好。公知庐州,辙门人吴侔为州学教授,论公延乡人方素于学舍讲三经义,辙为内应,公坐降知寿州。"吴侔本人因为在教学方式上倡导的反常教学模式,为人所讥。吕本中《紫薇诗话》中说:"未改科以前,有吴侔贤良为庐州教授,常诲诸生作文须用倒语,如名重燕然之勒之类,则文势自然有力。庐州士子遂作赋嘲之云:'教授于庐,名侔姓吴,大段意头之没,全然巴鼻之无。'"杨邦乂,吉州吉水(今属江西)人,"博通古今,以舍选登进士第,遭时多艰,每以节义自许",②历婺源尉、蕲州、庐州、建康三郡教授,改秩知溧阳县,迁建康通判。建炎三年(1129 年),金元帅宗弼进攻建康,建康守臣李梲、陈邦光迎降,杨邦乂不屈被杀。绍兴二年,高宗赐其谥"忠襄"。

(二)私学与书院

私学属于民办教育,形式多样,名目繁多,举如乡校、村学、族学、堂馆、义学等,皆属此类。一般由个人或集体出资兴建,自由聘请教师,不受官府管辖。这类学校教材,主要有《蒙求》《太公家教》《三字训》《杂字》《千字文》《百家姓》《三字经》等,《宋史·艺文志》小学类著录有 206 部,1572 卷,在数量上和知识普及上大大超越前代。陆游在《秋日郊居》中描述为:"儿童冬学闹比邻,据案愚儒却自珍。授罢村书闭门睡,终年不著面看人。"陆游虽然说的是绍兴农村私学情况,但在宋代也是普遍现象。宋代合肥私学情况,因为资料缺乏难以完整展示,但庐州濡须人王之道《相山集》卷二十八《劝学文》讲到同乡杨某:"诗赋宗匠,绍兴中于胡避山东筑屋数楹为学,召天下英才

---

① 《宋史》卷 444《文苑传》;路成文:《周邦彦出任庐州教授考》,《兰州大学学报》2010 年 2 期。
② 《宋史》卷 447《忠义传二》。

而教育之。"正是这种私学反映。

　　书院出现于唐代,南宋时期兴盛。最初,书院大多为民办学馆。一些富裕之家、饱学之士自行筹款,于山林僻静之处修建学舍,有的还置办学田收租,以充办学经费。后来发展到官府也设立书院,其实已经是一种独立的教育机构,作为固定的聚徒讲授、研究学问的场所。目前可以确认书院主要是庐州三贤书院,三贤是指宋枢密副使包拯、太子少保马亮和敷文阁直学士王希吕,元代改为景贤书院,揭傒斯在《景贤书院大成殿记》记载其事。周边地区书院主要有舒城龙眠书院,在县东飞霞岭上,原先为画家李公麟读书处;无为县有芝山书院,建于紫芝山。

　　宋代合肥地区由州学、县学而走上仕途者甚众。如庐州州学曾培养出像包拯、马亮、姚铉等一批名臣和饱学之士,一些外籍学子也到庐州游学,并有所成就。如宣州泾县(今属安徽)人凌策,"幼孤,独厉志好学,宗族初不加礼,因决意渡江,与姚铉同学于庐州",雍熙二年(985年)登进士第,"策勤吏职,处事精审,所至有治迹",①官至广南西路转运使、淮南东路安抚使,权御史中丞,蔚为一代名臣。

二、科举与进士

　　科举是宋代选拔官吏的主要途径。"宋之科目,有进士,有诸科,有武举。常选之外,又有制科,有童子举,而进士得人为盛"。② 宋太祖初年,取士较严,每科录取进士八人或十余人。太宗即以,科举取士数目大为增加,或隔年一次,或三年一次,每次取进士多者三四百人,诸科八九百人。宋英宗治平二年(1065年),科举固定为三年一次。在科举程式上,包括秋试、春试和殿试,秋试即府州考试,春试即礼部主持的"省试"。省试录取后,由天子另派大员在殿廷进行复试,

---

① 《宋史》卷307《凌策传》。
② 《宋史》卷155《选举志一》。

或由天子亲自主持。殿试及第者,直接授予官职。仁宗以后,殿试只定名次,不再淘汰。在科举考试中,宋代利用"糊名""誊录"等办法,防止考官徇私舞弊。史称,"时取才唯进士、诸科为最广,名卿巨公,多由此选","登上第不数年,辄赫然显贵矣"。① 两宋开科一百一十八次,取士在二万以上,人数之多,是历代所仅有。通过科举,广泛吸收各阶层人士参与政权,选拔大量真才实学之人,扩大了统治基础。

光绪《庐州府志》卷三十《选举表一》称,"郡当汉代文学多称,六代兵争,材武始兴;登科筮仕,自宋以来,彬彬儒雅"。两宋推行文治,合肥地区登进士者甚众,其中有父子进士、科第世家者,如合肥包令仪、包拯父子,马亮、马仲甫父子,杨察、杨寘兄弟;庐江王之道、王之义、王之深兄弟三人同年及第,人称其家为"三桂堂";② 王之道与王蔺亦父子进士。据光绪《庐州府志·选举表》、康熙《庐江县志·人物志》、嘉庆《合肥县志·选举表》,参之相关文献,合肥地区可考进士如下:

年代	合肥(含慎县)	庐江	巢县
太平兴国	马亮、包令仪		
太平兴国八年	姚铉		
天圣五年	包拯、马仲甫		
景祐元年	杨察		
庆历二年	杨寘、钟离瑾	双渐	
政和八年		朱翌	
宣和六年		王之道、王之义、王之深	
乾道二年		王莱	
乾道五年		王蔺	

---

① 《宋史》卷155《选举志一》。
② 康熙《庐江县志》卷12《人物志》。

(续表)

年代	合肥(含慎县)	庐江	巢县
淳祐元年	洪戌		
乾道十一年		王沦	
乾道十四年		王杜	
淳祐四年	商大椿、孙自明		
淳祐七年	王粥、章炳		
淳祐十年	刁应南		
宝祐四年	曹梦英、孔道传		
景定三年	范光大、李炎发、葛森		
咸淳四年	奚守仁、严迈伦、杨震西		

上述表中，合肥地区可考的宋代进士有 31 人，其中合肥 22 人，庐江 9 人，其实际数量可能更多。如《江南通志·选举志》记载景祐间(1034—1038)徐绶、嘉定间(1208—1224)蔡元龙，均为庐州合肥人，但在合肥方志著作没有记载。值得注意的是，《巢县志》没有进士记载，而《庐江县志·选举志》仅两人，即双渐与朱翌，[①]且存在争议，一是双渐在嘉庆《无为州志·选举志》中列举；二是朱翌在《江南通志》中既称舒城人，亦称安庆人。然《大明一统志》卷十四《庐州府》仍以双渐为庐江人，称，"双渐，庐江人，庆历进士，博学能文，为职方郎中知同州，以和易为政，所至见思若古"。其他七位王氏进士，《宋史》王之道及其子王蔺本传都称其庐江人，《大明一统志》则以王之道兄弟为无为州人。

---

① 康熙《庐江县志》卷 10《选举志·进士》："宋：朱翌，字新仲，政和间进士，仕中书舍人；双渐，庆历进士，仕职方郎中。"

第二节 宗教传播与民间信仰

唐代佛教已经完成中国化,与道教和儒学并称"三教",成为中国传统文化的一部分。尽管此后佛教在理论上创新不多,但在民间流传更为广泛,其势力和影响超过中国土生土长的道教。与之相联系,各种类型的民间信仰和会社仍然存在。这些直接影响到合肥地区的民情风俗和人们日常生活。

一、佛教和道教的传播

两宋时期合肥地区佛寺数量大增,其信徒往往将田产献给寺院,或者出钱修建寺庙,道教虽然不及佛教兴盛,但其宗教仪式也与大众生活息息相关,社会上呈现儒、佛、道三教共存相通的特色。进士王之道称:"世以儒、释、道为三教,名虽不同,其实无二,以迹求之,但见其殊耳。"[①]在巢县金城寺宿云轩,王之道题诗云:"云来不吾拒,云去不吾追。"[②]合肥很多儒士出入佛道之门,而善男信女则不可尽数。合肥名臣马亮,进士出身,推崇佛法,尤喜净土宗,知杭州时曾向遵式法师问道,遵式法师为他讲述《往生净土》《决疑行愿》二门,马亮遂终身诵念。又有僧人义了,"合肥钟离氏子,尝为进士,去从浮屠学,名所居'昨梦斋'。"北宋诗人吴正仲为此作诗:"不受尘网缠,祝发趣幽屏。回观真梦事,超然得深省。寂照涵虚空,梦觉等前境。"[③]王之道官至湖南转运判官,其《祭家神文》称:"伏以祖父以来,三年一祭内外家神,谓之还口。之道寄居于此,阖门二百指,实藉神贶以生活安乐,不

---

① 王之道:《相山集》卷23《庐州天庆观物产记》,北京图书馆出版社2006年版。
② 《大明一统志》卷14《庐州府》,国家图书馆出版社2009年版。
③ 《舆地纪胜》卷45《淮南西路·庐州》。

敢废兹礼。谨涓日命僧致洁家庭诵经卷,作佛事,仰祈昭格。伏惟本家内外尊神,鉴此诚悃,来享来宁。"①

(一)佛教寺庙的大量兴修

在各种宗教中,佛教势力最强,佛寺和信徒遍布各州县。不仅达官贵人,一般民众包括老弱妇孺也多烧香礼佛。合肥钟离氏为大族,钟离瑾官至龙图阁待制、权知开封府,其妻任氏"嗜浮屠书"②。合肥地区佛教寺院数量大增,除以前兴建的佛寺外,宋代兴建庙宇超过以往寺庙之和。根据《大明一统志》卷十四《庐州府·寺观》、《(乾隆)江南通志》卷四十八《舆地志·寺观》、《(嘉庆)合肥县志·古迹·寺观》、《(康熙)庐江县志·古迹·寺观》、《(嘉庆)巢县志·祀典志》等,有明确时间记载为宋代所建寺庙就有36所,其中合肥17所,巢县16所,庐江3所,几乎遍及合肥地区城乡各地。详见下表:

序号	寺名	属县	修建情况
1	地藏寺	合肥	在北城内,宋淳熙八年建。
2	五星寺	合肥	府南岳庙东,宋咸淳中建。
3	邑棠寺	合肥	府东三十里,宋建。
4	罗汉寺	合肥	在明教寺后。
5	石佛寺	合肥	在三河城,宋建。
6	广华寺	合肥	在土街,宋咸平元年建。
7	澄惠寺	合肥	在城金斗门外藏舟浦,一名澄心寺。刘攽贡父《游后浦诗新咏》有"从刘园至澄心寺后阁谈琴",即其寺也。
8	施婆寺	合肥	离城一百里,宋建。
9	清平寺	合肥	本名清明寺,离城八十里。宋建。
10	龙城寺	合肥	在龙城集北,离城五十余里。其南有古城。宋建。

---

① 王之道:《相山集》卷28《祭家神文》。
② 程如峰:《合肥北宋任氏墓志》,《安徽史学》1984年第5期。

(续表)

序号	寺名	属县	修建情况
11	龙华寺	合肥	在东黄山,离城百二十里。宋建。
12	游塘寺	合肥	在游塘桥,离城九十五里。宋建。
13	东广福寺	合肥	宋建。
14	西广福寺	合肥	宋建。
15	石塘寺	合肥	宋建。
16	释迦寺	合肥	即圆疃寺,在城东北六十里。宋建。
17	甘露寺	合肥	离城九十里,宋建。
18	金牛寺	庐江	在县西南四十五里,宋僧安雅建有塔。
19	竹林寺	庐江	在县东六十里,宋庆元五年建。
20	杨公庵	庐江	在县治东北三里,宋有杨公得道禅师之墓,土人追思,建庵其上。
21	定林慈氏寺	巢县	在巢县崇善坊,梁建,宋乾道中建塔。《大明一统志》云,"在巢县治东北,宋乾道中建"。
22	西隐寺	巢县	在县卧牛山下,梁建,宋景定、明宣德重修。
23	圆通寺	巢县	县南二十里,宋建。
24	相山寺	巢县	在县南山中,宋开宝四年建,高宗尝幸其处,勅赐教忠禅院。
25	大甘泉寺	巢县	县南散兵镇,宋淳熙间建,有泉清冽出石洞。
26	观心寺	巢县	在县镇南桥,宋淳熙间建,俗呼铜炀寺。
27	法轮寺	巢县	在县白露河,宋绍熙间建,有石柱轮藏古塔。
28	竹城寺	巢县	县西七十里,即宝林院,宋宝祐元年建。
29	大力寺	巢县	在县王乔洞东北,宋景定间建,傍有大力泉,深不可测,味极佳,为合境第一。
30	小甘泉寺	巢县	在湖南凤舒河上十里,去县南五十里万山之中,宋嘉定间创。(无能祖师所创)
31	法云寺	巢县	在湖南石次河上,去县南七十里,宋淳熙间创。
32	相山寺	巢县	即林泉寺,去县南一百里,在南山之中。宋开宝四年创,高宗尝幸其处,敕赐教忠禅院。

（续表）

序号	寺名	属县	修建情况
33	清泰寺	巢县	在县东南磨旗墩边，去县二十里。宋景定二年创。
34	罗汉寺	巢县	在柘皋镇，宋开宝二年建。
35	广严寺	巢县	在县西四十里。宋淳祐间创。
36	天池庵	巢县	在县南浮秩领东白牡山上，宋无能祖师成道处。上有天池，大二亩许，故以名庵。

还有大量前代寺庙，在宋代得到进一步重修和扩展。最为突出的是庐江县东冶父山寺。寺建于唐昭宗时期，初名冶父，乃伏虎禅师所建，故又名"伏虎寺"。逾数载，吴王杨行密移镇广陵，舍城中邸宅为光化寺，请师居之，此即是"金刚寺"。未几，禅师厌倦城市烦嚣，辞归冶父，建无梁殿于山顶，建冶父寺于南麓，开坛受法，弟子受戒者八百余人。宋太祖建国初，赐额"实际禅寺"，敕建大雄宝殿。此后山上山下连成一体，香火繁盛，形成一个庞大的宗教群，成为江淮闻名的十方丛林。

两宋之际，冶父寺名僧为道川禅师。道川本姓狄，为庐江昆山人，初为县小吏，闻东斋首座谦上人演讲禅法，习坐不倦。一日因事受到杖责，遂有所感悟，弃职投奔谦上人。谦上人为之取名"道川"，并告诫："汝旧名狄三，今名道川，川即三也。汝能竖起脊梁，了办个事，其道之增益，如川之汇纳众流。若放倒，一切不问，则依旧三也。"①道川铭记于心。建炎初年，正式受戒为僧，曾游方到天封蹒庵，与长老谈禅，机锋甚锐，长老称赞不已。有问询《金刚般若经》，道川一一讲解。孝宗隆兴元年（1163年），集贤殿修撰郑乔年出任淮西转运使，时冶父寺（实际禅寺）住持空缺，遂令道川住持，并演讲佛法。担任主持期间，道川又在山东麓扩建大刹，寺门外水口建桥，人称"川公桥"。据《冶父山志》记载，道川禅师系冶父山第二代宗师，其传承法系为临济宗。

---

① 陈诗：《冶父山志》卷五《宗派》，黄山书社 2008 年版。

又有无能祖师,巢县人,"于巢南辟茅,白牡山峰得道,赏姥峰奇秀,襟吐灵泉,复创甘泉寺于泉池之上"。① 嘉定年间(1208—1224年)圆寂。

(二)道教的传播

道教是中国土生土长的宗教。它是在古代鬼神崇拜观念上,以黄老道家思想为理论根据,承袭战国以来的神仙方术衍化形成。两宋时期,封建帝王对道教亦极力提倡,尤以太宗、真宗、徽宗三朝为盛,而道教虽然不及佛教庙宇众多,但道教所宣扬神祇、鬼神观念和各种仪式,已深入民众生活各个环节。比较出名的是巢县的紫微观、圣妃神宫。《江南通志》记载:"紫微观旧在巢县北十里金庭山下,世所称第十八金庭洞天也,晋咸康四年创。宋宝祐二年(1254年)敕建,有碑。湖山重复,岩谷幽闷,三峰峙于前,两洞拥于后,今遗址犹存。"②北宋哲宗时期,舒城人阮阅(一名美成)以户部郎出为知巢县,曾作诗咏紫微观:"萧萧叶下晓风寒,日上金庭恰一竿。行遍杏花泉畔路,紫云深处见星坛。"③南宋末年,紫微观迁入城内。洪武二年(1369年)再迁于县治西北卧牛山。圣妃神宫,即太姥庙,在巢湖姥山上,晋时敕建。

巢县王乔洞,在县北九里,"相传王子乔修仙于此,洞可容三百人,前有仙人手迹,后有朱熹尝游到此六字刻于石。宋阮美成诗:双凫飞去旧岩开,松老云闲鹤不回,惟有桃花与流水,自随春色出山来。"④

合肥县最著名的有两所道观,"一曰天庆,一曰报恩。"⑤此外,三

---

① 康熙《巢县志》卷16《方外传》。
② 《江南通志》卷48《舆地志·寺观》。
③ 《大明一统志》卷14《庐州府》云:"金庭山,在巢县北九十里,旧名紫微山,即道书所谓第十八福地,乃王子乔登仙处。上有金庭洞,下有紫微、玉兰二洞相连,又有杏花泉。"
④ 《大明一统志》卷14《庐州府》。
⑤ 王之道:《相山集》卷23《庐州天庆观物产记》。

清观,在合肥东乡,"离城二十里,唐建";① 左圣宫,"在南薰门",唐代兴建,明天启年间修;② 冲元观,在合肥县南乡,宋代兴建,"在三河镇北岸"。③ 庐江县有玉虚观,在南关外,一名南台,"左慈所居,内有丹井遗址,后为山川坛并南仓"。④

二、民间信仰与宗教

在佛教、道教盛行之时,合肥地区还有复杂多样的民间信仰。其中最为突出的就是秘密宗教和神祠文化。

(一)秘密宗教

两宋时期,由于土地集中和赋役不均,加以受到北方辽、金、西夏威胁,社会矛盾较为复杂,这些为各种宗教和秘密会社的滋生提供了土壤。佛教、道教等宗教教义为普通百姓所接受,摩尼教(牟尼教)等虽然被禁止活动,但在民间影响仍存,称作明教,而官府称之为"妖"、"贼"。据周紫芝《太仓稊米集》卷七十《冯君墓志铭》记载:"宣和间,江淮会党夜聚为妖,课之四果,其所事神曰张公,旁近民往往从之。"南宋方勺《泊宅编》卷五云:"庐州慎县黄山连接无为军、寿州六安界,盖贼巢穴也。"⑤ 其教法:断荤酒、不事神佛祖先、不会宾客、但拜日月,死则裸葬,倡言信之者可以致富。其说经如"是法平等,无有高下"。初入其教有甚贫者,教友则出财相助,至小康而止。"凡出入经过,虽不识,党人皆馆谷焉。人物用之无间,谓为一家,故有无碍破之说"⑥。这种组织当时被统治者称作"食菜事魔",后来方腊利用"食菜事魔"教

---

① 嘉庆《合肥县志》卷14《古迹志》。
② 嘉庆《合肥县志》卷14《古迹志》。
③ 嘉庆《合肥县志》卷14《古迹志》。
④ 康熙《庐江县志》卷8《古迹》。
⑤ 《大明一统志》卷14《庐州府》:"黄山,在府城东一百二十里,接巢县界,山有三十六峰,周回约二百里,四时泉出不涸,俗呼为龙泉山。"
⑥ 庄绰:《鸡肋编》卷上。

组织群众,发动农民战争。

(二)神祠文化

两宋时期,受生产力水平限制,自然崇拜、祖先崇拜和鬼神崇拜普遍存在。合肥地区仍然信奉形形色色的神祇。这些神祇,有的属于对自然、灵魂和图腾的崇拜,有的是表示对乡贤、名宦以及为保一方平安而献身的志士仁人的表彰与纪念。其物质标志既有富丽堂皇的大庙殿堂,也有极其简陋的小屋,或者仅设偶像、牌位、神龛。

自然神祠,历史最为悠久、影响最为深远的神祠。古人以万物有灵,凡天、地、山、川、雨、雪、风、云等自然万象,皆在崇祠范围之列。庐州及所属各县均有社稷、风、云、雷、雨、山、川、城隍及先农之坛,地方官岁时祭祀。合肥蜀山久在祠典,北宋景德二年(1005年)重修,"自舒、肥之民,方数百里,咸奔走望祀之"。① 合肥城隍庙,"宋皇祐时建,历代重修,有余忠宣公碑记",合肥火神庙,"在水西门街南岳庙内"。②

鬼神祠庙,数量最多。合肥县内有龙王庙、东岳庙、南岳庙、三皇庙、关帝庙、文昌宫以及巢湖圣妃庙、徐将军庙,③特别是巢湖水域,经巢湖泛舟者,"湖神之灵,过者必祭"。④ 庐江有东岳庙,又有五显庙,"在县前直街";⑤巢县有关帝庙、东岳庙、五显庙(五郎庙)、青龙庙、宓羲庙、白龙王庙、巢湖庙、真武庙、北圣宫、太姥庙等。⑥

巢湖圣妃庙,亦称太姥庙。光绪《庐州府志》云:"巢湖圣妃庙,在姥山。庙晋时敕建","相传巢湖将陷时,有姥谓众曰:'此处某日当陷,登此山可免。'众从之,后果然,故人呼为'姥山'。"众人感念其救

---

① 刘攽:《彭城集》卷32《重修庐州蜀山庙记》,中华书局1985年版。
② 嘉庆《合肥县志》卷14《祠祀志》。
③ 嘉庆《合肥县志》卷12《祠祀志》:"徐将军庙,在南乡南河口。将军即巢湖神,有明宋濂碑记。"
④ 嘉庆《合肥县志》卷36《志余》。
⑤ 康熙《庐江县志》卷8《古迹》。
⑥ 康熙《巢县志》卷14《祀典志》。

命之恩,建庙祠之,是江淮之间最大的人物神祠。

(三)乡贤名宦祠

乡贤名宦祠,合肥县数量较多。其中包公祠影响最大。

包拯辞世后,其家乡合肥及仕宦所在开封、端州、天长等地陆续修建包公祠。仁宗皇祐五年(1053年),包拯知庐州时,对兴化寺僧人仁岳十分器重,包拯之妻董氏素喜清净,闲暇时"阅佛书以适性理"。包拯病故后第四年(1066年),仁岳感念包拯知遇之恩,"以其居之西偏屋辟而为祠",并获庐州知州张环的支持。张环曾在皇祐二年得到时任知谏院包拯的荐举,祠堂竣工后,张环撰写《孝肃包公祠堂记》。南宋乾道八年(1172年),知州赵善俊"大修学校,新马忠肃(马亮)、包孝肃祠"①。淳熙九年(1182年),淮西安抚使延玺重修包公祠与马亮祠堂,韩元吉作《庐州重修包马二公祠堂记》。②

张辽庙,在威武门瓮城内,祭祀曹魏大将张辽。建安二十年(215年),孙权趁曹操用兵汉中,亲自率大军十万攻击合肥,曹军守将张辽、李典和乐进率七千守兵守城,张辽亲领将士八百人击破孙权。孙权在其部将甘宁、凌统、吕蒙拼死保护之下逃脱。随后孙权多次进攻,合肥城守益坚,吴军撤回。

杨将军庙,"在西城上",祭祀南宋大将杨沂中。绍兴十一年(1141年),杨沂中以殿兵三万大败金军主帅完颜宗弼,取得柘皋之战胜利,继后又败金军于店埠(今属安徽肥东),迫使金军退回淮北。

乔、张二公庙,"在府治东,宋绍兴间,郦琼叛,统制官乔仲福、张璟以不从乱被害,后人立庙祀之"。③ 绍兴六年(1136年),淮西宋将

---

① 周必大:《文忠公集》卷63《赵善俊神道碑》。
② 元明两代多次修葺包公祠。明弘治年间(1488—1505),庐州知府宋鉴将合肥南护城河中的佛寺改建成包公书院,此地后称香花墩。清顺治年间在香花墩重建包公祠,包公祠遂迁至城外。咸丰年间,包公祠毁于兵火,"祠宇当然无存";同治二年及光绪八年,浙江提督鲍超、直隶总督李鸿章等先后捐资重修。1916年,合肥孙序学、陶希靖编纂《香花墩志》,叙述包公祠的演变。
③ 《大明一统志》卷14《庐州府》。

郦琼举兵叛乱,投奔伪齐刘豫,统制官乔仲福、张璟不从,遇害。

姚、李二公庙,"在德胜门外十三里,祀宋统制姚兴、招抚使李显忠","又南乡亦有姚公庙"。① 绍兴三十一年,金海陵王完颜率军南侵,统制姚兴败金兵五百骑于庐州城北定林。随后金军主力围攻庐州,南宋都统王权逃往和州(今安徽和县),姚兴遇金军数万于尉子桥,杀敌数百人,最后姚兴父子战死。李显忠,绍兴十一年,金军主帅宗弼进犯合肥,应诏北上救援,败金军于孔城镇(今安徽桐城境内),宗弼退走。三十一年,采石之战后,李显忠派兵万人渡江,"尽复淮西州郡"。②

旌忠庙,在北乡定林铺,祭祀南宋统制姚兴父子。绍兴三十一年,姚兴父子战死尉子桥,"既复淮西,又立庙战所,赐额旌忠"。③

包拯及马亮,均为北宋合肥名臣。马亮祠,"在县桥东",④两宋及元明清时期,多次修葺。

巢县最著名的乡贤祠庙是姚王庙和范增庙。⑤ 前者祭祀抗金捐躯的姚兴,后者则为秦汉之际项羽谋士范增。

第三节 文化成就

宋代经济发达,统治者采取较为开明的政策,学术文化得到迅速发展。无论在哲学、文学、史学,还是科学技术方面,都有着前所未有的辉煌成就。著名史学家陈寅恪曾说:"华夏民族之文化,历数千年之演变,造极于赵宋之世。"⑥在文化发展的氛围中,合肥地区文化也有

---

① 嘉庆《合肥县志》卷12《祠祀志》。
② 《宋史》卷367《李显忠传》。
③ 《宋史》卷453《忠义传八》,《大明一统志》卷14《庐州府》。
④ 嘉庆《合肥县志》卷32《包马二公祠记》。
⑤ 康熙《巢县志》卷14《祀典志》。
⑥ 陈寅恪:《金明馆丛稿二编》,邓广铭《宋史职官志考证》序。

显著的发展,文人雅士辈出,文学、史志、科技方面取得突出的成就。

一、文学成就

北宋前期,文学承唐五代浮靡余风,追求声律谐协和华美辞藻,出现以杨亿、刘筠、钱惟演为代表的西昆体诗。其中刘筠在天禧五年(1021年)和天圣六年(1028年)两次知庐州,而同时期庐州人姚铉力矫唐末五代文学流弊,编著《唐文粹》以传承唐代文化。寓居庐州词人姜夔也留下多首感念庐州之作。

(一)姚铉与《唐文粹》

姚铉(968—1020年),字宝之,庐州合肥人,太平兴国八年(983年)登进士第,授大理评事,知潭州湘乡县,"三迁殿中丞,通判简、宣、升三州"。① 淳化五年(994年),姚铉入直史馆,应制赋《赏花钓鱼诗》,获太宗嘉赏。至道初年,姚铉迁任太常丞,充京西转运使,历任右正言,右司谏,河东转运使。咸平三年(1000年),黄河冲决郓州王陵埽,东南注入巨野县城,朝廷以姚铉知郓州,"徙州于汶阳乡之高原,委以营度,许便宜从事。工毕,加起居舍人、京东转运使,徙两浙路"。与杭州知州薛映不睦,为薛映弹劾,贬为连州文学。大中祥符五年(1012年),移岳州,又移舒州,俄授本州团练副使。天禧四年(1020年)卒,年五十三。

《宋史·文苑传》称姚铉"铉文辞敏丽,善笔札,藏书至多,颇有异本",有文集二十卷,今不存。姚铉有幼子俊颖秀美,颇善属辞,年十岁卒,"铉纪其事为《聪悟录》,人多传之"。《聪悟录》已佚。《全宋文》第七册收录其《言诸路官吏事奏》《迁移郓州谢表》《唐文粹序》等三篇,《全宋诗》存其诗六首。姚铉力图纠正晚唐、五代文风的偏弊,身体力行,用十年时间编成《唐文粹》100卷。书成于大中祥符四年,名

---

① 《宋史》卷443《文苑传三》。

为"文粹",实则诗文兼收,以收录古体诗文为主。其序言自称此选"止以古雅为命,不以雕篆为工,故侈言蔓辞率皆不取"。全书共收作品1980篇,分为十六类。首为古赋9卷55篇,次为诗9卷880篇,其后个卷依次为颂、赞、表奏书疏、文、论、议、古文、碑、铭、箴诫铭、书、序、传录纪事。每类之下又分小类,如诗9卷按体裁分乐府及古调歌篇两类,又各按内容分为若干小类。《四库全书总目提要》评价这部书说:"盖诗文俪偶,皆莫盛于唐,盛极而衰,流为俗体,亦莫杂于唐。铉欲力挽其末流,故其体例如是。于欧(欧阳修)、梅(梅尧臣)未出以前,毅然矫五代之弊,与穆修、柳开相应者,实自铉始。"①

(二)胥致尧与许彦国

胥致尧,庐州合肥人,"少力学,为文辞",②端拱、咸平之间两举进士不第。后以草泽应诏上书,补为三班借职,辞不就,以监温州天富盐场,历时三年,政绩颇佳。景德元年(1004年),知滑州张秉令其率兵沿黄河镇戍以御契丹,及契丹退兵,改防护盐池、迎阳二埽。朱博代守滑州,又建言开挖河道分流,以减其势,每年节约数百万钱。后擢监黄州商税,改监杭州排岸司,整治河闸、河堰。改端州兵马盐押,迁右班殿直、给事中。以荐擢温州兵马监押。仁宗即位,迁左班殿直,以疾求监寿州酒税。逾年,以疾回京师。卒后,欧阳修为之撰写墓志铭。

许彦国,字表民,合肥人。③ 徽宗宣和年间登进士甲科,与名臣吕颐浩之父有交往,吕颐浩之父担任沂州沂水(今属山东)知县,许彦国经过时以诗相赠。周邦彦称"其宽平优游,中极物情,惜乎留落不偶,故世人知之或寡也",可见在世时甚为寂寥。④"工为诗,客游河朔,尝

---

① 《四库全书总目提要》卷189《集部三十九·总集类一》。
② 《江南通志》卷167《人物传·文苑传三·庐州府》。
③ 《竹庄诗话》卷18作"青州人",《郡斋读书志》卷19《别集类下》作"青社人",然据南宋胡仔《苕溪渔隐丛话·前集》卷60《虞美人草行》考证,为合肥人无疑。参见张劲松、谭本龙:《〈虞美人草行〉作者为许表民考辨》,《毕节学院学报》2013年第7期。
④ 晁公武:《郡斋读书志》卷19《别集下》。

撰《燕蓟余民思汉歌》",词情凄楚,近千言卒意。所作《项藉庙》二首、《渔翁》《瑞香》等诗,"皆为北方学所称道,惜其官不显"。[①]《宋史·艺文志》载"《许彦国诗》三卷",然《郡斋读书志》作"《许表民诗》十卷",皆已散佚。《项藉庙》诗其一云:"曾被秦人笑沐猴,锦衣东去更何求。可怜瞭瞭重瞳子,不见山河围雍州。"其二云:"千古兴亡莫浪愁,汉家功业亦荒丘。空余原上虞姬草,舞尽春风未肯休。"[②]

另有一首《虞美人草行》云:"鸿门玉斗纷如雪,十万降兵夜流血。咸阳宫殿三月红,霸业已随烟烬灭。刚强必死仁义王,阴陵失道非天亡。英雄本学万人敌,何用屑屑悲红妆。三军败尽旌旗倒,玉帐佳人坐中老。香魂夜逐剑光飞,清血化为原上草。芳心寂寞寄寒枝,旧曲闻来似敛眉。哀怨徘徊愁不语,恰如初听楚歌时。滔滔逝水流今古,楚汉兴亡两丘土。当年遗事总成空,慷慨尊前为谁舞。"北宋僧人释惠洪《冷斋夜话》认为该诗作者为曾子宣(曾布)夫人魏氏,然南宋初年胡仔《苕溪渔隐丛话·前集》考证:"此诗乃许彦国表民作;表民,合肥人。余昔随侍先君守合肥,尝借得渠家集,尝集中有此诗。又合肥老儒郭全美,乃表民席下旧诸生,云亲见渠作此诗。今曾端伯编《诗选》,亦列此诗于表民诗中,遂与余所见所闻暗合,览者可以无疑,亦知《冷斋》之妄也。"

又有画家赵广,庐州合肥县人。先为画家李公麟家书童,李公麟作画时,随侍左右,遂精通绘画,"尤工作马,几能乱真"。[③] 高宗建炎年间(1127—1130),为金人所俘获,金人闻其善画,命其图画所掳掠妇女,赵广断然拒绝。金人以白刃相威胁,仍然不从,金人遂断其右手拇指。后用左手作画,只画观音大士。后世流传李公麟《观音图》,多为赵广所作。

---

① 《竹庄诗话》卷18引《夷坚庚志》。
② 《竹庄诗话》卷18引《燕魏录》云:"许表民工诗,尝为《项藉庙》诗云云,时脍炙人口。"
③ 陆游:《老学庵笔记》卷2,中华书局1979年版。

二、诗词名家与合肥

两宋三百年间,一批文人学士、诗词名家来到合肥地区,游览合肥山水,留下不朽名篇,其中如大名(今属河北)人刘筠、鄱阳(今江西波阳)人姜夔都与合肥结下不解情缘。陆游等诗词名家留下合肥地区景物的诗作,借景物抒发情怀。

(一)诗人刘筠与庐州

刘筠是北宋前期著名的文学家,西昆体诗代表人物。刘筠虽非庐州人,但两次担任庐州知州,并把庐州作为自己终老之所。

刘筠(971—1031年),字子仪,河北大名人,真宗咸平元年(998年)登进士第,①授馆陶县尉。任满,"会诏知制诰杨亿试选人校太清楼书,擢筠第一,以大理评事为秘阁校理"。② 景德元年(1004年),为大名府观察判官。次年,与杨亿、钱惟演等编修《历代君臣事迹》,后改称《册府元龟》,收录上古至五代君臣事迹,征引资料丰富。编书之余,将其酬唱诗结集为《西昆酬唱集》,收集录17位作者共250首近体诗,其中杨亿、刘筠、钱惟演就有202首。后改为左正言、直史馆。大中祥符七年(1014年),迁右司谏、知制诰,加史馆修撰,出知邓州(今属河南)、陈州(今河南淮阳),还朝后知贡举,迁尚书兵部员外郎。真宗天禧年间担任翰林学士。天禧五年(1021年)因不满宰相丁谓擅权,遂以右谏议大夫知庐州。③ 仁宗即位,迁给事中,复召为翰林学士。逾月,拜御史中丞。天圣二年(1024年),进枢密直学士、礼部侍郎、知颍州(今安徽阜阳)。四年,为翰林学士承旨兼龙图阁直学士、同修国史、判尚书都省。六年,以龙图阁直学士再知庐州。天圣九年卒,年六十一。谥文恭。

---

① 晁公武:《郡斋读书志》卷19。
② 《宋史》卷305《刘筠传》。
③ 《续资治通鉴长编》卷97,天禧五年。

《宋史》称刘筠"景德以来,居文翰之选,其文辞善对偶,尤工为诗"。初为杨亿所识拔,后遂与齐名,时号"杨刘"。刘筠处世明达,为政简严。一生三次在翰林院供职,三次主持科举考试("省试"),"以策论升降天下士,自筠始"。① 著述有《册府应言集》十卷、《荣遇集》二十卷、《肥川集》四卷以及《禁林》、《中司》、《汝阴》、《三人玉堂》等,②今存《肥川集》乃后人所辑。"筠素爱庐江(庐州),遂筑室城中,构阁藏前后所赐书",仁宗赐书阁名为"真宗圣文秘奉之阁"。第二次知庐州,在庐州营冢墓,作寿棺,亲自撰写碑铭,生病后移住书阁而卒。③一子早卒,田地房产为官府没收。包拯年少时,曾为刘筠所看重,显贵以后,奏请官府以其族子为后,"又请还所没田庐"。④

(二)词人姜夔与合肥情缘

鄱阳姜夔是南宋著名词人,与陆游、辛弃疾、李清照等人齐名。清代著名词家汪森评论宋词时,称"鄱阳姜夔出,句琢字炼,归于醇雅"⑤。晚清学者陈廷焯《白雨斋词话》卷二评论:"姜尧章(姜夔)词,清虚骚雅,每于伊郁中饶蕴藉,清真之劲敌,南宋一大家也。"姜夔青年时代来到合肥,在其词作中流露深厚的合肥情结。

姜夔(1155—1221),字尧章,饶州鄱阳(今江西波阳)人,号白石道人。其父名噩,绍兴三十年(1160年)进士,卒于汉阳(今属湖北武汉)任上。姜夔多才多艺,擅长书法,精通音律,工诗词。三十多岁时,结识诗人萧德藻,并娶其侄女为妻。与诗人词家杨万里、范成大、辛弃疾等交游。然命运坎坷,屡试不第,一生转徙江湖,北游淮楚,南历潇湘,后又客居合肥、湖州和杭州等地,"有《白石词》五卷,为南宋

---

① 《宋史》卷305《刘筠传》。
② 《宋史》卷204《艺文志三》记载刘筠著作有《五服年月敕》一卷、《丧服加减》一卷,同书卷208《艺文志七》记载刘筠著作还有"《山中刀笔集》三卷,《表奏》六卷"。
③ 嘉庆《合肥县志》卷14《古迹志》:"知州刘筠墓,在水西门外。筠,仁宗时以翰林学士知庐州。"
④ 《宋史》卷305《刘筠传》。
⑤ 汪森:《词综·序》,上海古籍出版社2005年版。

词人之冠"。①

姜夔诗词为《白石词》,流传八十四首,多为记游、咏物和抒发身世、离别相思之作,偶然也流露出对于时事的感慨。姜夔一生多次来到合肥。最早当在淳熙元年(1174年)鄱阳应试后,前往庐州,寓居在合肥南城赤阑桥,②并与一位琵琶女相识,两人一往情深,但因生计分离,最终未能相见,而姜夔终生不能忘怀。姜夔在《送范伯讷往合肥》绝句三首提及此事:

壮志只便鞍马上,客梦常在江淮间。谁能辛苦运河里,夜与商人争往还。

我家曾住赤阑桥,邻里相过不寂寥。君若到时秋已半,西风门巷柳萧萧。

小帘灯火屡题诗,回首青山失后期。未老刘郎定重到,烦君说与故人知。

以后姜夔几次来到合肥,但斯人已经离去。姜夔愁肠百结,无法排遣。他在《秋夜吟》中写道:"带眼销磨,为近日、愁多顿老。卫娘何在,宋玉归来,两地暗萦绕。摇落江枫早。嫩约无凭,幽梦又杳。但盈盈、泪洒单衣,今夕何夕恨未了。"现存姜夔八十余首诗词中,与合肥琵琶女相关的就有二十余首,几占四分之一。绍熙元年(1190年),姜夔最后一次来到庐州,次年离开合肥泛游巢湖,前往金陵。

庆元三年(1197年)正月,寓住无锡的姜夔想去合肥而不得,填写《江梅引》:"人间离别易多时,见梅枝,忽相思。几度小窗幽梦手同携。今夜梦中无觅处,漫徘徊,寒侵被,尚未知。湿红恨墨浅封题。宝筝空,无雁飞。俊游巷陌,算空有、古木斜晖。旧约扁舟,心事已成

---

① 嘉庆《合肥县志》卷30《流寓传》。
② 嘉庆《合肥县志》卷14《古迹志》:"赤阑桥,在南城。赵宋姜夔流寓处,见姜《集》。今无考。"

非。歌罢淮南春草赋,又萋萋。漂零客,泪满衣。"随后前往杭州,适逢元宵佳节,填写五首《鹧鸪天》,诉说心中的凄苦。其中第四首最为出名:"肥水东流无尽期,当初不合种相思。梦中未比丹青见,暗里忽惊山鸟啼。春未绿,鬓先丝,人间别久不成悲。谁教岁岁红莲夜,两处沉吟各自知。"

嘉定十四年(1221年),姜夔带着未了情缘客死在杭州。

(三)诗人笔下的合肥山水

1. 王安石《汤坑泉》

王安石(1021—1085年)是北宋著名文学家、政治家。仁宗皇祐年间(1049—1054年),王安石担任舒州通判,期间与著名画家李公麟来到东汤池(今安徽庐江汤池)。这里风光旖旎,特别是温泉颇负盛名,王安石沐浴后,遂赋《汤坑泉》诗一首:

> 寒泉诗所咏,独此沸如蒸。
> 一气无冬夏,诸阳自发兴。
> 人游不附火,虫出亦疑冰。
> 更忆骊山下,歊然雪满塍。

诗中盛赞汤池温泉景象及其沐浴之兴奋,可与唐代骊山华清池相媲美。多年来,这首《汤坑泉》诗为人们所传诵,清代康熙、光绪《庐江县志》及《巢湖风物志》均予收录。随后王安石一行登汤池白云山上的二姑峰,览张良衣冠冢,触景生情,赋《张良》诗一首,称颂张良在汉兴中的丰功伟绩:

> 汉业存亡仰俯中,留侯于此每从容。固陵始议韩彭地,复道方图雍齿封。

2. 刘攽《巢湖》

刘攽（1023—1089年），字贡父，临江新喻（今属江西）人，北宋史学家、文学家，庆历年间进士，历任曹州、兖州、亳州、蔡州知州，官至中书舍人。刘攽一生潜心史学，协助司马光纂修《资治通鉴》，负责两汉部分，并著有《东汉刊误》、《彭城集》等。在游历巢湖时，留下《巢湖》诗二首，赞美巢湖风光，并借景抒情：

湖势西来廻，川行百道开。中流还岛屿，傍市有楼台。人望苍烟合，凌虚白浪陁。兴来思击楫，惭愧济川才。

天与水相同，舟行去不穷。何人能缩地？有术可分风。夜露含深墨，朝曦浴嫩红。四山千里远，晴晦已难同。

3. 陆游《巢山》

陆游（1125—1210年），字务观，号放翁，越州山阴（今浙江绍兴）人，南宋文学家、史学家、诗人。平生创作诗歌很多，流传至今仍有九千余首。其中也有关于合肥境内巢山的诗篇。巢山位于巢湖东南，坝镇境内，其左右众山绵延，草木芃芃。宋孝宗淳熙年间，诗人陆游从四川东归，途径巢山，赋诗《巢山》诗二首。[①]

巢山避世纷，身隐万重云。半谷传樵响，中林过虎群。虫镂叶成篆，风麑水生纹。不踏溪桥路，仙凡自此分。

短发巢山客，人知姓字谁。穿林双不借，取水一军持。渴鹿羣窥涧。惊猿独袅枝。何曾畜笔砚，景物自成诗。

4. 戴复古《庐州帅李仲诗春风亭会客有尘字韵诗》

南宋江湖派诗人戴复古（1167—?），字式之，天台黄岩（今属浙江）人，常居南塘石屏山，故自号石屏、石屏樵隐。一生不仕，浪游江

---

① 陆游著，钱仲联校注：《剑南诗稿校注》卷32《巢山》，上海古籍出版社2005年版。

湖,后归家隐居,卒年八十余。曾从陆游学诗,作品受晚唐诗风影响,兼具江西诗派风格。其《庐州帅李仲诗春风亭会客有尘字韵诗》描绘宋金战争结束后,庐州经济逐渐得到恢复的景象。其诗云:

玉关人老鬓丝新,千里长城在一身。气使黄金结豪杰,手挥白羽静风尘。

山河四望亭中景,桃李一开天下春。乡日满城骑战马,而今四野尽耕民。

三、史志发展

两宋史学发达,不仅出现规模宏大的史学巨著,如《资治通鉴》《续资治通鉴长编》《宋会要》《册府元龟》《通志》《文献通考》等著作,在史书体例方面也有重大成就,出现纪事本末体著作,金石学兴起,特别是在地方志方面,完成了图经到方志的转变,方志内容和体例进一步完善并趋于定型。"方志乃一方之全史",是记载某一特定区域自然、社会、历史和现状的资料性文献。

在史学方面,北宋学者李台卿,字明仲,庐州人,"性介特,博学强记",通天文历法。著作有《史学考正同异》,"多所发明"。[①] 文学大家苏轼贬为黄州(今湖北黄冈)团练副使,李台卿为麻城(今属湖北)主簿,曾与之相识。李台卿英年早逝,苏轼作诗凭吊。

丁特起,庐州合肥县人,北宋末年为太学生。靖康元年(1126年),金军大举南侵,丁特起与诸生徐揆等上书,要求朝廷与金人决战。后金人连续进攻京城通津、宣化二门,形势危急,再次上书请求用兵。宋高宗南渡后,对金朝妥协求和,丁特起上书朝廷,提出"金人

---

① 嘉庆《合肥县志》卷22《人物传二》。

有三可灭之理""用兵有五不可缓"①之说。后又两次上书请战,朝廷仍置之不理。绍兴五年(1135年)八月,由贵州文学迁为鼎州龙阳(今湖南汉寿)县尉。② 面对山河破碎,丁特起一腔热血,报国无门,遂编撰《孤臣泣血录》。该书又称《靖康纪闻》,"所纪自钦宗靖康元年十一月五日起,至高宗建炎元年五月一日即位止。载汴京失守,二帝播迁之事。徐梦莘《北盟会编》颇采之"。③ 其内容多为《建炎以来系年要录》《三朝北盟会编》引用。陈振孙《直斋书录解题》云"《孤臣泣血录》三卷,《拾遗》一卷",今本只一卷,收入《四库全书》。

又有《庐州忠节录》《庐州忠节续录》二书,卷数不详,题名合肥野叟撰,原书已佚。南宋徐梦莘《三朝北盟会编》多处引用该书,书中提及绍兴三十年(1160年)、隆兴二年(1164年)金军南侵庐州事,记述庐州军民抗击金军南侵的史实及英勇事迹。

在方志方面,北宋重视州县舆情,"凡土地所产,风俗所尚,具古今兴废之因,州为之籍,遇闰岁造图以进"。④ 宋太祖还命大臣卢多逊等人重修天下图经。宋真宗在位时,下诏由李宗谔等负责,纂修《祥符州县图经》1566卷。宋徽宗时,朝廷设置"九城图志局",开后世建官方机构修志之先河。南宋方志在唐以前的"图经"基础上,出现了举凡舆地、风俗、物产、人物、方技、金石、艺文等门类汇目为一编的志书。志书体例由分散到聚合,逐渐充实完善,内容重点由以地理为主体向以人文为主体发展。张国淦《中国古方志考·叙例》中指出:"方志之书,至赵宋而体例始备。举凡舆图、疆域、山川、名胜、建置、职官、赋税、物产、乡里、风俗、人物、方使、金石、艺文、灾异,无不汇于一编。"宋代合肥方志表现在功能多样,体例完备,数量较多。张国淦考订清代以前历代方志的存佚情况,其中涉及庐州方志,这些方志多已不存,目前可考的图经、方志有六七种,其部分内容保存在后来续修

---

① 徐梦莘:《三朝北盟会编》卷66《靖康中帙四十一》。
② 李心传:《建炎以来系年要录》卷92,绍兴五年。
③ 纪昀:《四库全书总目提要》卷五十二《史部八》,河北人民出版社2000年版。
④ 《宋史》卷163《职官志三》。

的方志中。①

其一,嘉祐《庐州图经》。北宋刘攽纂,已佚。刘攽与兄刘敞同登北宋庆历进士,仁宗嘉祐二年(1057年)任庐州府推官,该书系任职期间所纂。《舆地纪胜》卷四十五记载庐州,风俗形胜"古巢湖水"、景物上"桐乡"、人物"包拯"、景物下"七门庙"等条,均引自《庐州图经》。祝穆《方舆胜览》屡次提到庐州"旧经",是否专指此图经,待考。

其二,《庐州志》十卷。南宋练文纂,已佚。练文,湖州归安(今浙江湖州)人,南宋开禧(1205—1207)登进士第。② 该书见于《宋史》卷二百四《艺文志三》,其具体内容、纂修时间均不可考。

其三,宝祐《濡须志》十册。作者不详,原书已佚。书成于宋宝祐五年(1257年)以后。濡须水自巢湖出,即今裕溪河。濡须,自古为重镇,镇因以水为名。该志记有庐江、无为、梁县、巢县等事,《永乐大典》多征引,张国淦《永乐大典方志辑本》从中辑有佚文十六条:白湖、杂陂名、古梅、石洞门、济平仓、鲟鱼鮆、赐酒、慈幼局、义春局、夕、宝晋斋、丰裕仓、平糴仓、大军仓、军仓、利民局。

其四,《合淝志》十卷。南宋王知新纂,已佚。王知新,绍熙五年(1194年)任建康府驻札御前诸军副都统制,庆元元年(1195年)三月知庐州,在任三年。③ 该书见于《宋史》卷二百四《艺文志三》记载。

其五,淳熙《合肥志》四卷。南宋郑兴裔修,唐锜纂,成于南宋淳熙十五年(1188年),已佚。郑兴裔(1126—1199年),字光锡,河南开封人,以宋徽宗皇后亲属恩授成忠郎,历官江东路矜辖、均州防御使、保靖军节度使,先后知庐州、扬州(广陵),④皆有政绩,卒谥忠肃,著有《郑忠肃奏议遗稿》,修《合肥志》四卷、《广陵志》十二卷。唐锜,淳熙年间担任合肥县主簿。⑤ 此志已佚,仅存郑兴裔《合肥志序》一篇,保

---

① 参见马骐《合肥地方志史话》,刊于《合肥春秋》1985年第2期。
② 凌迪知《万姓统谱》卷102《去声》,四库全书本。
③ 周应合《景定建康志》卷26《官守志三》,南京出版社2009年版。
④ 《元史》卷465《郑兴裔传》。
⑤ 马端临:《文献通考》卷205《经籍考三十二》。

存在《郑忠肃奏议遗稿》下,张国淦《中国古方志考》全文收入。陈振孙《直斋书录解题》卷八、《文献通考·经籍考》卷三十二、《舆地纪胜》卷十九、四十五、五十七等均有转载,共有七条:风俗形胜"水石幽奇"、诗"平生闻说宣城郡"、庐州县沿革"舒城县"、古迹"周瑜庙"、郴州官吏"阮阅"、广州官吏下"马亮"、南平军官吏本朝"茹孝标"。

其六,嘉定《合肥志》十卷。南宋李大东、刘浩然纂修,修于南宋嘉定六年(1213 年),已佚。李大东,嘉定年间(1208—1224 年)曾任江淮制置使,守庐州,后以宝文阁待制、沿江制置使;[①]刘浩然,嘉定年间为庐州府学教授。《宋史》卷二百四《艺文志三》称"刘浩然《合肥志》十卷"。《舆地纪胜》卷四十五称之《合肥新志》,《文渊阁书目》卷十九以及张国淦《永乐大典方志辑本》均有转载。

南宋时期合肥地方志著作大量出现,其重要原因是合肥地区战争频仍、社会动荡不变,人们希望将自己所见所闻记录下来,流传后世,同时也反映当时合肥经济文化的长足发展,以及合肥在全国地位的提高。从这些现存庐州方志资料中,可以反映两宋学者对地方志价值的认识。如郑兴裔《合肥志序》提到方志在保存史料上的价值,"我朝受命以来,重熙累洽,涵煦生息亦云久矣。而志载缺如,奚以昭传信表示来兹乎",郑兴裔认为"奋乎百世之上,百世之下,闻者莫不兴起,今试为之"他在《合肥志序》称:"余惟志之作,非徒以侈纪载也,盖有激劝之意焉。"[②]可见,郑氏编撰《合肥志》是带有很强的责任感而作的。

郑兴裔认为方志还能起到资政和教化作用。他在《广陵志序》说:"郡之有志,犹国之有史。"在《合肥志序》中,郑兴裔认为,方志"有补于世",可以"告后之为政",能起到"前有所稽,后有所鉴"的作用。"郡之中所为山川之广袤,守得而考之;户口之登耗,守得而询之;田畴之芜治,守得而省之;财赋之赢缩,守得而核之;吏治之臧否,守得

---

① 《宋史》卷 40《宁宗纪四》。
② 郑兴裔:《郑忠肃奏议遗集》卷下《合肥志序》,四库全书本。

而察之;风气之贞滛,守得而辨之,守之奉命而来此也,所以上报天子,下顺民情者,綦重矣。夫事不师古宜今而欲有为,譬之闭门造车,未见其合志,曷可废乎?"郡守对地理、户口、田地、财赋、吏治、风气的了解,正是为了资政的需要。在"教化"方面,方志可以借先哲往事使后人砥砺名节,正风定伪,有楷模和警策的作用。郑兴裔在《合肥志序》中也认为:地方史事与人物"垂之志乘,皆足以增辉于史册,留慕于后人,可以风一国,可以型四海,贤者深其效法之心,不肖者生其愧悔之念,皆是道也。宁得以为记乘之空言而忽之乎?"①

四、科技贡献

宋代是中国传统科学技术发展的鼎盛时期,医学、建筑学、水利学、林学、光学等许多专门学科都取得前所未有的成就。不仅取得了划时代的成就,而且在理论和思想方面也闪耀着灿烂的光辉。合肥地区相关资料比较零散,其中也记载了一些成就。

医学方面,出现一些名医。无为军章迪,字吉老,"洞精医书,而得针刺之术,以其道救人,寿至七十九"。② 据传其得针刺术于《素问》《内经》之间,以其道救人,莫不视肤透膜,针到病除。米芾说他"华、俞不能过也"。章迪以其术传子章济,章济又传授其孙章权,"济、权起病如神"。③

当时医学分科越来越细,医学著作通过印刷技术广为流传。南宋淳熙十二年刊印《杨氏家藏方》《胡氏经验》在江淮地区广为流传。《杨氏家藏方跋》称:"今江淮间士大夫与医家多用此三书,对证以治

---

① 郑兴裔:《郑忠肃奏议遗集》卷下《合肥志序》。
② 赵绍祖:《安徽金石志》卷6《宋无为军章吉老墓表》;嘉庆《庐州府志》卷5,米芾《无为军章吉老墓表》。
③ 又《邵氏闻见后录》卷29云:"无为军张济,善用针,得诀于异人。云能解人而视其经络,则无不精。因岁饥疾,人相食,凡视一百七十人,以行针,无不立验。如孕妇,因仆地而腹偏左,针右手指而正;久患脱肛,针顶心而愈;伤寒翻胃,呕逆累日,食不下,针眠眦,立能食,皆古今方书不著。"《宋史翼》卷38《张济传》同。张济,疑即章济。

病,无不取效。"①这些著作对疾病防治和医学知识的普及,无疑也起了积极作用。

沈括《梦溪笔谈》记载过庐州慎县官员勘验伤痕之法。"大常博士李处厚知庐州慎县,尝有殴人死者,处厚往验尸,以糟𩟿灰汤之类薄之,都无伤迹。有一老父曰:'邑之老书史也。验伤不见其迹,此易辨也。以新赤油纸伞日中覆之,以水沃其尸,其迹必见。'处厚如其言,伤迹宛然。自此江淮之间官司往往用此法。"②这种用新红油纸伞在日光下滤取红色波段光,犹如当今所用滤光器,能提高尸体皮下淤血青紫部位与周围组织的反衬度,用肉眼就可以很容易辨认出伤迹来。近年专家模拟实验证明,这是一种"很合乎科学道理的验尸方法"③。南宋以后,运用红光验尸的方法被广泛采纳,郑克《折狱龟鉴》、桂万荣《棠荫比事》、宋慈《洗冤集录》都曾提及这一方法,并在此基础上有所发展。

在水利方面的突出成就是筑圩技术臻于成熟。合肥地区围圩造田的历史非常悠久,宋代这项技术已日益完善,趋于成熟,出现了所谓"合肥三十六圩"。具体表现在:一是圩堤有大小内外两层,外围大堤一般都比小堤高大坚固。二是沿堤置涵闸斗门,如七门堰。闸门改用石块砌成,异常坚固。根据需要,随时启闭,旱则开闸引外水入圩,涝则闭闸以防外水入圩,以调节圩内水位。三是圩内分区,一般以一顷为一区,"方顷而沟之,四沟汇为一区",沟渠相通,视外河和区内水位,利用水戽,或排或灌,确保了圩田旱涝无虞。四是圩与圩相连接,各圩之间水道相通,形成较为完整的灌溉和交通体系。

两宋时期,印刷业得到较快的发展,刻版印书大体上可分为官府刻印、书坊刻印和私人刻印三大类型,刻书地点已遍及全国各地。北宋时四川成都、浙江杭州、福建建安、河南开封,为刻版印书四大中

---

① 杨俊:《杨氏家藏方跋》,人民卫生出版社1988年版。
② 沈括:《梦溪笔谈》卷11《官政一》。
③ 王锦光:《中国光学史》,湖南教育出版社1986年版,第93—94页。

心;到了南宋,已知的刻书地点就有170多处。合肥地区刻书也见于多处记载。绍兴十六年(1146年),淮西路在庐州刻印《太平圣惠方》五十卷,另五十卷交由舒州州学刻印;①绍兴二十七年,庐州州学刻印包拯《包孝肃奏议集》十卷,②淳熙元年(1174年)知州赵蟠老重刻;③嘉定年间,淮西制置使李大东刻印《李文昌表笺集》④等。

  随着印刷业发展和文化逐渐普及,宋代收藏图书渐渐成为一种时尚。藏书以官办学校、书院、御书阁、寺院等为主,也有私人藏书。西昆体诗人刘筠知庐州时构建书阁,仁宗赐名为"真宗圣文秘奉之阁"。合肥人姚铉,"文辞敏丽,善笔札,藏书至多,颇有异本,两浙课吏写书,亦薛映所掎之一事。虽被窜斥,犹夫荷担以自随。"⑤濡须秦氏,筑澹先堂藏书,有《秦氏书目》一卷。元祐二年,其族有官金部员外郎者,曾上书朝廷,请求不许子孙分割宅舍和书籍。⑥

---

① 洪迈:《夷坚志·丙卷》卷12《舒州刻工》,中华书局1981年版。
② 陆心源:《皕宋楼藏书志》卷25 吴祇若《跋》,中华书局1990年版。
③ 张金吾:《爱日精庐藏书志》卷12 赵蟠老《跋》,中华书局2012年版。
④ 程珌:《洺水集》卷12《李文昌表笺集序》,四库全书本。
⑤ 《宋史》卷441《文苑传三》。
⑥ 《文献通考》卷207《经籍考三十四》、《直斋书录解题》卷8。

第十一章
元代合肥地区政治与军事

第十一章 元代合肥地区政治与军事

元朝是蒙古贵族建立的统一王朝。1206年,蒙古族首领铁木真统一草原各部,接受成吉思汗尊号,建立蒙古国。随后成吉思汗及其继承者窝阔台汗、贵由汗、蒙哥汗不断发动对外战争,1227年灭亡西夏,1234年灭亡金朝,控制东北、华北和西北广大地区。一般称这一时期为前四汗时期(1206—1259年)。中统元年(1260年)三月,蒙哥汗之弟忽必烈继承大汗之位,将政治重心迁移到中原地区,"仪文制度,遵用汉法",①逐步建立起适合经济发展和政治需要的中央集权统治,并在此基础上进攻南宋,进行统一战争。至元八年(1271年),忽必烈改国号为"大元",次年升中都为大都(今北京)。至元十三年正月,元军攻占南宋都城临安(今浙江杭州)。二月,南宋淮西制置使夏贵投降元军,庐州全境随归附元朝。十六年正月,元军在崖山(今广东新会)消灭南宋残余势力,完成全国统一。

在元朝统治九十余年中,今合肥地区设有庐州路总管府,淮西宣慰司和淮西江北道廉访司也驻于合肥县。为镇抚江淮及东南地区,元朝派遣大军驻守庐州,并在江淮地区分拨牧马草地以供蒙古军、探马赤军使用。元朝后期又以宣让王帖木儿不花镇守庐州。庐州也是白莲教传播之地,元末活跃在庐州左君弼红巾军以及巢湖水师,均以白莲教徒为主,在推翻元朝及明朝建立过程中发挥了重要作用。

第一节 政区建置与军事部署

金朝灭亡后,蒙古与南宋处于对峙状态,两淮地区成为蒙宋交战之地。庐州处于南宋对蒙作战前线,经常遭到蒙古军进攻。但直到忽必烈即位之前,蒙古南进并未有所突破。至元九年(1272年)正月,元军攻占襄阳(今属湖北),南宋防御体系被打破。十一年正月,元世祖发

---

① 《元史》卷125《高智耀传》。

布《讨宋檄文》，部署全面攻宋。九月，元中书右丞相伯颜、平章政事阿术率领大军二十万从襄阳南下，水陆并进，同时在四川、两淮地区也发动进攻，牵制宋军援救都城临安。十三年正月，元军攻占南宋都城临安，二月庐州守将夏贵投降。元朝派遣万户镇守，次年设置庐州路总管府。随着统治稳固，元朝置江北淮西按察司于庐州，用以监察江淮吏治。

一、政区建置和机构

元代地方最高机构为行中书省，简称行省、省。行省是由中书省派出机构发展起来的。中书省总领全国行政，号称都省。大都周围山东、山西、河北之地，由中书省直辖，谓之"腹里"。"腹里"之外设置岭北、辽阳、河南、陕西、甘肃、四川、云南、湖广、江浙、江西等十大行省，"掌军国庶务，统郡县，镇边鄙，与都省相表里"。① 行省之下机构分为路、府、州、县四等。行省地域辽阔，所辖路府众多，在远离行省地区设置宣慰司，统领路府机构。"宣慰司，掌军民之务，分道以总郡县，行省有政令则布于下，郡县有请则为达于省，有边陲军旅之事，则兼都元帅府，其次则止为元帅府。"② 今合肥地区隶属河南江北行省（简称河南行省），设有路、府、州、县及录事司等机构。河南行省治于汴梁（今河南开封），距离淮南地区较远，故又置淮西宣慰司统领庐州、蕲州、黄州、安庆等路，置司于庐州。此外元庐州路还有淮西江北道提刑按察司，后改称江北淮西道肃政廉访司，监察淮西地方吏治。

（一）淮西道宣慰司

淮西道宣慰司是在南宋淮西路基础上建立的。至元十二年（1275年）正月，元朝中书右丞相伯颜、平章政事阿术率军进攻淮西诸州，南宋蕲州（今湖北蕲春）安抚使管景模出降，伯颜"承制授以淮西

---

① 《元史》卷85《百官志一》。
② 《元史》卷91《百官志七》。

宣抚使,留万户带塔儿守之"①。次年二月,南宋淮西制置使夏贵出降,元朝以信阳万户昂吉儿镇守庐州,夏贵为淮西宣抚使。② 六月,元世祖下诏置江浙行省于杭州,湖广行省于鄂州,"设诸路宣慰司,以行省官为之,并带相衔,其立行省者不立宣慰司。"③随后置淮西路宣慰司于庐州,以信阳万户、河西人昂吉儿为淮西宣慰使,控制淮西道各府州。十月,立行中书省于扬州,称淮东行省,"以淮东左副都元帅阿里为平章政事,河南等路宣慰使合剌合孙为中书右丞,兵部尚书王仪、吏部尚书兼临安府安抚使杨镇、河南河北道提刑按察使迷里忽辛并参知政事。参知政事陈岩行中书省事于淮东。"④十四年三月,江浙、淮东两行省合并,驻扬州,称江淮行省,统领两浙、江东、两淮之地。此后行省驻地在扬州、杭州之间摇摆不定,驻杭州则称江浙行省。至元二十一年二月,"徙江淮行省于杭州,徙浙西宣慰司于平江,省黄州宣慰司入淮西道",移江淮行省于杭州,称江浙行省;二十三年,移江浙行省于扬州,称江淮行省,"罢淮东、蕲黄宣慰司,以黄、蕲、寿昌隶湖广行省,安庆、六安、光州隶淮西宣慰司"。⑤

至元二十六年,元朝重新规划北方政区,"徙江淮省治杭州,改浙西宣慰司为淮东宣慰司,治扬州"。⑥二十八年十二月,"以河南、江北系要冲之地,又新入版图,宜于汴梁立省以控制之,遂署其地",⑦称河南江北等处行中书省,简称河南行省,驻汴梁(今河南开封)。"江北州郡割隶河南江北行中书省,改江淮行省为江浙行省,治杭州"。⑧ 次年正月,开始调整政区规划,"罢河南宣慰司,以汴梁、襄阳、河南、南

---

① 《元史》卷127《伯颜传》。
② 《元史》卷9《世祖纪六》云,至元十三年十月,"戊子,淮西安抚使夏贵请入觐,乞令其孙贻孙权领宣抚司事,从之"。
③ 《元史》卷9《世祖纪六》。
④ 《元史》卷9《世祖纪六》。
⑤ 《元史》卷14《世祖纪十一》。
⑥ 《元史》卷16《世祖纪十三》。
⑦ 《元史》卷91《百官志七》。
⑧ 《元史》卷16《世祖纪十三》。

阳、归德皆隶河南行省,复割湖广省之德安、汉阳、信阳隶荆湖北道,蕲、黄隶淮西道,并淮东道三宣慰司咸隶河南省。其荆湖北道宣慰司旧领辰、沅、澧、靖、归、常德,直隶湖广省"。①

河南行省的设置,直接影响江南地区行省分布格局。此后江淮行省改称江浙行省,驻于杭州,逐渐稳定下来,统领两浙、江东之地。湖广行省仍治鄂州,但江北仅保留归州、汉阳等处,其余尽入河南行省。至此淮西宣慰司统领寿春、庐州、安庆、光州、蕲州、黄州等路。大德三年(1299年)二月,"罢四川、福建等处行中书省,陕西行御史台,江东、荆南、淮西三道宣慰司;置四川、福建宣慰司都元帅府及陕西汉中道肃政廉访司。"②福建宣慰司都元帅府隶属江浙行省,淮西道宣慰司罢撤后,改设淮东淮西道宣慰司于扬州。皇庆二年(1313年)七月,"改淮东淮西道宣慰司为淮东宣慰司,以淮西三路隶河南省"。③ 至此,庐州路直隶河南行省。

至正十一年(1351年),红巾起义爆发。刘福通起兵于颍上(今属安徽),徐寿辉起兵于蕲水(今湖北蕲春),各地纷纷响应。为分兵镇压红巾起义,十二年闰三月,"立淮南江北等处行中书省,治扬州,辖扬州、高邮、淮安、滁州、和州、庐州、安丰、安庆、蕲州、黄州",庐州路隶属淮南行省。六月,复置淮西宣慰司,"河南行省左丞匝纳禄、参知政事王也速迭儿并以失误军需,左迁添设淮西宣慰使,随军供给"。④ 十三年六月,"命前河西廉访副使也先不花为淮西添设宣慰副使,讨泰州"。⑤ 十五年前后,淮西宣慰司不见于文献记载。

(二)庐州路建置及其辖区

1.庐州路总管府

至元十三年二月,南宋淮西制置使夏贵投降后,"敕淮西庐州置

---

① 《元史》卷17《世祖纪十四》。
② 《元史》卷20《成宗纪三》。
③ 《元史》卷24《仁宗纪二》。
④ 《元史》卷42《顺帝纪五》。
⑤ 《元史》卷43《顺帝纪六》。

总管万户府,以中书右丞、河南等路宣慰使合剌合孙、襄阳管军万户邸浃并行府事"。① 次年,庐州局势渐趋稳定,推行军民分治,设庐州路总管府以治民,万户府以治军,隶属淮西道宣慰司。至元十五年六月,"诏汰江南冗官","各路总管府依验户数多寡,以上、中、下三等设官"。至元二十年,确定路分上下两等,"定十万户之上者为上路,十万户之下者为下路。当冲要者,虽不及十万户亦为上路。"庐州路户口不及十万户,然处冲要之地,且为淮西宣慰司驻地,定为上路总管府,正三品。其官员设置,根据《元史·百官志》及相关记载,大体分为长官、佐贰官、首领官三类。

长官,包括达鲁花赤和总管,各一员,正三品。达鲁花赤,为监治官,掌衙门印信,通称"监""掌印官",一般由蒙古人或色目人担任。"各路设达鲁花赤一员,位在守贰之上,所以总裁政务,表率僚寀,监临一郡者也"。② 总管,亦称正官,"掌判署",为实际主事官员。元代路府州县长官,均以"兼管劝农事"系衔,"江北则兼诸军奥鲁"即兼管在籍军户家属等事。

佐贰官,包括同知、治中、判官等各一员。官员品秩不同,衙门公事需共同讨论,连坐署事,最后由长官裁决,谓之"圆佥""圆署"。"至元二十三年,置推官二员,专治刑狱,下路一员"。③ 推官有衙署曰推官厅,用于审理刑狱词讼。元朝规定:"凡遇刑名词讼,推官先行穷问,须要狱成,与其余府官再行审责,完签案牍文字。"④

首领官,又称参佐官,包括经历、知事、照磨,"总领六曹,职掌案牍,谓之宾幕"。⑤ 首领官统领衙门吏员,有自己衙署——经历司,"总辖其文墨之会而出纳教令"。⑥ 照磨原称提控案牍,大德三年(1299年)改称照磨,同时兼承发架阁,掌档案文书。其吏员有司吏、译史、

---

① 《元史》卷9《世祖纪六》。
② 郑玉:《师山集》卷6《徽州路达鲁花赤合剌不花公去思碑》,四库全书本。
③ 《元史》卷91《百官志七》。
④ 《元典章》卷40《刑部二·刑狱》,台北故宫博物院影印元刊本1976年版。
⑤ 《师山集》卷3《送郑照磨之南安序》。
⑥ 虞集:《道园类稿》卷26《抚州路总管府经历司政纪堂记》,元人珍本文集丛刊本。

通事等,"司吏无定制,随事繁简以为多寡之额;译史、通事各一人"。①其中译史、通事分别从事衙门文字和口头翻译工作,司吏分曹办理各项具体事务。元初南方各路分为上、中、下三等,司吏人数分别为三十名、二十名和十五名。

《元史》及嘉庆、光绪《庐州府志》所载庐州路官员表

姓名	官职	备注
邸浃	保定人,至元间任总管。	《元史·邸浃传》
塔海	合鲁氏人,大德间任总管,有传。	
都思铁木	塔海兄,亚中大夫,延祐中任总管。	
郑钘	灵寿人,延祐中任总管。	《通志》中作郑钰。
七十	至治中任总管。	
三宝	泰定初任总管。	《安徽金石志》
杭州不花	蒙古人,至正中任总管。	
郝彬	信安人,至正中任总管。有传。	光绪《庐州府志》
帖木儿不花	至正间任总管,有传。	光绪《庐州府志》
拜住	蒙古克烈氏,世祖时总管府同知,有传。	
八札	英宗时庐州路总管府同知。	
马煦	英宗时庐州路总管府同知。	《道园学古录·马煦神道碑》
杨也歹孙	延祐中庐州路总管府推官。	
路伯颜察儿	蒙古人,英宗时庐州路推官。	
张翼	至正时总管府推官。	
沙的阿撒	回纥人,延祐中庐州路判官。	
王元恭	延祐中庐州路推官。	
任文通	延祐中庐州总管府经历。	
高居敬	至治中庐州路总管府照磨。	

---

① 《元史》卷91《百官志七》。

(续表)

姓名	官职	备注
于安世	至治中庐州路总管府知事。	
于钦	字世安,至治中庐州路总管府照磨。	
张知微	至治中庐州路总管府知事。	
殷元		嘉庆《庐州府志》
李麓		嘉庆《庐州府志》
王翰	郡人,至正间庐州路治中。	《青阳集·送归彦温河西廉使序》

路总管府附属机构主要有：

儒学教授一员,秩九品,又有学正一员、学录一员；

蒙古教授一员,正九品；

医学教授一员；

阴阳教授一员；

司狱司,司狱一员,丞一员；

平准行用库,提领、大使、副使各一员；

织染局,局使一员,副使一员；

杂造局,大使一员,副使一员；

府仓,大使一员,副使一员；

惠民药司,提领一员；

税务,提领一员,大使、副使各一员。

2. 庐州路所领州、司、县机构

元初庐州路,由南宋庐州升级而成,仅领合肥、梁县、舒城,又于合肥城内置录事司,至元后期增领和州、无为州和六安州。《元史·地理志》称,庐州路"领司一、县三、州三。州领八县"。三州所领八县为历阳、含山、乌江、无为、庐江、巢县、六安、英山。

司即录事司,录事司置于路治,正八品,掌城内民户差役及治安,

"列曹庶务一与县等"。① 《元史·百官志》云："凡路府所治,置一司,以掌城中户民之事。中统二年,诏验民户,定为员数。二千户以上设录事、司候、判官各一员;二千户以下,省判官不置。至元二十年,置达鲁花赤一员,省司候,以判官兼捕盗之事,典史一员。若城市民少,则不置司,归之倚郭县。"其中达鲁花赤、录事为长官,司候、判官为佐贰官,典史为首领官。庐州录事司判官有王艮,见于《元诗选》。

合肥,为倚郭县、上县,从六品,"达鲁花赤一员,尹一员,丞一员,簿一员,尉一员,典史二员"。达鲁花赤、县尹为长官,县丞、主簿、县尉为做贰官,然县尉"主捕盗之事,别有印"②,维持治安,其衙署为县尉司,除涉及捕盗外,不参与县衙圆坐议事。典史为首领官,统领吏员,处理文书案牍及具体事务。吏员称县吏、书吏或司吏,至元二十一年规定,"各县司吏,上县六员,中县五员,下县四员"。③ 舒城、梁县均为中县,秩正七品,置达鲁花赤、县尹、主簿、县尉,不置县丞,有典史二员为首领官。其职责同于上县。

和州,为中州,宋代隶属淮西路。至元十二年(1275年)七月,元军抵达采石,"知和州王善以城降"。④ 次年,元以和州为沿江重镇,置镇守万户府。十四年,改设安抚司。十五年,改安抚司为和州路总管府,领历阳、含山、乌江三县,其中历阳为上县,含山、乌江均为中县。"二十八年,降为州,隶庐州路。旧设录事司,后入州自治。"⑤

无为州,为中州,北宋置无为军。至元十二年七月,伯颜大军沿江东下,"知无为军刘权、知镇巢军曹旺、知和州王喜,俱以城降"。⑥ 至元十四年,升无为军为路,领无为、庐江及镇巢府。"至元二十三年二月,降镇巢府为巢州"。⑦ 至元二十八年正月,"降无为、和州二路、

---

① 《至顺镇江志》卷16《宰贰》。
② 《元史》卷91《百官志七》。
③ 《元典章》卷12《吏部六·司吏·额设司吏》。
④ 《元史》卷8《世祖纪五》。
⑤ 《元史》卷58《地理志一》。
⑥ 《元史》卷127《伯颜传》。
⑦ 《元史》卷14《世祖纪十一》。

六安军为州，巢州为县，入无为，并隶庐州路"。① 无为州领三县：无为、庐江、巢县，其中无为为上县，庐江为中县，巢县为下县。

六安州，为下州。南宋为六安军，隶属淮西路。至元十二年正月，南宋知六安军曹明以城降元。至二十八年，降为县，隶属庐州路。后复升为六安州，领六安、英山二县，均为中县。

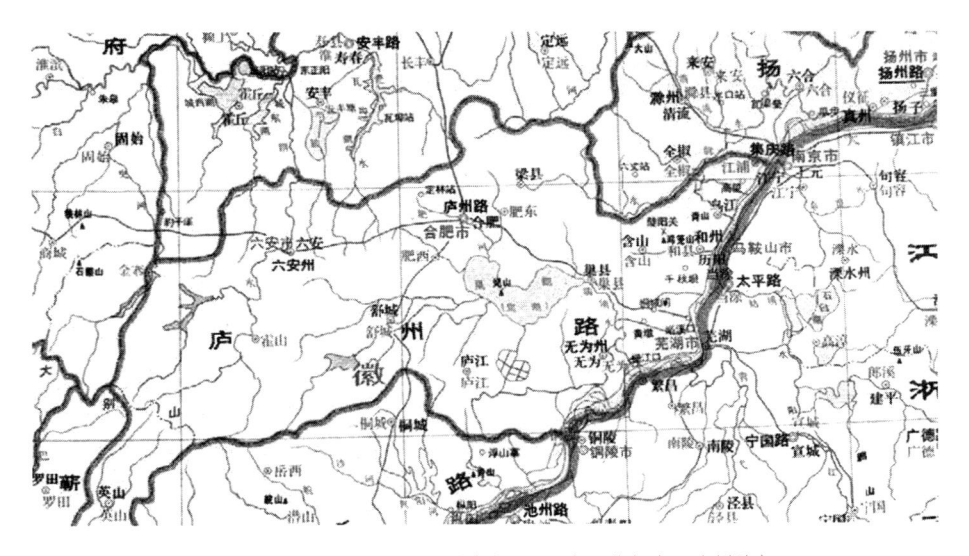

谭其骧《中国历史地图集》（元·河南江北行省·庐州路）

元代根据户口多少分诸州为上、中、下三等，"五万户之上者为上州，三万户之上者为中州，不及三万户者为下州"，设官亦有差等，"上州：达鲁花赤、州尹秩从四品。同知秩正六品，判官秩正七品。中州：达鲁花赤、知州并正五品，同知从六品，判官从七品。下州：达鲁花赤、知州并从五品，同知正七品，判官正八品，兼捕盗之事。参佐官：上州，知事、提控案牍各一员；中州，吏目、提控案牍各一员；下州，吏目一员或二员"。② 此外，学校方面，上州、中州设儒学教授一员，下州设学正一员。

无为州所辖庐江县，设有达鲁花赤、县尹、主簿、县尉、典史等职，

---

① 《元史》卷16《世祖纪十三》。
② 《元史》卷91《百官志七》。

"达鲁花赤一员,掌县事,号曰监县,兼劝农事;职田二顷,月俸钞一十八贯。县尹一员,号司判正官,亦掌县事兼劝农;县印掌于达鲁花赤,尹封署其上,秩同。主簿一员,仍宋旧;职田一顷,月俸钞一十贯。县尉一员,不署县事,专捕盗贼及烟火争讼之事;职田一顷,月俸钞一十二贯。首领典史一员职主出入文书,赞理县政,月俸钞三十五贯"。学校方面,"置教谕一员,选请训导一员,俸米钞十贯"①。

3. 庐州路与今合肥市辖区

从元代庐州路政区来看,合肥、梁县及无为州之庐江、巢县均在今合肥市辖区内,其舒城、和州、六安州及无为州之无为县均在今合肥市境外。元代庐州路辖境大于今合肥市,然就庐州路直辖之合肥、舒城、梁县三县及录事司来看,又小于今之合肥市。另外今长丰县建于1964年,其北部原为寿县所辖四乡,均在元代安丰路寿春县东南。

顺帝元统元年(1333年),权臣燕帖木儿病死,顺帝乃以其弟撒敦为左丞相,长子唐其势为御史大夫。次年四月,命唐其势总管高丽女直汉军万户府达鲁花赤,"授撒敦开府仪同三司、上柱国、录军国重事、答剌罕、荣王、太傅、中书左丞相,赐庐州路为食邑,宥世世子孙九死。"②然后至元元年(1335年)六月,顺帝以谋逆之罪诛杀唐其势,燕帖木儿家族覆灭,食邑被取消。今合肥市所辖区域,元代设有一路(庐州路)、四县(合肥、梁县、庐江、巢县)、一司(录事司)等机构。

庐州路	录事司	
	合肥县	
	舒城县	
	梁县	
	和州	历阳县、含山县、乌江县
	无为州	无为县、庐江县、巢县
	六安州	六安县、英山县

① 康熙《庐江县志》卷9《秩官》。
② 《元史》卷138《燕帖木儿传》。

(三)淮西江北道肃政廉访司

元代监察机构自成系统。中央设立中书省、枢密院、御史台三大机构,分掌全国行政、军事和监察。《元史·百官志》称,"其总政务者曰中书省,秉兵柄者曰枢密院,司黜陟者曰御史台"。御史台始置于至元五年(1268年)七月,其职责是"掌纠察百官,政治得失","弹劾中书省、枢密院、制国用使司等内外百官奸邪非违,肃清风俗,刷磨诸司案牍,并监察祭祀及出使之事"。[①] 元世祖忽必烈曾形象地比喻:"中书朕左手,枢密朕右手,御史台是朕医两手的。"[②]地方上设置提刑按察司,最初仅有四道提刑按察司。"按察司所到之处,察官吏能否,问民间利病,审理冤滞,体究一切非违"。[③] 至元七年,以提刑按察司兼领各道劝农事。全国统一后,又建江南行御史台(简称南台)和陕西行御史台(简称西台)作为御史台派出机构,统领江南和西南各道提刑按察司。

淮西江北道提刑按察司驻庐州,始建于至元十四年,隶属江南御史台,监察淮西各路吏治,巡访民间利病。至元二十三年(1286年),元朝以长江为分界线,将山南江北道、淮西江北道、江北淮东道提刑按察司改由御史台直接管辖。至元二十八年,改提刑按察司为肃政廉访司。全国共设二十二道肃政廉访司,分隶于御史台、江南行御史台和陕西行御史台。每道廉访使二员,副使二员,佥事四员。元朝规定,肃政廉访司蒙古、色目、汉人相参委用,"一个廉访司里,八个官人有。八个里头,交四个汉儿者,那四个蒙古、河西、畏兀儿、回回人每相参着委付者。"[④]廉访司幕府官员设经历、知事、照磨兼管勾各一员,另有吏职人员包括书吏十六人,译史、通事各一人,奏差五人,典吏二

---

① 《元典章》卷5《台纲一·设立台宪格例》。
② 叶子奇:《草木子》卷3之下《杂制篇》,中华书局1959年版。
③ 《元典章》卷6《台纲二·察官合察事理》。
④ 赵承禧等:《宪台通纪》"廉访司官参用色目、汉人"条,浙江古籍出版社2002年版。

人,协助廉访司官处理文书案牍。成宗大德年间,曾一度罢淮西道廉访司,大德十年(1306年)六月,"复淮西道廉访司"。① 此后直到元末,淮西廉访司一直常设不废。廉访司官员每年八月巡视所属郡县,至年终回到廉访司驻地。

(四)其他附属机构

元代庐州还置有淮东淮西屯田打捕总管府所属镇巢等处打捕提举司、安丰庐州等处打捕提举司、庐州榷茶提举司以及各种征税机构、交钞提举司。

淮东淮西屯田打捕总管府,隶属于中央机构宣徽院,秩正三品,"掌献田岁入,以供内府,及湖泊山场渔猎,以供内膳"。② 其始因是至元十四年(1277年)土豪姚演以涟水、海州荒田11817顷入官,忽必烈命置总管府进行管理,随后又将涟海湖泊提举司、高邮湖泊提举司、沂州等处提举司等机构并入总管府。十六年,募民开垦涟、海荒地,官给禾种,自备牛具,所得子粒官得十之四,民得十之六,仍免屯田户徭役。时隔不久,又将扬州打捕总管府、两淮新附手号军千户所并入,续增徐州、邳州屯田800顷,共立提举司十九处。至元二十七年,省并七处,保留十二处提举司。后来仅保留八处提举司:淮安州屯田打捕提举司,高邮屯田打捕提举司,招泗屯田打捕提举司,安东海州屯田打捕提举司,扬州通泰屯田打捕提举司,安丰庐州等处打捕提举司,镇巢等处打捕提举司,塔山徐邳沂州等处山场屯田提举司。其中安丰庐州等处打捕提举司,镇巢等处打捕提举司,分别置于今合肥、长丰、巢湖等地。品秩为从五品,"每司各设达鲁花赤一员,提举一员,并从五品;同提举一员,从六品;副提举一员,从七品;吏目二人"。③

庐州榷茶提举司,隶属于江西榷茶都转运司。至元十七年(1280

---

① 《元史》卷21《成宗纪四》。
② 《元史》卷87《百官志三》。
③ 《元史》卷87《百官志三》。

年），元置江西榷茶都转运司于江州（今江西九江），"总江淮、荆湖、福广之税"，①成为主管南方茶政的机构。江西榷茶都转运司为正三品，与各处盐运司同，设有运使、同知、副使等官，下辖茶提举司十六所：杭州、宁国、建宁、龙兴、庐州、岳州、鄂州、常州、湖州、潭州、静江、临江、平江、兴国、常德、古田建安。榷茶提举司秩从五品，分布在主要产茶地区。至元三十年，"罢其课少者五所，并入附近提举司"，"每茶商货茶，必令赍引，无引者与私茶同"。② 庐州榷茶机构仍存，但到大德八年（1304 年）三月，"罢庐州路榷茶提举司"。③ 文宗天历二年（1329 年），"始罢榷司而归诸州县"，撤销榷茶都转运司和榷茶提举司，由各路总管府负责征收茶税，发放茶引以供贸易。顺帝元统元年（1333 年），江西、湖广、江浙、河南复立榷茶运司，但只有七处。④

二、军事部署

《元史·兵志》云："世祖之时，海宇混一，然后命宗王将兵镇边徼襟喉之地，而河洛、山东据天下腹心，则以蒙古、探马赤军列大府以屯之。淮、江以南，地尽南海，则名藩列郡，又各以汉军及新附等军戍焉。"元朝统一全国之后，江淮由南北对垒之地成为腹心要地，"庐州居江淮之间，湖山环汇，最为雄郡"⑤。除设置淮西道宣慰司、淮西江北道肃政廉访司和庐州路总管府，还驻扎军队以唐兀军（河西军）、阿速军、汉军和新附军，也有部分蒙古军。

（一）庐州镇戍军

至元十三年二月，淮西制置使夏贵投降后，元朝置庐州总管万户

---

① 《元史》卷 94《食货志二·茶法》。
② 《元史》卷 94《食货志二·茶法》。
③ 《元史》卷 21《成宗纪四》。
④ 《元史》卷 97《食货志五·茶法》。
⑤ 嘉庆《庐州府志·姚鼐序》。

府,以中书右丞、河南等路宣慰使合剌合孙、襄阳管军万户邸浃并行府事。闰三月,"淮西万户府招降方山等六寨"。十四年初,邸浃"移龙兴,仍管领本翼军人"①。又以信阳军万户昂吉儿所领河西军镇庐州,担任淮西道宣慰使。九月,"昂吉儿、忻都、唐兀带等引兵攻司空山寨",杀民兵首领张德兴等人,淮西境内抗元武装被镇压下去。至元十六年正月,南宋残余势力被消灭,各地散兵游勇颇多,其中通事军多系蒙古和北方其他各族人。《元史·兵志》称:"初,亡宋多招纳北地蒙古人为通事军,遇之甚厚,每战皆列于前行,愿效死力。及宋亡,无所归。朝议欲编入版籍未暇也,人人疑惧,皆不自安。"②宣慰使昂吉儿奏请招谕流散各处的通事军,"列之行伍,以备镇戍"。

至元二十二年(1285年),元朝调整江淮等地镇戍分布,"诏改江淮、江西元帅招讨司为上中下三万户府,蒙古、汉人、新附诸军相参,作三十七翼"。③庐州万户府为下万户府,"翼设达鲁花赤、万户、副万户各一人,以隶所在行院"。行枢密院撤销后,隶属所在行省。二十四年,昂吉儿长子昂阿秃随元世祖征讨叛王乃颜有功,奉旨代父领管军万户。二十六年,授昂阿秃庐州蒙古汉军万户府达鲁花赤。大德六年(1302年),昂阿秃领兵进攻水东土司宋隆济,"还镇庐州",卒于泰定四年(1327年)。④

庐州路驻军以色目军队为主,包括昂吉儿率领的唐兀军、阿塔赤所领的阿速军,以及部分蒙古军,此外还有大量汉军和新附军。至大二年(1309年),元廷设置左、右阿速亲军都指挥使司,征调部分阿速军戍守京师,都指挥使司正三品,设官有达鲁花赤、都指挥使、副都指挥使、佥事,但右阿速亲军都指挥使司在镇戍区保留"庐江县达鲁花赤一员,主簿一员",左阿速亲军都指挥使司在镇戍区保留"镇巢县达

---

① 《元史》卷151《邸顺传》。
② 《元史》卷98《兵志一》。
③ 《元史》卷13《世祖纪十》。
④ 《元史》卷123《昂吉儿传》。

鲁花赤二员,主簿一员"。① 为镇戍需要,庐州还建有牧场,有牧马人户从事放牧,称作哈赤、哈剌赤。② 元朝灭宋后,"命籍建康、庐、饶租户千为哈剌赤户"。③ 至元二十七年(1290年),元朝派遣监察御史郭贯前往庐州,"分江北沿淮草地"。④ 大德十年(1306年),蒙古人帖木儿不花"任建康、庐州、饶州牧马户达噜噶齐(达鲁花赤)"⑤。

至正十一年(1351年)四月,顺帝以都漕运使贾鲁为工部尚书、总治河防使,"开黄河故道",治理河患,⑥"发汴梁、大名十有三路民一十五万,庐州等戍十有八翼军二万供役"。庐州镇戍军参与河道开挖,并起到监督作用。"是月(四月)鸠工,七月凿河成,八月决水故河,九月舟楫通,十一月诸埽诸堤成,水土工毕,河复故道。"⑦当时河南、河北有童谣云:"石人一只眼,挑动黄河天下反。"⑧白莲教刘福通等人将独眼石人,埋在即将挖掘的皇陵冈河道,宣言"莫道石人一只眼,此物一出天下反",期间红巾起义爆发,但并未发生大的骚动,治河如期完成。

(二)宗王出镇淮南

元朝统一以后,派遣蒙古军镇戍淮南、江南外,又以宗王领兵镇守。至元二十八年(1291年)河南行省设立后,江淮行省改为江浙行省,自扬州移驻杭州,忽必烈遂以其第九子脱欢为镇南王,驻守扬州,掌管江淮地区军事。"二十八年二月,诏江淮行省遣蒙古军五百、汉

---

① 《元史》卷86《百官志二》。
② 《元史》卷100《兵志三》云:"马之群,或千百,或三五十,左股烙以官印,号大印子马。其印,有兵古、贬古、阔卜川、月思古、斡栾等名。牧人曰哈赤、哈剌赤;有千户、百户,父子相承任事。"
③ 《元史》卷128《土土哈传》。
④ 《元史》卷174《郭贯传》。
⑤ 张铉:《至大金陵新志》卷13之下,宋元方志丛刊,中华书局1990年版。
⑥ 《元史》卷42《顺帝纪五》。
⑦ 《元史》卷187《贾鲁传》。
⑧ 《元史》卷66《河渠志三》。

兵千人从皇子镇南王镇扬州"。① 脱欢死后,其子老章、脱不花相继袭封镇南王。泰定二年(1325年)十二月,脱不花去世。次年十二月,泰定帝以脱不花之子孛罗不花年幼,令其弟帖木儿不花袭封镇南王。到天历二年(1329年)四月,帖木儿不花因孛罗不花已经成年,遂请辞镇南王之位,"朝廷以其让而不居也,改封宣让王,赐金印,移镇于庐州"。"顺帝至元元年(1335年),拨庐州、饶州牧地一百顷赐之。二年,赐市宅钱四千锭,命其王府官,凡班次,列于有司之右。"②

元末红巾起义爆发后,庐州白莲教徒举兵响应。淮西廉访使陈思谦劝说宣让王帖木儿不花:"王以帝室之胄,镇抚淮甸,岂宜坐视,且府中官属及怯薛丹人等,数甚多,必有可使摧锋陷阵者,惟王图之。"帖木儿不花即命以所部兵及诸王乞塔歹等,分道进攻红巾,"庐州境内皆平"。③ 至正十六年(1356年),顺帝命帖木儿不花与威顺王宽彻普化以兵镇遏怀庆路(今河南怀庆),既而北方红巾南下渡淮,"帖木儿不花复以便宜,调勺陂屯军拒之"。左君弼占领庐州后,帖木儿不花挈众北归大都。二十七年,顺帝进封帖木儿不花为淮王。次年八月一日,明军攻占大都,帖木儿不花兵败被杀。

第二节　治理与吏治

自至元十三年(1276年)淮西制置使夏贵归附元朝,到至正二十四年(1364年)庐州被朱元璋占领,元朝统治庐州八十八年。有元一代,庐州既是淮西江北道肃政廉访司、淮西道宣慰司和庐州路总管府驻地,也是元朝控扼江淮的军事重镇。其中淮西宣慰使昂吉儿驻军

---

① 《元史》卷16《世祖纪十三》。
② 《元史》卷117《帖木儿不花传》。
③ 《元史》卷117《帖木儿不花传》。

屯田，肃政廉访使（提刑按察使）姚天福、郭贯、苗好谦、陈思谦整饬吏治，庐州总管府同知拜住等均有所作为。根据《嘉庆庐州府志》《元史》《青阳集》及《安徽金石志》等文献，目前有姓名可考的淮西宣慰司、淮西廉访司官有十余人。详见下表：

姓名	民族或籍贯	官职	任职时间	资料来源
罗璧	汉人，镇江	淮西宣慰司同知	至元中期	嘉庆《庐州府志》
昂吉儿	唐兀人	淮西宣慰使	至元年间	《元史》、嘉庆《庐州府志》
姚天福	汉人，绛州	淮西按察使	至元年间	《元史》、嘉庆《庐州府志》
郑鼎	汉人，易城	淮西宣慰使	至元年间	《元史》、嘉庆《庐州府志》
郭贯	汉人，保定	淮西廉访司佥事	大德、至大间	《元史·郭贯传》
苗好谦	汉人，成武	淮西廉访司佥事	至大年间	《元史·苗好谦传》
韩若愚	汉人，满城	淮西宣慰副使	天历三年	《元史·韩若愚传》
陈思谦	汉人，宁晋	淮西廉访副使、使	后至元、至正中	《元史》、嘉庆《庐州府志》
王继志	汉人，不详	淮西廉访使	至正八年	嘉庆《庐州府志》
马世德	也里可温人	淮西廉访佥事	至正中叶	嘉庆《庐州府志》、《青阳集》
完者不花	蒙古人	淮西廉访使	不详	嘉庆《庐州府志》
李公平	不详	淮西廉访使	不详	嘉庆《庐州府志》
也先不花	蒙古人	淮西宣慰副使	不详	嘉庆《庐州府志》

一、昂吉儿与淮西宣慰司

至元十三年，南宋淮西制置使夏贵投降后，元朝派军镇守庐州，并置淮西宣慰司。当时信阳万户昂吉儿领兵经略淮西，元世祖遂授以淮西宣慰使。昂吉儿，姓野蒲氏，河西张掖（今属甘肃）人，蒙古进攻西夏，其父也蒲甘卜率其所属投降，担任千户。元代称西夏居民为河西人、西夏人或唐兀人。昂吉儿袭领千户，以功升信阳万户，担任淮西宣慰使后，主持庐州二十年。

其时全国尚未完全统一，元军肆行杀掠，境内局势不稳，南宋福王、广王号令各地反抗。"昂吉儿入庐州，民按堵无所犯，迁镇国上将军、淮西宣慰使"。① 随后，昂吉儿利用降将夏贵平定镇巢府洪福等人反抗。至元十四年九月，进军舒州（今安徽安庆）司空山寨，消灭张德兴等抗元武装。两淮地区长期征战，散兵游勇横行。南宋时招揽北方蒙古等部族，纳入军事编制，待遇优厚，使之效死作战，称作"通事军"②。南宋灭亡后，这些军人无所归属，人人疑惧不安。至元十六年五月，昂吉儿奏请将其编入军中，镇戍淮西地区。两淮地区长期争战，"荆榛蔽野"，"昂吉儿请立屯田，以给军饷"。元世祖在两淮地区进行屯田，以解决军饷问题，同时民间新开垦荒地免税三年。③

昂吉儿在庐州期间，重视吏治，注意减轻赋役。时"江南官僚冗滥为甚，郡守而下佩金符者多至三四人，由行省官举荐超授宣慰使者甚众，民不堪命"。至元十五年六月，昂吉儿前往大都朝觐，奏请裁汰江南冗官。元世祖随即派遣江淮行省左丞阿里伯、左丞崔斌、翰林承旨和鲁火孙、符宝奉御董文忠前往减汰，"选曹以清"。④ 二十年，忽必烈命阿塔海、彻里帖木儿、刘国杰等募兵造船，准备用兵日本，调发江淮行省驻军。昂吉儿奏以南北征战，百姓疲惫财乏，请求罢兵息民。⑤

至元二十六年，元世祖以昂吉儿之子昂阿秃，担任庐州蒙古汉军万户府达鲁花赤，镇守庐州；昂吉儿仍担任淮西宣慰使，加都元帅。河南行省建立后，昂吉儿加授参知政事，进为中书省左丞，加龙虎卫上将军、行尚书省右丞。然在庐州日久，颇为专横。至元二十七年，

---

① 《元史》卷132《昂吉儿传》。
② 《元史》卷98《兵志一》，至元十六年，"五月，淮西道宣慰司官昂吉儿请招谕亡宋通事军，俾属之麾下。初，亡宋多招纳北地蒙古人为通事军，遇之甚厚，每战皆列于前行，愿效死力。及宋亡，无所归。朝议欲编入版籍未暇也，人人疑惧，皆不自安。至是，昂吉儿请招集，列之行伍，以备征戍，从之"。
③ 《元典章》卷19《户部五》"荒闲田土无主的做屯田""荒田开垦三年收税"。
④ 《元史》卷132《昂吉儿传》。
⑤ 《元史》卷132《昂吉儿传》。

监察御史郭贯"劾淮西宣慰使昂吉儿父子专权,久不迁调,蠹政害民"。① 三十年正月,元朝以"淮西道宣慰使昂吉儿敛军钞六百锭、银四百五十两、马二匹,敕省、台及扎鲁火赤鞫问"②。《元史·昂吉儿传》载:"昂吉儿屡为直言,虽帝怒甚,其辞不少屈。台臣虑昂吉儿难制,以牙以迷失不畏强御,奏为本道按察使以察之。牙以迷失时捃摭昂吉儿细故以闻,及廷辨,帝察其无他,辄迁其官,后竟以微过罪之。元贞元年卒。"其子昂阿秃,大德六年领兵讨宋隆济等,有功受到表彰,还镇庐州,"以私财筑室一百二十余间,以居军士之贫者,省台以其事闻,特命升其秩,以金束带赐之"。③

又有罗璧,润州(今江苏镇江)人,至元十二年随宋将朱祀孙出降,授宣武将军、管军千户。后以军功及督运漕粮,升进怀远大将军、管军万户,兼管海道运粮。至元二十五年,迁为淮西宣慰司同知,奏请以两淮荒闲土地售给贫民耕垦,三年后征收赋税,得到元世祖允准,"岁得粟数十万斛"。④ 升镇国上将军、海北海南道宣慰使都元帅。大德年间,改为都水监。时屯田废弛,又"奉命括两淮屯田",不久得疾,归镇江而卒。

二、淮西廉访司与庐州吏治

淮西江北按察司、廉访司驻于庐州,以整饬淮西吏治,同时兼劝农事,考察郡县官员对农业的重视和经营成效。其中廉访使姚天福、郭贯和苗好谦在庐州成绩最为显著。

姚天福,绛州(今山西新绛)人。至元五年(1268年),元世祖设置御史台,以姚天福为御史台架阁管勾,寻改监察御史。姚天福为人耿

---

① 《元史》卷174《郭贯传》。
② 《元史》卷17《世祖纪十四》。
③ 《元史》卷123《也蒲甘卜传》。
④ 《元史》卷166《罗璧传》。

直,不畏权贵,元世祖赐其名为巴儿思,"谓其不畏强悍,犹虎也"。①历河东道提刑按察副使、治书侍御史,至元十六年(1279年)升为淮西道提刑按察使,"淮甸当兵冲,将吏有豪猾为民害者,悉铲除之,民大悦"。迁山北道按察使,入为刑部尚书,出为扬州路总管,到至元二十六年,复为淮西到按察使,铲除境内巨奸一人,籍没其家产。任职期间,"将吏有豪滑为民害者,悉铲除之,民大悦,政化大行"②。二十八年,调任平阳路(今山西临汾)总管,惩治桑哥党羽。成宗大德年间,拜参知政事、大都路总管拜参知政事、大都路总管,兼大兴府尹,畿甸大治,"后之尹京者,以天福为称首"。③

郭贯,保定(今属河北)人,早年"以才行称",历任枢密院和中书省掾、南康路经历、广西到提刑按察司判官和济南路经历,在职不畏权贵,勇于任事。至元二十七年,郭贯担任监察御史,"承诏分江北沿淮草地",弹劾淮西宣慰使昂吉儿久任庐州,"蠹政害民"。在郭贯弹劾之后,淮西按察使牙以迷失再次弹劾,至元三十年忽必烈将昂吉儿贬官。此后郭贯在湖南、湖北、江西、河东廉访司任职。皇庆元年(1312年),"擢淮西廉访使,寻留不遣,改侍御史。俄迁翰侍讲学士。明年,出为淮西廉访使。建言'宜置常平仓,考校各路农事。'"④延祐二年(1315年)召回京师担任中书参知政事,次年升中书左丞,加集贤大学士,是元中期为数不多的汉人宰执。

苗好谦是元代著名农学家,曹州成武(今属山东)人。早年曾在工部、枢密院担任掾史,大德初年担任大宗正府都事,四年(1300年)升大都路总管府判官,改监察御史,迁江南诸道御史台都事,娴熟吏治。大德十一年,担任淮西廉访司金事,执法严明,不徇私情,贪吏为之胆寒。至大二年(1309年),"淮西廉访金事苗好谦献种莳之法。其说分农民为三等,上户地一十亩,中户五亩,下户二亩或一亩,皆筑垣

---

① 《元史》卷168《姚天福传》。
② 《大明一统志》卷14《庐州府》。
③ 《元史》卷168《姚天福传》。
④ 《元史》卷174《郭贯传》。

墙围之,以时收采桑椹,依法种植,武宗善而行之。"①"延祐三年(1316年),以好谦所至,植桑皆有成效,于是风示诸道,命以为式。"同年四月,改为淮东到廉访司佥事,"以淮东廉访司佥事苗好谦善课民农桑,赐衣一袭。"在两淮任职期间,注意总结种桑经验,编撰《栽桑图说》。延祐五年改为大司农丞。当年九月,大司农买住将其《栽桑图说》进献,元仁宗称"农桑,衣食之本,此图甚善",命刊印千帙,颁行天下,散之民间。②

三、陈思谦与元末庐州

陈思谦为元初名臣陈祐之孙,史称"思谦少孤,警敏好学,凡名物度数、纲纪本末,考订详究,尤深于邵子《皇极经世书》"③。文宗天历(1328—1329)之初,经丞相高昌王亦都护举荐,担任典宝监经历。至顺元年(1330年)拜陕西行御史台都事,次年八月改为监察御史,在职多次建言朝政得失利弊,建言官员行丁忧三年之制,关心百姓疾苦。元统元年(1333年),迁右司都事、兵部郎中,御史台都事。

顺帝后至元元年(1335年),陈思谦出为淮西廉访副使,进驻庐州月余,以疾病归京师,改授中书省员外郎。至正初年,转兵部侍郎、右司郎中,当时全国各地灾害不断。"岁凶,盗贼蜂起,剽掠州邑。思谦力言于执政,当竭府库以赈贫民,分兵镇抚中夏,以防后患。"历湖南廉访使、淮东宣慰司都元帅、浙西廉访使。至正十一年,升为淮西廉访使,"庐州盗起,思谦亟命庐州路总管杭州不花领弓兵捕之,而贼已不可扑灭矣"。乃劝说宣让王帖木儿不花出兵,"思谦括官民马,置兵甲,不日而集。分道并进,遂禽渠贼,庐州平"。④ 当时北方红巾欲渡淮南下,陈思谦又协助宣让王调集芍陂屯田军防守淮河,稳定庐州形

---

① 《元史》卷93《食货志一》。
② 《元史》卷26《仁宗纪三》。
③ 《元史》卷184《陈思谦传》。
④ 《元史》卷184《陈思谦传》。

势。次年,召回京师担任集贤侍讲学士,修订律法。

又有拜住,蒙古克烈氏,顺帝后至元初年,拜住担任庐州路同知。"在郡五年,修包公祠,增广弟子员,惠利及人"。其兄江西行省左丞都思铁睦,在延祐(1315—1320)、至治(1321—1323)担任庐州路达鲁花赤,"有惠政","兄弟皆良吏"。① 庐州士人葛闻孙为拜住撰写碑文,记载其政绩。

第三节　农民战争与巢湖水师

元顺帝时期,政治腐败,统治者崇信佛教,大量钱财用于佛事和赏赐,财政匮乏。地方赋役不均,民不聊生。特别是至正年间,黄河决堤,百姓生活无法维持,被迫走上反抗道路。当时统治内部也有人认识到,"所在盗起,盖由岁饥民贫"。② 社会动荡和百姓生活贫困,导致民间宗教流行,最后爆发全国规模红巾大起义,推翻了元王朝统治。江淮是白莲教活跃地区,成为红巾活动的重要地区,其中合肥地区有白莲教骨干左君弼占据庐州,赵普胜等人起兵于巢湖,形成巢湖水师,在元末农民战争中有着重要影响。

一、彭莹玉传教于江淮

元代最重要的民间宗教是白莲教。《元史·张桢传》记载:"颍上之寇,始结白莲,以佛法诱众。""颍上之寇"是指刘福通领导的北方红巾,这次起义主要是利用白莲教进行起义的。白莲教是佛教净土宗的一支,其渊源可追溯到东晋慧远在庐山创立的白莲社。南宋初年,

---

① 嘉庆《庐州府志》卷 24《名宦中》。
② 《元史》卷 41《顺帝纪四》。

昆山（今属江苏）人茅子元创立白莲教，信奉阿弥陀佛，宣称只要念佛修行，死后即可进入西方净土世界。茅子元依据佛教经典，编写《弥陀节要》，要求信徒做到"三皈"、五戒，主张素食，教徒称作"白莲菜人"。白莲教教义满足部分民众愿望，信奉者颇多。南宋以来，"白莲、白云处处有习之者"。① 弥勒教也是净土宗的一个派别，供奉弥勒佛，宣称弥勒佛降生，可以驱灾解难。摩尼教在唐末转为民间秘密宗教，称作明教，崇奉摩尼光佛，又称作明王。影响最大的是白莲教。佛教天台宗攻击白莲教为"事魔邪党"，"假名佛教，以逛愚俗"。② 白莲教在传播过程中，吸收弥勒教和明教的一些思想，把供奉的阿弥陀佛称作"明王"。

  元朝统一后，白莲教势力得到进一步发展。"南北混一，盛益加焉。历都过邑无不有所谓白莲堂者，聚徒多至千百，少者不下百人，更少犹数十"。③ 元代中叶学者吴澄在《会善堂记》提到，白莲教"礼佛之屋遍天下"④。元朝统治者起初对白莲教采取扶持态度，但后来多次发生白莲教徒聚众起义，"妖言惑众"，武宗至大元年禁止白莲教结社，仁宗以后白莲教逐渐得到恢复。白莲教在流传过程中，逐渐形成南北两大系统。元朝后期，白莲教北方领导人是韩山童，南方领导人是彭莹玉。

  韩山童出身白莲教世家，担任教主以后，宣传"弥勒佛降生"和"明王出世"。《元史·顺帝纪》记载，"河南及江淮愚民，皆翕然信之"。在宣传教义时，韩山童结合当时社会现实，"倡言天下大乱"，并培养一批骨干力量，如刘福通、罗文素、盛文郁、杜遵道等人。彭莹玉，江西袁州（今江西宜春）人，十岁出家为僧，以行医为名宣传起义，"袁民翕然，事之如神"。⑤ 白莲信徒称之为"彭祖"，官府称之"妖彭"

---

① 志磐著，释道法校注：《佛祖统纪校注》卷54，引《释门正统》，上海古籍出版社2012年版。
② 《佛祖统纪》卷54，引《释门正统》。
③ 刘埙：《水云村泯稿》卷3《莲社万缘堂纪》，四库全书本。
④ 李修生：《全元文》卷508（第15册），吴澄《会善堂记》，江苏古籍出版社1999年版。
⑤ 权衡著，任崇岳笺证：《庚申外史笺证》，中州古籍出版社1991年版。

"彭和尚"。后至元四年(1338年),彭莹玉与门徒周子旺在袁州组织暴动,失败后逃往江淮地区,继续宣传白莲教,提出"弥勒佛下生,当为世主"。《庚申外史》卷上记载,"莹玉遂逃匿于淮西民家。……淮民闻其风,以故争庇之,虽有司严捕,卒不能获"。他的门徒很多,多数以"普"字命名,如邹普胜、李普胜、项普略、赵普胜等,遍及江淮地区。彭祖在江淮地区活动长达十余年,使得白莲教影响更为扩大,为元末合肥地区红巾起义打下了基础。

二、左君弼与庐州红巾

至正十一年五月,刘福通起兵于颍上(今属安徽),攻占颍州(今安徽阜阳),揭开元末农民战争的序幕。八月,彭莹玉徒弟、麻城铁工邹普胜与罗田布贩徐寿辉等起兵于蕲水(今湖北浠水),十月,徐寿辉称帝,建立天完政权。次年,分布江淮地区的彭莹玉弟子举兵响应。"元季壬辰,江淮兵起。……彭祖倡妖术于两淮,人多应之。"①其中最著名的是三支较大的武装起义:赵普胜领导的一支,金花姐和李普胜领导的一支,以及左君弼领导的一支。

左君弼是庐州人。彭莹玉逃匿到淮西地区,继续从事秘密传教和组织武装起义活动,左君弼加入白莲教,并成为其骨干。《皇明开国功臣录》卷32《左君弼传》,"元季壬辰,群雄倡乱,君弼党于彭祖,聚众数千"。至正十二年(壬辰,1352年),左君弼聚众数千人,开始反元斗争。当时江淮以南主要是南方红巾活动范围,左君弼武装接受天完政权领导,但与巢湖水师李普胜等互相猜忌。

至正十三年十月,彭莹玉战死于瑞州(今江西高安),十二月,元军攻占天完都城蕲水,形势极为严峻。元宣让王铁木儿不花镇守庐州,派兵镇压各地抗元队伍,起义损失惨重。至正十四年五月,元军

---

① 黄金:《皇明开国功臣录》卷2《廖永忠传》,明正德刻本。

在高邮之战中溃败,形势发生变化,"元兵不复振",①各地红巾相继获得发展。次年,天完红巾在湖广、江西等地大败元军,左君弼也顺利攻占庐州。② 天完政权在庐州设置汴梁行省,以左君弼为行省首脑,负责淮南地区军政。③ 然左君弼与巢湖抗元武装不和,"巢湖水雄双刀赵(赵普胜)、李扒头(李普胜)者,与庐州左君弼素相仇"。④ 北有北方红巾据有安丰(今安徽寿县),左君弼局促于庐州,难以向外拓展,转而与苏南张士诚联合。

三、巢湖水师的兴衰

在左君弼起兵时,彭莹玉弟子赵普胜、李普胜也在庐州举行起义。至正十二年初,"李扒头据无为州,双刀赵据含山,聚众结水寨,俱称彭祖家"。⑤ 这两支队伍活动范围以巢湖为中心,北到合肥,南到长江沿岸。彭莹玉与项普略率天完红巾进攻江州、南康、瑞州、饶州、徽州、信州等地,赵普胜率巢湖水师与之配合,南下进攻繁昌、铜陵、池州、安庆等地,并在鄱阳湖口杀元江西行省平章政事星吉。至正十三年,元军组织反扑,彭莹玉战死于瑞州,随后天完都城蕲水陷落,赵普胜则久攻安庆不下。由于形势所迫,赵普胜不得不率领水师退居黄墩,并与李普胜、俞廷玉、廖永安兄弟、赵伯仲兄弟及合肥人张德胜、叶升,无为人桑世杰、含山人华高,"以战船千余结水军屯巢湖捍盗"。⑥ 左君弼自恃力量较强,与李普胜、赵普胜等不睦,欲邀廖永忠等入伙,遭到拒绝后,即派兵进攻廖永安,廖永安不能抵抗,"赵、李视

---

① 钱谦益:《国初群雄事略》卷7《周张士诚》,中华书局1982年版。
② 嘉庆《合肥县志》卷2《沿革志》:"顺帝至正十五年,妖党左君弼据庐州。"王逢《梧溪集》卷4《哀公显道宪史》云,公道道,字大有,"甲午(1354年),辟淮西宪史。明年,从分宪按蕲黄。红巾隐庐,母妻女侄举莫知所向。""红巾隐庐",即指左君弼占据庐州。
③ 邱树森:《左君弼事迹考略》,《元史及北方民族史研究辑刊》第五辑。
④ 孙宜:《洞庭集·大明初略二》,北京图书馆古籍珍本丛刊,书目文献出版社。
⑤ 钱谦益:《国初群雄事略》卷2《滁阳王》。
⑥ 何乔远:《名山藏》卷55《廖永忠传》,福建人民出版社2010年版。

君弼兵颇弱,为君弼所扼湖中,其势无所恃"。① 在这样形势下,赵普胜、李普胜等急欲寻求同盟,以求出路。

至正十五年春,朱元璋自滁州攻取和州(今安徽和县),因城中物资匮乏,欲渡江取采石,但苦于无舟楫。赵普胜等人愿与朱元璋结成同盟,助其渡江,但李普胜欲趁此机会吞并朱元璋军队,谋划在船上杀死朱元璋。朱元璋闻之,推疾不赴,数日后借宴请李普胜之机,将其杀死。赵普胜闻讯后,率部分水师投奔天完政权,而俞廷玉、俞通海、廖永安、廖永忠、张德胜、叶升、桑世杰、华高等归附朱元璋。巢湖水师发生了分裂。

与此同时,元朝百万大军溃败于高邮城下,红巾势力复振。赵普胜率领巢湖水师配合天完将领倪文俊,进驻枞阳,并南下夺取池州、青阳等地,并于至正十六年两次围攻江北军事重镇安庆(今属安徽)。十八年正月,在天完将陈友谅援助下,赵普胜攻破安庆,杀死元守将余阙等人,威望大增。十九年九月,陈友谅为扫除篡位障碍,诈与赵普胜会军,在安庆杀死赵普胜,随后诱杀徐寿辉,称皇帝,国号大汉,改年号大义(1360—1363)。

四、朱元璋夺取庐州

左君弼占据庐州后,周边元朝军队溃败,元宣让王帖木儿不花逃往河北。其时北有北方红巾占据安丰(今安徽寿县),东有朱元璋,南面有赵普胜,这些抗元武装都与左君弼关系不睦。左君弼乃连接苏南张士诚,当张士诚进军江淮时,左君弼与之结盟。至正二十三年二月,韩林儿、刘福通被元军打败,退往安丰以图后举。张士诚乘机派遣部将吕珍围攻安丰,左君弼派军助攻,城中危急。三月,朱元璋亲率徐达、常遇春援救安丰,打败吕珍,救出韩林儿。左君弼出手援救吕珍,被常遇春打败,退回庐州。徐达、常遇春随即围攻庐州,时间长

---

① 孙宜:《洞庭集·大明初略二》。

达三月。元将竹昌、忻都趁虚夺取安丰。由于洪州（今江西南昌）战事紧张，徐达等奉命南撤，援救洪州，庐州解围。

至正二十四年四月，朱元璋消灭陈友谅后，再次派遣徐达、常遇春率军进攻庐州。左君弼闻讯，逃往安丰，投奔元将竹昌，令其部将张焕、殷从道坚守庐州。延至七月，"时庐州被围久，众皆饥困不能战"，①张焕等暗通徐达，潜开西门迎朱元璋军队入城，执左君弼部将吴副使，并其母亲、妻子、儿女，送到金陵。庐州遂为朱元璋所有。

左君弼降元后，元汴梁守将李克彝令其防守陈州（今河南淮阳）。至正二十七年二月，朱元璋准备北伐，遂致书左君弼，劝其顺应形势归顺，随后又派人将其母亲送往陈州，左君弼"感上归其母，有降附意"②。洪武元年（1368年）二月，徐达率兵北伐，平定山东王宣，大军西指汴、洛，左君弼与竹昌遂率所部投降徐达。

左君弼降明后，受命为广西卫指挥佥事，曾率军镇压广西左江上思州黄英杰起义，后来长期驻守广西。

---

① 《明太祖实录》卷14，甲辰年七月，上海书店1982年版。
② 《明太祖实录》卷31，洪武元年。

第十二章

元代合肥地区经济与社会

第十二章 元代合肥地区经济与社会

元代庐州社会经济经历从战乱破坏到逐渐恢复的过程。长期宋蒙（元）对峙以及蒙古军多次侵扰，扰乱庐州居民日常生产和生活，社会经济也遭受影响。全国统一后，元朝在江淮地区屯田和招民垦荒，赈灾救荒，推广棉花种植，促进经济恢复和发展。一批批蒙古、色目人迁居庐州地区，并与本地居民逐渐融合起来。

第一节 基层组织与赋役制度

元代地方基层组织为乡、都，城里为坊隅制，其基本职责为催征赋役，维持治安。此外，元代还在农村推行村社制度，用以指导和发展农业生产。

一、基层组织

元代县之下则为地方基层组织，其办事人员皆以"乡官"称之。"乡官自宋迄明皆不置，止为职役"。① 职役，元代称作"差役"、户役。元代城外一般分为乡、都两级，"乡设里正，都设主首"，但有些地方则"止设里正"，或"止有主首"。② 至元二十八年《至元新格》规定，"诸村主首，使佐里正催督差税，禁止违法"，"今后凡催差办集，自有里正、主首"。③ 其职责是为官府催办各种赋税，但某些地方两者有具体分工，"里正催办钱粮，主首供应杂事"。④ 此外，在所管地方发生违反国家禁令之事，里正、主首皆有连带责任。如聚众祈赛神社，里正、主首

---

① 《续通典》卷37《职官十五》，浙江古籍出版社2000年版。
② 康熙《庐江县志》卷6《役法》。
③ 《通制条格》卷16《田令·理民》，中华书局2001年版。
④ 俞希鲁：《至顺镇江志》卷2《地理·坊巷》，江苏古籍出版社1999年版。

"有失铃束,知而不行首告者,减为从者罪一等"①。

城内居民,则设隅、坊两级,设有隅正、坊正。路总管府驻地,设录事司统辖城内隅、坊。《元史·百官志七》云:"录事司,秩正八品。凡路府所治,置一司,以掌城中户民之事。中统二年,诏验民户,定为员数。二千户以上设录事、司候、判官各一员;二千户以下,省判官不置。至元二十年,置达鲁花赤一员,省司候,以判官兼捕盗之事,典史一员。若城市民少,则不置司,归之倚郭县。"元代庐州路置录事司,"以治城内",与县平级,下有隅、坊组织。康熙《庐江县志》记载,"在邑居设坊正"。县城所在,因人口较少,一般只设坊而不设隅。"凡官府排办造作、祗应杂务、羁管罪人、递运官物、闭纳酒课、催征地钱"等,都由隅正、坊正负责。② 这些"乡官"为县、司衙门服务,经办县、司交下的催办赋税以及其他各种杂务,实际上起到基层政权的作用。

各地里正、主首、隅正、坊正设置的数目,最初并不固定。至元七年(1270年)四月,河北河南道按察司呈文称:"诸处州县各管村分,以远就近,并为一乡,或为一保,设立乡头、里正、保头,节级以下,更有所设乡司人员,催趁差发,……以其久在县衙,与官吏上下惯通,易为作弊。"御史台转呈中书省后,中书省遂批示:"严切禁治,司县乡司里正人等,须管不致似前冒滥多设,作弊扰民违错。"③至元二十八年,元廷颁布《至元新格》规定:"凡里正、公使人等(贴书亦同),从各路总管府拟定合设人数,其令司县选留廉干无过之人,多者罢去。"④

到元成宗时期,地方基层组织健全起来。大德七年(1303年),元廷对里正、主首的设置数目有了比较明确的规定:"每一乡拟设里正一名,每都主首,上等都分拟设四名,中等都分拟设三名,下等都分拟设二名,依验粮数。"⑤之后又有了较灵活的规定,对偏远或人口稠密

---

① 《元典章》卷57《刑部十九·诸禁·祈赛神社》。
② 《至顺镇江志》卷2《地理·坊巷》。
③ 《通制条格》卷17《赋役·滥设头目》。
④ 《元典章》卷60《工部三·役使·祗候人》。
⑤ 《元典章》卷26《户部十二·赋役·户役》。

地区可酌情而设:"皇庆元年(1312年)四月……令亲民州县官从新斟量所管乡都地面远近、户计多寡,可设里正、主首各数。"因此,各地所设里正、主首数目各不相同,而且有些地方的人数前后有变化,依隅正为例,如浙江绍兴地区原来每隅设隅正3名,后增为7名。里正、主首役期各地也不同,有的周岁一更,有的半年一更,也有一季一更。据康熙《庐江县志·役法》记载,元代"役法"有正役、杂役,"正役:在邑居设坊正,乡设里正,都设主首。后以繁剧难任,每都设一里正,初以周岁或半年一更,后季一更。大率以粮多者为主首,次为贴役。杂役:有弓手、祗候、禁子、斗子、铺兵,又有船夫、防夫、马匹之类,其详不可考也"。①

此外还有仓官、库子,都由民户充当,是为职役、差役。他们按各户资产轮流差充,不能领取薪俸,是国家强加给城乡居民的封建义务。

二、村社组织

元世祖即位以后,重视农业,"首诏天下,国以民为本,民以衣食为本,衣食以农桑为本"。② 元朝先后设置劝农司和司农司,用来指导各地农业生产。司农司还编纂《农桑辑要》颁行天下,推广农业生产经验。至元六年(1269年),元世祖将北方地区农村互助组织村社推广开来,下诏各地农村设立村社,"凡五十家立为一社,不以是何诸色人等并行入社,令社众推举年高通晓农事有兼丁者立为社长","使专劝农"。③ 担任社长者,"仍免本身杂役"。灭宋后,元朝也将村社制度推行到江南地区。根据《和林金石志》《元典章》《通制条格》记载,岭北、辽阳、河南、陕西、江浙、江西、湖广等省都依法建立社制。至元七年,城内在坊之下亦置社。最早置社的是真定路,其后司农司建言:

---

① 吴宾彦:康熙《庐江县志》卷6《役法》。
② 《元史》卷94《食货志一》。
③ 《元典章》卷23《户部九·农桑·劝农立社事理》。

"大名、彰德等路在城居民,俱系经纪买卖之家并各局人匠,恐有不务本业、游手好闲、凶恶之人,合依真定等路选立社、巷长教训。"元廷随即下令,各路"所属州县在城关厢见住诸色户计……并行入社"①。

从元代文献记载来看,社长职责大体上分为两类,一类属于公共事务,如管理水利、灭蝗、义仓、生产互助等事,一类是督促村社居民,如及时耕作,种植桑枣等事务。②社长不是职役,但在元代往往被差占,用以催征赋役,承担各种杂事。至元二十八年(1291年)《至元新格》便说:"诸社长本为劝农而设,近年以来,多以差科干扰,大失元立社长之意。今后凡催差办集,自有里正、主首,其社长使专劝农。"③但这种情况并没有多少改变。元代前期,村社的设置对农业恢复起到积极作用,元代中期以后,社长被视为职役的一种。元朝多次下令,"不得将社长差占别管余事",④直到元顺帝至正八年(1348年),仍"诏守令选立社长,专一劝课农桑"⑤。

三、赋役制度

元代南北地区采取不同的赋役制度,"大抵江淮之北,赋役求诸户口,其田(南)则取诸土田"。⑥北方赋税分为税粮和科差两种。税粮有丁税和地税两种不同形式,工匠、僧道、儒户等纳地税,绝大部分民户和官吏、商贾都按照成丁交纳丁税。科差包括丝料和包银两项。南方赋税则有所不同,《元史·食货志》说:"取于江南者,曰秋税,曰夏税,此仿唐之两税也。"夏、秋二税都是以土地征税,以秋税为主。

夏税的征收情况比较复杂。《元史·食货志》记载,"初,世祖平宋时,除江东、浙西,其余独征秋税而已"。元贞二年(1296年),"始定

---

① 《通制条格》卷16《立社巷长》。
② 杨讷:《元代农村村社制度研究》,《历史研究》1965年4期。
③ 《通制条格》卷16《田令·理民》。
④ 《元典章》卷23《户部九·农桑·社长不管余事》。
⑤ 《元史》卷41《顺帝纪四》。
⑥ 危素:《危太朴文集》卷2《休宁县尹唐群核田记》。

征江南夏税之制",然而仅限于浙东、福建、湖广地区,庐州及淮西地区仍只征收秋税,秋税以征粮食为主,称作秋粮。秋税收粮,不仅各地征收标准不同,同一地区也因土地肥瘠而有差别,湖广仿北方之制,每亩三升,其他地区"纳粮的则例有三、二十等,不均匀的一般"①,大体上依照宋代旧制,每亩在三升上下,也有在一升左右。元朝在灭宋过程中,注意收检"户口版籍"。至元十三年十二月,诏谕新附军民,其田租"从实办之"②。延祐七年(1320年)四月,元朝规定,"除福建、两广外,其余两浙、江东、江西、湖南、湖北、两淮、荆湖这几处,验着纳粮民田见科粮数,一斗上添答(搭)二升",③江南税粮就原额增加百分之二十,百姓负担有所加重。后来江南税粮也有附加税,"江南民田税石,合依例每石带收鼠耗、分例七升"。④ 在征收之时,税粮以至元宝钞来折纳,"秋粮一石,或输钞三贯、二贯、一贯,或一贯五百文、一百七十文"。⑤

江南地区还有两项科差。一是江南户钞。元灭宋后,将部分南方民户封赐给诸王、贵戚,每户纳中统钞五钱,"准中原五户丝数",⑥称江南户钞。成宗时改为每户二两,但新增部分由官府支付,民户负担未变。元统元年(1333年)十月,"封撒敦为荣王,食邑庐州"。⑦ 撒敦系权臣燕帖木儿之弟,官至御史大夫、中书左丞相,但后至元元年(1335年)六月,燕帖木儿家族覆灭。一是包银。江南包银始征于延祐七年(1320年),征收对象为没有土地的工商业和运输人户,数额是每户二两。但包银征收,骚扰百姓,招致强烈的反对,并未能坚持下去。至治二年(1322年)十月,"诏今年江淮创科包银全免之"。⑧ 实

---

① 《元典章》卷24《户部十·起征夏税》。
② 《元史》卷9《世祖纪六》。
③ 《元典章》卷24《户部十·租税·科添二分税粮》。
④ 《元典章》卷21《户部七·收粮鼠耗分例》。
⑤ 《元史》卷93《食货志一》。
⑥ 《元史》卷12《世祖纪九》。
⑦ 《元史》卷38《顺帝纪一》。
⑧ 《元史》卷28《英宗纪二》。

际仅两年,其中一年还减免五分。此后江南包银实际上未再征收,到泰定二年(1325年)正式废除。

  元朝平定江南以后,沿用南宋原来的田亩登记。"元之下江南,因之以收赋税,以诏力役"。① 但是兵火之余,土地占有状况变化较大,沿用南宋籍册已不合适。江淮以南税粮按地亩征收,地亩不实造成赋税征收困难。为此,元朝不得不重新核实土地数额,称作"经理"。《元史·食货志》称,"经界废而后有经理,鲁之履田,汉之核田,皆其制也"。② 延祐元年(1314年)冬,鉴于当时田亩"欺隐尚多,未能尽实",造成国家"岁入不增",仁宗采纳中书平章政事章闾建议,行经理之法,查核土地田亩数额与理算租税钱粮,并对隐漏田产追征租赋。随后,仁宗以平章政事章闾、尚书你咱马丁、中书左丞陈士英等分别前往河南、江浙、江西督办,"仍命行御史台分台镇遏,枢密院以军防护"。③ 核查之时,州县官吏"揭榜于民,限四十日,自实于官",严令百姓于限期内向官府申报本户的田亩数量,欺瞒作弊者依法治罪。实施过程中,由于吏治腐败,"郡县并缘以厉民",官吏妄增亩数,"经理考核多失其实",百姓深受其害。二年九月,江西赣州蔡五九聚众起事,受害农民纷起反抗。元仁宗被迫下诏,凡在三省经理中查出的隐漏田地,免征租税三年。五年(1318年),又下诏罢河南新括民田,依旧例输税。"至泰定、天历之初,又尽革虚增之数,民始获安。"④ 延祐经理以失败告终。

---

① 苏伯衡:《苏平仲集》卷6《核田记》,丛书集成初编本。
② 《元史》卷93《食货志一》。
③ 《元史》卷93《食货志一》。
④ 《元史》卷93《食货志一》。

第二节 自然灾害及赈灾措施

元张养浩在《为政忠告》云:"灾异之生,常出于人之所不意。诚素有其备,虽灾甚,不足为忧也。"①自至元十三年(1276年)庐州等地归附元朝,到至正二十八年(1368年)元朝灭亡,前后共九十二年。但至正二十四年(1364年),"大明兵取庐州路",②元朝在合肥地区统治已告结束,实际统治仅有八十八年。元代是庐州地区自然灾害较为频繁时期。从灾害发生情况来看,至元、至正年间灾害相对较少,其他时间几乎灾害不断。

一、灾害种类及其分布

元代庐州自然灾害大致可分为水灾、旱灾、冰雹、虫蝗、地震等以及由此而引发的饥荒和瘟疫。其中水灾最为频繁,其次为旱灾和虫蝗之灾。

根据《元史》及相关资料记载,合肥地区灾害如下:

时间	灾害类型	灾害地域	灾害史料
元贞元年九月	水	庐州路	平江、庐州等路大水。
元贞二年五月	水	庐州路	扬、庐、岳、澧四郡,建康、太平、镇江、常州、绍兴五郡水。

---

① 张养浩:《归田类稿》卷10《为政忠告》,商务印书馆1986年版。
② 《元史》卷46《顺帝纪九》。

(续表)

时间	灾害类型	灾害地域	灾害史料
元贞二年六月	虫蝗	庐州路	大都、真定、保定、太平、常州、镇江、绍兴、建康、澧州、岳州、庐州、汝宁、龙阳州、汉阳、济宁、东平、大名、滑州、德州蝗。
大德元年十月	旱	合肥、梁县	历阳、合肥、梁县及安丰之蒙城、霍丘自春及秋不雨。
大德二年五月	饥荒	淮西诸郡	淮西诸郡饥,漕江西米二十万以备赈贷。
大德三年十月	旱	庐州路	扬、庐、随、黄等州旱。
延祐五年四月	水	合肥县、庐江县	五年四月,庐州合肥县大雨水;五年四月,(庐江县)大雨水。
延祐七年四月	水	庐州路	七年四月,安丰、庐州淮水溢,损禾麦一万顷。
泰定元年七月	水	庐州路	真定、广平、庐州十一郡雨伤稼。
泰定三年五月、六月	旱	庐州路	庐州、郁林州及洪泽屯田旱;扬州路属县财赋官田水,并免其租;大宁、庐州、德安、梧州、中庆诸路属县水、旱,并蠲其租。
泰定三年九月	虫蝗	庐州路	庐州、怀庆二路蝗。
泰定四年二月	饥荒	庐州路	奉元、庐州、淮安诸路及白登部饥,赈粮有差。
泰定四年五月	虫蝗	庐州路	大都、南阳、汝宁、庐州等路属县旱、蝗。
泰定四年十二月	虫蝗	庐州路	保定、济南、卫辉、济宁、庐州五路,南阳、河南二府蝗。
天历二年二月	地震	合肥县	庐州路合肥县地震。
天历二年	虫蝗	庐州路	天历二年,淮安、庐州、安丰三路属县蝻。
天历二年四月	虫蝗	巢县、庐江县	大宁兴中州、怀庆孟州、庐州无为州蝗。
天历二年七月	虫蝗	庐州路	真定、河间、汴梁、永平、淮安、大宁、庐州诸属县及辽阳之盖州蝗。

(续表)

时间	灾害类型	灾害地域	灾害史料
至顺元年正月	饥荒	庐州路	真定、汝宁、扬、庐、蕲、黄、安丰等郡饥。
至顺元年二月	饥荒	庐州路	二月,扬州、安丰、庐州等路饥,以两淮盐课钞五万锭、粮五万石赈之;三月,安庆、安丰、蕲、黄、庐五路饥;五月,赈卫辉、大名、庐州饥民钞六千锭、粮五千石。
至顺元年	水	庐州路	至顺二年八月,"庐州去年水,宁夏霜为灾,并免今年田租"。
元统元年夏	旱	淮西诸郡	淮东、淮西皆旱。
元统元年夏	饥荒	淮西诸郡	两淮大饥。
元统二年春	饥荒	淮西诸郡	淮西饥。
后至元元年十二月	地震	庐州路	十二月丙子,安庆路地震,所属宿松、太湖、潜山三县同时俱震。庐州、蕲州、黄州亦如之。
至正五年五月	饥荒	庐州路	庐州张顺兴出米五百余石赈饥,旌其门。

从《元史》记载来看,元代合肥地区发生水灾6次,旱灾4次,虫蝗之灾7次,地震2次,由此引发的饥荒7次,共26次,有时灾害一年数次。天历二年二月,合肥县发生地震,四月、七月两次发生蝗灾。灾害造成的饥荒,使得百姓流离失所,举步维艰。据《元史》卷五十《河渠志》记载,延祐七年四月,"安丰、庐州淮水溢,损禾麦一万顷"。顺帝在位三十六年,期间灾害记载较少,主要原因是《元史》记载缺失造成的。清赵翼《廿二史札记》曾评论"《元史》草率"[1]。《元史》初撰之时,顺帝尚存。《顺帝纪》各卷系重开史局时所补辑。"洪武二年,得元十三朝实录,命修《元史》,宋濂、王祎为总裁,二月开局,八月成书。而顺帝一朝,史犹未备,乃命儒士往北采遗事。明年二月,重开史局,六月书成。"[2]

---

[1] 赵翼:《廿二史札记》卷31,《明史》条,中华书局1984年版。
[2] 赵翼:《廿二史札记》卷29,《元史》条。

二、赈济措施

元代在宋金制度基础上，建立较为完整的赈灾救灾制度。灾荒发生后，地方官需及时申报灾害情况，然后朝廷派人赈济，并制定赋税减免方案。如大德元年（1297年）十月，"庐州路无为州江潮泛溢，漂没庐舍。历阳、合肥、梁县及安丰之蒙城、霍丘自春及秋不雨，扬州、淮安路饥，韶州、南雄、建德、温州皆大水，并赈之"。① 赈灾措施大体上包括几方面。

其一，减免田租。

元代规定，凡灾伤损失八成以上，全免税粮；损失七成到五成的，免去受损田亩赋税；损失四成以下的，则不予减免。也有按照时间蠲免的，有免一年、两年的，也有连续几年减免赋税的。至元二十年（1283年），忽必烈下诏："江淮百姓生受，至元二十年合征租税以十分为率，减免二分。"至元三十一年，又诏："诸色户计秋粮已减三分，其江淮以南至元三十一年夏税特免一年。已纳官者，准充下年数目。"② 有时损失五成以上，免除全部税粮。《元典章》卷三《圣政二》记载，如大德元年十月，

中书省奏："随处水旱等灾，损害田禾，疫气渐染，人多死亡。"今降圣旨：被灾人户合纳税粮损及五分之上者，全行倚免。有灾例不该免，以十分为率，量减三分。其余去处普免二分。病死之家或至老幼单弱、别无得力之人，并免三年赋役。贫穷不能自存者，官为养济。江南新科夏税，今年尽行倚免；已纳在官者，准算来岁夏税。

此后成宗、武宗、仁宗、英宗直到顺帝时，仍不断发布诏令，减免

---

① 《元史》卷19《成宗纪二》。
② 《元典章》卷3《圣政二》，台北故宫博物院影印元刊本1976年版。

赋税。大德十一年（1307年），武宗即位，免除各地包银、俸钞，并规定以后不再征收。延祐七年（1320年）三月，英宗颁布《登宝位诏》："恤灾拯民，国有令典。应腹里路分被灾去处曾经赈济者，据延祐七年合该丝绵十分为率，拟免五分，其余诸郡丝绵并江淮夏税并免三分。"次年改元至治，其《至治改元》诏书云："国家经费皆出于民，近年以来水旱相仍，艰食者众。其至治元年丁、地税粮十分为率普免二分，合该包银除两广、海北海南权且倚阁，其余去处减免五分。"①

除这些普遍性减免外，针对庐州等地灾情还颁布诏令。如大德三年（1299年）十月，"以淮安、江陵、沔阳、扬、庐、随、黄旱，汴梁、归德水，陇、陕蝗，并免其田租"。② 泰定三年（1326年）五月，"庐州、郁林州及洪泽屯田旱，扬州路属县财赋官田水，并免其租"。③ 文宗至顺二年（1331年）八月，"庐州去年水，宁夏霜为灾，并免今年田租"。④

其二，开仓放粮或者出钱赈济灾民。

元代为防备灾害，建立较为完备的仓储制度。地方州县设立常平仓，"丰年米贱，官为增价籴之；歉年米贵，官为减价粜之"；又在民间推行义仓制度，"社置一仓，以社长主之，丰年每亲丁纳粟五斗，驱丁二斗，无粟听纳杂色，歉年就给社民"。⑤ 每到灾荒年份，除官府开仓赈济外，使用义仓以缓解灾情。有时赈济与免税次第举行。如大德元年十月，"庐州路无为州江潮泛溢，漂没庐舍。历阳、合肥、梁县及安丰之蒙城、霍丘自春及秋不雨"，"并赈之"。⑥ 至大元年（1308年）七月，《命相诏书》云："江南、江北水旱饥荒去处，已尝遣使分道赈恤。去岁今春曾经赈济人户，至大元年差发、夏税并行蠲免。"次年二月，武宗《上尊号诏》重申："被灾曾经赈济百姓，至大二年腹里差税、

---

① 《元典章》卷3《圣政二》。
② 《元史》卷20《成宗纪三》。
③ 《元史》卷30《泰定帝纪二》。
④ 《元史》卷35《文宗纪四》。
⑤ 《元史》卷96《食货志四》。
⑥ 《元史》卷19《成宗纪二》。

江淮夏税并行蠲免。"①

《元史》有多处关于庐州赈济灾民记载。如泰定四年(1327年)二月,"奉元、庐州、淮安诸路及白登部饥,赈粮有差";六月,"庐州路饥,赈粮七万九千石"。② 至顺元年(1330年)二月,"扬州、安丰、庐州等路饥,以两淮盐课钞五万锭、粮五万石赈之";三月,"安庆、安丰、蕲、黄、庐五路饥,以淮西廉访司赃罚钞赈之";五月,"赈卫辉、大名、庐州饥民钞六千锭、粮五千石"。③

其三,鼓励富实之家救济灾民。

为减轻灾情,元代还通过行政手段聚集民间物资来赈济灾荒,鼓励富人救济贫民。大德十一年七月,诏"富家能以私粟赈贷者,量授以官"④。泰定二年(1325年)九月规定,"募富民入粟拜官,二千石从七品,千石正八品,五百石从八品,三百石正九品,不愿仕者旌其门"。⑤

地方官也鼓励富民出钱出粮,解决饥民燃眉之急。顺帝至正年间(1341—1368年),江淮地区动荡,农民起义蜂起,庐州也发生饥荒。至正五年六月,"庐州张顺兴出米五百余石赈饥,旌其门"。⑥

其四,鼓励发展农业,兴修水利。

元代通过发展生产,兴修水利,以解决灾荒问题。世祖以后,实行重农政策。《元史·食货志》记载,"世祖即位之初,首诏天下,国以民为本,民以衣食为本,衣食以农桑为本。于是颁《农桑辑要》之书于民,俾民崇本抑末"。中央设置司农司,后改为大司农司,"凡农桑、水利、学校、饥荒之事,悉掌之"。⑦ 又定期派遣劝农官具体指导农业生产。地方官员的考核,也以农业为重点。"至元八年,诏以户口增、田

---

① 《元典章》卷3《圣政二》。
② 《元史》卷30《泰定纪二》。
③ 《元史》卷34《文宗纪三》。
④ 《元史》卷22《武宗纪一》。
⑤ 《元史》卷29《泰定帝纪一》。
⑥ 《元史》卷41《顺帝纪四》。
⑦ 《元史》卷87《百官志三》。

野辟、词讼简、盗贼息、赋役均五事备者,为上选。九年,以五事备者为上选,升一等。四事备者,减一资。三事有成者为中选,依常例迁转。四事不备者,添一资。五事俱不举者,黜降一等。二十三年,诏:"劝课农桑,克勤奉职者,以次升奖。其怠于事者,笞罢之。"①通过考课制度,督促地方州县官吏重视农业,关注民生疾苦。

元朝沿用前代之制,设置都水监主管兴修水利,鼓励州县官员兴修堤坝桥梁。元代规定,"诸有司不以时修筑堤防,霖雨既降,水潦并至,漂民庐舍,溺民妻子,为民害者,本郡官吏各罚俸一月,县官各笞二十七,典史各一十七,并记过名"。② 这些对于防灾减灾都起到了较好的效果。

此外,庐州官吏往往通过祈祷以求免除自然灾害。康熙《庐江县志》记载:"塔海,庐州总管。时飞蝗北来,海祷于天,蝗引去,堕水死,人皆以为异。"③

三、赈灾效果

灾荒发生后,受灾百姓往往流离失所,成为饥民、流民,甚至寄身山林或者举行暴动。这些都影响到统治的稳定,元代有识之士就提到,"所在盗起,盖由岁饥民贫,宜大发仓廪赈之,以收人心,仍分布重兵镇抚中夏"。④ 元朝统治者借鉴历史经验,通过制定和落实荒政来救助灾民,缓和社会矛盾。早在元世祖时期,就已建立起一套制度和措施。至元二十五年规定:"诸水旱灾伤,皆随时检覆得实,作急申部。拾分损捌以上,其税全免;损柒以下,止免所损分数;收及陆分者,税既全征,不须申检。虽及合免分数而时可改种者,但存堪信显

---

① 《元史》卷82《选举志二》。
② 《元史》卷103《刑法志二》。
③ 《元史》卷122《铁迈赤传》;《康熙庐江县志》卷11《名宦》。
④ 《元史》卷41《顺帝纪四》。

迹,随宜改种,毋失其时。"①这些救灾措施对改善灾民处境,恢复和发展社会经济,起到较好作用。

元代赈灾物资,一部分是官仓和义仓储备的粮食,如庐州发生饥荒,总管塔海"民乏食,开廪减直,俾民籴之,所活甚众"②;也有从外地调运粮食,大德二年五月,"淮西诸郡饥,漕江西米二十万以备赈贷"。③ 二是征用盐课以及罚没物资。如至顺元年二月,"扬州、安丰、庐州等路饥,以两淮盐课钞五万锭、粮五万石赈之";"安庆、安丰、蕲、黄、庐五路饥,以淮西廉访司赃罚钞赈之"。④

元代中期以后庐州地区经济发展较快,人口也比元初有所增加,不少蒙古、色目人口遂以合肥为家。但是由于吏治问题,这些荒政设施,并没有更好地发挥其作用。至元二十五年(1288年)四月,尚书省官员就提到:"近以江淮饥,命行省赈之,吏与富民因缘为奸,多不及于贫者。"⑤特别是元末战乱以后,形势混乱,赈灾措施无法实行,其结果是大批灾民流离失所,社会经济处于衰敝状态。

第三节　经济恢复与发展

自端平元年(1234年)南宋收复三京失败以后,蒙宋战争爆发。蒙古军经常渡淮侵扰,深入淮南安丰、庐州、滁州地区,地方经济遭受摧残。南北统一之后,江淮地区由边防重地变成了安定的腹地,元朝宣布除田租、商税、茶盐酒醋等基本税外,南宋苛捐杂税一概蠲免。至大德初年,合肥所在的江淮地区,人口增多,炊烟相望,桑麻遍地,

---

① 《通制条格》卷17,浙江古籍出版社1986年版。
② 康熙《庐江县志》卷11《名宦》。
③ 《元史》卷19《成宗纪二》。
④ 《元史》卷34《文宗纪三》。
⑤ 《元史》卷15《世祖纪十二》。

商旅如织,经济得到了恢复和发展,"桑麻之效遍天下"。[①] 元人杨翮《佩玉斋类稿》称:"长淮以南,在宋季屏蔽江左,为疆场争拒之壤。比岁防秋清野,吏民弗遑宁处,繇是井邑骚然,因仍简陋,无富庶完美之观。今内附天朝七十载,承平日久,生聚之繁,田畴之辟,商旅之奔凑,穰穰乎视昔远矣。"王祯《农书》卷二称,"今国家平定江南,以江淮旧为用兵之地,量加优恤,租税甚轻,至于沙田听民耕垦自便,今为乐土"。[②] 但到元朝后期由于战乱,农业生产走向衰落。

一、土地开发与利用

中统二年(1261年),忽必烈颁布流民复业者免税一年、次年减半的命令。后元朝又颁布政策,"凡有开荒作熟地土,限五年依例科差",栽种桑树放宽到八年,瓜果则放宽到十五年,"若有勤务农桑及开到荒地之人,本处官吏并不得添加差发"。[③] 元朝还用法令形式将荒闲土地规定为国家所有,允许农民自由开垦。其诏书称,"凡是荒田,俱是在官之数,听其再开";[④]"凡荒闲之地,悉以付民,先给贫者,次及余户"。[⑤]

至元十四年(1277年),元朝规定,各处荒地田主限期认领,超过期限,"不拣什么人,自愿种的教种者"。[⑥] 土地虽为国有,但百姓只要有剩余劳力,均可开垦。当时两淮地区荒地极多,元朝特别颁诏鼓励垦荒。至元十七年(1280年),在淮西地区,"募民愿耕者种之,且免其租三年";[⑦] 二十一年,"以江淮间自襄阳至东海多荒田","募人开垦,

---

① 虞集:《道园学古录》卷30《题楼攻愧织图》,四部备要本。
② 杨翮:《佩玉斋类稿》卷2《含山县题名记》,四库珍本初集。
③ 《元典章》卷23《户部九》。
④ 《元典章》卷19《户部五》。
⑤ 《元史》卷93《食货志一》。
⑥ 《元典章》卷19《户部五·荒田·荒闲田土无主的做屯田》。
⑦ 《元史》卷11《世祖纪八》。

免其六年租税并一切杂役";①二十三年九月,"听民自实两淮荒地,免税三年",②并承认农民对新开荒地的所有权。当时,"两淮土旷民寡,兼并之家皆不输税"。③

元初江淮地区大量土地荒闲。两淮地区,"兵革之余,荆榛蔽野"。④元朝一方面募民垦荒,一方面组织军队屯田。至元十四年,大规模对宋战争结束,淮西道宣慰使昂吉儿上奏"淮西路庐州地面,为咱军马多年征进,百姓每撇下的空闲田地多有"⑤,他建议采取募民耕种和军队屯田,元朝为此下诏:"圣旨到日,田地的主人限半年出来。经由官司,若委实是他田地,无争差呵,分付主人教依旧种者。若限次里头不来呵,不拣什么人自愿的教种者。更军民根底斟酌与牛具、农器、种子,教做屯田者。种了的后头,主人出来道是俺的田地来,么道,休争要者。"凡是无主的荒闲田土,或由他人认领耕种,或者组织军民屯田。

至元十七年(1280年)十二月,昂吉儿又向朝廷奏请以军士屯田。次年十月,昂吉儿又奏请募民淮西屯田。二十年十月,中书省臣言:"押亦迷失尝请谕江南诸郡,募人种淮南田。今乃往各郡转收民户,行省官阔阔你敦言其非便,宜令其于治所召募,不可强民。"⑥屯田建议被朝廷采纳,淮南一带荒闲田地得到一定程度的屯垦。二十二年,佥江淮行省事燕公楠置两淮屯田,募民开垦江淮间荒田,"劝导有方,田日以垦"。⑦二十五年正月,朝廷调拨平江盐兵屯田于淮东、西。同年,淮西道宣慰司同知罗璧"请两淮荒闲之田给贫民耕垦,三年而后量收其入",得朝廷允准,"岁得粟数十万斛"。⑧

---

① 《元史》卷 13《世祖纪十》。
② 《元史》卷 13《世祖纪十》。
③ 《元史》卷 15《世祖纪十二》。
④ 《元史》卷 132《昂吉儿传》。
⑤ 《元典章》卷 19《户部五·荒田·荒闲田土无主的做屯田》。
⑥ 《元史》卷 12《世祖纪九》。
⑦ 《元史》卷 173《燕公楠传》。
⑧ 《元史》卷 166《罗璧传》。

第十二章 元代合肥地区经济与社会

元朝招民开垦两淮荒闲土地,注意安集流民。延祐初年,"庐州路等处流民缺食",延祐三年十一月二十日下诏给河南行省:"如今这里差人,行省里与将文书去,交他每提调着,将这的每应付与行粮,发付各还元业。于内若端的不能回还的每有呵,休交似前聚集着交他每各从自便,四散住坐者。"①对于流寓庐州的百姓,除令地方官给粮发还原籍外,确实不能返回的流民,允许就地安置。

宣徽院是管理宫廷饮食的机构,下属机构甚多,其中规模最大机构是至元十六年(1279年)设立的淮东淮西屯田打捕总管府。至元二十六年,元朝政府将淮东西屯田打捕总管府所属19所提举司,省并为两淮、安丰庐州、镇巢等12所,后来又并省为8所,共有屯户11743户,屯田15193余顷。②其中镇巢提举司2540户,所辖民户最多。③大德元年(1297年),"增两淮屯田军为二万人",次年,元朝再次下诏"以两淮闲田给蒙古军"④。

元代前期,在屯田经营管理方面还制定屯田法,⑤募民屯田或者组织军队屯田,官给牛种农具,免除徭役、从轻收租、遭灾免租,健全屯田管理机构等一些较为得力的措施,两淮屯田进展较为顺利,土地开发与利用取得一定的成效。到至大年间(1308—1311),屯田曾受到较大的破坏,以至于何玮担任河南行省平章政事、提调屯田之事时,武宗召至榻前,叮嘱道:"汴省事重,屯田久废,卿当为国竭力。"⑥到元朝后期,淮南地区屯田始终不废。

淮南地区由于驻扎大军,特别是蒙古、色目军队的驻扎,除随地立营屯田,还分拨牧马草地。作为蒙古人赖以生存的畜牧业,在庐州地区也得到发展,部分土地圈为牧场。这些畜牧业的发展主要被用

---

① 《元典章》卷57《刑部十九·流民聚众扰民》。
② 《元史》卷100《兵志三》。然卷101《兵志四》,"提举司十处,千户所一处,总一万四千三百二户。"
③ 《元史》卷101《兵志四》。
④ 《元史》卷19《成宗纪二》。
⑤ 《元史》卷13《世祖纪十》。
⑥ 《元史》卷150《何玮传》。

于蒙古贵族的奢侈性消费、军事供给、驿站配备牲畜、屯田所需耕牛、赐予或赈济等方面。为了加强对江淮地区的控制,元朝政府曾派遣镇南王出镇江淮、宣让王出镇庐州,这些宗王在辖地内皆置有草场、牧地,江淮地区的马匹按例要交给他们。至元二十七年,监察御史郭贯就被派往淮南,"承诏分江北沿淮草地"。[①] 这些草场、牧地属于国有性质。庐州还有一些牧马户,其职责是饲养官马,为官府服务。大德十年(1306年),蒙古人帖木儿不花担任"建康、庐州、饶州牧马户达噜噶齐(达鲁花赤)"[②]。后至元元年(1335年)十二月,元顺帝拨庐州、饶州牧地一百顷,赐予镇南王脱欢之孙、宣让王帖木儿不花。[③]

元代合肥地区有官田即国有土地,其中包括荒闲土地,"凡荒闲之地,悉以付民,先给贫者,次及余户"。[④] 大部分则为民田即私有土地,但土地占有极不均衡。官田除用来屯田外,多采用租佃制经营,"其在官之田,许民佃种输租"。[⑤] 州县官府将土地出租给佃户,收取地租。民田占有者可分为地主和自耕农两大类。地主和自耕农也积极从事土地的开发和利用,以扩大田产和增加财富,或为了养家糊口。元朝前期,江淮地区已存在占有大量土地的富豪地主,如至元二十三年(1286年)中书省奏疏中提到:"淮西、福州、庐州那里有主的田地里,有气力富豪人家占着的也有。"[⑥]不少富豪地主通过各种手段以逃避地租赋税。至元二十八年(1291年)三月,元世祖诏书中提到,"江淮豪家多行贿权贵,为府县卒史,容庇门户,遇有差赋,惟及贫民"。[⑦] 当地富豪地主多通过行贿权贵、谋充官府职役等方式,以逃避差徭赋税。

庐州境内河道纵横,河湖地区往往围水造田,特别是环巢湖地区

---

① 《元史》卷174《郭贯传》。
② 《至大金陵新志》卷13下之下。
③ 《元史》卷38《顺帝纪一》。
④ 《元史》卷93《食货志一》。
⑤ 《元史》卷93《食货志一》。
⑥ 《元典章》卷19《户部五·田宅·荒田开耕三年收税》。
⑦ 《元史》卷16《世祖纪三》。

圩田规模颇大。王祯《农书》记载："筑土作围,以绕田也。盖江淮之间,地多薮泽,或濒水,不时淹没,妨于耕种。其有力之家,筑土作堤,环而不断,内容顷亩千百,皆为稼地。后值诸将屯戍,因令兵众分工起土,亦仿此制。故官民异属,复有圩田,谓迭为圩岸,扞护外水,与此相类。"①嘉庆《合肥县志》提到县内圩田就有八十五处。合肥城南直到巢湖之滨,散布圩田著名者有三十六处。元末余阙记载,"庐大郡,其南沮泽之地大而有名者三十六,俗名之曰围地,广而足耕"。②康熙《庐江县志》记载县内"圩九十二",均在元代已经形成。明代庐江仅新增新丰圩、新兴圩,"系巢湖水滩"。③ 康熙《巢县志》记载巢县有圩田九十五处。此外还有大量沙田。《农书》记载"今国家评定江南,以江淮旧为用兵之地,量加优恤,租税甚轻,至于沙田,听民耕垦自便,今为乐土"④。

二、农作物种类与农业发展

庐州位于江淮之间,气候温暖湿润,适于农作物的种植和生长。农作物种类众多,主要有水稻、小麦、粟、荞麦等,特别是水稻的种植,更为普遍。

王祯《农书》称,"大抵稻、谷之美种,江淮以南,直彻海外,皆宜此稼。春而为米,洁白可爱,炊为饭食,尤为香美"。⑤淮西宣慰使昂吉儿上奏,两淮地区募军民屯田,岁得米数十万石,随后元代在这里大规模屯田,以保证军粮供应。屯田所种主要是水稻,包括粳稻、籼稻、糯米等。至元二十一年,"屯田芍陂兵二千,布种二千石,得粳、糯二万五千石有"。⑥

---

① 王祯:《农书》卷11《农器图谱一》,农业出版社1981年版。
② 余阙:《青阳集》卷2《宋李宗泰序》。
③ 康熙《庐江县志》卷5《水利》。
④ 王祯:《农书》卷11《农器图谱一》。
⑤ 王祯:《农书》卷7《百谷谱一》。
⑥ 《元史》卷13《世祖纪十》。

据《元典章》记载,成宗初年,淮西江北道廉访司审核庐州路军储仓库亏空粳米、小麦,申报到御史台,御史台转呈中书省,最后中书省令"本界仓库官人等追缴还官"①。延祐七年(1320年)四月,安丰路和庐州路一带因淮水泛溢,损禾麦1万顷。②至顺年间(1330—1332),赵伯常前往庐州担任淮西廉访副使,虞集在《送赵伯常自中台出贰淮宪》诗中写道:"淮南地沃偏宜麦。"③王祯《农书》也提到南方种麦之法,"南方惟用撮种,故所种不多。然粪而锄之,人功既到,所收亦厚"。④

元代,粟在粮食作物中的地位仅次于稻、麦。王祯《农书》记载,"夫粟者,五谷之长,中原土地平旷,惟宜种粟"。江淮地区农业发达,每年有大批米粟运往北方。至元二十年,北方发生旱灾,官府随意拘刷民间车船,影响粮食贩运。元朝为此下诏:"江淮等处米粟,任从客旅兴贩,官司毋得阻当,搬运物斛车舡并免递运。不以是何人等,毋得拘撮拖拽,仍于关津渡口出榜晓谕。如遇籴贩物斛船车经过,不得非理遮当搜检、妄生刁蹬、取要钱物。违者痛行治罪。仰各道按察司禁治施行。"⑤另外荞麦也在庐州地区广泛种植,《农书》记载,"北方、山后诸郡多种(荞麦)……中土、南方农家亦种,但晚收磨食,溲作饼饵以补面食饱,而有力实农家居冬之日馔也"。⑥

王祯《农书》称,"民生济用,莫先于桑"。古代农桑并重,用以解决衣食。至元七年(1270年),元朝设置司农司,以左丞张文谦为卿,"司农司之设,专掌农桑水利"。当年司农司编纂《农桑辑要》,"颁《农桑辑要》之书于民,俾民崇本抑末"。⑦江淮地区除粮食种植外,种桑养蚕、种植苎麻。王祯《农书》提到,苎麻"本南方之物,近河南亦多艺

---

① 《元典章》卷21《户部七·仓库·仓粮对色准算》。
② 《元史》卷50《五行志》。
③ 虞集:《道园学古录》卷3。
④ 王祯:《农书》卷七《百谷谱一》。
⑤ 《元典章》卷59《工部二·船只·籴贩客船不许遮当》。
⑥ 王祯:《农书》卷7《百谷谱一》。
⑦ 《元史》卷93《食货志一》。

之,不可以风土所宜例论也,皮可以绩布……绩为布衣,寒暑俱可被体,其利溥哉"①。《农桑辑要》卷二也提到:"苎麻本南方之物,木棉亦西域所产。近岁以来,苎麻艺于河南,木棉种于陕右,滋茂繁盛,与本土无异,二方之民深荷其利。"②

棉花,亦称木棉,南宋时期还种植在福建、岭南地区,元代庐州地区也得到广泛种植。元代中期诗人马祖常《淮南田歌》诗云:"江东木棉树,移向淮南去,秋生紫蕚花,结绵暖如絮。"③淮南是指长江和淮河之间广大区域,即两淮(淮东、淮西)地区。王祯《农书》说:"夫木棉产自海南,诸种艺制作之法骎骎北来,江淮川蜀既获其利,至南北混一之后,商贩于北,服被渐广,名曰吉布,又曰棉布。"元末戴良在《缫丝叹》写道:"君不见江南人家种麻胜种田,腊月忍冻衣无边,却过庐州换木绵。"④王祯对木棉使用价值,给予充分肯定:"夫木绵为物,种植不夺于农时,滋培易为于人力,接续开花而成实,可谓不蚕而绵,不麻而布,又兼代毡毯之用,以补衣褐之费,可谓兼南北之利也!"⑤

芝麻,亦称脂麻、胡麻,有黑、白两种,"取其油可以煎烹,可以燃点,其麻又可以为饭"。⑥ 芝麻在南北各地种植相当普遍。王祯《农书·农桑通诀·垦耕》称,"今汉沔淮颍上率多创开荒地,当年多种脂麻等种,有收至盈溢仓箱速富者"。汉沔淮颍上,指长江中下游和淮河之间地区,约相当河南行省南部。

西瓜,在全国各地都有种植,"北方种者甚多,以供岁计。今南方江淮、闽浙间亦效种,比北方者差小,味颇减尔"。⑦

茶叶生产,江淮地区自唐以来就著名。封演《封氏闻见记》记载,

---

① 王祯:《农书》卷10《百谷谱十》。
② 《农桑辑要》卷2,"论苎麻木棉"。
③ 马祖常:《石田先生文集》卷5《淮南田歌十首》,中州古籍出版社1991年版。
④ 顾嗣立:《元诗选》二集。
⑤ 王祯:《农书》卷10《百谷谱十》。
⑥ 王祯:《农书》卷7《百谷谱二》。
⑦ 王祯:《农书》卷8《百谷谱三》。

"其茶自江淮来,舟车相继,所在山积,色额甚多"。《农书》记载"闽、浙、蜀、荆、江、湖、淮南皆有之","夫茶灵草也,种之则利博,饮之则神清。上而王公贵人之所尚,下而小夫贱隶之所不可阙。诚民生日用之所资,国家课利之一助也"。① 根据《元典章》卷七《吏部一·职品》,元朝在江浙、江西、湖广等地设置榷茶提举司有16处。至元十六年正月,元朝设置江淮榷茶都转运使司于江州,又在庐州路设有榷茶提举司。《饮食须知》卷五《味类》记载,庐州路六安州出产的六安茶,是当时名茶之一。但大德八年三月,"罢庐州路榷茶提举司",可见其当地产量有限。

三、手工业与商业

元代重视手工业和工匠。蒙古贵族在战争中肆意屠杀百姓,但禁止杀戮工匠和宗教人士。元太宗窝阔台时期,诸王及功臣家"诸侯王及功臣家争遣使十出,括天下匠"②。元朝建立后,"鸠天下之工,聚之京师,分类置局",从事手工生产。③ 元代建立很多手工作坊,总数在300以上,遍布全国各地,用以制造兵器和日常生活用品。官营手工业隶属工部管辖,具体统领工匠机构是诸色人匠总管府、诸路杂造总管府、诸司局人匠总管府、大都人匠总管府以及各地提举司、各种局院。元代在户籍上,全国居民根据职业和宗教,来编制户籍,称作"诸色户计"。手工业者编入匠籍。军、站、民、匠是主要的户计,承担各种赋役。全国官营手工业作坊匠户有三四十万户,匠户身份世袭;普通匠户称作民匠,身份比较自由。地方上,各路总管府均设置织染局,设局使一员,副使一员;杂造局,大使一员,副使一员。④

---

① 王祯:《农书》卷10《百谷谱十》。
② 姚燧:《牧庵集》卷21《怀远大将军招抚使王公神道碑》,四部丛刊初编本。
③ 苏天爵:《国朝文类》卷42《经世大典序录·诸匠》,四部丛刊初编本。
④ 《元史》卷91《百官志七》。

庐州地区最重要的手工业是纺织业，包括丝织业、麻织业，唐宋时期就有绢布作为贡品进奉朝廷，元代延续不断。至元十八年（1281年），元朝规定："随路织造段疋布绢之家，今后选拣堪中丝绵，须要清水夹密，并无药绵，方许货卖，如是成造低歹物货及买卖之家，一体断罪。"①对地方所产丝绸，元朝规定其标准和质量。麻布生产遍布全国多数地区，苎布则以南方为主，北方限于河南之地。还有兴起的棉纺织业，随着木棉传播在淮南地区普及起来。

矿冶业也是重要手工业部门。元代允许私人经营矿冶，官为抽分。中统二年六月，中书省下令："今后许令诸人等有愿入状采打煽炼不用官本及占役百姓者，据所得数目，官为斟酌抽分。"②成宗元贞二年（1296年）九月，中书省奏准："革罢百姓自备工本炉冶，官为兴煽发卖。"③但大德十一年五月，武宗即位诏书就宣布："诸处铁冶，许诸人煽办。"④此后虽然有所变化，但基本上允许民办，官府抽分比例为十分之二。⑤江西人刘宗海，在庐江县金牛经营铁冶，"煽役者常千人"。⑥据《元史·食货志》记载，庐州是著名"产矾之所"之一，产地在今庐江县矾山镇。

新中国建立后，元代庐州地区器物屡有发现。1955年，在合肥原孔庙址基工地施工中，发现了一用铜盘覆盖的大陶瓮，内装金银器101件。其中金器10件，为碟、杯两种，总重2300克；银器91件，为碟、杯、果盒、壶、碗、筷、勺等，重32250克。这批金银器件用锤打、线刻、模铸等工艺铸造，表面刻有各种折枝花卉。器件制作精致，造型优美，刻工健劲匀细，构图紧凑和谐，形象生动逼真，显得十分华丽。特别是其中一件凤凰戏牡丹花纹的银质果盘，玲珑剔透，精美典雅。

---

① 《元典章》卷51《工部一·造作·禁军民段疋服色等第》。
② 王恽：《秋涧先生大全集》卷81《中堂事记中》，四部丛刊初编本。
③ 《元典章》卷22《户部八·洞冶·铁货从长讲究》。
④ 《元史》卷22《武宗纪一》。
⑤ 《元史》卷29《泰定帝纪一》记载，泰定二年闰正月，"罢永兴银场，听民采炼，以十分之二输官"。
⑥ 王礼：《麟原前集》卷3《刘宗海行状》，四库全书珍本初集。

这批金银器均有"章仲英造""庐州丁铺""至顺癸酉"等字样，表明这批金银器是元朝至顺四年（1333年）庐州丁家铺的匠师章仲英制作的，说明当时庐州的金银器制作已达到相当高的水平。① 同时出土的"玉壶春瓶"高51.5厘米、口径9.5厘米、腹径23.5厘米、足径12厘米。此瓶素面无纹饰，仿自瓷器造型。

元至顺癸酉（1333年）章仲英造庐州丁铺款银鎏金花卉碗

---

① 吴兴汉：《介绍安徽合肥发现的元代金银器皿》，《文物参考资料》1957年2期。

第十二章 元代合肥地区经济与社会

银质果盘、玉壶春瓶

1994年11月,合肥地区农民在家掘土时发现一面元代铜镜,该铜镜锈蚀严重,形体厚重,镜面平素。座外为一圈阳文"大元国至元廿六年王家造",有11个字,其外为三角形葵花纹,再外为荷花纹,构成主题纹饰。整个画面满而不塞,疏密得当,浮雕立体感强,充满动感。直径22.6厘米、钮径2厘米、缘宽1.6厘米。"这面元代早期铜镜设计构造美妙,铸造较精,尤其是荷花纹题材,在以往元镜中尚不曾见,属首次发现。另外,这面铜镜铭文中有一省点简化'国'字",这在以前未曾发现。①

铜镜拓本

---

① 柯昌建:《安徽合肥市发现一面元代铜镜》,《考古》1999年11期。

元朝还在江州设置榷茶都转运司，正三品，"总江淮、荆湖、福、广之税"①，管领江南茶叶销售和转运，并征收茶税。其机构下辖提举司十六所，其中包括庐州榷茶提举司。② 元代征收商税机构为税务、税课提举司，根据收税总额确定品级。税务设提领、大使、副使等，在《元典章》记录税务机构一百七十处资料中，年收税 3000 锭以上、5000 锭以下有二十二处，就包括庐州在内；③另外 5000 锭以上八处（平江、潭州、太原、平阳、扬州、武昌、真定、安西），10000 锭以上四处（杭州在城、江涨、城南、真州）。

四、元末庐州等城的重修

宋元战争期间，南宋依靠城防设施多次打退元军进攻。元军占领南宋州县后，"海内之城皆坍而不治"，④政府多次下令拆毁城墙。至元十三年（1276 年）九月，元世祖"命有司隳沿淮城垒"；十一月，"隳襄汉、荆湖诸城"。⑤ 十四年二月，"隳吉、抚二州城"；十五年三月，"命塔海毁夔州城壁"；八月，"川蜀悉平，城邑山寨洞穴凡八十三，其渠州礼义城等处凡三十三所宜以兵镇守，余悉撤毁"⑥。但是城墙被拆或坍塌后，城市防御功能大大削弱。至元十五年十月，江州路申呈："目今草寇生发，合无于江淮一带城池，西至峡州，东至扬州二十二处聊复修理，斟酌缓急，差调军马守御，似为官民两便。"但忽必烈以"修城

---

① 《元史》卷 94《食货志二》。
② 据《元典章》卷 7《吏部一·职品》，十六处榷茶提举司是：杭州、宁国、龙兴、建宁、庐州、岳州、鄂州、常州、湖州、潭州、静江、临江、平江、兴国、常德府、古田建安等处。
③ 据《元典章》卷 9《吏部三·官制三》，这二十二处为：建康、龙兴、温州、泉州、庐州、江陵、淮安、庆元、镇江、福州、成都、清江镇、思州、保定、大同、卫辉、汴梁、济宁、东平、益都、大名、吉安。
④ 《全元文》卷 1496，余阙《郡城隍庙记》。
⑤ 《元史》卷 9《世祖纪六》。
⑥ 《元史》卷 10《世祖纪七》。

子里,无体例",断然回绝南方修建城墙的请求。①

至正十一年(1351年)五月,元末红巾起义爆发。黄河南北纷纷响应,起义军四处攻掠,"凡城所不完者皆陷"。② 合肥城墙早已拆毁,守军仓促建木栅环城,据栅抵御,勉强挡住进攻。面对周边红巾攻势,淮西廉访司佥事马世德认为"以栅完民,幸也,非所以固",建议重修合肥城墙,并获得宣让王帖木儿不花、淮西廉访使高昌公的支持。随后"发公私钱十万贯",查验故城遗址而筑城,一方面招募富人担任千夫长、百夫长管理筑城工作,另一方面雇佣平民来修建城墙。工程始于至正十三年二月初一,历时七个月,至九月完工,计用工七十七万八千,用砖四百八十万块,城周围长四千七百有六尺(约合26里),设有七城门,其中东、南、西各有左右二门相对,东有威武门、时雍门,西有西平门、水西门,南有南薰门、德胜门,北有拱辰门,城墙上设警卫庐舍,城门口配有守城高台战具,城外有护城河。城完工后,淮西宣慰副使、佥都元帅府事余阙撰《合肥修城记》载其事。

此外,元至正年间县人许荣修筑庐江土城。嘉庆《庐江县志》载:"今县治大概始于六朝,南北分争,邑当戎马之冲,因徙于偏隅以避之。按宋《祝况碑记》谓周世宗时,陈留谢公(谢惟士)为令,徙公廨于县南百余步崇明馆而创之。则自后周以前,已邑于此矣。"至正年间,庐江县民许荣"保障乡邦,为筑土城"③。土城周围约500丈,高1丈有余,池深6尺,广2丈5尺,有镇东、凤台、桐城、大西门、北门共5门。到明弘治十一年(1498年),知县胡旸重筑城墙,上覆以瓦。万历初年,相继以砖易土,上宽6尺,下阔9尺,高1丈5尺,周围825丈。后来多次修补。民国二十八年(1939年)秋至次年春,合肥县政府遵令摧垣,组织城镇和近乡民工拆除城墙。

元末社会动荡,合肥人王珪曾为淮西廉访司司吏,募集乡兵守庐

---

① 《元典章》卷59《工部二·造作》。
② 余阙:《青阳集》卷4《合肥修城记》。
③ 康熙《庐江县志》卷3《城池》。

州,自称万户,奉命镇守巢县,"筑砖城,浚濠堑,巢民戴如慈父"。① 后归附朱元璋,从征太平,仍守庐州。新筑巢县城为砖城,"高一丈,周四里一百九十步"。② 到明朝隆庆年间(1567—1572年),城墙多倒塌,仅存东面宾阳门和北面迎恩门。

第四节　居民与人口

元朝大统一,为南北交往和物资转运提供了极大的便利,而驿站和大运河畅通更有利于人员往来。《元史·地理志》称,"元有天下,薄海内外,人迹所至,皆置邮传,使驿往来,如行国中"。元代不仅有边疆民族人口大量迁移内地,也有中原汉人迁往边疆地区,我国民族分布"大杂居,小聚居"的局面元代已经基本形成,民族关系加强了。③从《至顺镇江志》记载来看,其居民有蒙古、色目各族人口,侨寓人户有三千八百余户,包括蒙古、畏兀儿、回回、河西、契丹、女真等。庐州地区人口仍以汉人为主,大量蒙古、色目人迁入后,到元中后期这些人口基本上实现了汉化。

一、人口统计与庐州人口

至元十三年(1276年)二月,南宋淮西制置使夏贵投降,"淮西路得府二、州六、军四、县三十四,户五十一万三千八百二十七,口一百二万一千三百四十九"。④ 到至元十六年正月崖山海战,南宋残余势力被消灭。在元军灭宋过程中,"江南新附,诸将市功,且利俘获,往

---

① 康熙《巢县志》卷10《职官守》。
② 康熙《巢县志》卷8《城池》。
③ 参见邱树森:《元代中国少数民族新格局研究》,南方出版社2002年版。
④ 《元史》卷9《世祖纪六》。

往滥及无辜,或强籍新民以为奴隶",①大量居民被掳掠作为驱口。元朝统治者也将居民赐给元军将领,如阿速军千户玉哇失"从丞相伯颜平宋,赐巢县二千五十二户"②。元朝还将居民赐给蒙古、色目贵族和军将,作为他们私属人口。如阿速人、千户阿塔赤,至元十二年镇守镇巢府,"民不堪命,宋降将洪福以计乘醉而杀之",元世祖悯其死,以其子伯答儿袭千户,赐其家白金五百两、钞三千五百贯,并将镇巢降民一千五百三十九户,赐予伯答儿。③ 南宋灭亡后,元世祖"命籍建康、庐、饶租户千为哈剌赤户,益以俘获千七百户赐土土哈"④,土土哈出身钦察贵族,长期辅佐宗王守边。此外,至元年间,又将安丰、安庆、庐州等路未附籍户一千四百三十六,赐给土土哈之子床兀儿。至元二十一年(1284年),赏赐阿速拔都庐州等处三千四百零九户。⑤

　　至元二十六年,江南各地反抗基本平息,全国形势渐趋稳定。元廷开始在江南检括户口,"诏籍江南户口,凡北方诸色人寓居者亦就籍之"。⑥ 这次籍户一方面将由于战乱而未附籍的户口、寓居户口编入户籍中,部分掌握在蒙古军将的户口也纳入国家籍帐内。如"至元间,安丰、安庆、庐州等路有未附籍户千四百三十六,世祖命以其岁赋赐床兀儿。后既附籍,所输岁赋皆入官,别令万亿库岁给以钞二百锭"⑦。另一方面,包括土地在内的"事产"也需要登记入册,便于国家征收赋役。"不以是何投下大小人户,若居山林赊洞,或于江湖河海船居浮户,并赴拘该府州司县一体抄数,毋得隐漏,据抄数讫户计有司随即出给印押户贴,付各户收执。于内土居、寄住人户,编立保甲,递相觉察,毋令擅自起移,隐漏口数,里攒户口死罪,邻佑漏报人口,

---

① 《元史》卷170《雷膺传》。
② 《元史》卷132《玉哇失传》。
③ 《元史》卷132《杭忽思传》。
④ 《元史》卷128《土土哈传》。
⑤ 《元史》卷95《食货志三》。
⑥ 《元史》卷15《世祖纪十二》。
⑦ 《元史》卷34《文宗纪三》。

知情不首,一百七下,漏报事产(杖)七十七下。"①

这次清查户口,造成地方骚动不安,"朝廷以内附既毕,大料民,新版籍。自淮至于海隅,不知奉行,民多惊扰"。但庐州地区比较稳定,庐州路同知马煦具体负责括户工作。"公(马煦)在庐州,令其民家以纸疏丁口、产业之实,揭门外。为之期,遣吏行取之,即日成书,庐民独不知其害。"②其办法是让居民自行申报"丁口产业"。这种办法称作"手实"。唐代户口统计就采用这种办法。籍户结果,庐州地区"户三万一千七百四十六,口二十二万九千四百五十七"③。对这次户口数,一是仅包括合肥、舒城、梁县等三县和录事司的户数。至元二十八年,无为路、和州路、六安军降为州,始隶属庐州路。二是这次户口统计遗漏很多。据陈高华《中国经济通史·元代卷》,元代庐州路居民当在 30 万人左右。

庐州路治置录事司,治合肥城内之事,设达鲁花赤、录事、录判等官,"二千户以下,省判官不置"。但庐州录事司设有判官,见于记载有王艮。④ 合肥城内民户应在二千户以上。

二、境内蒙古、色目人口

元代全国经济重心已经南移,全国人口大部分集中在江淮以南。全国统一后,大批北方居民包括蒙古、色目以及北方汉人纷纷南迁。元朝采取措施诸如招民垦荒、派人在关津路口检查户口,强令官员任满返乡等手段,这些都不能阻止人口南迁。一些蒙古、色目人迁入合肥地区,其迁入主要是通过戍守和屯田,担任军民之职以及人口流徙造成。

---

① 《元典章》卷17《户部三·抄数户计事产》。
② 虞集:《道园学古录》卷15《户部尚书马公神道碑》。
③ 《元史》卷59《地理志二》。
④ 《元诗选》三集《己集·王宣慰艮》云:"字止善,绍兴诸暨人。少受业郡庠,笃行励学。淮东廉访司辟为书吏,考满,调庐州录事判官。"

其一，戍守与屯田。

元朝为控制南方地区，在江淮地区屯驻蒙古、色目军人，又以蒙古宗王镇守江淮地区。这些戍军就地屯田，"与民杂耕"。① 江淮地区由于宋金、宋蒙长期对峙，大片土地荒芜，元朝乃将这些荒田旷土分拨与蒙古、色目军户，鼓励他们从事农耕，"驻戍之兵，皆错居民间"。② 至元二十六年，下诏籍江南户口时，"凡北方诸色人寓居者亦就籍之"。③ 因为驻军缘故，在庐州亦有唐兀（河西）人居住区，巢县、庐江等地有阿速军驻守。

至元十二年，阿速军镇守镇巢、庐江等地，随后又有河西、蒙古等军镇守庐州。元朝后期宣让王帖木儿不花镇守庐州，一批蒙古军将驻守庐州，元朝特别在庐州分拨牧马草地供其使用。唐兀人昂吉儿自元初即统领唐兀军驻守庐州，后子孙世袭其职。唐兀人身材高大，皮肤黝黑。元末诗人王翰，字用文，"其先西夏人，元初从下江淮，授领兵千户，镇庐州因家焉"④。唐兀人余阙记载："予家合肥，淝之戍军皆夏人，人面多黧黑，善骑射，有身长八九尺者。其性大抵质直而尚义。平居相与，虽异姓如亲姻。"⑤

另有阿速军镇守庐州。至元十二年，南宋知镇巢军曹旺降元，元平章政事阿术以阿速军戍守，"镇巢军降，阿速军戍之，人不堪其横，都统洪福尽杀戍者以叛"。⑥ 宋蒙对峙时期，一些蒙古、色目人逃亡到南宋境内，为南宋招为"通事军"。至元十六年南宋灭亡后，"五月，淮西道宣慰司官昂吉儿请招谕亡宋通事军，俾属之麾下。初，亡宋多招纳北地蒙古人为通事军，遇之甚厚，每战皆列于前行，愿效死力。及宋亡，无所归。朝议欲编入版籍未暇也，人人疑惧，皆不自安。至是，

---

① 《道园学古录》卷24《曹南王勋碑》。
② 姚燧：《牧庵集》卷6《千户所厅壁记》，四部丛刊初编本。
③ 《元史》卷15《世祖纪十二》。
④ 郑方坤：《全闽诗话》，上海古籍出版社1995年版。
⑤ 《青阳集》卷4《送归彦温河西廉使序》。
⑥ 《元史》卷132《阿塔赤传》。

昂吉儿请招集,列之行伍,以备征戍,从之"。①

其二,担任军民官职而留住。

元朝统治建立后,为加强对全国的控制,采取蒙古、色目、汉人参互任用的授官方式,互相牵制,一批批蒙古、色目人迁居内地。至元二年(1265年)下诏:"以蒙古人充各路达鲁花赤,汉人充总管回回人充同知,永为定制。"②至元十八年正月,"敕江南州郡兼用蒙古、回回人"。③大德三年(1299年)规定:"各道廉访司必择蒙古人为使,或阙则以色目世臣子孙为之,其次参以色目、汉人。"④元朝地方路府州县机构中,任命蒙古人、色目人担任达鲁花赤以监临各地。元末叶子奇《草木子》云:"元路州县各立长官曰达鲁花赤,以总一府一县之治,判署则用正官,在府则总管,在县则县尹。达鲁花赤犹华言荷包上压口捺子也,亦由古言总辖之比。"⑤达鲁花赤位于当地其他官员之上,掌握最后裁定权力,以保障蒙古贵族的统治。这样相当数量的蒙古、色目人担任地方官,广泛分布在南北各地。

元朝中叶以后,随着内迁蒙古、色目人汉化程度的加深,充任地方各类官员数目增多,他们往往携眷仕宦而择地卜居,以后其子孙后代多人入籍于内地。余阙,"世家河西武威,父沙剌臧卜,官庐州,遂为庐州人"。⑥元代以阿速军镇守庐州,至大二年(1309年)设立左、右阿速卫亲军都指挥使司后,仍保留庐江县达鲁花赤一员,主簿一员;镇巢县达鲁花赤二员,主簿一员,都由阿速人来担任。⑦

其三,经商或流徙而定居。

元代重视商业活动,善于经商的色目人受到重用。特别是回回人,以其经商理财而掌握大权者颇多,如元初回回人阿合马,吐蕃人

---

① 《元史》卷98《兵志一》。
② 《元史》卷6《世祖纪三》。
③ 《元史》卷11《世祖纪八》。
④ 《元史》卷19《成宗纪二》。
⑤ 叶子奇:《草木子》卷3之下《杂制篇》,中华书局1959年版。
⑥ 《元史》卷143《余阙传》。
⑦ 《元史》卷86《百官志二》。

桑哥等。许有壬说:"我元始征西北诸国,而西域最先内附。故其国人柄用尤多,大贾擅水陆利,天下名城区邑,必居其津要,专其膏腴。"①元代对色目人给予优待,"色目人随便居住"。② 回回人的足迹几乎遍及全国,因而清真寺也到处都是。至正八年的中山府《重建礼拜寺记》云:"今近而京师,远而诸路,其寺万余,俱西向以行拜天之礼。"③《明史·西域传》载:"元时回回遍天下。"周密《癸辛杂识》云,"今回回皆以中原为家。"元代到过中国的北非穆斯林旅行家伊本·白图泰说:"中国各城市都有专供穆斯林居住的地区,区内有供举行聚礼等用的清真大寺","穆斯林商人来到中国任何城市,可自愿地寄宿在定居的某一穆斯林商人家里或旅馆里"。④

三、民族交往和社会习俗

蒙古、色目人初入中原,其风俗习惯与汉人差别很大,经过长时间交往和磨合,逐渐与当地居民融合,出现汉化的趋势。主要表现在通婚、采用汉名、改从汉人生活方式以及学习汉文化等方面。

其一,与汉人通婚。大批蒙古、色目人进入庐州,这些人多不带家属,而他们所交往的多为汉人,通婚对象主要是汉人。从元代情况来看,多数是蒙古、色目娶汉人女子为妻,但也有汉人娶其女子也不在少数。如驻守庐州党项将军也先不花居住合肥,娶当地汉人孙氏女、夏氏女。⑤ 余阙娶卜氏、耶律氏。耶律氏虽为契丹之遗民,元代已完全汉化,所以被视为"汉人八种"之一。⑥

其二,采用汉姓,取汉名。在内迁蒙古、色目人看来,"居中夏声名文物之区","衣被乎书诗,服行乎礼义,而氏名犹从乎旧",实于情

---

① 许有壬:《至正集》卷53《西域使者哈只哈心碑》。
② 赵翼:《廿二史札记》卷30"元史"条,中华书局1984年版。
③ 孙贯文:《重建礼拜寺记碑跋》,《文物》1961年8期。
④ 马金鹏译:《伊本·白图泰游记》,宁夏人民出版社1985年版,第546、550页。
⑤ 吴海:《闻过斋集》卷3《故王将军夫人孙氏基志铭》,丛书集成初编本。
⑥ 陶宗仪:《南村辍耕录》卷1《氏族》,中华书局1959年版。

理不合，应随时变通自己习俗，方能与当地居民相处。迁入蒙古、阿色目人，从定居内地第二代、第三代开始，许多人从幼年开始攻读四书五经，学进士之业，显现汉化趋势，采用汉名也普遍起来。元人安熙说："近世种人居中国者，类以华言译其旧名而称之，且或因名而命字焉。"①唐兀人余阙，其父沙剌藏卜做官于庐州，到余阙时以余为姓，又取字"廷心"。

其三，采用汉人习俗，从事农耕。余阙曾提到，迁驻庐州西夏军人，接受汉人习俗，与初来"大抵质直而上义"差异很大。"自数十年来，吾夏人之居合淝者，老者皆已亡，少者皆已长，其习日以异，其俗日不同。"②这些人脱离原先住地，居住地分散，与汉人长期相处，生活方式逐渐改变。元人吴鉴《重立清净寺碑》云，回回"国俗严奉遵信，虽适殊域，传子弟，累世犹不敢易焉"。但这种现象较不多见。③除了某些宗教习俗外，适应生存需要，渐渐改依寓居地生活方式，特别是农耕方式为他们普遍采用。"时北方人初至，犹以射猎为俗，后渐知耕垦播殖如华人。"④

其四，习诗书，与汉族文人交往。由于居住分散，大多数人长期与汉族人民杂居共处，久而久之，其后裔便逐渐学会汉语，并"舍弓马而诵诗书"⑤，接受中原传统文化，学习儒家经典，尊崇忠孝仁爱等伦理。如著名学者赡思，自幼"从儒先生问学"，"日记古经传至千言"。⑥诚如一位仕元官员凯霖所说，"居是土也，服食是土也，是土之人与居也，予非乐于异吾俗而求合于是也，居是而有见也，亦惟择其是而从焉"。⑦正说明了回回人在与广大汉族人民的共同生活中，已逐步被汉化。王礼《麟原集》也说："西域之仕于中朝，学于南夏，乐江湖而忘

---

① 安熙：《安默庵集》卷4《御史和公名字序》，中华书局1985年版。
② 《青阳集》卷4《送归彦温河西廉使序》。
③ 陈达生：《泉州伊斯兰石刻》，福建人民出版社1984年版，第9页。
④ 《正德大名府志》卷10。
⑤ 戴良：《雁门集》附录三《丁鹤年诗集序》，上海古籍出版社1979年版。
⑥ 《元史》卷190《赡思传》。
⑦ 许有壬：《至正集》卷53《西域使者哈扎哈津碑》。

乡国者众矣。岁久家成,日暮途远,尚何屑屑首丘乎?"①余阙在合肥期间主要在青阳山(今肥东县长临河镇)耕读。至正十年(1350年)余阙任浙东廉访使时,程文作《青阳山房记》,记载余阙及第前后读书情形。青阳山在"庐州东南六十里,巢湖之上",余阙在未中科第之前,"躬耕山中,以养其亲,即田舍置经史百家之书,释耒则却坐而读之,以求古圣贤之学"。及第后,在此建青阳山房,"辟其屋之隘陋而加葺焉,益储书其中,冀休官需次之暇,以与里中子弟朋友讲学于此"。②余阙有著作《青阳集》及《五经传注》。庐州人王翰以诗作闻名,其先世为河西人,顾嗣立《元诗选》录存27首,现存《友石山人遗稿》一卷,录诗84首,乃其子王偁所辑。

① 《麟原集》卷6《义冢记》。
② 嘉庆《合肥县志》卷32,程文《青阳山房记》。

第十三章

元代合肥地区文化与民俗

第十三章 元代合肥地区文化与民俗

北宋时期庐州文化发达,名人辈出。但到宋金以淮河为界以后,庐州则成为南宋军事前沿,"守臣多以武人为之,九十余年间,未尝一岁无兵革",①文化教育事业受到影响。元朝统一后,江淮地区稳定,随着经济不断发展,文化上也取得相当成就。宗教方面,佛教、道教势力继续发展,寺庙道观数量激增,伊斯兰教和基督教随着色目人迁居也传入庐州。

第一节 教育与文化发展

一、官办学校和教育

元代庐州官办学校种类较多,除传统儒学为外,还有蒙古字学、医学、阴阳学等各类专门学校以及官办小学、社学等其他类型的官办学校,形成了以儒学为中心,包括上述各类学校在内的较为完善的地方官学教育体系。②

在元与南宋战争过程中,江南地区部分学校不同程度地受到战火的焚毁,但大部分学校被保存了下来,至元中期以后被毁学校也处在陆续修复之中。大德(1297—1307年)以后,"天下郡县莫不有学,学皆有孔子庙,立官设教,以作成贤能"。③ 元代儒学与孔子庙相结合,一般称作"庙学"。各地州县普遍设立学官,加强对地方教育的管理。《元史·百官志》记载:"儒学教授一员,秩九品。诸路各设一员及学正一员、学录一员。其散府、上中州,亦设教授一员。下州设学正一员。"各路总管府设立教授、学正、学录等学官;州县学校,一般设

---

① 余阙:《青阳集》卷5《送归彦温河西廉使序》。
② 陈高华:《元代地方官学》,《元史论丛》第5辑。
③ 刘基:《诚意伯文集》卷6《诸暨州重修州学记》,上海古籍出版社1991年版。

立学正、教谕等学官;在官办书院中设立山长。以徽州路及所属各州县学官设置为例,元代徽州路设教授、学正、学录各一员;歙县、休宁、祁门、黟县、绩溪等五县儒学各设教谕一员,婺源州儒学设学正一员;歙县紫阳书院设山长二员,后省一员,婺源州晦庵书院、明经书院各设山长一员。

庐州路总管府辖有一司、三县、三州,这些地方儒学得到不同程度的修复和建设。其中梁县(在今肥东境内)县学失考。庐州儒学,南宋咸淳年间(1265—1274年),郭振展拓城基,迁于城内景贤书院。顺帝后至元年间(1335—1340年),庐州路总管拜住重建儒学,康熙《庐州方志》称拜住"在郡五年,修包公祠,增广弟子员,惠利及人"①。学官也多由路府保举、廉访司审核,再经行省或礼部考试合格,方许录用,或者径由乡贡进士选任。至正元年(1341年),归德府宁陵(今属河南)人公显道,"以《书经》中河南乡试,授庐州儒学正"。②

巢县县学,在巢县城西。宋绍熙年间(1190—1194年)知县江琯创建,赵登善继之,次第振兴。元代继续使用,"元末兵毁"。③

庐江县学,旧在县城南门外。据罗永登《儒学重建文庙记》,"庐江庙学之设,旧矣。学规宏邃,比于大府"。④ 元代"置教谕一员,选请训导一员,俸米钞十贯"⑤。延祐三年(1316年),县尹史伯昊"新孔子庙"。泰定二年(1325年),县尹张导礼添置孔庙礼器。至顺二年(1331年),县尹成克敬募捐改造房舍,修葺明伦堂。⑥ 至正元年(1341年),上海人兀颜纲担任庐江县尹,"政务宽厚,民心信服。首新文庙,春秋朔望之礼,命士皆唐服从事,文雅之风始行"。⑦ 至正年间,王岱担任教谕。

---

① 康熙《庐州府志》卷23,清康熙三十五年刻本。
② 王逢:《梧溪集》卷4《哀公显道宪史》,丛书集成初编,中华书局1985年版。
③ 嘉庆《庐州府志》卷17《学校下》。
④ 康熙《庐江县志》卷15《艺文》。
⑤ 康熙《庐江县志》卷9《秩官》。
⑥ 揭傒斯:《揭傒斯全集·文集》卷6《庐江县学明伦堂记》,上海古籍出版社1985年版。
⑦ 康熙《庐江县志》卷11《名宦》。

蒙古人最初使用畏兀儿体文字。至元六年，元世祖命国师八思巴以藏文字母为创制蒙古新字，"译写一切文字"。① 至元七年四月，"设诸路蒙古字学教授"，随后在路、府、州级机构蒙古字学，府、州教授秩正九品，路学教授从八品，与儒学教授同。② 全国统一后，在南方各路设置蒙古字学。

医学，专门培养医学人才，始建于中统三年（1262年）。医学一般与三皇庙在一起。元人称，"国朝始诏天下郡县皆立庙（三皇庙），以医者主祠，建学、置吏、设教，一视孔子庙学"。③ 各路、州设教授一员，掌训诲诸医生，又别置提领所，主领医户，设官一员。

阴阳之学，包括天文、占候、星卜、相宅、选日等内容。阴阳学，至元二十八年（1291年）设置于路、府、州，主要是为控制阴阳方术之士（元代称"阴阳人"），防止散布不利于元朝统治的言行，设教授一员。

关于官办小学的设置，大德四年（1300年），元朝延续宋代小学制度，要求"路、州、县、书院，各设小学教谕教习生员"④。

关于社学，至元二十三年（1286年），元朝政府规定：各县所属村庄，以50家为一社，每社立学校一所，择通晓经书者为学师，于农隙时分各令子弟入学。有关元代社学，文献记载较少。嘉靖《天长县志》曾记载，至元年间天长县境内社学创办的情形："时县为社三十有六，（县尹郝）俛择民间童子可教者，立宫置师，弦诵相望。"⑤

元代官学教育取得了一些成效，在一定程度上促进了这一时期地区科举和文风的兴盛以及城乡社会风气的淳雅。

---

① 《元史》卷202《释老传》。
② 《元史》卷81《选举志一》。
③ 《揭傒斯文集》卷5《增城三皇庙记》。
④ 《庙学典礼》，浙江古籍出版社1992年版。
⑤ 嘉靖《天长县志》卷2《人事志》。

二、书院及其发展

书院是学者讲学之所,起源于唐代,宋代大盛。元初由于战乱,南方书院破坏较大,但大部分继续保存下来。全国统一后,书院数量有所增加。至元二十八年,"令江南诸路学及各县学内,设立小学,选老成之士教之,或自愿招师,或自受家学于父兄者,亦从其便。其他先儒过化之地,名贤经行之所,与好事之家出钱粟赡学者,并立为书院。凡师儒之命于朝廷者,曰教授,路府上中州置之。命于礼部及行省及宣慰司者,曰学正、山长、学录、教谕,路州县及书院置之。路设教授、学正、学录各一员,散府上中州设教授一员,下州设学正一员,县设教谕一员,书院设山长一员。中原州县学正、山长、学录、教谕,并受礼部付身。各省所属州县学正、山长、学录、教谕,并受行省及宣慰司札付。凡路府州书院,设直学以掌钱谷,从郡守及宪府官试补。直学考满,又试所业十篇,升为学录、教谕。凡正、长、谕录、教谕,或由集贤院及台宪等官举充之"①。

元代书院大约在四百所以上,②分布在今安徽境内有六十余所。书院既有官府举办,也有民间兴建。官办书院是地方官学组成部分,民办书院主要是宗族或学者集资兴建,其主持者亦称山长。元代中期以后,民办书院山长等也由官府选派和任命,实际上纳入地方官学系统,只是其经费由民间筹措,山长任免需要征取地方缙绅建议。

庐州路是元代经济文化较为发达地区,书院数量较多。据王颋考订,庐州路书院有五所,即合肥县西岩书院、合肥县景贤书院、舒城县龙眠书院、无为州兴文书院、六安州怀德书院。然据陈瑞考证,另有合肥县环翠山房和三贤书院、无为州秀溪书院。③

景贤书院,亦称三贤书院、三贤堂。元揭傒斯《景贤书院大成殿

---

① 《元史》卷81《选举志一》。
② 王颋:《元代书院考略》,《中国史研究》1984年1期。
③ 陈瑞:《元代安徽地区的书院》,《合肥师范学院学报》2009年1期。

记》解释"三贤"指宋枢密副使给事包孝肃公（包拯）、太子少保马忠肃公（马亮）和敷文阁直学士王定肃公（王希吕①）。元统元年（1333年）赐匾额"景贤书院"。后至元四年（1338年），庐州路总管府同知拜住以"夫子殿（孔庙）卑陋弗称"，倡议兴建，得到总管三宝及廉访司官员赞同，各捐俸禄，"郡之好义咸相于下"，"作殿四楹，广三十尺有奇，深亦如之，基崇四尺，殿之崇倍其基之七。后建讲堂四楹，前为魁星门，其东室以祠宋枢密副使给事中包孝肃公，西室以祠太子少保马忠肃公、敷文阁直学士王定肃公，所谓三贤者也"。② 清代在此改建合肥县学。

西岩书院，在合肥县。环翠山房，亦在合肥县，《江南通志》卷三十五《舆地志·古迹·庐州府》云："环翠山房在府城南湖右永乐港之原，元葛闻孙隐居讲学之所。"元代，合肥人葛闻孙曾为州文学，后归家乡，"力耕养母，结环翠山房以延来学"。③

在庐州路辖区，还有不少书院。如，龙眠书院，在舒城县治东，宋代建。其故址为宋李公麟读书处。至元代，院基为僧侣所并。天历二年（1329年），知县燮理溥化重建。凡殿堂、门庑、斋舍、庖库及李公之祠，为屋36楹。邑人范凤瑞割田200亩为学田，以供祭养。④ 秀溪书院，在无为州城北门外贾家湾，一名贾家花园，即南宋理学名臣贾易（号秀溪先生）墓所，至正八年（1348年），贾易九世孙贾孝恭建。⑤ 兴文书院，在无为州学前，又名文翁书院。文宗至顺年间（1330—1332），无为州同知孛罗帖木儿以文翁事迹达诸郡府，请祀不果。至正年间，御史余阙复上其事，朝廷允准，建立书院，号曰"兴文"，至正八年（1348年）建成，内有文翁祠。有庐舍四间。⑥ 怀德书院，在六安州，元代创建。

---

① 王希吕，宿州人，两宋之际，三为庐州牧守，政治人心，立生祠以祀之。
② 赵绍祖：《安徽金石志》卷6《景贤书院大成殿记》。
③ 光绪《重修安徽通志》卷261《人物志·隐逸》。
④ 揭傒斯：《揭傒斯文集》卷10《舒城县龙眠书院记》。
⑤ 嘉庆《无为州志》卷10《学校志二·书院》，黄山书社2011年版。
⑥ 嘉庆《无为州志》卷10《学校志二·书院》，黄山书社2011年版。

三、科举与进士

南宋亡后,科举长期废而不举。直到元中期以后,蒙古、色目上层汉文化素养逐渐提高,元仁宗为整顿吏治,"得真儒之用,而治道可兴",①决心采取科举制度。皇庆二年(1313年)始下诏开科,延祐元年(1314年)正式举行。元人称其科举"倡于草昧,条于至元,议于大德,沮泥百端,而始成于延祐"②。科举每三年一次,分为乡试、会试和殿试三道,乡试为地方考试,乡试合格的举人次年二月在京师举行会试,由礼部主持。会试最多录取100人,其中蒙古、色目、汉人、南人各25名。殿试不再黜落,根据结果重新拟定等次,分为两榜公布,蒙古、色目人为右榜,汉人、南人为左榜。有元一代开科十六次,正榜取士1139人,目前可以考订者约为三百人,其中后来升至三品及三品以上的,约当百人,其仕宦业绩及为官操守均有可称之处,清代赵翼所谓"元末殉难多进士"③即是对其操守的肯定。

庐州境内进士可考的有余阙、陈士举、庐江人吴之恺等人。

余阙,字廷心,一字天心,自号青阳先生,庐州合肥县人。其先世为唐兀人,世居河西武威(今属甘肃),"父沙刺臧卜,官庐州,遂为庐州人"。④ 余阙早年丧父,家道中落,读书于巢湖之滨青阳山(今肥东县长临河镇),课授生徒以奉养母亲,期间与儒学大师吴澄弟子张恒交往,学问日进。元统元年(1333年),考中右榜进士第二名,授同知泗州事。入朝任翰林应奉,转任刑部主事,一度弃官回家。不久征召入朝,任翰林院修撰,参与编纂宋、辽、金三史,历任监察御史、湖广行省左右司郎中、浙东道廉访司佥事。至正十二年(1352年),任淮西宣慰副使、佥都元帅府事,分兵驻守安庆。余阙训练军队,缮修城防,垦

---

① 《元史》卷24《仁宗纪一》。
② 《至正集》卷35《秋谷文集序》。
③ 赵翼:《廿二史札记》卷30《元末殉难多进士》。
④ 《元史》卷143《余阙传》。

荒屯种,与红巾军对垒数年。升都元帅,再拜淮南行省左丞,仍守安庆。十六年,击败天完将领赵普胜。次年十月,天完将领陈友谅率军沿江东下,攻占小孤山,围攻安庆。余阙坚守数月,十八年正月城破,自刎而死。其妻卜氏及子德生、女福童皆赴井死。陈友谅赞赏余阙忠烈义勇,将其厚葬于安庆城西门外。明嘉靖元年(1522年),人们在余阙墓旁建大观亭,后多次重建,被称作"宜城(安庆)八景"之一。①《元史》称,"自兵兴以来,死节之臣阙与褚不华为第一"。② 余阙为政严明,能与部下同甘苦,有古代良将风烈。

陈士举,字大用,号五山,庐州合肥人,至正年间进士,遭时局动荡,不仕。明洪武三年(1370年)诏举明经博士,任乐清教谕。传世作品有《能仁寺》诗,云:"偶来寻胜地,长啸入松关。小憩林间寺,遥看天畔山。鹤眠清昼永,僧倚碧窗闲。归路斜阳外,微茫紫翠间。"

吴之恺,庐江人,字元举,至正年间(1341—1368年)进士。工诗文,尤以律诗专长。据康熙《寿张县志》记载,明初吴之恺曾任山东梁山、寿老、阳谷等县知县,留有咏《帝子遗碑》等诗,其《石井甘泉》云:"沉滢低随地脉浮,石旁汲绠未曾收。蔗浆最鲜相如渴,不羡仙人掌上流。"以诗言志,世人传颂。③

其他还有通过荐举和"由吏入仕"走上仕途,如晁显、郑伯高、李荣甫等人,皆有名于时。晁显,字显卿,其先世山东郓城人,南宋末年迁无为州巢县,遂为巢县人。晁显以"举贤良"而入仕,④早年任职于山东东西道宣慰司、中书省等衙门,累官至棣州(今山东滨州)尹、浙西廉访副使,⑤泰定三年(1326年),担任平江路(今江苏苏州)总管,"人不敢干以私"。⑥ 郑伯高,合肥人,"举文行,官教授";李荣甫,亦合

---

① 1928年,胡适先生有诗道:"东有迎江寺,西有大观亭。吾曹不努力,负此江山灵!"
② 《元史》卷143《余阙传》。
③ 康熙《庐江县志》卷10《选举》、卷15《艺文·儒学重建文庙记》;光绪《重修安徽通志》卷155《选举志》。
④ 《江南通志》卷135《选举志·荐辟》。
⑤ 康熙《巢县志》卷15《人物志》。
⑥ 嘉庆《庐州府志》卷26《名臣上》。

肥人,"以才能,官汀州路总管"。①

四、文化与文化名人

全国统一之后,交通便利,"适千里者如在户庭,之万里者如出邻家",②南北往来密切,庐州地处江淮,文化交流频繁。如理学家吴澄弟子、汝南(今属河南)人张恒往来江淮间,余阙"与吴澄弟子张恒游,文学日进"③。文化交流不仅推动理学传播和影响,也为文学和学术发展营造氛围。元朝中后期,庐州文化也有突出的成就,出现了文学大家和诗人。元代余阙《青阳山房集》和《五经传注》、葛闻孙《环山房集》,都较有影响,其他如王翰、况逵、潘纯等人,也都有文集传世。在地方志编纂方面,曾编有《庐州志》,原书已散佚,编撰者已不可考,这是唯一至今存目的元代合肥方志。《大明一统志》卷四十曾转引其内容,如"庐州府"条,称庐州风俗"稍事诗书"。

余阙,字廷心,庐州合肥人。元统元年(1333年)以右榜第二名进士及第,官至淮南行省左丞。精通儒学,留意经术,曾为"五经"作注。文章气魄浑厚,诗歌有江左鲍照、谢灵运之韵。军旅之暇,读书不辍。著作有《青阳集》五卷传世。余阙父沙剌臧卜去世较早,因而"躬耕山中,以养其亲"④。余阙耕读于家乡青阳山,"即田舍置经史百家书,释耒则却坐而读之,以求古圣贤之学"。及第为官后,储书于家中,以备日后与乡里子弟、朋友讲学之所,取名"青阳山房"。元程文《青阳山房记》云:"青阳山房,在今庐州东南六十里,巢湖之上。因山以为名,合肥余公读书处也。"

况逵,字肩吾,庐江人,"少读书,有用世志"。⑤ 其时科举未开,遂

---

① 《江南通志》卷135《选举志·荐辟》。
② 王礼:《麟原集》卷6《义冢记》。
③ 《元史》卷143《余阙传》。
④ 嘉庆《合肥县志》卷32《集文第二·青阳山房记》。
⑤ 康熙《庐江县志》卷12《人物》。

以吏职求仕。至大二年（1309年）任广西道廉访司书吏。泰定（1324—1327年）末年任光泽（今属福建）县尹。下车伊始，即以重法绳治豪绅，使其不敢为非。又提倡文教，兴建云岩书院，招集诸生讲学。有兄弟二人争田，则以《诗经·伐木》喻之，亲自讲授亲友和睦之道，二人感动，和解而去。改高安（今属江西）县尹，平反境内冤案。离任后，百姓立《去思碑》传颂政绩。元统二年（1334年）擢庆元路提官。

潘纯，字子素，庐州合肥人。少有俊才，风度高远。壮游京师，一时文学贵介争延致之。"每宴集，辄云'潘君不在，令人无欢。'闻其至，皆倒屣出迎，及谈笑大噱，一座为倾。"① 尝著《辊卦》以讽切当世，元文宗欲捕治之，乃挈家流寓江南，与杭州士子以诗歌相唱和。诗作清新精致，与李商隐、温庭筠不相上下。其中《题岳武穆王坟》二首，常为人们吟诵。② 其诗云：

海门寒日澹无晖，偃月堂深昼漏稀。万灶貔貅江上老，两宫环佩梦中归。内园羯鼓催花发，小殿珠帘看雪飞。不道帐前《胡旋舞》，有人行酒著青衣。

湖水春来自绿波，空林人迹少经过。夜寒石马嘶风雨，自落山精泣薜萝。江左长城真自坏，邺中明月竟谁歌。惟余满地苌弘血，草色年深碧更多。

至正（1341—1368年）中叶，江南行台御史大夫纳麟辟潘纯为掾史。然潘纯为人所嫉，行至萧山县被纳麟之子安安所害，葬于杭州西湖岳飞墓侧。其著作《子素集》现有康熙五十九年（1720年）长洲顾氏秀野草堂一册刻本。

葛闻孙，字景先，合肥人。葛氏自宋代以来一直是庐州"衣冠之

---

① 徐显：《稗史集传·潘纯》，齐鲁书社1997年版。
② 顾嗣立：《元诗选》庚集《潘处士纯》，中华书局1987年版。

族"①,葛闻孙"为学天性警敏,日诵数千言,辄终身不忘"②,尝出为州文学,后辞归力田,③宰相荐其文行可用,擢翰林国史院编修官,复辞不赴召,隐居于巢湖西岸环翠山房,"而教授于其家,诸生不遂齐楚之路皆来从之",人称葛先生。至正五年(1345年)卒,葬于合肥水西门外,年六十一。④ 余阙为之撰写墓志铭,著作有《环翠山房集》。

束遂庵,庐州合肥人,官至学正。善画山水,兼擅人物,有《君山酹月图》等传世。其友王逢题其所画云:"忆携蓉城霞,醉赏君山雪,兴酣俯厓面,三酹大江月。灵奇秘怪不可说,回首十年尘土热。束卿想象作此图,如见当时眼为豁。"⑤

郭奎,字子章,巢县人,曾拜余阙为师,为其得意门生,"从余阙学,治经,阙亟称之"。⑥ 宋濂称其"性尤嗜诗","青阳亟称其能。"⑦元末战乱频仍,郭奎亲亡弟丧,飘零江湖,备尝艰辛,然其诗歌多为渴求百姓安居、社会稳定。其诗云"天下十年非乐土,江南万姓望安居",又云"乡梦有时逢骨肉,此身何处托渔樵","百年几度逢重九,四海何时是一家"。⑧ 余阙殉职后数年,郭奎路过安庆,睹物思人,感慨万千,作诗云:"哲人不复见,黄鸟悲且鸣。高山尚岩岩,梁木何其倾。"⑨后来不忍恩师诗文就此散落,乃不辞辛苦,多方搜寻余阙碑记、序、书录、墓表、诗文、杂著,汇编为《青阳先生集》。朱元璋据有皖南、浙东,郭奎"从事幕府",随朱元璋南征北战。朱元璋之侄朱文正开大都督府于南昌,"命奎参其军事"。元至正二十四年(1364年)朱文正受朱

---

① 《青阳集》卷5《送范立中赴襄阳诗序》。
② 《青阳集》卷4《葛征君墓表》。
③ 《江南通志》卷169《人物传二》。
④ 嘉庆《合肥县志》卷14《古迹志》,"学士葛闻孙墓,在水西门外。"
⑤ 王逢:《梧溪集》卷4《合淝束遂庵学正为画〈君山酹月图〉长歌奉谢》。注云:蓉城霞,酒名。
⑥ 张廷玉:《明史》卷285《文苑传一》,中华书局1974年版。
⑦ 郭奎:《望云集》,四库全书本。
⑧ 康熙《巢县志》卷15《人物传》。
⑨ 郭奎:《望云集》卷一《过皖城吊青阳先生》,四库全书本。

元璋猜忌，获罪被软禁，郭奎受牵连被诛。《明史》有传，附于《文苑传·王冕传》之后。著作有《望云集》五卷，文学大家赵汸、宋濂为之作序。

王翰（1333—1378年），元末官吏，字用文，蒙古名那木罕。其先世为西夏人，居灵武（今属甘肃）。元初随军攻江淮，授领兵千户，镇守庐州，遂为合肥人。王翰年十六，袭千户之职。后以才授庐州路治中，迁福州路，升同知。改福建行省理问官，综理永福、罗源二县词讼，累官至行省郎中。陈有定据有福建，敬而礼之，表授潮州路总管，兼理循、梅、惠三州政务。明军灭陈氏，渡海前往交趾不果，乃隐居永福县观猎山，自号友石山人。尝借题作诗，以抒故国之思。其《题画葵花》云，"怜渠自是无情物，犹解倾心向太阳"。明洪武十一年（1378年），征辟之书至，作绝命诗云："昔在潮阳我欲死，宗嗣如丝我无子，彼时我死作忠臣，覆祀绝宗良可耻，今年辟书亲到门，丁男屋下三人存，寸刃在手顾不惜，一死却了君亲恩。"当时其长子王偁年方九岁，王翰托付给友人吴海，自刎而死。其诗皆晚年隐忍林壑所作，顾嗣立《元诗选》录存二十七首。现存《友石山人遗稿》一卷，录诗八十四首，①乃其子王偁所辑。

第二节　宗教和民俗

继宋金而起的元朝，尽管蒙古贵族入主中原带来草原旧制，即所谓"国制"，但主体还是中国传统文化的延续和发展，各种宗教、礼俗和文化并无显著改变。而迁入内地的蒙古、色目以及其他各族居民，尽管有其特色的文化，但逐渐融入当地社会生活之中。

---

① 王翰：《友石山人遗稿》，文物出版社1982年版。

一、宗教传播和发展

蒙古族本身信奉"萨满教",这是一种原始巫教。但对其他宗教并不排斥,采取兼容并蓄的宽容政策,各种宗教人士享有免役特权,并且其四顷内土地免除赋税。进入中原后,最受蒙古上层崇奉的是佛教,特别是藏传佛教,"百年之间,朝廷所以敬礼而尊信之者,无所不用其至"。[①] 其上层人物被尊国师、大元帝师,权势显赫。至元初,元设置总制院主管全国佛教,至元二十五年(1288年)改称宣政院。南方地区,主要是南宋以来佛教各宗派,以禅宗为主。元朝起初设置诸路释教总统所,后改为行宣政院管领江南佛教。元朝推崇佛教,耗费大量财富。至治二年(1322年),参议中书省事张养浩上疏:"国家经费,三分为率,僧居二焉。"[②] 据宣政院统计,至元二十八年,全国有佛寺24000余所,登记在册僧尼凡21万余人。

庐州地区佛教颇为发达,在各种宗教中影响最大。佛教寺庙除原有建筑维持外,还兴建不少寺院。

元代合肥地区重修和创建寺院表

序号	寺名	资料来源	修建情况
1	地藏寺	嘉庆《合肥县志》	又名普惠寺,在北门内。元建。
2	长乐寺	嘉庆《合肥县志》	在长乐集西,离城四十里。元建。
3	黄塘寺	嘉庆《合肥县志》	在城东北八十余里。元建。
4	宝胜寺	嘉庆《合肥县志》	本名丘陂寺,离城六十里。元至正元年,遇峰法师重修。
5	潮城寺	嘉庆《合肥县志》	在潮城北,离城三十五里。元建。
6	定光寺	嘉庆《合肥县志》	元建。

---

① 《元史》卷202《释老传》。
② 张养浩:《归田类稿》卷2《时政书》,四库全书本。

（续表）

序号	寺名	资料来源	修建情况
7	蔚蓝寺	嘉庆《合肥县志》	元建。
8	营元寺	嘉庆《合肥县志》	在烧脉冈南，离城六十里。元建。
9	义成寺	嘉庆《合肥县志》	又作义城寺，离城九十里。元建。
10	白露寺	嘉庆《合肥县志》	离城七十五里。元建。
11	清规寺	嘉庆《合肥县志》	离城百二十里。元建。
12	华城寺	嘉庆《合肥县志》	在莲花山南，离城百二十里。元建。
13	宝教寺	嘉庆《合肥县志》	离城五十四里。元建。
14	显应寺	嘉庆《合肥县志》	即鸡鸣寺，在鸡鸣山上。元建。
15	马埠寺	嘉庆《合肥县志》	在独坐山东，离城九十里。元建。
16	龙泉寺	嘉庆《合肥县志》	离城百里。元建。
17	潮城寺	嘉庆《合肥县志》	在马家集东北，离城百一十里。元建。
18	三乘寺	嘉庆《合肥县志》	离城五十五里。《江南通志》作三城寺。元建。
19	石佛寺	嘉庆《合肥县志》	在派河驿后，离城五十里。元建。
20	秋珊寺	嘉庆《合肥县志》	元建。
21	须陀寺	嘉庆《合肥县志》	元建。
22	牛寨寺	嘉庆《合肥县志》	在白塔子西，离城三十五里。元建。
23	通惠寺	嘉庆《合肥县志》	元建。
24	多宝寺	嘉庆《合肥县志》	离城七十里。元建。
25	西香积寺	嘉庆《合肥县志》	在王兴隆集，离城七十里。元建。
26	龙会寺	嘉庆《合肥县志》	离城六十里。元建。
27	龙泉寺	嘉庆《合肥县志》	在龙泉山，离城五十里。寺有龙泉，故名。元建。
28	东香积寺	嘉庆《合肥县志》	在青冈集西，离城百一十里。元建。

(续表)

序号	寺名	资料来源	修建情况
29	三学寺	嘉庆《合肥县志》	在陈道明集西,离城百三十里。元建。
30	演法寺	嘉庆《合肥县志》	在白塔院山北。元建。
31	药师寺	嘉庆《合肥县志》	在明远台后、古佃塔前。元建。
32	龟塘寺	嘉庆《合肥县志》	在向道铺西,离城百二十里。元建。
33	净果寺	嘉庆《合肥县志》	在梁县街南。元建。
34	明觉寺	嘉庆《合肥县志》	在广常集西,离城八十里。元建。
35	麻城寺	嘉庆《合肥县志》	离城六十里。建寺僧系湖北麻城人,故名。元建。
36	定林慈氏寺	康熙《巢县志》	梁武帝时修,元至正重修。
37	圆通寺	康熙《巢县志》	去县南二十里牛角山隈,创自元时。
38	小甘泉寺	康熙《巢县志》	在湖南凤舒河上十里,去县南五十里万山中,宋嘉定年间创,元至正时重修。
39	白马寺	康熙《巢县志》	在姚芰村,去县东北四十五里,元延祐间创。
40	上生寺	康熙《巢县志》	去县北五十里,近黄山地方。元至正年间创。
41	凤凰寺	康熙《巢县志》	去县西八十余里,在黄山前。元至正五年创。
42	尖山寺	康熙《巢县志》	去县西北八十里,与仙人洞相近。创自元至正间。
43	法轮寺	康熙《巢县志》	在白露河,去县西六十里。宋绍熙间创,元元贞年间修。
44	云峰庵	康熙《巢县志》	在子房庵山下,元延祐间创。
45	冶父寺	康熙《庐江县志》	在县治东北二十里南慕善乡,唐伏虎禅师所创,元泰定僧聪重建。
46	妙光寺	康熙《庐江县志》	在县治西北六十里庐江乡双龙山,元僧无隐创建。

（续表）

序号	寺名	资料来源	修建情况
47	甘泉寺	康熙《庐江县志》	在县治西三十五里龙池山之麓，元泰定间甲子置桥石。
48	大隆寺	康熙《庐江县志》	在县东南四十里，元僧无涯建。
49	麻城寺	康熙《庐江县志》	在县治东南二十里。元僧善建。

据嘉庆《合肥县志》记载，仅合肥县内建于唐宋时期就有明教寺、开福寺、万寿寺、福泉寺、千佛寺、天王寺、五星寺、光华寺等五十余所，有可考建于元代有地藏寺、长乐寺、黄塘寺、宝胜寺、潮城寺（在潮城北）、定光寺、蔚蓝寺、营元寺、义成寺、白露寺、清规寺、华城寺、宝教寺、显应寺（鸡鸣寺）、马埠寺，潮城寺（在马家集东北）、龙泉寺（离城百里）、三乘寺，石佛寺，秋栅寺，须陀寺、牛寨寺、通惠寺、多宝寺、西积香寺、龙会寺、龙泉寺、东香积寺、三学寺、演法寺，药师寺、龟塘寺、净果寺、明觉寺、麻城寺等38所寺庙，还对原有寺院重修，如宝胜寺，本名丘陂寺，离城六十里，寺僧文焕碑文有"元至正元年，遇峰法师重修"①。

巢县境内佛寺既有修葺前代的，亦有新建寺院。据康熙《巢县志》记载，定林慈氏寺，"在县北崇善坊。梁武帝时建，宋淳化间重修，乾道中建宝塔，元至正重修"。小甘泉寺，"在湖南凤舒合河上十里，去县南五十里万山之中。宋嘉定年间创，元至正时重修"。法轮寺，"在白露河，去县西六十里。宋绍熙间创，遗有石柱、轮藏、铁钻、古塔。迄元元贞及明永乐、正统年相继修理"。新建寺庙也颇多，如圆通寺，"去县南二十里牛角山隈，创自元时"，"洪武初，因兵废重建"。白马寺，"在姚茓村，去县东北四十五里。元延祐间创，明天顺间重修"。上生寺，"去县北五十里，近黄山地方。元至正间创，明洪武间重建"。凤凰寺，"去县西八十余里，在黄山前……元至正五年创，明

---

① 嘉庆《合肥县志》卷14《古迹志》。

成化间重修"。云峰庵,"在子房庵山下,元延祐间创。因兵废,明洪武间重修"。①

庐江境内佛寺除前代遗存下来的之外,元代也有重修和创建。冶父寺,"在县治东北二十里南慕善乡,唐伏虎禅师所创。宋赐额曰实际禅寺,元泰定僧聪(重)建"。② 妙光寺,"在县治西北六十里庐江乡双龙山,元僧无隐创建"。大隆寺,"在县东南四十里。元僧无涯建"。麻城寺,"在县治东南二十里,元僧善建"。③

除佛教外,合肥地区道教势力也有一定的发展。元代除仍然兴盛的前代宫观之外,有明确时间记载创建和重建的宫观就有十多处。据嘉庆《合肥县志·古迹志》记载,白鹤观,祀太乙真人并供八仙,"在教弩台西,康熙时重修。《旧志》:元建"。山南馆,"在大潜山南,离城百二十里。《旧志》:一名张赵馆,祀五岳神。元建"。其中影响较大的道教建筑有合肥城隍庙、东岳庙,巢湖中庙。元世祖至元年间诏拆毁各地城墙,"特其神祠为民祀祷而存"。④ 合肥城隍庙原先在城内淝水南岸,依佛寺而建。顺帝初年,邑人可龙募捐,亲董其役,"为殿堂门庑,继又得祠后废军廨及夏氏所施地,建别殿于其上",⑤工程持续十几年,并获宣让王帖木儿不花的赞助以及庐州官府、士绅支持。竣工后,郡人白玉、张世杰邀请余阙为之撰写碑铭。东岳庙,在合肥城内东门街,顺帝后至元元年(1335年)建,"每逢三月二十八日行香"。⑥ 中庙,亦称忠庙,"在巢湖北岸,地名凤凰台。元大德初建中庙,正德年重修,层楼屹立,为郡巨观。"

从西方传来的主要是伊斯兰教和基督教。基督教教徒,元代称作也里可温,随着其教徒来内地,基督教传入庐州,在大都、泉州等地

---

① 康熙《巢县志》卷14《祀典志》。
② 康熙《庐江县志》卷8《古迹》。
③ 康熙《庐江县志》卷8《古迹》。
④ 李修生:《全元文》卷1496(第四十九册),余阙《郡城隍庙记》,凤凰出版社2004年版。
⑤ 《全元文》卷1496(第四十九册),余阙《郡城隍庙记》,凤凰出版社2004年版。
⑥ 嘉庆《庐州府志》卷18《庙坛》。

设置主教。据余阙《青阳集·合肥修城记》所载,元朝时有一位也里可温信徒马世德曾在合肥做官,担任淮西江北道廉访司佥事,"字元臣,也里可温国人,由进士第,历官应奉翰林文字、枢密都事、中书检校、庸田佥事为今官"。后官至刑部尚书,①《元诗选》存其诗三首。至正年间,马世德曾倡导修筑合肥城墙。又据黄溍《马氏族谱》,马世德系奎章阁大学士马祖常从弟。② 这是有关基督教在合肥的最早记载。

二、乡风民俗

庐州地处江淮之间,"风俗淳古,民习礼仪,故易治而俗化"。③ 余阙称赞合肥地区风俗"其民质直而无二心,其俗勤生而无外慕之好,其材强悍而无孱弱之气"④。元代所编《庐州志》亦称,"稍事诗书,多业农贾"。⑤ 元代多次出现急公好义、忠孝之事而受到旌表。

以好义闻名者有吴寅甲、张顺兴等人。吴寅甲,合肥县北乡太平村(今长丰县吴店)人,有勇力,智略过人。元末大乱,盗贼横行,村中百余家不能自保,准备外逃。吴寅甲劝阻说:"此地不能守,他处又能保乎?与其流离,终不免于死,不如协力聚守。公等能从我,我能御贼。"⑥遂修筑营寨,准备粮饷器械,严阵以待。已而盗贼蜂拥而至,寅甲率村民力战退敌,盗贼无敢来犯。寻以积劳成疾,呕血而死。当时盗贼所过,焚掠一空,唯独太平村安堵如故。村民感念其功德,在墓前立碑纪念。又张顺兴系合肥人,至正五年(1345年)庐州也发生饥荒,张顺兴出米五百余石赈济饥民,朝廷给予表彰,"旌其门"。⑦

又有以孝义而闻名者。羊仁,庐州庐江人。至元年间,元将阿术

---

① 《元诗选》癸集《癸之丁·马尚书世德》。
② 黄溍:《金华黄先生文集》卷43,四部丛刊初编本。
③ 《揭傒斯全集·文集》卷6《庐江县学明伦堂记》。
④ 《青阳集》卷3《合淝修城记》。
⑤ 《大明一统志》卷14《庐州府》。
⑥ 嘉庆《合肥县志》卷24《人物》。
⑦ 《元史》卷41《顺帝纪四》。

率军南下攻宋,羊仁父亲被杀,母亲及兄弟均被掳掠。羊仁时年七岁,被卖到汴梁李子安家充当奴婢,"力作二十余年,子安怜之,纵为良"。① 获释后,羊仁寻访亲人,探得母亲在颍州(今安徽阜阳)蒙古军人塔海家,其兄在睢州(今河南睢阳)蒙古军岳纳家,其弟在邯郸(今属河北)连大家为奴,遂告贷亲友,得钱钞百余锭,前往各家赎取,辗转六年,全家二十余口得以赎身为良,"乡里美之"。大德十一年(1307年)元廷下诏表其家。又有高历妻张氏,庐江县人,母亲因病失明。张氏探亲时抱母哭泣,以舌舐其双目,双目复明,"州县以状闻,褒美之"。②

---

① 《元史》卷197《孝友传一》。
② 嘉庆《庐州府志》卷39《烈女》。

大 事 记

隋(581—618)

隋文帝开皇元年、陈宣帝太建十三年(581年)

二月,北周外戚杨坚废周静帝,建国号为隋,是为隋文帝,仍以长安为都城。三月,隋文帝以韩擒虎为庐州总管,"委以平陈之任"。[①]

开皇三年(583年)

十一月,省并州县,并"罢天下诸郡"[②],以州领县。改合州为庐州,此即庐州建置之始。改汝阴县为合肥县;省龙舒、潜县入庐江县;改蕲县为襄安县,省居巢、临湖、橐皋诸县入襄安县;改岳安县为霍山县;废北沛郡置涢水县,省新蔡县入涢水县。

开皇五年(585年)

五月,州县设置义仓,积谷备荒。是年,在合肥"故新城(三国新城)立镇置仓,谋伐陈"[③],进行灭陈准备。

开皇八年(588年)

十月,置淮南行台尚书省于寿春(今安徽寿县),以晋王杨广为尚书令,分兵九路大举伐陈,新义公韩擒虎从庐州出兵,直指陈都城建

[①] 《隋书》卷52《韩擒虎传》。
[②] 《隋书》卷1《高祖纪上》。
[③] 顾祖禹:《读史方舆纪要》卷26《直隶八》。

康(今江苏南京)。

开皇九年(589年)

正月,隋将贺若弼从广陵(今江苏扬州)渡江,攻占镇江,进军蒋山,歼灭陈军主力;韩擒虎自横江(今安徽和县境)夜渡长江,夺取重镇采石,攻下姑熟城(今安徽当涂县),进据新林(今江苏南京西南)。降陈将樊巡、鲁世真、田瑞、任忠,俘获陈后主叔宝,陈朝灭亡。二月,撤销淮南行台尚书省。复以"江表初定,给复十年,自余诸州,并免当年租赋"①。

开皇十年(590年)

十一月,江南豪族起兵反隋,"陈之故境,大抵皆反",②襄安(今安徽巢湖)豪家举兵响应,欲推陈朝旧将陈岘为主,陈岘佯装答应,派其子陈棱联络隋柱国李彻,李彻表陈岘为宣州刺史。叛军杀陈岘,李彻平定叛乱。文帝授陈棱开府,"寻领乡兵"。③

开皇十一年(591年)

隋文帝诏令天下州县各立僧、尼二寺。

开皇十二年(592年)

隋文帝发使四出,进一步推行均田制。

仁寿四年(604年)

七月,隋文帝杨坚去世,太子杨广即位,是为隋炀帝。

是岁,除妇人、奴婢、部曲之课。

隋炀帝大业元年(605年)

三月,隋炀帝营建东都,每月役丁二百万。同时开凿通济渠,征发河南淮北民工百万修筑,共花费一百天时间完工,"自是天下利于转输"。④ 疏通邗沟,征发淮南民工十余万修筑。

---

① 《隋书》卷24《食货志》。
② 《资治通鉴》卷177,开皇十年。
③ 《隋书》卷64《陈棱传》。
④ 《通典》卷10《食货志·漕运》。

大业三年（607年）

四月，隋炀帝改州为郡，庐州改为庐江郡，治合淝。是年，隋下诏"十科举人"，创立进士科。

大业五年（609年）

全国"大索貌阅"检阅户口，诸郡计账，进丁二十四万三千，新附口六万四千一百五十。"是时天下凡有郡一百九十，县一千二百五十五，户八百九十玩有奇……隋氏之盛，极于此矣。"①庐州户数为四万一千六百三十二。

大业六年（610年）

二月，庐江襄安人虎贲郎将陈棱、同安人朝请大夫张镇州率军进攻流求（今台湾岛），破之，献俘万七千口，颁赐百官。四月，隋炀帝巡幸江淮以南诸郡，宴会、颁赐江淮以南父老；动员、征调江淮以南诸郡，准备远征高丽。是年，江淮以南水手一万人、弩手三万人被征。

大业七年（611年）

五月，隋炀帝征调河南及江淮地区戎车五万乘；同时，征发黄河南北民夫以供军需。七月，隋炀帝征调江淮民夫及船只运输黎阳、洛口二仓粮秣北上涿郡。是年，隋末农民战争爆发。

大业八年（612年）

正月，隋炀帝发"征高丽诏"。隋军第一次东征高丽：陆路二十四军自北陲重镇涿郡出发；江淮水师精甲自东莱军港出发。五月，浮海先进的江淮水师先胜后败，败于平壤城下。

大业九年（613年）

三月，隋炀帝第二次亲征高丽。庐州名臣樊子盖受命留守东都，名将陈棱受命留守东莱。

大业十二年（616年）

九月，东海人杜伏威、扬州沈觅敌等作乱，众至数万，右御卫将军陈棱击破之。

---

① 《资治通鉴》卷180，大业五年。

大业十三年（617年）

三月，庐江人张子路举兵反，遣右御卫将军陈棱讨平之。李通德率众十万寇庐江，左屯卫将军张镇州击破之。十一月，太原留守李渊攻占长安，立炀帝孙代王杨侑为帝，年号义宁，自为大丞相。十二月，兖州人张善安陷庐江郡。

大业十四年、义宁二年、唐高祖武德元年（618年）

三月，隋炀帝禁卫骁果发动宫廷政变，隋炀帝杨广被杀，隋朝灭亡。

唐（618——907）

唐高祖武德元年（618年）

五月，李渊废除隋恭帝杨侑，即皇帝位于长安，建国号"唐"，改元武德，是为唐高祖。是年，改郡为州，实行州、县两级管理，州设刺史，县设县令。

武德二年（619年）

九月，杜伏威派人至长安，向唐高祖李渊表示归降。李渊遂以杜伏威为淮南安抚大使、和州总管。

武德三年（620年）

六月，唐高祖以杜伏威为使持节、总管江淮以南诸军事、扬州刺史，东南道行台尚书令，晋封吴王；以辅公祏为行台左仆射，封舒国公。十二月，杜伏威军渡江，大破浙东李子通，尽有淮南、江东之地。是年，改庐江郡为庐州，省浠水县；襄安县置巢州，并析开成、扶阳二县；霍山县置霍州。庐州仅领合淝、慎、庐江、开化等四县，后贞观中省开化县。

武德五年（622年）

七月，秦王李世民率军击破兖州徐圆朗，杜伏威恐惧入朝。唐高祖加封杜伏威太子太保，兼行台尚书令。

武德六年（623年）

八月，杜伏威部将辅公祏举兵反唐，并在丹阳称帝，建国号宋，署置百官。唐高祖令襄州道行台仆射李孝恭、岭南道大使李靖等进攻辅公祏。杜伏威受猜忌，暴死于长安。

武德七年（624年）

三月，唐军攻破丹阳，辅公祏战败被俘，唐朝完成统一。废巢州及开成、扶阳二县，改襄安为巢县，隶属庐州。是年，颁行均田、租庸调法。

武德九年（626年）

六月，玄武门之变，秦王李世民杀太子建成、齐王元吉，唐高祖立秦王为太子。八月，唐高祖禅位，太子世民即位，是为唐太宗。

唐太宗贞观元年（627年）

省并州县，"因山川形便，分天下为十道"，①定期派遣黜陟使、按察使、巡察使到各道巡视，职同汉代刺史。庐州隶属淮南道。

贞观二年（628年）

诏各地置义仓。

贞观八年（634年）

七月，山东、江淮大水。

贞观十年（636年）

关东及"淮海旁二十八州大水"。②

贞观十七年（643年）

闰六月，潭、濠、庐三州疾疫，遣医前往救治。

贞观十八年（644年）

自春及夏，庐、濠、巴、普、郴等州疾疫，遣医前往医治。

贞观二十三年（649年）

---

① 《新唐书》卷37《地理志一》。
② 《新唐书》卷36《五行志》。

五月,太宗去世。六月,高宗李治继位。

贞观年间,右武侯大将军尉迟敬德筑"金斗城",城址在"故城东南六里,肥河南岸岗阜高地",称作金斗城。

弘道元年(683年)

高宗去世,子中宗李显即位,武则天执政。

武则天天授元年(690年)

武则天废睿宗李旦,称帝,改国号为周。制颁《大云经》于天下,令各州置大云寺。

如意元年(692年)

五月,江淮地区旱灾,饥馑、饿死者甚众。

垂拱元年(685年)

九月,淮南地生毛,或苍或白,长者尺余,遍居床下,扬州尤甚,大如马鬣,焚之臭如燎毛。占曰:"兵起,民不安。"①

神龙元年(705年)

正月,宰相张柬之等发动政变,武则天退位。太子李显即位,复国号唐。

神龙二年(706年)

朱敬则授庐州刺史,有德政。

睿宗延和元年(712年)

八月,"帝传位于皇太子,自称太上皇"。② 太子即位,是谓唐玄宗。改元曰先天,大赦天下。

唐玄宗开元二年(714年)

南方诸州亦置常平仓。

开元十一年(723年)

玄宗下诏,允许百姓兴办"私学",且令百姓子弟入"州县学授业"。庐州州学建立。

---

① 《新唐书》卷35《五行志二》。
② 《旧唐书》卷7《睿宗纪》。

开元十五年(727年)

秋,"河北饥,转江淮之南租米百万以赈给之"。①

开元十六年(728年)

十二月,河北水灾,敕"漕江淮以赈之"。

开元二十三年(735年)

析庐江、巢县置舒城县。庐州领合淝、慎、庐江、巢、舒城五县。

天宝元载(742年)

改州为郡,庐州改为庐江郡。

天宝十四载(755年)

十一月,安禄山起兵于范阳。十二月,安史叛军攻占洛阳。

天宝十五载、肃宗至德元载(756年)

六月,唐玄宗逃出长安,叛军随后攻占长安。七月,李亨即位于灵武,是为肃宗。"置淮南节度使,领扬、楚、滁、和、寿、庐、舒、光、蕲、安、黄、申、沔十三州,治扬州"。②

至德二载(757年)

是年,改郡为州。庐江郡改为庐州。

上元元年(760年)

十一月,宋州刺史刘展反,率兵二万渡淮,进据扬州,遣将王㬎攻陷舒、和、滁、庐等州,"所向无不摧靡,聚兵万人,骑三千,横行江淮间"。史称,"安、史之乱,乱兵不及江、淮,至是,其民始罹荼毒矣"③。

上元二年(761年)

正月,平卢兵马副使田神功攻入扬州,刘展在逃亡中被杀。田神功派遣杨惠元等领兵西击王㬎,㬎引兵东走,渡江至常熟(今属江苏)投降。

唐代宗大历二年(767年)

秋,湖南及河东、河南、淮南、浙东西、福建等道五十五州水灾。

---

① 《旧唐书》卷48《食货志》。
② 《新唐书》卷68《方镇表五》。
③ 《资治通鉴》卷222,肃宗上元二年二月。

大历十四年(779年)

三月,建置巡院,"自淮北置巡院十三,曰扬州、陈许、汴州、庐寿、白沙、淮西、埇桥、浙西、宋州、泗州、岑南、兖郓、郑滑"。其庐寿巡院设在合肥地区。淮南道节度使陈少游提高淮南盐价,原价每斗一百一十文,"江淮盐每斗亦增二百,为钱三百一十。其后复增六十"。①

唐德宗建中元年(780年)

正月,废租庸调制,行两税法,"唯以资产为宗,不以丁身为本;资产少者则其税少,资产多者则其税多"。②

建中三年(782年)

五月,淮南节度使陈少游请奏请两税钱每千增二百,"因诏他州悉如之"。③

兴元元年(784年)

"淮南节度罢领濠、寿、庐三州。升寿州团练使为都团练观察使,领寿、濠、庐三州,治寿州。"

贞元二年(786年)

德宗下诏"诸道盐铁转运使张滂复置江淮巡院"。

贞元四年(788年)

四月,淮南及河南地生毛。"淮南节度复领庐、寿二州,以泗州隶徐泗节度,废寿州都团练观察使为团练使。"④

贞元六年(790年)

夏,淮南、浙西、福建等道大旱,井泉竭,人渴且疫,死者甚众。

贞元八年(792年)

秋,大雨,河南、河北、山南、江淮凡四十余州大水,死者二万余人。

贞元十二年(796年)

---

① 《新唐书》卷54《食货四》。
② 陆贽:《陆宣公奏议》卷22,丛书集成本。
③ 《旧唐书》卷48《食货志上》。
④ 《新唐书》卷68《方镇表五》。

罗珦任庐州刺史,治理庐州凡七年(796—802年),"垦彼荆榛,化为莓苔。隘关溢廛,万商俱来。罢吏息人,老安少怀。提封之内,邑无旷土",①考绩为天下第一。

贞元十六年(801年)

"置舒、庐、滁、和四州都团练使,隶淮南节度。"②舒庐滁和都团练使,治合淝,由庐州刺史兼使职。

唐顺宗永贞元年(805年)

秋,江、浙、淮南、荆南、湖南、鄂岳、陈许等道二十六州,旱。

元和二年(807年)

罢舒庐滁和都团练使,庐州还隶淮南节度使。

唐宪宗元和三年(808年)

淮南、江南、江西、湖南、广南、山南东西皆旱。

元和九年(814年)

秋,淮南及岳、安、宣、江、抚、袁等州大水,害稼。

元和十五年(820年)

四月,穆宗即位,修订茶税,率百钱增五十。颁行茶叶新"衡"制,"加斤至二十两",盐铁使王播负责征江淮茶税。

唐穆宗长庆二年(826年)

江淮饥。

唐敬宗宝历元年(825年)

以前礼部郎中李翱为庐州刺史。李翱整顿赋役,"贫弱以安"。③

唐文宗大和四年(830年)

夏,浙西、浙东、宣歙、江西、鄜坊、山南东道、淮南、京畿、河南、江南、荆襄、鄂岳、湖南大水,皆害稼。

大和七年(833年)

秋,浙西及扬、楚、舒、庐、寿、滁、和、宣等州大水,害稼。

---

① 《全唐文》卷478,杨凭《唐庐州刺史本州团练使罗珦德政碑》。
② 《新唐书》卷68《方镇表五》。
③ 《新唐书》卷117《李翱传》。

大和八年(834年)

夏,江淮及陕、华等州旱。秋,滁州大水,溺万余户。

大和九年(835年)

八月,颁诏增江淮茶税。九月,盐铁转运使王涯奏请变更江淮、岭南茶法,设置榷茶使,建置"淮南军","节度使为军三万五千人,居中统制二处,一千里,三十八城,护天下饷道"。①

开成五年(840年)

夏,淮南诸州旱。

唐宣宗大中三年(849年)

李珏为淮南节度使,"江淮旱,发仓廪赈流民"。

大中五年(851年)

制定庐、寿、淮南查税,庐、寿、淮南茶叶交易"加半税"。调遣强干官吏,管理庐、寿、淮南界内出茶山口。

大中六年(852年)

夏,淮南饥,海陵、高邮民于官河中漉得异米,号"圣米"。

大中九年(855年)

秋,淮南饥。

唐懿宗咸通二年(861年)

秋,淮南、河南不雨,旱至明年六月。

咸通三年(862年)

六月,淮南、河南蝗。夏,淮南、河南饥。

咸通七年(866年)

夏,江淮大水。

咸通九年(868年)

江淮旱。江淮、关内及东都蝗灾。七月,庞勋起义爆发。

咸通十年(869年)

夏,江淮旱。庞勋将丁从实等南侵舒州、庐州,夺取滁州、和州及

---

① 《全唐文》卷753,杜牧《淮南监军使院厅壁记》。

乌江、巢县等地。

咸通十一年（870年）

夏，江淮旱。

唐僖宗乾符元年（874年）

王仙芝濮阳起义。曹州冤句（今山东荷泽市西南）人黄巢，募众数千人，响应王仙芝起义。

乾符三年（876年）

十二月，王仙芝率领起义军转战江淮，"南至寿、庐，北经曹、宋"。①

乾符五年（877年）

二月，王仙芝败于黄梅县，被杀。尚让率余众归附黄巢，共推黄巢为"冲天太保均平大将军"，建元"王霸"。

乾符六年（879年）

十月，罢刘邺淮南节度使，以高骈代之，治扬州，领扬、楚、庐、滁、和、寿、濠、寿等八州。

广明元年（880年）

八月，黄巢攻淮南诸州。庐州刺史郑綮移书给黄巢，"请无犯州境，巢笑为敛兵，州独完"。② 十二月，唐僖宗逃往成都，黄巢攻占长安，建立大齐政权，年号金统。

中和二年（882年）

庐州牙将杨行密起兵斩杀都将，自称八营都知兵马使，刺史郎幼复被迫交出兵符印信，致书淮南节度使高骈请代，"行密遂据庐州"。③

中和三年（883年）

二月，黄巢退出长安，向东方转移。三月，朱温以功授汴州刺史、宣武军节度使。是年，唐僖宗授杨行密庐州刺史。淮南将俞公楚、姚归礼领兵三千进屯合淝，高骈部属吕用之劝杨行密为之备，杨行密设

---

① 《旧唐书》卷19下《僖宗纪》。
② 《新唐书》卷183《郑綮传》。
③ 《新五代史》卷61《吴世家》。

伏尽歼俞公楚部众。

中和四年（884年）

舒州（治今安徽潜山）境内爆发陈儒起义，杨行密遣李神福解舒州之围。稍后，江淮土豪吴迥、李本等攻舒州，刺史高灈战败逃往扬州，为高骈所戮。杨行密派遣陶雅、张训率军剿灭土豪吴迥、李本，奏以陶雅为舒州刺史。蔡州军阀秦宗权觊觎淮南，趁杨行密主力南下舒州之际，派遣其弟宗衡进攻庐州，夺取舒城。杨行密调遣部将田頵抵御，秦宗衡退回河南。

光启二年（886年）

寿州刺史张翱遣其将魏虔领兵万人寇庐州，杨行密遣其将田頵、李神福、张训拒之，败虔于褚城。

光启三年（887年）

二月，扬州发生秦彦、毕师铎之乱。吕用之以节度使高骈名义加杨行密为淮南行军司马，前往扬州救援。三月，毕师铎攻破扬州，囚禁高骈。五月，杨行密率军至扬州城下，蔡州将孙儒渡淮进攻淮南。十月，秦彦、毕师铎杀高骈。十一月，吕用之部将攻入扬州，秦彦、毕师铎率残部投奔孙儒。杨行密进入扬州，救济城内饥民。

文德元年（888年）

二月，朱温奏以杨行密为淮南留后。三月，唐僖宗病亡，昭宗李晔继位。四月，孙儒进入扬州，自称淮南节度使。杨行密退回庐州。十月，庐州杨行密联络和州刺史孙端、升州刺史赵晖，拟攻取宣州，留部将蔡俦守庐州，亲率大军从糁潭（今安徽无为境内）渡江。是年，唐昭宗赐冶父山僧人"孝慈伏虎禅师"名称，敕建无量殿于山顶。①

唐昭宗龙纪元年（889年）

三月，杨行密攻占池州，以大将陶雅为刺史。六月，杨行密攻克宣州，擒宣歙观察使赵锽。十月，庐州刺史蔡俦修建巢湖太姥庙。是岁，唐昭宗授杨行密宣州刺史、宣歙观察使。孙儒攻庐州，刺史蔡俦

---

① 康熙《庐江县志》卷13《仙释》。

兵败投降。

大顺元年（890年）

三月，唐赐宣歙军号宁国，以杨行密为宁国军节度使。六月，朱温表奏孙儒为淮南节度使。

大顺二年（891年）

春，淮南大饥、疫，死者十三四。四月，杨行密将李神福打败孙儒，夺取滁州、和州。

景福元年（892年）

六月，杨行密擒斩孙儒，择其军中骁勇者五千人为亲兵，号"黑云都"。七月，杨行密进入扬州，以部将田頵守宣州。八月，唐昭宗以杨行密为淮南节度使、同平章事，以田頵知宣州留后，安仁义为常州刺史。

景福二年（893年）

七月，杨行密进攻庐州，杀刺史蔡俦，以大将刘威为庐州刺史。十月，杨行密取舒州。

乾宁二年（895年）

三月，杨行密攻占濠州，执刺史张璲。四月，杨行密攻寿州，部将朱延寿率兵擒刺史江从勖。唐昭宗封杨行密弘农郡王。

乾宁四年（896年）

十一月，杨行密在清口（今江苏淮安北）大败朱温军队，杀汴军主将庞师古，"行密由是遂保据江、淮之间，全忠不能与之争"。①

天复二年（902年）

三月，唐昭宗以金吾将军李俨为江淮宣谕使，授杨行密东面诸道行营都统、检校太师、守中书令，封吴王，令其北上讨伐朱温。

天复三年（903年）

正月，朱温消灭宦官，解凤翔之围。八月，宁国节度使田頵与联络润州团练使安仁义、寿州团练使朱延寿起兵叛杨行密。九月，杨行

---

① 《资治通鉴》卷261，乾宁四年。

密诱斩朱延寿。十一月,田頵在宣州战败被杀。是岁,杨行密置德胜军于庐州,领庐州、滁州等地,以庐州团练使刘威为节度使。

天祐元年(904年)

四月,朱温迁唐昭宗于洛阳。八月,朱温派遣亲信杀死唐昭宗,立昭宗第九子李柷为帝,是为唐哀帝。八月,宣州观察使台濛卒,杨行密以其长子杨渥为观察使。

天祐二年(905年)

正月,杨行密将王茂章攻克润州,擒斩安仁义父子。十月,杨行密承制以长子杨渥为淮南留后。十一月,杨行密(852—905)病卒,年五十四。杨渥继任淮南节度使、东南诸道行营都统、兼侍中、弘农郡王。

天祐四年(907年)

正月,淮南左衙指挥使张颢、右衙指挥使徐温杀杨渥亲信,执掌淮南军政。四月,梁王朱温废唐哀帝为济阴王,唐朝灭亡。次年,唐哀帝被杀。

五代十国(907—960)

开平元年、吴天祐四年(907年)

四月,梁王朱温称皇帝,建国号为梁,史称后梁,是为梁太祖,改元开平,以汴州开封府为东都,洛阳为西都。河东、凤翔、淮南用唐天祐年号,西川王建仍用唐天复年号,与后梁对抗。八月,吴以常州刺史张崇为庐州刺史,兼本州团练使。

开平二年、吴天祐五年(908年)

五月,吴左衙指挥使张颢、右衙指挥使徐温杀杨渥,立杨渥之弟隆演为淮南留后、东面诸道行营都统,袭爵弘农王。徐温遣人杀死张颢,担任左、右牙都指挥使,继掌吴国大权。十一月,后梁亳州团练使寇彦卿渡淮进攻庐州、寿州,不克而还。是岁,张崇扩建庐州城。

开平三年、吴天祐六年(909年)

十二月,寇彦卿在率军五万直逼庐州,刺史张崇开庐江、潜桥两城门,亲领守军迎战,大破梁军,追至独山(今大蜀山),时值大雪,梁军冻馁而死者甚众。

乾化二年、吴天祐九年(912年)

六月,梁郢王朱友珪杀梁太祖,自立为帝。

乾化三年、吴天祐十年(913年)

二月,梁均王朱友贞起兵,朱友珪自杀,友贞即帝位,是为梁末帝。十一月,梁以宁国节度使王景仁为淮南西北行营招讨应援使,进攻庐、寿等州。十二月,徐温与平卢节度使朱瑾亲率大军抵御,战于赵,梁军退回淮北。

后梁贞明元年、天祐十二年(915年)

八月,吴徐温加封齐国公,兼两浙招讨使,出镇润州,以升、润、常、宣、歙、池六州为巡属,留其子徐知训辅政,军国大事遥决之。

贞明四年、天祐十五年(918年)

七月,吴徐知诰接受宋齐丘建议,将两税"计亩输钱"改为"悉输谷帛","由是江淮间旷土尽辟,桑柘满野,国以富强"。①

贞明五年、吴武义元年(919年)

四月,吴王杨隆演即国王位,改天祐十六年为武义元年,大赦境内,建宗庙社稷,设百官。宫殿之物皆用天子礼。以徐温为大丞相、都督中外诸军事、诸道都统、镇海宁国节度使、守太尉兼中书令、东海郡王;以徐知诰为左仆射、参政事兼知内外诸军事,仍领江州团练使。

后梁龙德三年、后唐同光元年、吴顺义三年(923年)

四月,晋王李存勖即皇帝位,是为唐庄宗,国号唐,改元同光,史称后唐。十月,唐军至开封,梁末帝自杀,后梁亡。

天成二年、吴乾贞元年(927年)

---

① 《资治通鉴》卷270,贞明四年。

十月,吴大丞相徐温病卒,其养子徐知诰继续执政。随后徐知诰率百官尊吴王杨溥为皇帝,改元乾贞。以徐温之子徐知询为诸道副都统、镇海宁国节度使兼侍中,加徐知诰都督中外诸军事,封浔阳公。

长兴二年、吴大和三年(931年)

十一月,吴赐德胜军节度使张崇清河郡王。"崇在庐州贪暴,州人苦之,屡尝入朝,厚以货结权要,由是常得还镇,为庐州患者二十余年"。①

长兴三年、吴大和四年(932年)

张崇病卒。吴以诸道都统徐知诰为大丞相、太师,加领德胜节度使。

清泰二年、吴天祚元年(935年)

周本担任德胜军节度使,力改苛政,尊崇儒士,"百姓爱之"。②

清泰三年、后晋天福元年、吴太和八年(936年)

三月,后唐河东节度使石敬瑭勾结契丹,举兵叛乱。十一月,契丹立石敬瑭为帝,国号晋,年号天福。石敬瑭割让幽、云等十六州给契丹。唐废帝自焚死,后唐灭亡。

天福二年、南唐升元元年(937年)

十月,吴帝杨溥禅位于齐王徐知诰。徐知诰遂称皇帝,国号为齐,以金陵为都城,改元升元。

天福三年、南唐升元二年(938年)

二月,齐主改国号为大唐,复姓李氏,改名曰昪,是为南唐烈祖。

天福五年、南唐升元四年(940年)

二月,南唐"诏罢营造力役,毋妨农事"。③

天福六年、南唐升元五年(941年)

十一月,南唐清查土地,根据肥瘠定民田租税,以钱计税。

天福八年、南唐升元七年、保大元年(943年)

---

① 《资治通鉴》卷277,长兴二年。
② 《十国春秋》卷7《周本传》。
③ 陆游:《南唐书》卷1《烈祖纪》。

二月,南唐烈祖李昪薨,子李璟即位,是为中主,庙号为元宗。三月,南唐"蠲民逋负租税,赐鳏寡孤独粟帛"①。

开运三年、南唐保大四年(946年)

九月,淮南发生虫灾,诏免赋税。十二月,契丹灭晋。

后汉天福十二年、南唐保大五年(947年)

二月,后晋河东节度使刘知远称帝,是为后汉高祖,称天福十二年,建立后汉。六月,刘知远进入开封,是为后汉高祖。九月,淮南发生虫灾,遂免除本年租税。

乾祐元年、南唐保大六年(948年)

正月,后汉高祖去世,子承祐继位,是为汉隐帝。三月,后汉护国军节度使李守贞反,求援于南唐,南唐再次以李金全为北面行营招讨使,清淮节度使刘彦贞副之,率兵渡淮北上。

乾祐二年、南唐保大七年(949年)

七月,后汉平定李守贞叛乱,南唐遂加强沿淮地区军事布置。以永安节度使王崇文镇庐州。

乾祐三年、南唐保大八年(950年)

十一月,后汉隐帝为乱兵所杀。

后周广顺元年、南唐保大九年(951年)

正月,后汉枢密院郭威称帝,建立后周(951－960),是为周太祖。三月,淮南发生虫灾,诸州饥。

广顺三年、南唐保大十一年(953年)

六月,淮南各地旱灾,边民逃往淮北。十月,南唐诏州县修复各地陂塘。

显德元年、南唐保大十二年(954年)

正月,周太祖去世,养子柴荣继位,是为周世宗。三月,南唐境内饥荒,"命州县鬻糜食饿者"。

显德二年、南唐保大十三年(955年)

---

① 《十国春秋》卷16《南唐元宗纪》。

三月,淮南旱灾,诸州饥荒。是年,庐江人伍乔参加南唐科举,"试《画八卦赋》《霁后望钟山诗》",为南唐状元。

显德三年、南唐保大十三年(956年)

正月,后周开始进攻淮南。十月,南唐罢淮南各地屯田。

显德五年、南唐中兴元年(958年)

三月,南唐尽献江北十四州之地,称臣于后周。周改庐州为保信军节度使,以右龙武统军赵赞为庐州节度使。后周再次疏浚汴渠,"浚汴口,导河流达于淮,于是江、淮舟楫始通"①。五月,南唐中主李璟去帝号,称国主,使用后周年号。九月,后周"诏淮南诸州乡军,并放归农"②。

宋代(960—1279)

宋太祖建隆元年(960年)

正月,后周殿前都点检赵匡胤发动陈桥兵变,回军开封称帝,建国号宋,定都开封,改元建隆。

建隆二年(961年)

二月,宋导蔡水入颍,以通淮右舟楫。六月,南唐元宗李璟死,后主李煜嗣位。

乾德元年(963年)

宋实行文官知州事、节度使支郡直属京师,以京朝官知县事。

乾德三年(965年)

舒、庐、寿、蕲、黄等州置十三场榷茶,朝廷岁收利百万缗。

乾德四年(966年)

---

① 《资治通鉴》卷294,显德五年。
② 《旧五代史》卷18《周世宗纪五》。

七月,宋禁淮南道私铸钱。闰八月,诏民开垦荒田,不加征,令佐能劝来者受赏。

开宝四年(971年)

三月,庐州疏浚南淝河。

开宝五年(972年)

朝廷派人核查庐州五县民田,按田亩纳税。

开宝七年(974年)

九月,宋命将伐南唐。十一月初,宋军在采石以预制浮桥渡江。

开宝八年(975年)

九月,发和州丁夫凿横江河,以通粮道。十一月二十七日,金陵城破,南唐后主李煜出降。

宋太宗太平兴国元年(976年)

十一月,令诸州大索。十二月,诏堕毁江淮诸州城隍,撤除江淮武备。

太平兴国二年(977年)

正月,置淮南榷茶场。

太平兴国三年(978年)

七月,以庐州无为监(镇)为无为军,割庐州之庐江、巢两县隶之。

端拱二年(989年)

九月,听商人输粟京师而请茶盐于江淮。

淳化五年(994年)

三月,太子中允武允成献踏犁,命依式造之,颁赐江淮民。

至道三年(997年)

三月,太宗死,太子恒嗣位,是为真宗。是岁,分天下为十五路,今合肥地区分属淮南路。

宋真宗景德二年(1005年)

雕印《景德农田敕》颁诸州军。

景德三年(1006年)

六月,汴河南堤决口,流入亳州,合浪宕渠东入淮。定江淮岁输米六百万石食京师。

大中祥符元年（1008年）

秋,江、淮等路大稔,米斗钱七八十。

大中祥符二年（1009年）

四月,江、淮廪粟除留州约支及三年外,当上供者凡一千三百余万石。九月,无为军大风拔木,坏城门、营垒、民舍,压溺者千余人。十月,诏天下置天庆观。

大中祥符三年（1010年）

八月,淮南路饥。"诏升、洪、扬、庐州长吏兼安抚使。"①

大中祥符四年（1011年）

五月,诏州城置孔子庙。六月,江、淮南大水,滁、和、庐、寿等州流民大增。

大中祥符五年（1012年）

五月,江、淮、两浙旱,给占城稻种,教民播种之。

大中祥符六年（1013年）

六月,赐诸路天庆观逃田:藩镇十顷、诸州七顷。诏诸路勿税农器。

大中祥符七年（1014年）

是岁,淮南、江南、两浙民饥。

大中祥符九年（1016年）

秋,江淮久旱,飞蝗连云障日,有富民出私廪十六万石糶施饥民。

天禧元年（1017年）

自本月起,江淮十三州军陆续发生蝗灾。九月,寿州兵变,杀沿淮巡检王骥。

乾兴元年（1022年）

正月,改元乾兴。二月,真宗死,子祯嗣位,年十三,是为仁宗,刘太后听政。

---

① 《宋史》卷7《真宗纪二》。

仁宗天圣元年(1023年)

改革茶法,听商人向园户买茶,于所在榷场纳税。

明道元年(1032年)

二月,淮南、江东民大饥。七月,许寿州立学,此后几年,舒、亳、滁、宣、颍等州也相继立学。淮南转运使徙一员治庐州。八月,整修宫城,发淮南、江东等路工匠赴京。

明道二年(1033年)

三月,刘太后死,仁宗亲政。

康定元年(1040年)

以西夏称帝,诏淮南等路括市战马。又诏淮南、江南、浙江州军造纸甲给陕西防城弓手。

庆历二年(1042年)

合肥人杨寘举进士京师,试国子监、礼部皆第一。仁宗擢为进士第一,"公卿相贺为得人"。①

庆历三年(1043年)

五月,沂州兵变,虎翼卒王伦率众攻克沂州,又攻青州,不克,转向淮南。七月,王伦在历阳(今安徽和县)被捕杀。

庆历四年(1044年)

春,江、淮以南大旱、蝗,井泉枯竭。令州县皆兴学。

庆历八年(1048年)

合肥县稻再熟实。

皇祐三年(1051年)

八月,大旱,汴河绝流,淮南、江南等路民饥。分淮南为东、西两路,扬州为东路治所,庐州为西路治所。扬、庐等州并带提辖本路兵甲贼盗公事,增屯禁兵。

嘉祐五年(1060年)

五月,诏淮西路庐州兼本路兵马钤辖,就置禁军三指挥驻泊。

---

① 《宋史》卷443《文苑传五》。

嘉祐六年(1061年)

七月,淮南、江南、两浙大水为灾,淮水坏泗州城。

嘉祐七年(1062年)

五月,政治家包拯(999—1062)去世,有《包孝肃奏议》十卷传世。

宋嘉祐八年(1063年)

三月,仁宗死。四月,太子曙即位,是为英宗。

英宗治平元年(1064年)

是年,宋、亳、颍、宿、濠、泗、庐、寿、宣等州大水。

治平四年(1067年)

正月,英宗死,子顼即位,是为神宗。

熙宁二年(1069年)

二月,创置三司条例,议行新法。七月,立江、淮、浙、湖六路均输法,凡籴买、税敛上供之物,皆就近就贱收购。九月,行青苗法。十一月,颁农田水利法。

熙宁三年(1070年)

十二月,立保甲法。

熙宁四年(1071年)

二月,罢诗赋、帖经、墨义等科,以经义、策论取士。十月,颁募役法。立太学三舍法。省诸路厢军。

熙宁五年(1072年)

八月,颁方田均税法。九月,分淮南路为东西两路、京西路为南北两路,至此,路一级划分基本稳定下来,今合肥地区属于淮南西路。

熙宁六年(1073年)

十月,江、淮、两浙民饥。

熙宁七年(1074年)

设五等丁户簿,令民申报财产,据以纳税。七月,淮南、江南旱蝗灾。

元丰四年(1081年)

二月,分东南团结诸军为十三将,淮南东路第一将,驻亳州;淮南西路第二将,驻庐州。

元丰八年(1085年)

三月,神宗死,子煦即位,是为哲宗。太皇太后高氏临朝听政,始废王安石新法。十月,罢方田均税法。

哲宗元祐元年(1086年)

罢免役法,复行差役法。

元祐二年(1087年)

是年,两淮有逃绝户475965。

元祐四年(1089年)

是年,立经义、诗赋两科,自此士子习诗赋者多,专经义者十无一二。

元祐六年(1091年)

秋,庐、濠、寿等州大水。

元祐八年(1093年)

九月,太皇太后高氏死。十月,哲宗亲政。

绍圣元年(1094年)

李清臣等倡议"绍述",即继承熙、丰年间所行新法。

元符三年(1100年)

正月,哲宗死,弟端王佶即位,是为徽宗。时议以为元祐、绍圣之政均有失误,欲以大公消释朋党之争,十一月,诏改明年元曰建中靖国。

徽宗建中靖国元年(1101年)

是岁,江、淮等路大旱。

崇宁元年(1102年)

蔡京拜相。禁元祐学术。称文彦博、司马光、吕公著等为奸党,刻其名于石。

重和元年(1118年)

是年,江、淮地区水灾。

宣和二年(1120年)

是年,淮南大旱。

宣和七年(1125年)

十二月,金使臣至开封,以割地称臣胁宋。徽宗禅位于太子桓,是为钦宗。

钦宗靖康元年(1126年)

闰十一月,金兵攻陷宋京师开封。

钦宗靖康二年、高宗建炎元年(1127年)

三月,金主张邦昌为楚帝,携徽、钦二帝北去,北宋亡。五月,康王赵构即位于南京(今河南商丘市),改元建炎,是为高宗。绩溪人胡舜陟担任庐州知州。制以庐州知州兼淮西路兵马钤辖。

建炎二年(1128年)

溃军、盗贼开始肆虐江淮。以庐州知州胡舜陟兼淮南西路安抚使。庐州成为"淮西九郡帅府","淮西九郡皆属焉"。①

建炎三年(1129年)

十月,金兵陷滁州、寿春府。十一月,金军攻庐州,知州李会出降。金军继陷无为军,自和州渡江。

建炎四年(1130年)

年初,南宋收复庐州。金将阿鲁补围攻庐州不下,随金军主帅宗弼返回北方。七月,金立刘豫为齐帝,伪齐政权建立。十一月,刘豫建元阜昌。十二月,南宋屯田于两淮,募民垦荒。

绍兴元年(1131年)

盗贼、溃兵以淮南野无所掠,陆续转向江南。十月,伪齐刘豫派遣大将王世冲渡淮南下,进攻庐州,"守臣王亨大破之,斩世冲"。②

绍兴二年(1132年)

宋在淮南大兴营田。七月,知庐州王亨收复安丰寿春县。

绍兴三年(1133年)

---

① 《舆地纪胜》卷45《淮南西路·庐州》。
② 《宋史》卷26《高宗纪三》。

二月，南宋以庐寿等州镇抚使胡舜陟为淮西安抚使、知庐州。溃兵王全率众进犯庐州，胡舜陟派人安抚，"溃兵王全与其徒来降，舜陟散财发粟，流民渐归"。①

绍兴四年（1134 年）

南宋以仇悆为淮西宣抚使、知庐州。九月，金齐联军渡淮攻宋。十月，陷濠州。十一月，陷滁州，进逼庐州。十二月，岳飞部将牛皋、徐庆援庐州，击退金兵。金军渡淮北撤，伪齐军闻讯，亦弃辎重逃走。

绍兴五年（1135 年）

正月，金太宗死，阿骨打嫡长孙完颜亶即位，是为熙宗。闰二月，宋置总制司，增税，号总制钱。

绍兴六年（1136 年）

二月，改江、淮屯田为营田。造交子三十万用于两淮，与铁钱并行。九月，刘豫签乡兵三十万，分三路攻宋：中路由寿春趋合肥，子麟率领；东路由紫荆山出涡口，犯定远，趋宣化，豫侄猊统之；西路由光州犯六安，孔彦周统之。十月，宋将杨沂中大败刘猊军于藕塘，伪齐军北归。

绍兴七年（1137 年）

八月，淮西兵变，宋将郦琼杀淮西节制吕祉，大掠庐州后举兵北投伪齐。九月，宋于合肥城北筑长堤以遏金兵，历数月始毕工。十一月，金废刘豫为蜀王。

绍兴八年（1138 年）

三月，秦桧拜右相兼枢密使。反对议和大臣相继被贬斥。是年，宋始定都杭州，称"行在"。延安人张宗颜知庐州、总帅事，金军南侵，"数百骑抵城下，宗颜以骑百余御之，敌退"。②

绍兴九年（1139 年）

正月，宋金和议成，宋向金称臣，岁贡金银绢各二十五万两、二十

---

① 《宋史》卷 378《胡舜陟传》。
② 《宋史》卷 369《张宗颜传》。

五万匹,金归还河南、陕西之地。

绍兴十一年(1141年)

正月,金兵渡淮陷寿春和庐州,游骑至无为军、和州。二月,宋军大破金军于柘皋,收复庐州。三月,宋命诸军退回到长江以南,金人亦北归。四月,宋解韩世忠、岳飞、刘光世兵权。十一月,宋金和议成,划淮为界,又割唐、邓二州给金,岁贡银、绢各二十五万两匹。

绍兴十三年(1143年)

宋在长江以南地方行"经界法",以纠正有田不纳税、无田反纳税之弊。

绍兴十八年(1148年)

夏,淮南、江南旱。

绍兴十九年(1149年)

十二月,金岐王完颜亮杀其金熙宗自立,是为海陵王,改元天德。

绍兴二十年(1150年)

四月,宋募江南、浙江、福建民耕两淮闲田。

绍兴二十一年(1151年)

六月,宋括淮南佃田所隐顷亩,以征理租税。

绍兴二十三年(1153年)

三月,金海陵王迁都燕京(今北京),改元贞元,以汴京开封府为南京。

绍兴二十六年(1156年)

募四川民佃淮南闲田,并复其租税十年。

绍兴三十年(1160年)

是年初,淮南西路尚有系官荒田四十八万余顷。

绍兴三十一年(1161年)

六月,金迁都南京(今河南开封)。九月,金主完颜亮率军大举攻宋。十月,金东都留守完颜雍自立为帝,改元大定,是为世宗。完颜亮自寿州渡淮,宋将王权弃庐州而走。宋统制官姚兴战死于尉子桥。十一月,中书舍人、参谋军事虞允文犒师采石,率诸军击退金军,取得采石大捷。完颜亮东至瓜洲,旋遭兵变被杀。宋将杨椿收复庐州。十二月,淮南金军全部北撤。是年,两淮去交子,改行会子。

绍兴三十二年(1162年)

六月,宋高宗禅位,嗣子昚(太祖裔孙)继位,是为孝宗。

孝宗隆兴二年(1164年)

十二月,宋金和议成,宋金仍以淮河为界,南宋尊金为叔父,改岁贡为岁币,各减银、绢五万两。

乾道二年(1166年)

八月,诏两淮行铁钱,铜钱毋得过江。十月,复行交子于两淮。

乾道三年(1167年)

五月,罢淮南西路、江南东路营田,募人佃种。

乾道五年(1169年)

三月,淮西安抚使郭振拓展合肥城,曰斗梁城。八月,命淮西铸小铁钱。是岁,淮西路安抚司迁回庐州。

乾道九年(1173年)

闰正月,修庐州城。是年,皖南大旱。

淳熙七年(1180年)

是年,江南、淮南旱。

淳熙八年(1181年)

是年,江南、两淮水旱相继。

淳熙十五年(1188年)

五月,两淮、徽州大水。

淳熙十六年(1189年)

正月,金世宗完颜雍去世,其孙完颜璟即位,是为章宗。二月,宋孝宗禅位于太子惇,是为光宗,改明年为绍熙元年。

光宗绍熙二年(1191年)

正月,宋命两淮行义仓法。七月,出会子百万缗,收两淮铁钱。十二月,复出会子百万缗收两淮铁钱。金罢用契丹文字,令自今女真字直译为汉字。

绍熙四年(1193年)

三月,知县赵善俊修巢县城。五月,淮西路大水。

绍熙五年(1194年)

七月,赵汝愚以太皇太后旨立太子扩,是为宁宗。是岁,淮南路和江南路水、旱。

宁宗嘉泰元年(1201年)

是年,江东、两淮旱。

开禧二年(1206年)

四月,金命仆散揆领行省于汴,分守要害。宋以邓友龙为两淮宣抚使。五月,南宋下诏伐金。八月,"诏以开封田侯琳为淮南西路安抚使兼知庐州"。① 十月,金纥石烈执中(胡沙虎)军渡淮,围楚州,攻盱眙。十一月,仆散揆军渡淮,破安丰军,攻合肥。"金人犯庐州,田琳拒退之。"② 十二月,仆散揆退屯下蔡(今安徽凤台)。是年,铁木真在漠北草原被推为成吉思汗,建立大蒙古国。

开禧三年(1207年)

十一月,南宋礼部侍郎史弥远与杨皇后合谋,杀韩侂胄向金求和。

嘉定元年(1208年)

三月,宋金嘉定和议成,改称伯侄之国,岁币银绢各三十万两疋,另给"犒军钱"银三百万两,送韩侂胄首级至金。十一月,金章宗死,其叔卫王永济立。

嘉定六年(1213年)

八月,金将纥石烈执中杀卫绍王完颜永济,立章宗兄完颜珣为帝,是为宣宗。

嘉定七年(1214年)

五月,金宣宗迁都南京(开封),宋金关系恶化。

---

① 赵绍祖:《安徽金石志》卷6《宋庐帅田侯生祠记》。
② 《宋史》卷38《宁宗纪二》。

嘉定十年（1217年）

金发行"贞祐通宝"，每贯当旧钞十贯。

嘉定十一年（1218年）

金兵在西线不得志，十一月，攻宋安丰军之黄口滩。

嘉定十二年（1219年）

闰三月，金仆散安贞军攻宋淮南，游骑至长江北岸的东采石杨林渡。宋知楚州贾涉遣李全破金军于化湖陂（在今怀远县北）。金军解淮南诸城之围退去。

嘉定十五年（1222年）

金将完颜讹可渡淮攻宋，击溃庐州兵马，旋即北去。

嘉定十六年（1223年）

十二月，金宣宗死，太子守绪即位，是为哀宗。

嘉定十七年（1224年）

正月，金遣使南宋求和，派官至光州"榜谕"更不南下。闰八月，宋宁宗死，权相史弥远拥立皇侄赵昀为帝，是为理宗。

理宗绍定六年（1233年）

正月，金哀宗南逃至归德，汴京降于蒙古。十月，史弥远死，理宗亲政。

端平元年（1234年）

正月，宋蒙联军破蔡州，金哀宗自杀，金亡。六月，南宋欲乘机收复三京，庐州知州全子才率军北上，直趋汴、洛。八月，汴、洛宋军以粮运不继引还。

端平二年（1235年）

正月，宋遣使与蒙古通好。蒙军继续从中、西两线攻宋。

端平三年（1236年）

蒙军攻淮西诸州，大掠而去。

嘉熙元年（1237年）

冬，蒙军南下攻光州、庐州，又攻安丰军，宋将吕文德、杜杲力战，蒙古军乃退。

嘉熙二年(1238年)

蒙古都元帅察罕、保州万户张柔统领河南蒙古、汉军,号称八十万,猛攻庐州,南宋知安丰军杜杲击退之。秋,蒙古军再次进攻寿、泗、庐、滁等州,大掠而还。

淳祐元年(1241年)

十一月,蒙古军攻安丰军,被宋淮东提刑余玠击退。

淳熙三年(1243年)

宋命侍卫马军副都指挥使吕文德总统两淮军马,捍御边陲。

淳祐五年(1245年)

吕文德击败蒙古军,收复五河。蒙古将察罕与张柔掠淮西,至扬州而去。

淳祐六年(1246年)

蒙古贵族推窝阔台汗长子贵由为大汗。

开庆元年(1259年)

蒙古军从中西两路向宋进攻。七月,蒙哥汗死于合州(今重庆合川)城下。闰十一月,忽必烈闻蒙哥死,拖雷幼子阿里不哥争汗位,从鄂州退兵北归。

景定元年(1260年)

三月,忽必烈即位于开平,五月,定年号中统,蒙古始用年号。六月,宋升巢县为镇巢军。

景定二年(1261年)

十月,蒙古军掠地淮西。

景定五年(1264年)

丞相贾似道推行经界推排法,史称"江南地尺寸都有税"。发行"金银现钱关子",一贯抵十八界会子三贯,物价益贵。八月,蒙古定都燕京,曰中都,改元至元(1264—1294)。十月,宋理宗死,太子禥即位,是为度宗。

度宗咸淳元年(1265年)

八月,蒙古元帅阿术率大军南侵至庐州及安庆府,大败宋军。

咸淳四年(1268年)

八月,亳州大水。是年,蒙古始于河南等路置行省,准备进攻南宋重镇襄阳。

咸淳七年(1271年)

六月,宋筑五河城毕,赐号安淮军。十一月,忽必烈用刘秉忠议,取《易》"大哉乾元"之意,改国号为大元,是为元世祖。

咸淳八年(1272年)

正月,元军攻占襄阳,守将吕文焕投降,通往长江中游道路打开。十一月,元改中都曰大都。

咸淳十年(1274年)

六月,元世祖下诏攻宋,以伯颜为元帅。七月,宋度宗死,子显即位,年四岁,是为恭帝。十二月,元将吕文焕招降宋沿江各地旧部。

德祐元年(1275年)

正月,南宋丞相贾似道至芜湖江上督师。二月,贾似道军溃鲁港,宋长江防线彻底崩溃。宁国府、和州、无为军、太平州皆降元。三月,建康府、镇江府、广德军、滁州降元。是年,元籍宋盐徒六千人开芍陂屯田。

德祐二年、帝昰景炎元年(1276年)

正月,南宋奉表投降。二月,淮西制置使夏贵降元,庐州归附元朝。五月,益王昰在福州即帝位,时年九岁,改元景炎,是为端宗。

宋帝昺祥兴元年、元至元十五年(1278年)

四月,宋帝昰死,陆秀夫等立卫王昺,时年八岁。五月,改元祥兴。

元世祖至元十六年、宋帝昺祥兴二年(1279年)

二月,宋元崖山决战,宋军大败,陆秀夫负幼帝投海死,宋亡。

元(1271—1368)

至元十三年(1276年)

正月,元军攻占临安,南宋谢太后、宋恭帝投降。二月,淮西制置使夏贵投降,元朝以万户昂吉儿镇守庐州,以夏贵为淮西宣抚使。置庐州总管万户府,以中书右丞、河南等路宣慰使合剌合孙、襄阳管军万户邸浃并行府事。置淮西路宣慰司于庐州,以信阳万户、河西人昂吉儿为淮西宣慰使,控制淮西道各府州。十二月,废除南宋苛税,其田租"从实办之"①,只征夏税。

至元十四年(1277年)

设庐州路总管府以治民,万户府以治军,隶属淮西道宣慰司。升无为军为路,领无为、庐江及镇巢府。置淮西江北道廉访司于庐州。

至元十六年(1279年)

正月,南宋亡。置淮东西屯田打捕总管府,隶属宣徽院,下设安丰庐州、镇巢等十九所提举司。

至元十七年(1280年)

元朝以淮西地区荒地极多,"募民愿耕者种之,且免其租三年";②置庐州榷茶提举司,隶属江州榷茶都转运司。十二月,宣慰使昂吉儿又向朝廷奏请以军士屯田。

至元二十三年(1286年)

二月,降镇巢府为巢州。

至元二十五年(1288年)

淮西道宣慰司同知罗璧"请两淮荒闲之田给贫民耕垦,三年而后

---

① 《元史》卷9《世祖纪六》。
② 《元史》卷11《世祖纪八》。

量收其入",得朝廷允准,"岁得粟数十万斛"。

至元二十六年(1289年)

元朝检括江南户口,编制户籍。庐州路同知马煦令民申呈户口、田产,民不扰而事集。庐州路"户三万一千七百四十六,口二十二万九千四百五十七"①。淮东西屯田打捕总管府所属十九所提举司,省并为两淮、安丰庐州、镇巢等十二所。

至元二十八年(1291年)

正月,"降无为、和州二路、六安军为州,巢州为县,入无为,并隶庐州路"②。无为州领无为、庐江、巢县等三县。降六安州为县,隶属庐州路。后复升为六安州,领六安、英山二县。二月,改各道提刑按察司为肃政廉访司,仍设官八员。

至元三十一年(1294年)

正月,元世祖去世。四月,皇孙铁穆耳即位,是为成宗。

成宗元贞元年(1295年)

九月,平江、庐州等路大水。

元贞二年(1296年)

五月,扬、庐、岳、澧四郡水。六月,庐州等路蝗灾。

大德元年(1297年)

增两淮屯田军为二万人。历阳、合肥、梁县及安丰等地旱灾。

大德二年(1298年)

五月,淮西诸郡饥,漕江西米二十万以备赈贷。

大德三年(1299年)

二月,罢淮西宣慰司,改设淮东淮西宣慰司。十月,扬、庐、随、黄等州旱。

大德八年(1304年)

罢庐州路榷茶提举司。

---

① 《元史》卷59《地理志二》。
② 《元史》卷16《世祖纪十三》。

仁宗皇庆二年(1313年)

七月,改淮东淮西道宣慰司为淮东宣慰司,庐州直隶于河南行省。颁《科举诏》,规定经书用程朱传注,蒙古、色目与汉人、南人分别命题,左右两榜公布。

延祐五年(1318年)

四月,庐州路合肥、庐江县水灾。

延祐七年(1320年)

四月,两浙、江东、江西、湖南、湖北、两淮、荆湖等处税粮,"一斗上添答二升"。① 四月,安丰、庐州淮水溢,损禾麦一万顷。

英宗至治三年(1323年)

颁行《大元通制》。八月,英宗遇弑于南坡。九月,泰定帝在漠北即位。

泰定帝泰定三年(1326年)

五月,庐州路旱。九月,庐州、怀庆二路蝗。

天历元年(1328年)

七月,泰定帝病死于上都。八月,签书枢密院事、钦察人燕帖木儿在大都发动兵变,立武宗之子图帖木儿为帝,改元天历。两都之战爆发。十月,大都军攻占上都。

文宗天历二年(1329年)

二月,合肥县地震。四月,镇南王帖木儿不花改封宣让王,镇守庐州。

至顺元年(1330年)

庐州饥荒。

顺帝元统元年(1333年)

二月,合肥人余阙登右榜第二名进士。淮东、淮西旱灾。十月,封撒敦为荣王,食邑庐州。两淮大饥。

后至元元年(1335年)

---

① 《元典章》卷24《户部十·租税·科添二分税粮》。

十二月,拨庐州、饶州牧地一百顷,赐镇南王脱欢之孙、宣让王帖木儿不花。安庆路地震,所属宿松、太湖、潜山三县同时俱震。庐州、蕲州、黄州亦如之。

后至元四年(1338年)

彭莹玉与门徒周子旺在袁州举行起义,失败后逃往江淮地区,继续宣传白莲教,提出"弥勒佛下生,当为世主"①。

至正五年(1345年)

五月,庐州张顺兴出米五百余石赈饥,旌其门。

至正十一年(1351年)

五月,刘福通起兵于颍上,攻占颍州(今安徽阜阳),红巾起义爆发。八月,彭莹玉徒弟、麻城铁工邹普胜与罗田布贩徐寿辉等起兵于蕲水,十月,徐寿辉称帝,建立天完政权。次年,江淮白莲教徒举兵响应。

至正十二年(1352年)

闰三月,"立淮南江北等处行中书省,治扬州,辖扬州、高邮、淮安、滁州、和州、庐州、安丰、安庆、蕲州、黄州",②庐州路隶属淮南行省。六月,复置淮西宣慰司,庐州隶属淮西宣慰司。是年,庐州左君弼聚众数千人,隶属天完政权。

至正十三年(1353年)

二月,淮西廉访司佥事马世德主持重修合肥城墙。九月,合肥城完工,城周围长四千七百又六尺(约合26里),设有七城门,其中东、南、西各有左右二门相对,东有威武门、时雍门,西有西平门、水西门,南有南薰门、德胜门,北有拱辰门,城墙上设警卫庐舍,城门口配有守城高台战具,城外有护城河。

至正十五年(1355年)

巢湖水师赵普胜图谋朱元璋失败,投奔天完政权;俞通海、廖永

---

① 《明太祖实录》卷8,庚子年五月。
② 《元史》卷42《顺帝纪五》。

忠等率军投奔朱元璋。左君弼也顺利攻占庐州。天完政权在庐州设置汴梁行省,以左君弼为行省首脑,负责淮南地区军政。

至正十八年(1358年)

正月,天完红巾攻破安庆,淮南行省左丞余阙举家死,有著作《青阳先生文集》四卷。《元史》称,"自兵兴以来,死节之臣阙与褚不华为第一"。①

至正二十三年(1263年)

二月,张士诚部将吕珍围攻刘福通于安丰,被朱元璋打败。左君弼援救吕珍,被朱元璋打败,退回庐州。

至正二十四年(1364年)

四月,朱元璋派遣徐达、常遇春率军进攻庐州。左君弼闻讯,逃往安丰,投奔元将竹昌,令其部将张焕、殷从道坚守庐州。七月,朱元璋攻占庐州,掳左君弼母亲、妻子及儿女,送往金陵。

至正二十八年(1368年)

二月,左君弼投降明军。七月,明军逼近大都,元顺帝出逃。八月一日,明军占领大都,改为北平府。元朝灭亡。

---

① 《元史》卷143《余阙传》。

参考文献

一、征引文献

魏征.隋书[M].北京:中华书局,1973.

李延寿.北史[M].北京:中华书局,1974.

欧阳修.新唐书[M].北京:中华书局,1975.

刘昫.旧唐书[M].北京:中华书局,1975.

司马光.资治通鉴[M].北京:中华书局,1956.

李林甫.唐六典[M].北京:中华书局,1992.

吴兢.贞观政要[M].北京:上海古籍出版社,1978.

欧阳修.新五代史[M].北京:中华书局,1975.

薛居正.旧五代史[M].北京:中华书局,1976.

李吉甫.元和郡县志[M].北京:中华书局,1983.

杜佑.通典[M].北京:中华书局,2003.

宋敏求.唐大诏令集[M].北京:中华书局,2008.

王溥.唐会要[M].上海:上海古籍出版社,2006.

王溥.五代会要[M].上海:上海古籍出版社,2004.

范祖禹.唐鉴[M].北京:中华书局,2008.

李白.李太白全集[M].北京:中华书局,1977.

陆贽.陆宣公文集[M].北京:北京图书馆出版社,2004.

韩愈.韩昌黎文集[M].上海:上海古籍出版社,1986.

柳宗元.柳宗元集[M].北京:中华书局,1979.

白居易.白氏长庆集[M].上海:上海古籍出版社,1978.

杜牧.樊川文集[M].上海:上海古籍出版社,1978。

董诰.全唐文[M].北京:中华书局,1983.

陈尚君.全唐文补编[M].北京:中华书局,2005.

彭定求.全唐诗[M].北京:中华书局,中华书局,1999.

辛文房撰,傅璇琮校笺.唐才子传校笺[M].北京:中华书局,1987.

徐松.登科记考[M].北京:中华书局,1984.

徐松.登科记考补正[M].北京:北京燕山出版社,2003.

高彦休.唐阙史[M].北京:丛书集成本.

王定保撰,姜汉椿校.唐摭言校注[M].上海:上海社会科学院出版社,2003.

周绍良.唐代墓志汇编[M].北京:中华书局,1992.

周绍良,赵超.唐代墓志汇编续集[M].上海:上海古籍出版社,2001.

陆羽.茶经[M].北京:华夏出版社,2006.

路振.九国志[M].万有文库本.

佚名.五国故事[M].四库全书本.

吴任臣.十国春秋[M].北京:中华书局,1983.

吴淑.江淮异人录[M].上海:上海古籍出版社,2001.

钱俨.吴越备史[M].丛书集成续编本.

佚名.吴越备史补遗[M].扬州:广陵古籍刻印社,1985.

陈彭年.江南别录[M].四库全书本.

陶谷.清异录[M].上海:上海古籍出版社,宋元笔记小说大观本,2001.

郑文宝.南唐近事[M].四库全书本.

马令,陆游.南唐书(两种)[M].南京:南京出版社,2007.

孙光宪.北梦琐言[M].北京:中华书局,2002.

释文莹.玉壶清话[M].扬州:广陵古籍刻印社,1983.

郑文宝.江表志[M].四库全书本.

龙衮.江南野史[M].四库全书本.

陶岳.五代史补[M].四库全书本.

尹洙.五代春秋[M].四库全书本.

王禹偁.五代史阙文[M].四库全书本.

王仁裕.玉堂闲话[M].四库全书本.

文莹.玉壶清话[M].北京:中华书局,1989.

傅璇琮,徐海荣,徐吉军.五代史书汇编[M].杭州:杭州出版社,2004.

唐五代笔记小说大观[M].上海:上海古籍出版社,2000.

李调元.全五代诗[M].成都:巴蜀书社,1992.

王士慎.五代诗话[M].北京:人民文学出版社,1989.

计有功.唐诗纪事[M].上海:上海古籍出版社,1987.

脱脱.宋史[M].北京:中华书局,1977.

王钦若.册府元龟[M].北京:中华书局,1966.

脱脱.辽史[M].北京:中华书局,1974.

脱脱.金史[M].北京:中华书局,1975.

李焘.续资治通鉴长编[M].北京:中华书局,1979.

毕沅.续资治通鉴[M].北京:中华书局,1957.

徐松.宋会要辑稿[M].北京:中华书局,1957.

李攸.宋朝事实[M].北京:中华书局,1955.

宋绶.宋大诏令集[M].北京:中华书局,1962.

马端临.文献通考[M].杭州:浙江古籍出版社,2000.

李心传.建炎以来系年要录[M].北京:中华书局,1988.

李心传.建炎以来朝野杂记 M].北京:中华书局,2000.

李心传.旧闻证误[M].北京:中华书局,1989.

熊克.中兴小记[M].丛书集成初编本.

王称.东都事略[M].济南:齐鲁书社,2000.

徐梦莘.三朝北盟会编[M].上海:上海古籍出版社,2008.

吕祖谦.历代制度详说[M].杭州：浙江古籍出版社,《吕祖谦全集》本,2008.

孙逢吉.职官分纪[M].北京：中华书局,1988.

陈邦瞻.宋史纪事本末[M].北京：中华书局,1977.

陆心源.宋史翼[M].北京：中华书局,1991.

窦仪.宋刑统[M].北京：中华书局,1984.

李昉.太平广记[M].北京：中华书局,1961.

李昉.太平御览[M].北京：中华书局,1960.

乐史.太平寰宇记[M].北京：中华书局,2007.

欧阳忞.舆地纪胜[M].北京：中华书局,1992.

祝穆.方舆胜览[M].北京：中华书局,2003.

李觏.李觏集[M].北京：中华书局,1981.

王安石.临川先生文集[M].北京：中华书局,1959.

佚名.宋史全文[M].哈尔滨：黑龙江人民出版社,2005.

欧阳修.欧阳修全集[M].北京：中华书局,2001.

包拯.包拯集校注[M].合肥：黄山书社,1999.

郑兴裔.郑忠肃奏议遗集[M].四库全书本.

沈括.长兴集[M].上海：上海书店,1986.

叶适.叶适集[M].北京：中华书局,1961.

赵鼎.忠正德文集[M].四库全书本.

韩元吉.南涧甲乙稿[M].丛书集成本.

刘克庄.后村先生大全集[M].北京：北京图书馆出版社,2004.

王之道.相山集[M].四库全书本.

汪藻.浮溪集[M].四部丛刊初编本.

蔡戡.定斋集[M].四库全书本。

魏了翁.鹤山集[M].丛书集成初编本.

薛季宣.浪语集[M].北京：上海社会科学院出版社,2003.

虞俦.尊白堂集[M].永乐大典本.

宋祁.宋景文集[M].成都：巴蜀书社,1990.

叶梦得.石林奏议[M].北京:中华书局,1989.

朱熹.朱子语类[M].北京:中华书局,1986.

周必大.周益国文忠公集[M].四库全书本.

魏了翁.鹤山先生大全集[M].四库全书本.

章如愚.群书考索[M].四库全书本.

司马光.涑水纪闻[M].北京:中华书局,1989.

沈括.梦溪笔谈[M].北京:中华书局,1989.

魏泰.东轩笔录[M].北京:中华书局,1989.

刘攽.彭城集[M].上海:商务印书馆,1937.

庄绰.鸡肋编[M].北京:国家图书馆出版社,2009.

王栐.燕翼诒谋录[M].北京:中华书局,1989.

洪迈.夷坚志[M].北京:中华书局,2006.

孟元老.东京梦华录[M].北京:中华书局,1989.

陆游.老学庵笔记[M].中华书局,1989.

程俱.麟台故事[M].北京:中华书局,1989.

叶梦得.石林燕语[M].北京:中华书局,1989.

洪迈.容斋随笔[M].北京:中华书局,1989.

岳珂.金佗粹编[M].北京:中华书局,1989.

文莹.玉壶清话[M].南京:凤凰出版社,2009.

邵伯温.邵氏闻见录[M].北京:中华书局,1989.

周密.齐东野语[M].北京:中华书局,1985.

张君房.云笈七签[M].北京:中华书局,2003.

吴曾.能改斋漫录[M].上海:上海古籍出版社,1979.

章如愚.群书考索[M].上海:上海古籍出版社,2006.

谢维新.古今合璧事类[M].上海:上海古籍出版社,1992.

傅璇琮,徐海荣,徐吉军.宋元笔记小说大观[M].上海:上海古籍出版社,2007.

王应麟.玉海[M].扬州:广陵书社,2007.

宣和画谱[M].长沙:湖南美术出版社,1999.

王夫之.宋论[M].北京:中华书局,1964.

曾枣庄,刘琳.全宋文》[M].成都:巴蜀书社;上海:上海辞书出版社;合肥:黄山书社,1988—2005.

厉锷.宋诗纪事[M].上海:上海古籍出版社,1983.

傅璇宗.全宋诗[M].北京:北京大学出版社,1998.

脱脱.元史[M].北京:中华书局,1977.

苏天爵.国朝文类[M].四部丛刊初编本.

佚名.大元圣政国朝典章[M].台北:台北故宫博物院景印元刊本,1976.

佚名.宪台通纪[M].杭州:浙江古籍出版社,2002.

赵万里辑.元一统志[M].北京:中华书局,1966.

佚名.通制条格[M].杭州:浙江古籍出版社,1986.

佚名.庙学典礼[M].杭州:浙江古籍出版社,1991.

陈邦瞻.元史纪事本末[M].北京:中华书局,1979.

权衡撰,任崇岳笺证.庚申外史笺证[M].郑州:中州古籍出版社,1991.

钱谦益.国初群雄事略[M].北京:中华书局,1982.

佚名.庙学典礼[M].杭州:浙江古籍出版社,1992.

志磐.佛祖统纪[M].上海:上海古籍出版社,2012.

明太祖实录.台北:中研院历史语言研究所,1962.

陶宗仪.南村辍耕录[M].北京:中华书局,1958.

陈元靓.事林广记[M].北京:中华书局,1999.

耶律楚材.湛然居士文集[M].北京:中华书局,1986.

郝经.陵川集[M].乾隆三年凤台王氏刻本.

许衡.许文正公遗书[M].乾隆五十五年怀庆堂刻本.

胡祗遹.紫山大全集[M].三怡堂丛书本.

王恽.秋涧先生大全集[M].四部丛刊初编本.

姚燧.牧庵集[M].四部丛刊初编本.

程钜夫.雪楼集[M].宣统庚戌刊本.

参考文献

吴澄.吴文正公集[M].乾隆五十一年刻本.

揭傒斯.揭傒斯全集[M].上海：上海古籍出版社，1985.

虞集.道园学古录[M].四部丛刊初编本.

危素.危太朴文集[M].台北：新文丰出版公司，元人文集珍本丛刊，1985.

苏伯衡.苏平仲集[M].扬州：广陵古籍刻印社，1983.

刘基.诚意伯文集[M].四库全书本.

郑玉.师山集[M].四库全书本.

元好问.遗山集[M].四部丛刊初编本.

赵孟頫.松雪斋文集[M].四部丛刊初编本.

黄溍.金华黄先生文集[M].四部丛刊初编本.

王恽.秋涧先生大全集[M].四部丛刊初编本.

张养浩.归田类稿[M].北京：商务印书馆，1986.

许有壬.至正集[M].三怡堂丛书本.

刘埙.水云村泯稿[M].四库全书本.

苏天爵.滋溪文稿[M].北京：中华书局，1997.

马祖常.石田先生文集[M].北京图书馆出版社，2006.

余阙.青阳集[M].四部丛刊本.

戴良.雁门集[M].上海：上海古籍出版社，1982.

安熙.安默庵集[M].丛书集成初编本.

杨翮.佩玉斋类稿[M].四库珍本初集.

叶子奇.草木子[M].北京：中华书局，1959.

王祯.农书[M].北京：国家图书馆出版社，2013.

农桑辑要.上海：上海图书馆影印出版，1979.

李修生.全元文[M].南京：凤凰出版社，1996－2005.

顾嗣立.元诗选[M].北京：中华书局，1987.

赵绍祖.安徽金石略[M].合肥：黄山书社，2011.

王昶.金石萃编[M].续修四库全书本.

陈长安.隋唐五代墓志汇编[M].天津：天津古籍出版社，2009.

河南省文物研究所、河南省洛阳地区文管所编.千唐志斋藏志[M].北京:文物出版社,1984.

吴钢.全唐文补遗[M].西安:三秦出版社,2006.

周阿根.五代墓志汇考[M].合肥:黄山书社,2012.

赵君平.邙洛碑志三百种[M].北京:中华书局,2004.

赵君平,赵文成.河洛墓刻拾零[M].北京:北京图书馆出版社,2007.

洛阳市文物工作队.洛阳出土历代墓志辑绳[M].北京:中国社会科学出版社,1991.

中国文物研究所,北京石刻艺术博物馆编.新中国出土墓志[M].北京:文物出版社,2003.

国家图书馆善本金石组.隋唐五代石刻文献全编[M].北京:北京图书馆出版社,2003年。

河南省文物研究所,河南省洛阳地区文管处.千唐志斋藏志[M].北京:文物出版社,1984.

杨作龙、赵水森.洛阳新出土墓志释录[M].北京:北京图书馆出版社,2004.

李贤.大明一统志[M].西安:三秦出版社,1990.

穆彰阿.嘉庆重修一统志[M].北京:中华书局,1986.

赵宏恩.江南通志[M].四库全书本.

李振庸.光绪重修安徽通志[M].续修四库全书本.

何乔远.名山藏[M].福州:福建人民出版社,2010.

中国地方志集成·安徽府县志辑[M].南京:江苏古籍出版社,1998.

张祥云.嘉庆庐州府志[M].南京:江苏古籍出版社,1998.

黄云.光绪续修庐州府志[M].南京:江苏古籍出版社,1998.

张铉.至大金陵新志[M].宋元方志丛刊本.南京:中华书局,1990.

顾浩,吴元庆.嘉庆无为州志[M].合肥:黄山书社,2011.

季昌清.池州地区志[M].北京:方志出版社,1996.

左辅.嘉庆合肥县志[M].合肥:黄山书社,2006.
吴宾彦,王方歧.康熙庐江县志[M].合肥:黄山书社,2008.
陆龙腾.巢县志[M].合肥:黄山书社,2007.
陈诗.冶父山志[M].合肥:黄山书社,2008.
俞希鲁.至顺镇江志[M].南京:江苏古籍出版社,1999.
程敏政.新安文献志[M].合肥:黄山书社,2004.
顾祖禹.读史方舆纪要[M].合肥:中华书局,1955.
顾炎武.天下郡国利病书[M].北京:中华书局,1955.
王夫之.读通鉴论[M].中华书局,1978.
纪昀.四库全书总目[M].北京:中华书局,1964.
赵翼.廿二史札记[M].北京:中华书局,1984.
钱大昕.廿二史考异[M].上海:上海古籍出版社,2004.
钱大昕.十驾斋养新录[M].南京:江苏古籍出版社,2000.
张金吾.爱日精庐藏书志[M].北京:中华书局,2011.

二、参考著作

文物出版社.新中国考古五十年[M].北京:文物出版社,1999.
汪籛.汪籛隋唐史论稿[C].北京:中国社会科学出版社,1981.
岑仲勉.唐人行第录[M].北京:中华书局,1962.
严耕望.唐仆尚丞郎表[M].北京:中华书局,1986.
傅璇琮.唐代诗人丛考[M].北京:中华书局,1980.
钱穆.国史大纲[M].北京:商务印书馆,1994.
陈登原.国史旧闻[M].北京:中华书局,1980.
翁俊雄.唐后期政区与人口[M].北京:首都师范大学出版社,1999.
翁俊雄.唐代区域经济研究[M].北京:首都师范大学出版社,2001.
梁方仲.中国历代户口、田地、田赋统计[M].上海:上海人民出版社,1980.

谭其骧.中国历史地图集[M].北京:中国地图出版社,1982.

周振鹤.中国历代行政区划的变迁[M].北京:商务印书馆,1998.

陈仲安,王素.汉唐职官制度研究[M].北京:中华书局,1993.

张泽咸.隋唐五代赋役史草[M].北京:中华书局,1986.

韩国磐.隋唐五代史纲[M].北京:人民出版社,1979.

王永兴.隋唐五代经济史料汇编校注[M].北京:中华书局,1987.

李孝聪.唐代地域结构与运作空间[M].上海:上海辞书出版社,2003.

何汝泉.唐代转运使初探[M].重庆:西南师范大学出版社,1987.

郁贤皓.唐刺史考全编[M].合肥:安徽大学出版社,2000.

陈明光.唐代财政史新编[M].北京:中国财政经济出版社,1991.

张国刚.唐代藩镇研究[M].长沙:湖南教育出版社,1988.

张国刚.唐代官制[M].西安:三秦出版社,1988.

石云涛.唐代幕府制度研究[M].北京:中国社会科学出版社,2003.

李健超.增订唐两京城坊考[M].西安:三秦出版社,1996.

戴伟华.唐方镇文职僚佐考[M].西安:陕西师范大学出版社,2007.

李锦绣.唐代财政史稿(上、下)[M].北京:北京大学出版社,1995/2000.

李锦绣.唐代制度史略论稿[M].北京:中国政法大学出版社,1998.

任士英.唐代玄宗肃宗之际的中枢政局[M].北京:社会科学文献出版社,2003.

宋大川.唐代教育体制研究[M].太原:山西教育出版社,1998.

程千帆.唐代进士行卷与文学[M].上海:上海古籍出版社,1980.

吴宗国.唐代科举制度研究[M].沈阳:辽宁大学出版社,1997.

安旗.李白全集编年注释[M].成都:巴蜀书社,1990.

卿希泰,唐大潮.道教史[M].南京:江苏人民出版社,2006.

王永平.道教与唐代社会[M].北京:首都师范大学出版社,2002.

张轼.佛教与安徽:安徽佛教史略[M].合肥:安徽新闻出版社,1997.

张国刚.佛学与隋唐社会[M].石家庄:河北人民出版社,2002.

张弓.汉唐佛寺文化史[M].北京:中国社会科学出版社,1997.

陶敏.全唐诗人名考证[M].西安:陕西人民教育出版社,1996.

吴在庆.唐五代文史丛考·登科年考[M].南昌:江西人民出版社,1995.

阎文儒.唐代贡举制度[M].太原:山西人民出版社,1989.

崔瑞德.剑桥中国隋唐史[M].北京:中国社会科学出版社,1990.

朱玉龙.五代十国方镇年表[M].北京:中华书局,1997.

安徽历史名人词典[M].合肥:安徽教育出版社,2008.

陈祖槼,朱自振.中国茶叶历史资料选辑[M].北京:农业出版社,1981.

朱自振.中国茶叶历史资料续辑[M].南京:东南大学出版社,1991.

吴觉农.中国地方志茶叶历史资料选辑[M].北京:农业出版社,1989.

陈国灿.唐代的经济社会[M].台北:文津出版社,1999.

陈仲安,王素.汉唐职官制度研究[M].北京:中华书局,1993.

陈志坚.唐代州郡制度研究[M].上海:上海古籍出版社,2005.

李孝聪.唐代地域结构和运作空间[M].上海:上海辞书出版社,2003.

魏明孔.隋唐手工业研究[M].兰州:甘肃人民出版社,1999.

郑学檬.五代十国史研究[M].上海:上海人民出版社,1991.

杜文玉.五代十国制度研究[M].北京:人民出版社,2006.

任爽.五代典制考[M].北京:中华书局,2007.

任爽.十国典制考[M].北京:中华书局,2004.

杜文玉.南唐史略[M].西安:陕西人民教育出版社,2001.

任爽.南唐史[M].长春:东北师大出版社,1995.

邹劲风.南唐国史[M].南京:南京大学出版社,2000.

周怀宇,王光照.安徽通史·隋唐五代卷[M].合肥:安徽人民出版社.

周振鹤.中国人口通史(第二卷)[M].上海:复旦大学出版社,2000.

吴松弟.中国人口通史(第三卷)[M].上海:复旦大学出版社,2000.

冻国栋.中国人口史·隋唐五代时期[M].上海:复旦大学出版社,2002.

中国硅酸盐学会编.中国陶瓷史[M].北京:文物出版社,1982.

陶懋炳.五代史略[M].北京:人民出版社,1985.

周宝珠,陈振.简明宋史[M].北京:人民出版社,1985.

张其凡.宋代史[M].澳门:澳亚周刊出版有限公司,2004.

吴天墀.西夏史稿[M].成都:四川人民出版社,1983.

张博泉.金史简编[M].沈阳:辽宁人民出版社,1984.

邓广铭.邓广铭治史丛稿[C].北京:北京大学出版社,1997.

陈寅恪.金明馆丛稿二编[C].上海:上海古籍出版社,1980.

聂崇岐.宋史丛考[C].北京:中华书局,1980.

夏承焘.姜白石编年笺校[M].上海:上海古籍出版社,1981.

朱玉龙,陈瑞.安徽通史·宋元卷[M].合肥:安徽人民出版社,2011.

华山.宋史论集[C].济南:齐鲁书社,1982.

漆侠.宋代经济史[M].上海:上海人民出版社,1988.

陈振.中国通史(第七卷)[M].上海:上海人民出版社,1997.

漆侠.王安石变法[M].上海:上海人民出版社,1979.

胡昭曦.宋蒙(元)关系史[M].成都:四川大学出版社,1992.

张希清.澶渊之盟新论[C].上海:上海人民出版社,2007.

汪汉卿.包拯法律思想与实践[M].合肥:安徽大学出版社,2000.
邓广铭.岳飞传[M].北京:人民出版社,1983.
吕昌宪.宋代安抚使考[M].北京:中华书局,1986.
吴廷燮.北宋经抚年表·南宋制抚表[M].北京:中华书局,1984.
何忠礼.宋代政治史[M].杭州:浙江大学出版社,2007.
李华瑞.王安石变法史研究[M].北京:人民出版社,2004.
何忠礼,赵吉军.南宋史稿[M].杭州:杭州大学出版,1999.
陈植锷.北宋文化史述论[M].北京:中国社会科学出版社,1992.
张家驹.两宋经济重心的南移[M].武汉:湖北人民出版社,1957.
朱瑞熙.宋代社会研究[M].郑州:中州书画社,1983.
邓小南.祖宗之法——北宋前期政治述略[M].北京:三联书店,2006.
邓广铭.两宋政治经济问题[M].北京:知识出版社,1988.
王曾瑜.宋朝阶级结构[M].石家庄:河北教育出版社,1996.
傅璇琮.宋登科记考[M].南京:江苏教育出版社,2009.
漆侠.宋学的发展和演变[M].石家庄:河北人民出版社,2002.
韩儒林.元朝史[M].北京:人民出版社,1986.
周良霄.元代史[M].上海:上海人民出版社,1993.
陈得芝.中国通史(第八卷)[M].上海:上海人民出版社,1997.
邱树森.元朝简史[M].福州:福建人民出版社,1999.
邱树森.元代文化史探微[M].广州:南方出版社,2001.
陈高华.中国政治制度史(第八卷)[M].北京:人民出版社,1993.
陈高华.中国经济通史·元代经济卷[M].北京:经济日报出版社,2000.
张金铣.中国政治通史(第七卷)[M].济南:泰山出版社,2003.
邓绍基.元代文学史[M].北京:人民文学出版社,1991.
史卫民.元代社会经济史[M].北京:中国社会科学出版社,1996.
李干.元代社会经济史稿[M].武汉:湖北人民出版社,1986.
陈世松.蒙元战争史[M].成都:四川社会科学出版社,1988.

李治安.元代分封制度研究[M].天津：天津古籍出版社,1992.

李治安.行省制度研究[M].天津：南开大学出版社,2000.

蒙思明.元代社会阶级制度[M].北京：中华书局,1980.

萧启庆.元史新探[M].台北：新文丰出版社,1983.

萧启庆.元史新论[M].台北：允晨文化实业股份有限公司,1999.

陈高华.元史研究论稿[M].北京：中华书局,1991.

陈得芝.蒙元史研究丛稿[C].北京：人民出版社,2005.

南京大学元史研究室.元史论集[C].北京：人民出版社,1984.

李治安.忽必烈传[M].北京：人民出版社,2004.

张金铣.元代地方行政制度研究[M].合肥：安徽大学出版社,2001.

徐梓.元代书院研究[M].北京：中国社会科学出版社,2000.

吴宏岐.元代农业地理[M].西安：西安地图出版社,1997.

马茂堂.安徽航运史[M].合肥：安徽人民出版社,1991.

杨国宜.安徽古战场[M].合肥：安徽教育出版社,1982.

合肥市政协.合肥史话[M].合肥：黄山书社,1985.

项有彬,董善涵.庐州胜貌[M].合肥：安徽人民出版社,1983.

合肥市地方志编纂委员会编.合肥市志（四册）[M].合肥：安徽人民出版社,1990.

巢湖志编纂委员会.巢湖志[M].合肥：黄山书社,1989.

巢湖市地方志编纂委员会.巢湖市志[M].合肥：黄山书社,1992.

欧阳发.巢湖史话[M].合肥：安徽人民出版社,1997.

李道龙.肥东县志[M].合肥：安徽人民出版社,1990.

庐江县地方志编纂委员会.庐江县志[M].北京：社会科学文献出版社,1993.

肥西县地方志编纂委员会.肥西县志[M].合肥：黄山书社,1994.

长丰县地方志编纂委员会.长丰县志[M].合肥：安徽人民出版社,1991.

合肥市郊区地方志编纂委员会.合肥郊区志[M].北京：中国城市

出版社,1991.

三、参考论文

冻国栋.隋代人口的若干问题管见[J].魏晋南北朝隋唐史资料(第9—10辑),1990.

李德清.隋代户口的几个问题[J].学术月刊,1982(10).

洪廷彦.对隋书地理志所记南北户数的初步分析[J].中国史研究,1987(3).

王光照.隋末安徽农民起义简论[J].安徽史学,2007(5).

胡悦谦.寿州瓷窑址调查记略[J].文物,1961(12).

王业友.合肥出土寿州窑早期产品[J].文物,1984(9).

安徽省展览,博物馆.合肥西郊隋墓[J].考古,1976(2).

安徽省博物馆.合肥隋开皇三年张静墓[J].文物,1988(1).

徐集.安徽古代畜牧业发展初探[J].安徽农业古今,1987(2).

胡悦谦.寿州瓷窑址调查记略[J].文物,1961(12).

文立中.寿州窑瓷器分期[J].文物研究(11).古陶瓷研究.

徐孝忠.浅识寿州窑[J].古陶瓷研究,文物研究(11).

杨国宜.从"合肥"到肥合——沟通江淮的水道[J].安徽史学通讯,1959(3).

夏腾.合肥出土的寿州窑瓷器雅析[J].文物鉴定与鉴赏,2011(10).

李南蓉.合肥史话[J].安徽大学学报,1978(3).

陈勇.唐后期的人口南迁与长江下游的经济发展[J].华东师范大学学报,1996(5).

吴松弟.唐后期五代江南地区的北方移民[J].中国历史地理论丛,1996(3).

盛险峰.财政南方化与天宝后唐代江淮经济[J].社会科学战线,2012(2).

幺振华.唐代因灾移民政策简论[J].兰州学刊,2010(9).

林志华.唐代江淮地区经济地位刍议[J].安徽大学学报,1986(3).

宓三能.说唐代经过庐州的二京路[J].中国历史地理论丛,1994(4).

任晓勇.一篇有价值的地方史文献[J].合肥学院学报,2006(4).

鲁才全.唐代的驿家和馆家试释[J].魏晋南北朝隋唐史资料(第六辑),1984.

孙晓林.关于唐前期西州设"馆"的考察[J].魏晋南北朝隋唐史资料(第11辑),1991.

李霞.安徽地域文化中的儒佛道交融[J].江淮论坛,2012(3).

张宪华.安徽巢湖市唐代砖室墓[J].考古,1988(6).

张宏明.安徽巢湖市半汤乡发现唐墓[J].考古,1988(12).

石谷风.合肥西郊南唐墓清理简报[J].文物参考资料,1958(3).

葛介屏.安徽合肥发现南唐墓[J].考古通讯,1958(7).

张宪华.唐代安徽进士[J].学术界,1987(3).

张宪华。唐代安徽进士考补[J].学术界,1989(5).

南京师范大学文博系,安徽省巢湖市文管所.安徽巢湖市王乔洞佛教摩崖的调查与研究[J].东南文化,2008(6).

杨国宜.黄巢起义与安徽[J].古籍研究,2001(1).

林荣贵.五代十国辖区设置及其军事成防[J].中国边疆史地研究,1999(4).

石谷风,马人权.合肥西郊南唐墓清理简报[J].文物参考资料,1958(3).

葛介屏.安徽合肥发现南唐墓[J].考古通讯,1958(7).

吴兴汉.安徽出土历代买地券研究[J].文物研究,1988(3).

汪炜,赵生泉,史瑞英.安徽合肥出土买地券述略[J].文物春秋,2005(3).

蔡子鹤,陈杏留.《安徽合肥出土的买地券述略>录文校补[J].文物春秋,2008(2).

许有为.老庐州地名史话[J].合肥学院学报,2010(5).

周运中.杨吴、南唐政区地理考[J].唐史论丛(第十三辑),2011.

邓洪波.五代十国时期书院述略[J].湖南大学学报,2002(3).

杜文玉.五代茶叶生产与贸易[J].渭南师专学报,1989(1).

陈秀宏.科举制度与十国士阶层[J].求是学刊,2003(7).

邹劲风.杨行密述略[J].安徽史学,1996(1).

吴枫,任爽.五代分合与南唐的历史地位[J].东北师范大学学报,1994(5).

廖国强.论唐代后期长江中下游地区自然资源的开发[J].思想战线 1991(3).

施和金.唐宋时期经济重心南移的地理基础[J].南京师范大学学报,1991(3).

郑学檬,陈衍德.略论唐宋时期自然环境的变化对经济重心南移的影响[J].厦门大学学报,1991(4).

庄华峰.五代时期东南诸国的政策与经济开发[J].中国史研究,1998(4).

郑学檬.五代时期长江流域及江南地区的农业经济[J].历史研究,1985(4).

林立平.试论唐宋之际城市分布重心的南移[J].暨南学报,1989(2).

臧嵘.关于五代十国时期北方和南方经济发展估价的几点看法[J].史学月刊,1981(2).

靳润成.五代十国国号与地域的关系[J].历史教学,1990(5).

陈双印,张郁萍.庐州张崇事迹考[J].敦煌学刊,2009(3).

张金铣.庐州与杨吴政权[J].合肥学院学报,2007(1).

张金铣,赵建玲.唐末清口之战及其历史地位[J].安徽大学学报 2000(1).

来可泓.五代十国牙兵制度初探[J].学术月刊,1995(11).

杜文玉.五代制瓷业的发展及其艺术特色[J].宁夏教育学院学报,1987(1).

方孝玲.南唐安徽庐江诗人伍乔其人其诗[J].古籍整理研究学刊,2005(3).

汪炜,路文举.合肥西郊宋墓的清理[J].考古,2006(6).

文一止.姜白石的"合肥恋"[J].文史知识,2000(6).

刘彩玉.历史上的合肥城[J].江淮论坛,1963(2).

巴兆祥.江淮地区圩田的兴筑与维护[J].中国农史,1997(3).

柴静.两宋时期两淮地区农业经济初探[J].安徽史学,2000(1).

王道才.史志中的宋代合肥人物[J].中共合肥市委党校学报,2012(4).

合肥市文物管理处.合肥北宋马绍庭夫妻合葬墓[J].文物,1991(3).

安徽省博物馆.合肥东郊大兴集北宋包拯家族墓群发掘报告[J].文物资料丛刊(三),合肥:文物出版社,1980.

程如锋.合肥北宋任氏墓志[J].安徽史学,1984(5).

路成文.周邦彦出任庐州教授考[J].兰州大学学报,2010(2).

郑继猛.姚铉与《唐文粹》[J].安康学院学报,2008(3).

杨讷.元代农村村社制度研究[J].历史研究,1965(4).

金家年.忽必烈毁斗梁城疑辨[J].安徽教育学院学报,1992(3).

王颋.元代书院考略[J].中国史研究,1984(1).

王凤雷.元代书院考遗[J].内蒙古社会科学,1994(4).

陈高华.元代地方官学[J].元史论丛(第五辑),北京:中国社会科学出版社,1994.

邱树森.彭莹玉事迹考[J].文史(第十六辑),中华书局,1982.

邱树森.赵普胜和他领导的江淮起义军[J].中国农民战争史论丛(第四辑),郑州:河南人民出版社,1982.

邱树森.左君弼事迹考略[J].元史及北方民族史研究辑刊(第五辑),1981.

吴兴汉.介绍安徽合肥发现的元代金银器皿[J].文物,1957(2).

柯昌建.安徽合肥市发现一面元代铜镜[J].考古,1999(11).

王颋,刘文飞.唐兀人余阙的生平与作品[J].北方民族大学学报,2009(3).

陈瑞.元代安徽地区的书院[J].合肥师范学院学报,2009(1).

陈瑞.元代安徽地区的土地开发与利用[J].中国农史,2008(4).

魏红梅.余阙生平论考[J].潍坊学院学报,2006(1).

张积礼.略论余阙[J].兰州大学学报,1988(1).

殷晓燕.论党项羌人王翰及其诗歌创作[J].中央民族大学学报,2007(2).

后 记

  合肥自古为江淮名郡，湖山环汇，号称"淮右襟喉，江北唇齿"。秦汉以来随着国家统一，合肥地区开发速度加快。隋代以后由于大运河的开凿和贯通，以及全国经济重心逐步南移，合肥政治地位不断攀升，成为淮西地区政治中心和江淮地区经济中心，也是人才荟萃之地，一批政治精英和文化名人走上历史舞台，并在全国发挥其影响和作用。本卷主要叙述合肥自隋代到元代将近八百年的发展和变迁，探讨其发展规律和特征。

  根据《合肥通史》编撰计划，本卷编撰人员拟订全书提纲，并在专家组意见基础上进行修订。在编纂过程中，编撰人员重视资料搜集和整理，特别是从历代正史、杂史、文集、金石碑刻和合肥地方文献中搜集资料，注意考古发掘资料，进行综合评述。全书大体上可分为隋唐、唐末五代、两宋、元代等时期，内容包括各时期政治、经济、文化和社会诸领域，把合肥地区发展变迁置于全国发展的环境之中进行研究，重视探讨合肥地区重大历史事件，总结合肥各时期发展特点，力求客观准确地反映合肥中古近八百年发展情况。期间合肥地区人才辈出，结合重大历史事件和文化发展，对相关合肥人物进行评述，与《合肥通史·人物卷》互相补充，展示合肥成就和地位。

  本卷主要由安徽大学张金铣、巢湖学院杨松水、安徽大学简梅青三位同志合作编撰的，张金铣教授为主编。"绪论"部分为张金铣教授撰写。正文分为十三章，其中第一章、第二章、第三章、第四章，由简梅青博士（讲师）撰写；第五章、第六章、第十一章、第十二章、第十三章，由张金铣教授撰写；第七章、第八章、第九章、第十章，由杨松水教授撰写。大事年表和参考文献,是由三位同志共同完成。

  本卷编撰人员坚持辩证唯物主义和历史唯物主义,实事求是,在充分搜集资料基础上,借鉴和吸收学术界研究成果。全书在编纂过程中得到安徽省社科院、合肥市委和市政府、合肥市社科院的重视和支持,《合肥通史》专家组也提出很多宝贵的意见和建议,在此表示感谢! 不妥之处,欢迎广大读者批评指正。

张金铣